四十八音図表

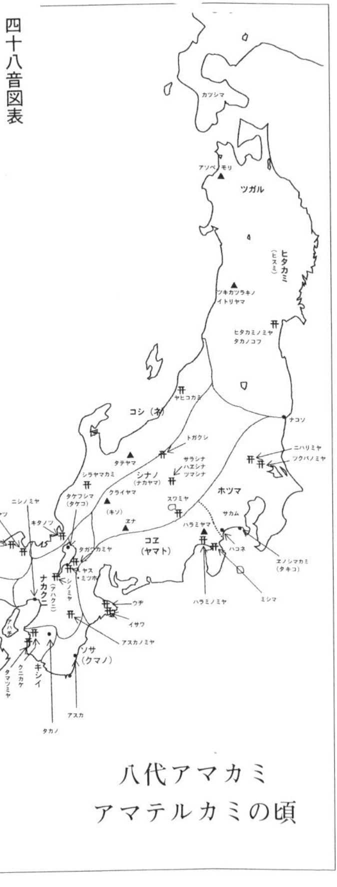

五元素（子音＼母音）	ウツホ	カゼ	ホ	ミヅ	ハニ
	ア	イ	ウ	エ	オ
	カ	キ	ク	ケ	コ
	ハ	ヒ	フ	ヘ	ホ
	ナ	ニ	ヌ	ネ	ノ
	マ	ミ	ム	メ	モ
	タ	チ	ツ	テ	ト
	ラ	リ	ル	レ	ロ
	サ	シ	ス	セ	ソ
	ヤ	ヰ	ユ	ヱ	ヨ
	ワ		ン		ヲ

八代アマカミ
アマテルカミの頃

校訂 池田満・辻公則

記紀原書 ヲシテ 増補版 上巻

『ホツマツタヱ』『ミカサフミ』『カクのミハタ（『フトマニ』など）』のすべて

Ki,Ki-gensyo Wo shi te

展望社

はじめに

ヲシテ文献の価値をひとこと（一言）で表現することは難しい。しかし、敢えて現代風にいうならば、日本にとってのバイブル（聖書）に位置していよう。将来に日本人を支えてゆくことのできる唯一の精神的な支柱である、とも表現するべきだろう。

一時代前の文献、『古事記』は、明治以降の日本にとって精神的な支柱になった。産業革命以降の動乱の時代を乗り切るための支えになった『古事記』のはたし得た役割は大きかった。

今、現代に至って日本、そして世界の状況は大きく様変わりをきたしている。世界情勢の混迷さについて、私が今ここで言及すると、読者に煩雑さを強いてしまうが一方では、日本人の海外生活者が100万人を越そうともしている。日本とは何なのか、日本人とは何なのか。日本がどうあってゆく事が、日本にとって良いことなのか。また、世界にとって最も良いことは何なのか。これらの問いに対して、最良の解答を考えてゆく基礎となるのが、日本にとってのバイブル、ヲシテ文献である。

考古学の研究が進んできたことから、縄文時代の日本の高度さが徐々に解明されてきている。青森県の三内丸山遺跡の発見は大きな出来事だった。4000年前の縄文時代に500人もの大きな集落があったのだ。日本とは何なのか？　漢字が移入されてから文化が発生したと従来から考えられてきたが、この定説は間違いだったのではないか。

具体的な発掘例から想定される状況証拠は多い。そして、更に今般、文献の比較対比を実施して決定的な確証を得ることができた。『ホツマツタヱ』は『古事記』『日本書紀』の原書である。この事実の認識について、もはや、いささかの揺るぎも私にはない。

（後註P7参照）

漢字を凌駕して

本当の日本の真実に目覚めてゆくためには、漢字移入の是非について考え直さなくては成りゆかない。つまり、漢字が移入される以前の精神世界については、漢字以前に用いられていた文字によって考慮を進めてゆかなくては、漢臭（漢字の象形的意味にとらわれてしまうこと）に蔽われてしまって、真実の日本の古代が見えてこない。

例えていうと、五要素のウツホ・カセ・ホとミツ・ハニが国語音韻のアイウエオに対応しているのであったことが日本の古代の真実であったのだ。これが、漢字を使うと意味に重大な変化が起きてしまうのだ。ウツホ・カセ・ホとミツ・ハニを空・風・火・水・埴と翻訳してしまうと、漢臭に支配されてしまう。ハニは、古いヤマトコトバ（漢字の音訓の訓（くん）読みの方）では、土から水分を除去して乾かした固形物（固体）を意味しているのに対して、漢字の「埴」は水を含んだ土を意味している。水と油ほどの意味あいの違いがここにある。ハニを「埴」と漢字翻訳してしまうと、国語音韻のアイウエオに対応していますよ、とは言えなくなるのだ。

ヲシテの哲学の奥深さ、とてつもなき深さ尊いこと

ヲシテ（ホツマ文字）には特殊文字が多種存在している。ワ行のヲは、通常の文字形は[ヲ]であるが、この他、[ヲ]や[ヲ]や[ヲ]がある。[ヲ]は教えるや、勅使（ちょくし）、ヲシテ（文字）のヲに用いられていて、教え導き恵み育む意味あいが込められている。[ヲ]は、タマの緒のヲや、つながりのヲなど目に見えない絆を意味している。[ヲ]は、メヲのヲで、漢字で表現すると女男（メヲ）のヲともなる。[ヲ]は軽く透き通っている意味あいがあって、男女の男性の方を表わしてもいる。

これら多くある特殊文字を、カタカナにしてしまうと、それだけで意味あいの切り捨てがおこなわれてしまう。どうしても、ヲシテは原字で読んでもらう必要がある。

○

漢字仮名混じりの直訳文への変換を全面的に否定する私の根拠は、ここにある。

多くの大切な意味あいを切り捨てていったあとには、漢臭に染まった、見苦しいなれのはての姿があるだけだ。これは一千数百年前から踏んできた、悪い轍(テツ(わだち))ではないか！

最先端は朗唱

ヲシテを朗読しよう！　声を出して、朗々と読み唱(とな)えていってもらいたい。

二千年か三千年以上もの前の、アマテルカミのみことのりも随所に残されているヲシテ文献なのだから、音韻と声のひびきによってだけで、その場が清められる。遥か遠いいにしえの言葉も多く、新しい解釈が日々に発見され続けてきているのが現時点での話なのだ。

読唱は、その最先端の日本発見の戦列に加わるものである。コチャコチャした漢字当て嵌(は)め作業なんて、本当に価値が低いものなのだ。一文字の漢字を当て嵌めるごとにヤマトココロから一歩ずつ遠ざかって、中国臭が臭ってくる。こう言った意味あいにおいて、ヲシテ（ホツマ文字）だけのルビを振らない朗唱本は至って尊い。そして、今、それが実現できることになった。このルビなし本は、故松本善之助先生から託された強固な御遺命であったこともある。謹んで、出版に掲げる言葉とさせて戴きたいと思う。

平成十六年四月六日

池田　満

ヲシテ国学の基礎の理解。欠くことの出来ざる書籍

◎『定本ホツマツタヱ—日本書紀・古事記との対比—』
展望社　平成十四年　松本善之助監修　池田満編著

◎『ホツマ辞典 改訂版—漢字以前の世界へ—』
展望社　令和二年　池田満編著

○『ホツマ縄文日本のたから』
展望社　平成十七年　池田満著

○『ホツマツタヱを読み解く—日本の古代文字が語る縄文時代—』
展望社　平成十三年　池田満著

○『ホツマツタヱ発見物語』
展望社　平成十七年　松本善之助著　池田満編

○『新訂ミカサフミ・フトマニ』
展望社　平成二十四年　松本善之助監修　池田満編著

○『よみがえる縄文時代イサナギ・イサナミのこころ』
展望社　平成二十五年　池田満著

―深い詳細な研究・啓蒙的な書籍―

○『よみがえる日本語』（総論編）・『よみがえる日本語Ⅱ』（助詞編）
明治書院　平成二十一・二十七年　池田満監修、青木純雄・平岡憲人・斯波克之著

『The world of the Hotsuma Legends』
日本翻訳センター　平成八年　池田満著　アンドリュー・ドライバー訳

○『縄文人のこころを旅する―ホツマツタヱが書き直す日本古代史―』
展望社　平成十五年　池田満著

○『ホツマで読むヤマトタケ物語』
展望社　平成十七年　池田満著

書題の上の◎印は必携の二書。　書題の上の○印は入門～中段クラスに必需。

記紀原書ヲシテ

―『ホツマツタヱ』『ミカサフミ』『カクミハタ』のすべて―

目次

上巻

下巻

『ホツマツタヱ』

凡例

編集の方針

漢字が国字化される以前、つまり、ヲシテ時代においての状況に、より近づいてゆくことを本書の出版の目的とした。三千年以上も秘められてきていた真実は、こちらから求め、寄り添ってゆくことから、輝きを顕(あらわ)してくる。ダイヤモンドの原石が、あまり光っていないことに似ていて、カッティングの作業が、ヲシテ文献での寄り添いである。寄り添いとは、ヲシテの原字に親しむことにある。

こういった意味あいにおいて、ヲシテ（ホツマ文字）にはルビを振らないこととした。

底本について

底本は、最も古く伝来上の親本の完写本や善本を用いた。

『ホツマツタヱ』は、和仁估安聡(わにこやすとし)写本（安永四年・1775の自序）を底本とした。

写本での校異の採択には、小笠原長弘(ながひろ)写本（明治三十三年・1902の自序）、さらに国立公文書館（内閣文庫）に所蔵の写本も含めて、小笠原長武(ながたけ)写本の二写本も校合に加えた。『ミカサフミ』は唯一の写本である和仁估安聡写本（安永八年・1779 の自序）の八アヤ分を掲載した。

『カクミハタ』は、現在に既発見のすべての三アヤを掲載した。平成二十四年(2012)に新発見の『アワウタのアヤ』と、溥泉伝来の『トシウチニナスコトのアヤ』さらに、『フトマニ』の三アヤである。複数写本のある『フトマニ』は小笠原長武写本を底本として、野々村立蔵写本の校異を掲げた。写本の古さよりも、写本者の習熟度を重んじて小笠原長武本を底本とした。

残簡文については、『ミカサフミ』と『カクミハタ』との所収文献の区別が困難なため、一括の掲載とした。

ヲシテの標準文字の識別

最古の完写本で親本にあたる和仁估安聡のヲシテの文字理解を主にして編集した。親本からの派生写本の小笠原系統の写本には「ル」と「ル」、「リ」と「リ」の混乱が見られる。すなわち、標準字体の「ル」を「ル」に誤認識して、同じく標準文字の「リ」を「リ」

に誤った認識をして、また同一の写本内でも「ル」と「ル」、「リ」と「リ」の混乱があった。小笠原通当・小笠原長弘・小笠原長武の各写本者に共通した混乱である。このため標準文字における「ル」と「ル」、「リ」と「リ」の差異は校異としてはとらなかった。

ヲシテの字体と濁音表記法

最古の完写本で、親本を写本した和仁估安聡（わにこやすとし）写本の理想的な書体を演繹的に形状を類推して写植文字やデジタルのフォントにまとめた。『カクミハタ』の『アワウタのアヤ』は、デジタル・フォント。それ以外は写植字母を用いて編集した。

濁音表記法には、新旧の区別がある。現代風に外二点の濁音表記の文字、例えばガの音韻の⦶゛や⦶゛などは、伝承時代に付加されてきたと推定される。一方、⦶や⦶の内側の濁音表記はヲシテ時代から既に存在していた可能性が強い。本来からすれば、外二点の⦶゛や⦶゛などはすべて外二点の濁点を外すことがヲシテ時代に遡ることになるだろう。今回の編集では、読者に読唱の便をはかることから、後世に付加された外側二点濁音表記は残しておくことにした。読唱時には、多少なりとも後世付加濁音も役に立ちそうなためである。ただし、語源の考慮を進めてゆく際など、極めて注意深く外側二点濁音は取り扱ってもらうよう要請したい。つまり、古来からある[ヲシテ文字]や[ヲシテ文字]などの以外の[ヲシテ文字]や、[ヲシテ文字]というような外二点の濁音表記は伝承時代のものであり、本来のヲシテ時代にはなかったと肝に命じて戴きたいと願う。つまり、そもそもにおいては、清音表記の濁音補読が基本のものであったのであろう。そして、濁音の発音区別は、時代とともに変化したであろうことも考慮のうちに入れておくべきである。

例、「風」の意味のヤマトコトバの「カゼ」の表記と実際の訓(よ)み

	現代	飛鳥時代	ヲシテ時代
表記	かぜ	可是（『万葉集』）	[ヲシテ文字]
実訓	カゼ	カゼ	カゼ（カセ？）

（[ヲシテ文字]の外二点の濁音の表記は、漢字国字化以降に発生したと推定される）

ホツマツタヱのアヤの表記の始めの「ミハタ」の文面

最古の完写本の親本の和仁估安聡本には、1アヤめに「[ヲシテ文字]（ホツマツタヱ　ミハタノ）

ハツ」とアヤのナンバリングが1アヤ目だけにヲシテ文字で付されていた。その写本の伝流末の子本や孫本にあたる小笠原長弘本や小笠原長武本にも、踏襲されてアヤ数のナンバリング表示が付されていた。特にご丁寧に小笠原長弘さんは、40アヤのすべてに「ミハタ」としてのナンバリングの表示をしていた。

ここで問題なのが、「ミハタ」の表現である。ホ**17**-33、ホ**17**-84、ホ**24**-10、ホ**27**-20、ホ**27**-90、ホ**32**-17、ホ**38**-2、ミ**0**-2、ミ**0**-11の用例に見られるように、『カクのミハタ』を尊称しての特別の表現が、「ミハタ」の言葉であったことがわかる。江戸時代中期から明治・大正時代の写本者たちには語彙の索引も手元になかったために、詳細な事情は不明だったのだ。それで、僭称（せんしょう）の表現を付してしまったのだと推定される。ここ、現代のヲシテ研究の精査の進んだ今時点（令和2年）においては、『ホツマツタヱ』に、「ミハタ」の称号を記すのは不適切であると明確に理解が及んだ。臣下の文献に「ミハタ」の表現は、僭称と言わざるを得ない。この理由から、底本にした和仁估安聡本の1アヤ目の冒頭に付されていた「ホツマツタヱミハタノハツ」の文面はテキストから外した。出来うる限りに、ヲシテ文献の最終編集時の第12代スヘラギのヲシロワケ（景行天皇）さんの56年（アスス843年）に上梓された姿に戻したいと願うからである。（アススの暦の年数は、『ホツマ辞典 改訂

版』（池田満、展望社）参照）

ヲシテの特殊文字形の識別

特殊ヲシテ文字の形状にも「写本揺れ」が多く見られる。

数詞のハネ付きの表示にも、例えばヒフミの「ヒ」や「フ」のヲシテにハネが2か所付けてあったりする表記もある。「ナ」のハネでは、多くは十文字の右側にハネが付けてあるが、十文字の下端にハネを打っている場合もある。これらの多くの無駄な差異は、大多数のハネの表示のヲシテ形状に集約して統一した。

「ハタレ」の「ハ」の特殊文字については、横棒ありで丸からはみ出ていない形状の「〓」の特殊ヲシテ文字も少なくはない。ところが、ミハの衣の意味の「〓」のヲシテ形状と中間的なものもあり、明瞭な区別をつけているとも言い難い。

縦棒を丁寧に布に染める場合、上端が染料で滲んで広がりやすい。二本の棒が並ぶとき、隣とくっついてしまいやすい。ヲシテ文献の成立時は、布に染めての巻子本であったはずだ。それが、紙に初めて書き写された際、文字形にも変化が起きたと推察される。

ハタレの「ハ」を、標準文字の「⑪」ではなくて特殊ヲシテ文字で書き分けている用例は約半数程度である事もあり、「[illegible]」と「[illegible]」との区別認識も厳然ともしてもいないため、ハタレの「ハ」は、「[illegible]」に統一した。

行数番号

『カクのミハタ』の『アワウタのアヤ』の新発見による増補の改訂のため、行数番号を全面的にナンバリングを改めた。また、今後に予想される、新発見のアヤに対応できるように、余裕を持たせてのナンバリングとした。

		行数開始
ホツマツタヱ		20001
ミカサフミ	ノフ	30001
	キツヨヂ	31001
	サカノリ	33001
	ヒメミヲ	35001
	コヱソフ	37001
	ハルミヤ	39001
	タカマ	41001
	ナメコト	43001
	ハニマツリ	45001
カクミハタ	アワウタ	53001
	トシウチ	55001
	フトマニ	57001
残簡文	朝日神紀	70001
	春日山紀	71001

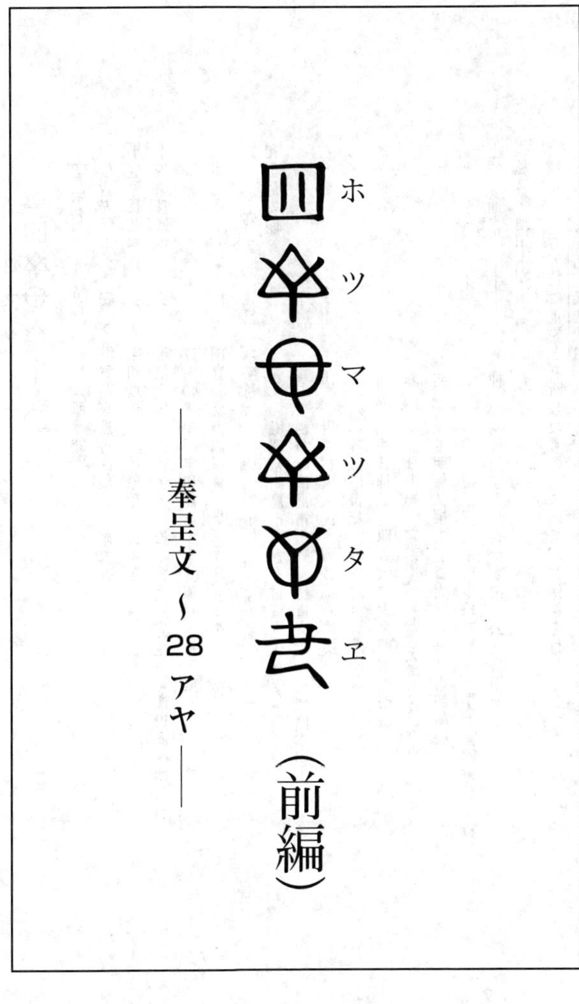
ホツマツタヱ
（前編）
——奉呈文〜28アヤ——

『ホツマツタヱ』

〔完本名〕	〔略称〕	〔所蔵〕
和仁估安聡本	安	滋賀県高島市藤樹記念館保管
小笠原長弘本	弘	宇和島市・小笠原和代氏所蔵
小笠原長武本	武	奉呈文・1〜16アヤ、松本善之助先生から池田満へ贈られる 17〜40アヤ、宇和島市・小笠原長明氏所蔵
内閣文庫本	内	国立公文書館所蔵（小笠原長武写本）

〔写本者等〕	〔印線〕	〔略称〕	〔漢訳書名・所蔵〕
和仁估安聡	┆┆┆┆	生	滋賀県高島市・野々村直大氏所蔵『生洲問答』
〃	――――	表	滋賀県高島市・野々村直大氏所蔵残簡本の表
〃	〰〰〰 34・35アヤ限定なので省略	裏	野々村直大氏所蔵残簡本の裏
〃	‐‐‐‐	ミ	『神戴山書紀』野々村直大氏所蔵
溥泉	――――	朝	『朝日神紀』龍谷大学大宮図書館所蔵
〃	――――	春	『春日山紀』（草稿本）龍谷大学大宮図書館所蔵
〃	――――	明	『神明帰仏編』龍谷大学大宮図書館所蔵
〃	――――	ト	『神嶺山伝記歳中行事紋』龍谷大学大宮図書館所蔵
小笠原通当	―・―・―	神	『神代巻秀真政伝』国立公文書館所蔵
（私考・池田 満）		考	

校異のうち、特に重要と判断したものについて、右傍線を付しておいた。

（例）〔ヲシテ文字〕安朝、〔ヲシテ文字〕弘武内

20001 生-26 奉-1

20002

20003

20004

20005 奉-2

20006

20007

20008 朝4-41

「-----」『生洲問答』同文箇所

安弘武内、生

安弘武、生、内

安生、弘武内

安、生弘武内

安生武内、弘

安弘武内、生

安弘武内、生

安弘武内、生

「――」『朝日神紀』同文箇所

安生、弘武内、朝

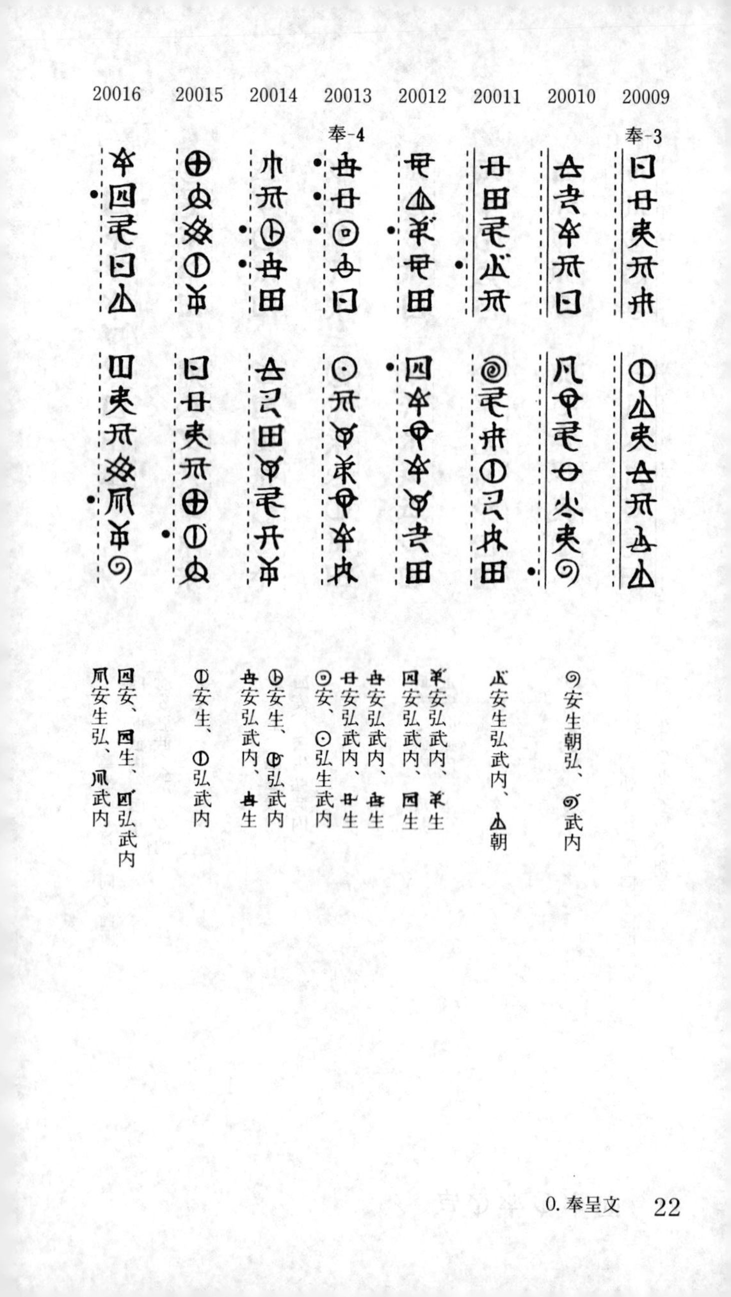

20009 奉-3

20010

20011

20012

20013 奉-4

20014

20015

20016

〓安生朝弘、〓武内

〓安生弘武内、〓朝

〓安弘武内、〓生

〓安弘武内、〓生

〓安弘武内、〓生

〓安弘武内、〓生

〓安、〓弘生武内

〓安生、〓弘武内

〓安弘武内、〓生

〓安生、〓弘武内

〓安、〓生、〓弘武内

〓安生弘、〓武内

安生、弘武内　「----」『生洲問答』同文箇所
安弘武内、生
安弘武内、生
安、生弘武内
安弘武内、生
安、生弘武内
安弘武内、生
安弘武内、生
安、生、弘武内
安弘武内、生
安弘武内、生
安弘武内、生
安、生弘武内

↑（8行目）

安生武、弘内
安生武内、弘
安生武、弘内
安弘武内、生
安弘内、生武
安弘武内、生

20025 奉-7

20026

20027

20028

20029 奉-8

20030

20031

20032

安弘武内、生

安生、弘武内

安弘武内、生

安弘武内、生

安生武内、弘

安弘武内、生

、安弘武内、生

安生弘、武内

安弘内、生武

20033 奉-9

20034

20035

20036

20037 奉-10

20038

20039

20040

「┆┆┆」『生洲問答』同文箇所

⊙安弘武内、[glyph]生

[glyph]安弘武内、[glyph]生
[glyph]安弘武内、[glyph]生
[glyph]安生、[glyph]弘武内

[glyph]安弘武内、[glyph]生

[glyph]安弘武内、[glyph]生
⊙安弘武内、[glyph]生

〓安弘武内、〓生

〓安弘武内、〓生

〓安、〓生、〓弘武内

〓安弘武内、〓生

〓安弘武内、〓生

〓安弘武内、〓生

〓安弘武内、〓生

「……」『生洲問答』同文箇所

〓安弘武、〓生内

〓安弘武内、〓生

〓安弘武内、〓生

↑（7行目）

〓安弘武内、〓生

〓安生、〓弘武内

〓安生、〓弘武内

〓安生、〓弘武内

〓安弘武内、〓生

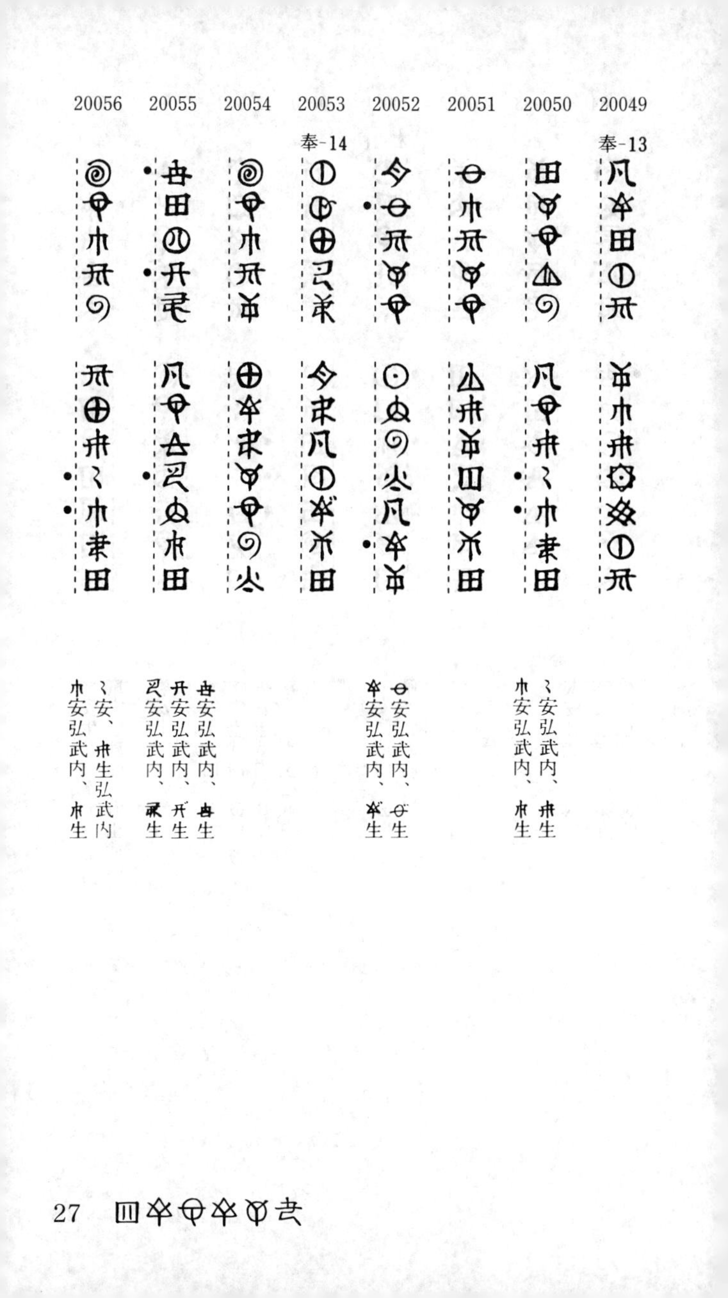

20049 奉-13

20050

安弘武内、生

安弘武内、生

20051

20052

安弘武内、生

安弘武内、生

20053 奉-14

20054

20055

安弘武内、生

安弘武内、生

安弘武内、生

20056

安、生弘武内

安弘武内、生

20064 20063 20062 20061 20060 20059 20058 20057

奉-16 奉-15

20057: [illegible]安生弘、[illegible]武内
[illegible]安、[illegible]弘、[illegible]生武内

20058: [illegible]安生、[illegible]弘武内

20059: [illegible]安生武内、[illegible]弘
[illegible]安生武内、[illegible]弘
[illegible]安生武内、[illegible]弘
[illegible]安、[illegible]生弘武内

20061: [illegible]安弘武内、[illegible]生
[illegible]安弘武内、[illegible]生

20064: [illegible]安弘武内、[illegible]生
[illegible]安弘武内、[illegible]生
[illegible]安弘武内、[illegible]生

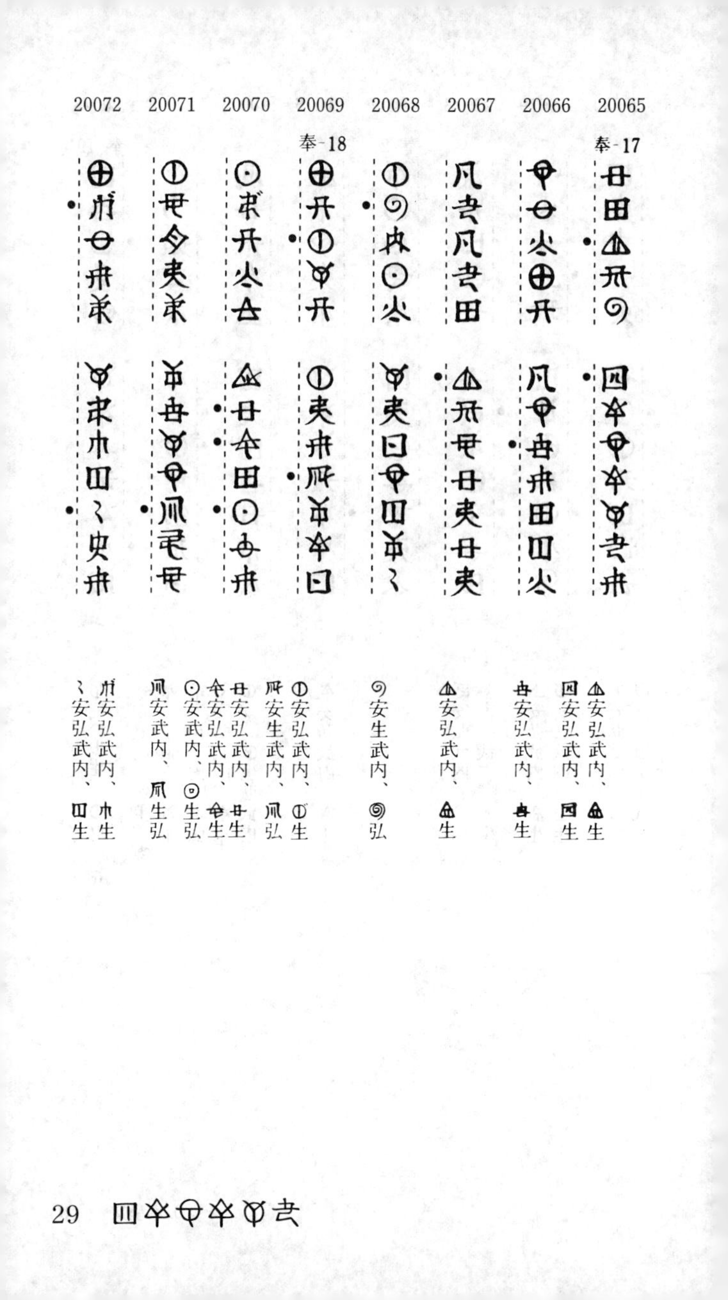

20065 奉-17

20066

20067

20068

20069 奉-18

20070

20071

20072

安弘武内、生

安弘武内、生

安弘武内、生

安弘武内、生

安生武内、弘

安弘武内、生

安生武内、弘

安弘武内、生

安弘武内、生

安武内、生弘

安武内、生弘

安弘武内、生

安弘武内、生

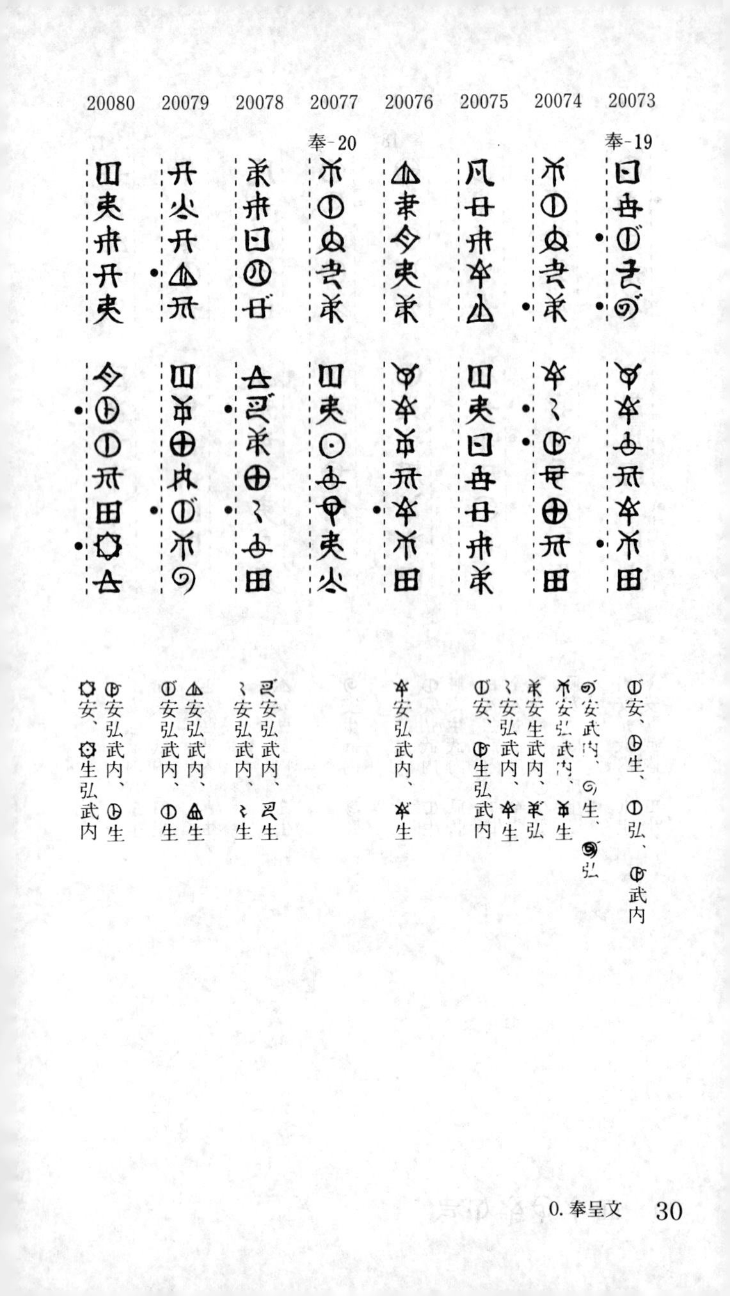

20073 奉-19

安、生、弘、武内

20074

安武内、生、弘

安弘武内、生

安生武内、弘

20075

安弘武内、生

安、生弘武内

20076

安弘武内、生

20077 奉-20

20078

安弘武内、生

安弘武内、生

20079

安弘武内、生

安弘武内、生

20080

安弘武内、生

安、生弘武内

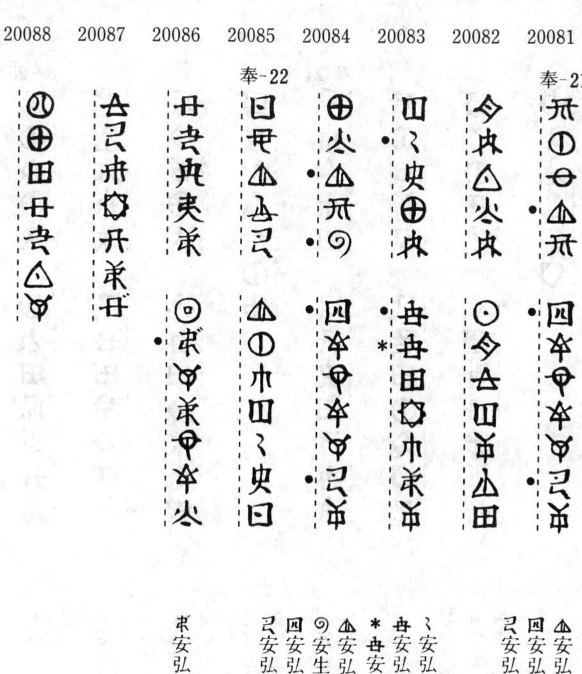

安弘武、生、内
安弘武内、生
安弘武内、生

安弘武内、生
安弘武内、生
*安弘武内、生
安弘武内、生
安生武内、弘
安弘武内、生
安弘武内、生

安弘武内、生

20089 奉-23

20090

20091

20092

20093 奉-24

20094

20095

20096

安生武内、弘

安弘武内、生

*安弘武内、生

安弘武内、生

安弘武内、生、

安生、弘武内

安弘武内、生

安生武、弘内

安弘内、生武

安弘武内、生

安弘武内、生

安弘武内、生

20097 1-1

20098

20099

20100

20101 1-2

20102 ミ-56

20103

20104

安武内、弘

「ミハタノハツ」とナンバリングの「ミハタ」の表現は、小笠原長弘写本だけは全アヤにあるが、完写本のその他の三写本には1アヤだけにしかない。

そもそも、「ミハタ」という表現は『カクミハタ』について言う尊称である。

臣下の書物にはふさわしくない、僭称ともいえる。

このため、テキストからは除外した。

安弘、 武内

安、 弘武内

「┆」ミカサ 同文箇所

安弘武内、 ミ

安弘武内、 ミ

安弘武内、 ミ

安ミ武、 弘内

*ミカサ の異文

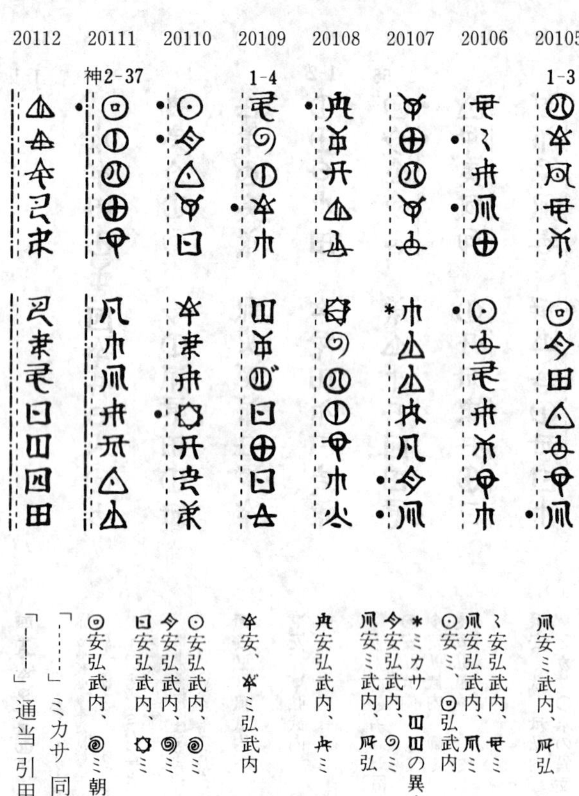

安ミ武内、弘

安弘武内、ミ
安弘武内、ミ
安ミ、弘武内

＊ミカサ の異文
安弘武内、ミ
安ミ武内、弘

安弘武内、ミ

安、ミ弘武内

安弘武内、ミ
安弘武内、ミ
安弘武内、ミ

安弘武内、ミ朝神

「┆」ミカサ 同文箇所
「┃」通当引用文 箇所

20113 1-5
〓〓〓〓〓
〓〓〓〓〓〓〓〓

20114
〓〓〓〓〓
〓〓〓〓〓〓〓

20115
・〓・〓〓〓〓
〓・〓・〓〓〓〓〓

20116
〓〓〓〓〓
〓〓・〓〓〓〓〓

20117 1-6
〓〓〓〓〓
・〓〓〓・〓〓〓〓

20118
〓〓〓〓〓
・〓・〓・〓〓〓〓〓

20119
・〓・〓・〓〓〓
〓〓〓〓〓〓〓

20120
〓〓〓〓・〓
〓〓・〓〓〓〓・〓

〓安弘、〓ミ、〓武内
〓安弘武内、〓ミ
〓安弘武内、〓ミ
〓安弘武内、〓ミ
〓安弘武内、〓ミ
〓安ミ武内、〓弘
〓安弘、〓ミ武内
〓安ミ武内、〓弘
〓安弘武内、〓ミ
〓安弘内、〓ミ武
〓安弘内、〓ミ武
〓安弘武内、〓ミ
〓安弘武内、〓ミ
〓安弘武内、〓ミ
〓安弘武内、〓ミ
〓安ミ、〓弘武内

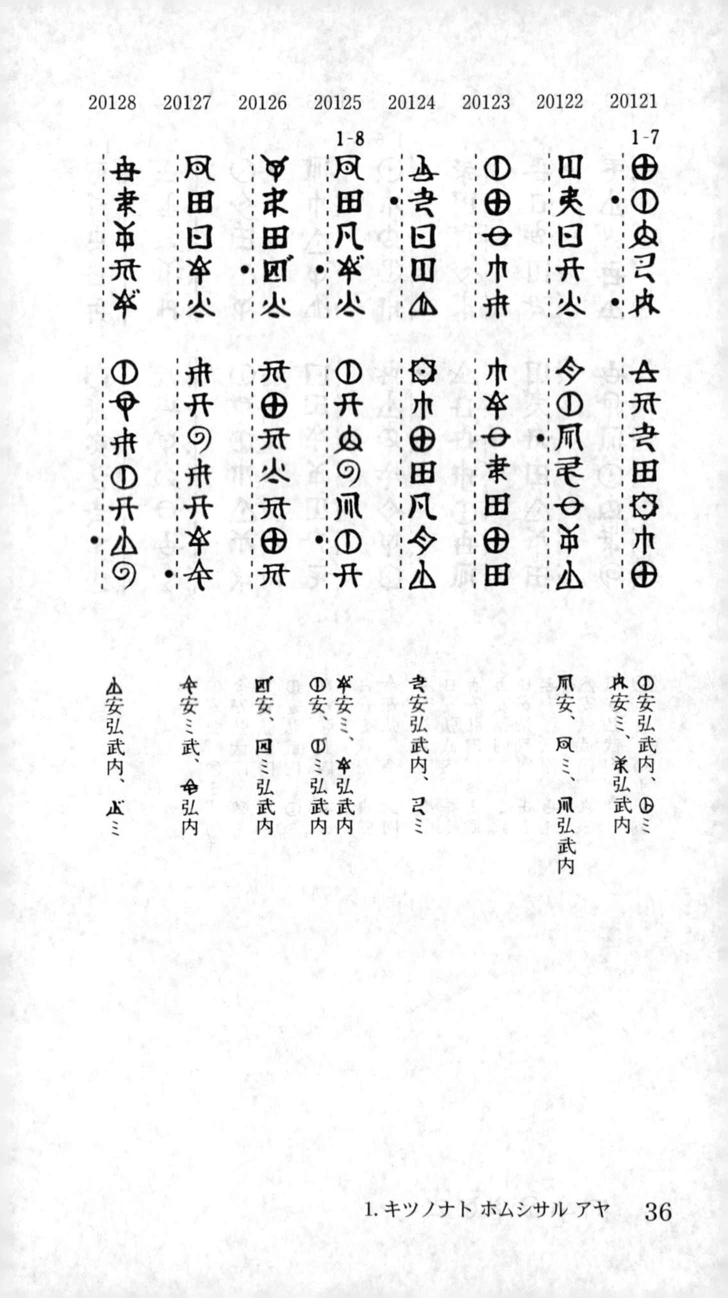

20121 20122 20123 20124 20125 20126 20127 20128

1-7

1-8

[illegible]安弘武内、[illegible]ミ
[illegible]安ミ、[illegible]弘武内

[illegible]安、[illegible]ミ、[illegible]弘武内

[illegible]安弘武内、[illegible]ミ

[illegible]安ミ、[illegible]弘武内
[illegible]安、[illegible]ミ弘武内

[illegible]安、[illegible]ミ弘武内

[illegible]安ミ武、[illegible]弘内

[illegible]安弘武内、[illegible]ミ

「‥‥」ミカサ 同文箇所

20129 1-9

20130

20131

20132

20133 1-10

20134

20135

20136

安弘武内、ミ

安弘武内、ミ

安、ミ弘武内

安ミ武内、弘

安ミ武内、弘

安ミ弘、武内

安弘武内、ミ

安、ミ弘武内

安ミ、弘武内

安ミ弘、武内

安ミ、弘武内

安弘武内、ミ

安弘武内、ミ

安弘武、ミ、内

安ミ武内、弘

安、ミ弘武内

安弘武内、ミ

安ミ弘、武内

＊ミカサ の異文

1-11

20137

20138

20139

20140

1-12

20141

20142

20143

20144

[illegible]安弘武内、[illegible]ミ

[illegible]安、[illegible]ミ弘武内

[illegible]安、[illegible]ミ、[illegible]弘武内

[illegible]安ミ、[illegible]弘武内

[illegible]安弘武内、[illegible]ミ

[illegible]安、[illegible]ミ弘武内

＊ミ[illegible]の異文

[illegible]安ミ弘、[illegible]武内

[illegible]安ミ、[illegible]弘武内

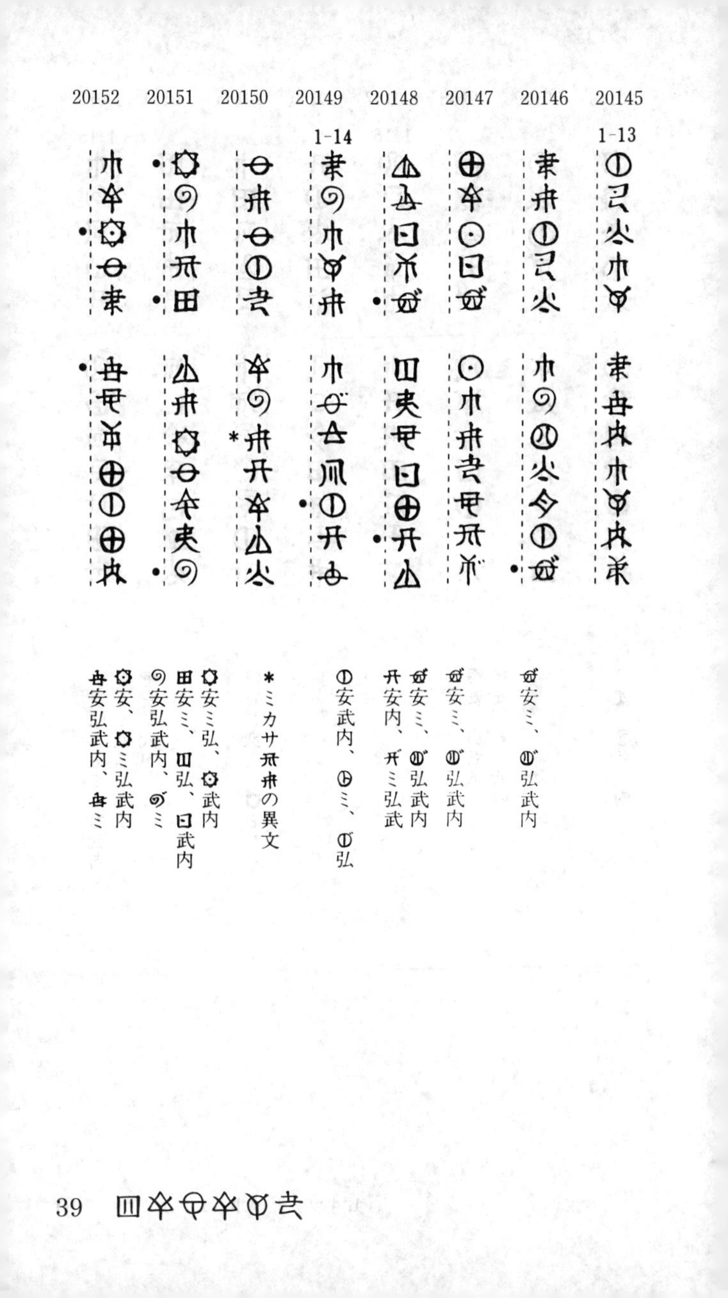

20145 1-13

20146

20147

20148

20149 1-14

20150

20151

20152

[illegible]安ミ、[illegible]弘武内

[illegible]安ミ、[illegible]弘武内

[illegible]安ミ、[illegible]弘武内

[illegible]安内、[illegible]ミ弘武

[illegible]安武内、[illegible]ミ、[illegible]弘

*ミカサ[illegible]の異文

[illegible]安ミ弘、[illegible]武内

[illegible]安ミ、[illegible]弘、[illegible]武内

[illegible]安弘武内、[illegible]ミ

[illegible]安、[illegible]ミ弘武内

[illegible]安弘武内、[illegible]ミ

20160 20159 20158 20157 20156 20155 20154 20153

1-16 1-15

安弘、ミ、武内

安ミ武内、弘

安弘武内、ミ

安弘武内、ミ

安、弘武内

安、弘武内

安、弘武内

20161
1-17

安、弘武内

20162

安武内、弘

20163

20164

安武、弘内

20165
1-18

安、弘武内

20166

安弘、武内

20167

安、弘武内

安、弘武内

20168

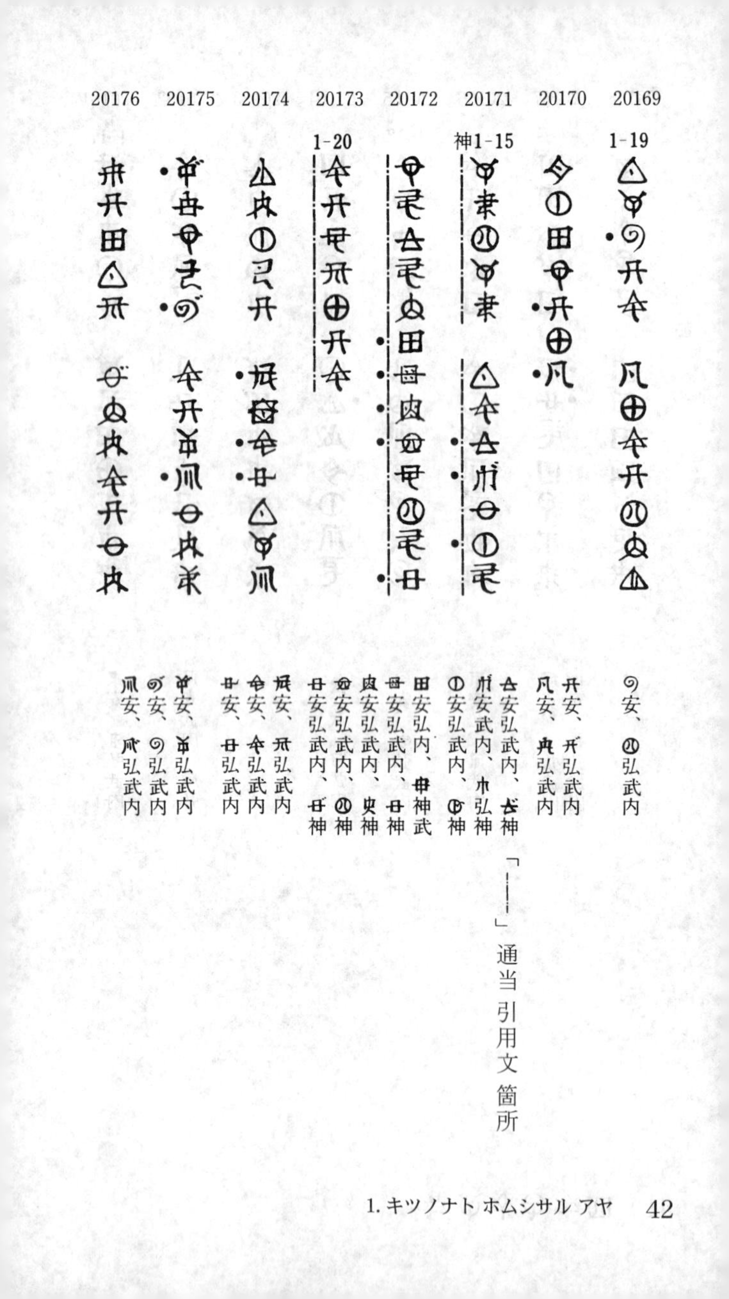

20169 1-19

20170

20171 神1-15

20172

20173 1-20

20174

20175

20176

〓安、〓弘武内
〓安、〓弘武内
〓安、〓弘武内
〓安弘武内、〓神
〓安武内、〓弘神
〓安弘武内、〓神
〓安弘内、〓神武
〓安弘武内、〓神
〓安弘武内、〓神
〓安弘武内、〓神
〓安弘武内、〓神
〓安、〓弘武内
〓安、〓弘武内
〓安、〓弘武内
〓安、〓弘武内
〓安、〓弘武内
〓安、〓弘武内

「┆」通当引用文箇所

20177

1-21

20178

20179

安、弘武内

20180

20181

1-22

安、弘武内

20182

安、弘武内

20183

20184

安武内、弘

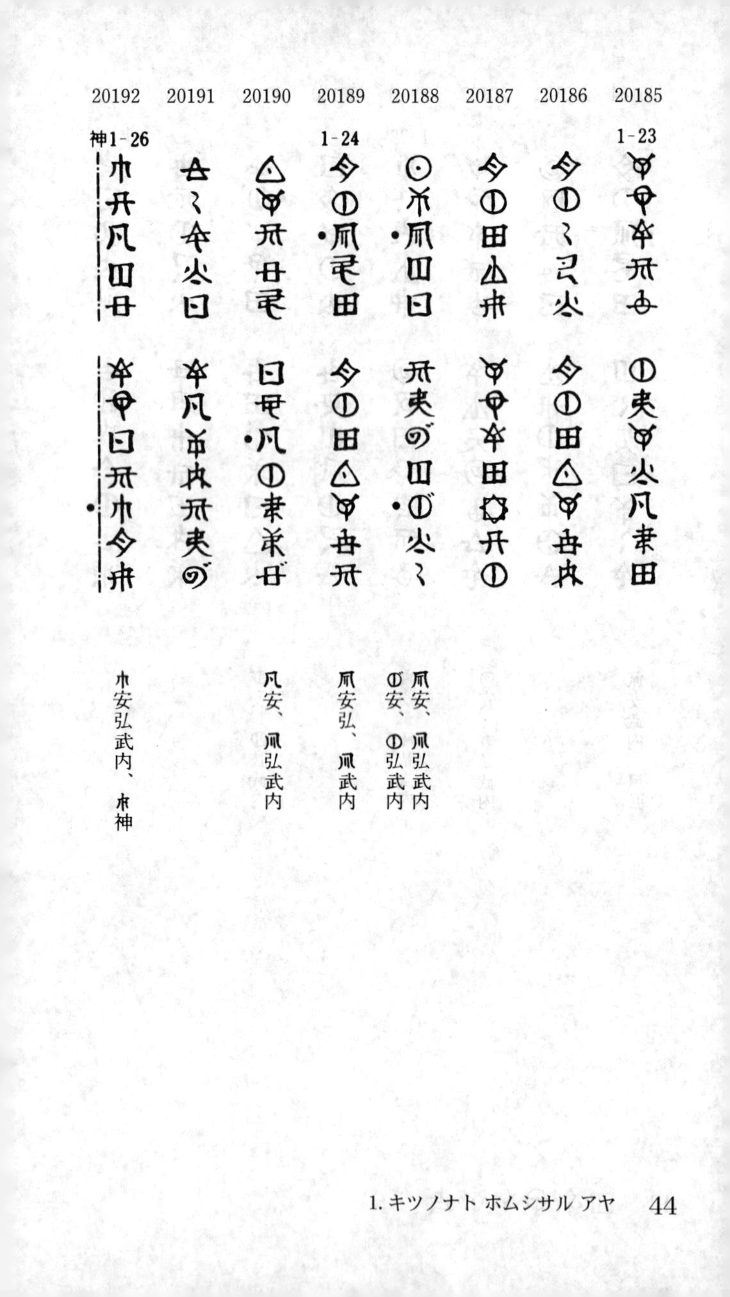

20185 1-23 [illegible]

20186 [illegible]

20187 [illegible]

20188 [illegible]

20189 1-24 [illegible]

20190 [illegible]

20191 [illegible]

20192 神1-26 [illegible]

[illegible]安、[illegible]弘武内

[illegible]安、[illegible]弘武内

[illegible]安弘、[illegible]武内

[illegible]安、[illegible]弘武内

[illegible]安弘武内、[illegible]神

1-25

20193 〓 〓

20194 〓

20195 〓 〓

20196 〓 〓

1-26

20197 〓 〓

20198 〓 〓

20199 〓 〓

20200 〓 〓

「—」通当引用文箇所

〓安弘武内、〓神

〓安神、〓弘武内

〓安、〓弘武内神

〓安、〓弘武内

〓安、〓弘武内

20201 1-27

20202

安、 弘武内

20203

安、 弘武内

20204

20205 1-28

20206 神1-27

「┆」 通当 引用文 箇所

安弘武内、 神

20207

20208

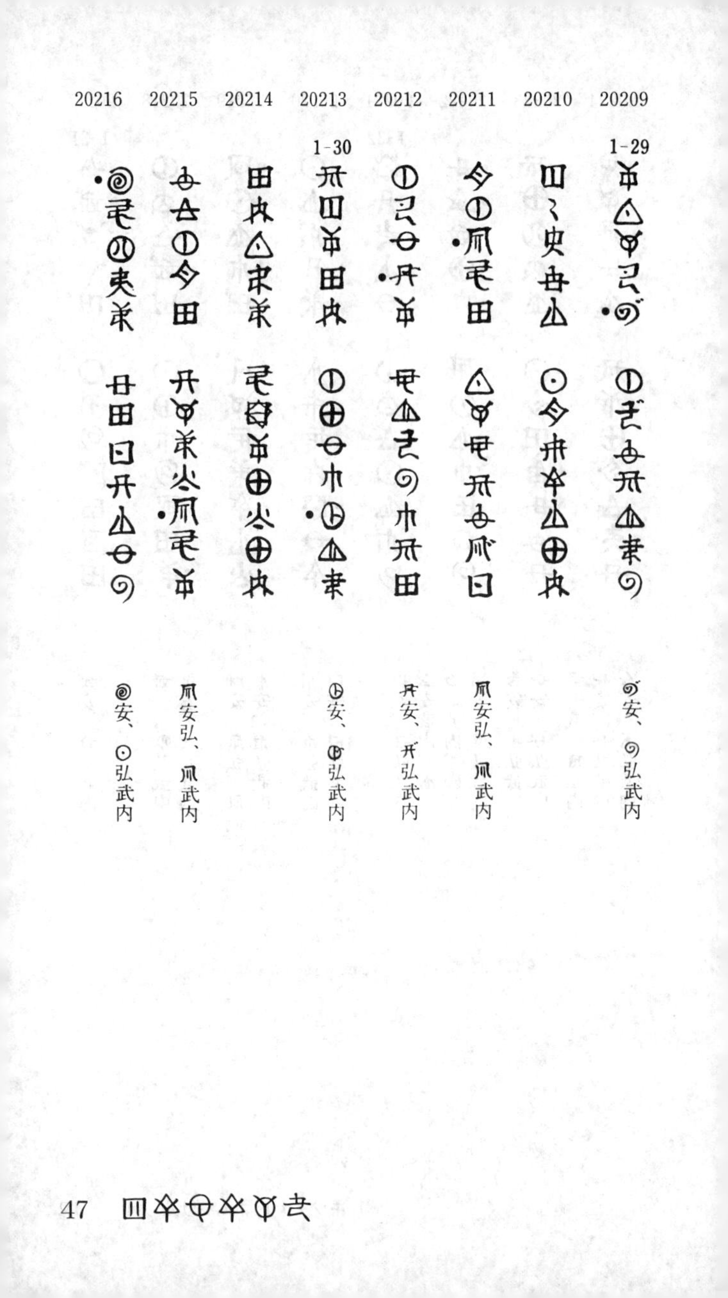

20209 1-29

安、弘武内

20210

20211

安弘、武内

20212

安、弘武内

20213 1-30

安、弘武内

20214

20215

安弘、武内

20216

安、弘武内

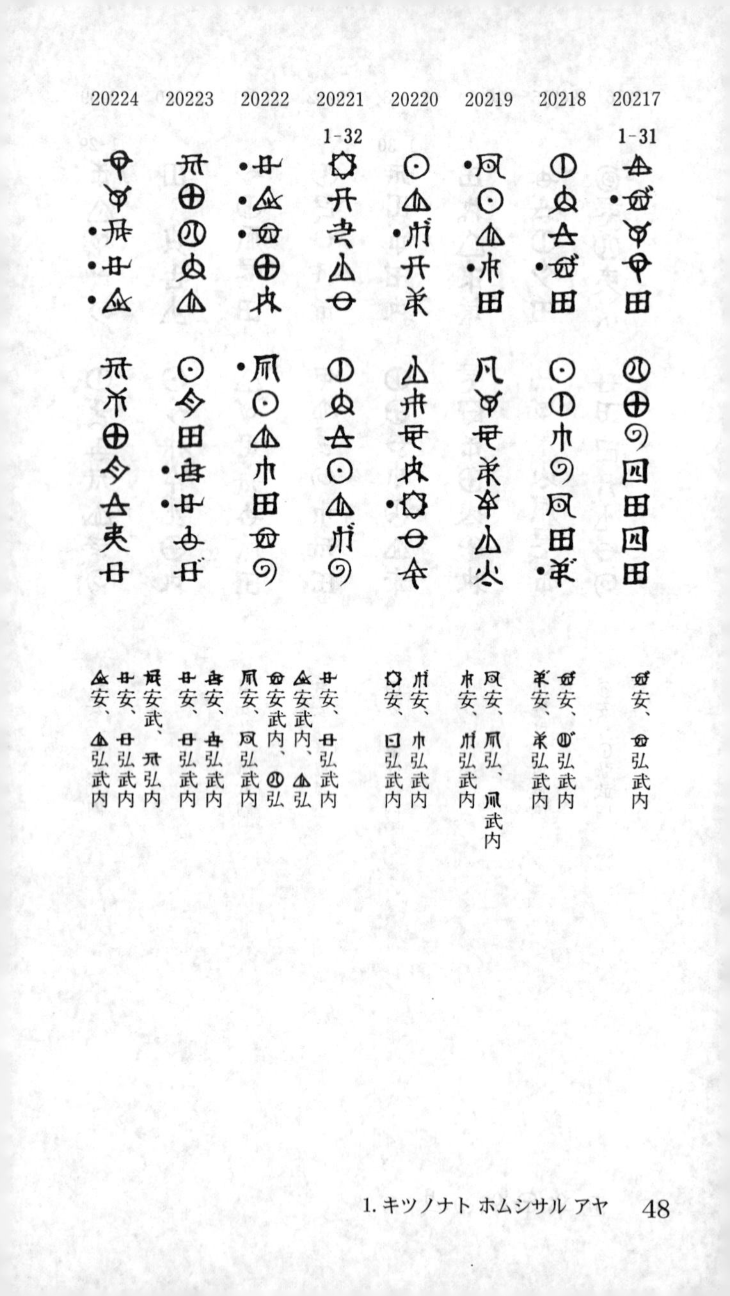

20217 1-31

20218

20219

20220

20221 1-32

20222

20223

20224

安、弘武内

安、弘武内

安、弘武内

安、弘、武内

安、弘武内

安、弘武内

安、弘武内

安武内、弘

安武内、弘

安、弘武内

安、弘武内

安、弘武内

安武、弘内

安、弘武内

安、弘武内

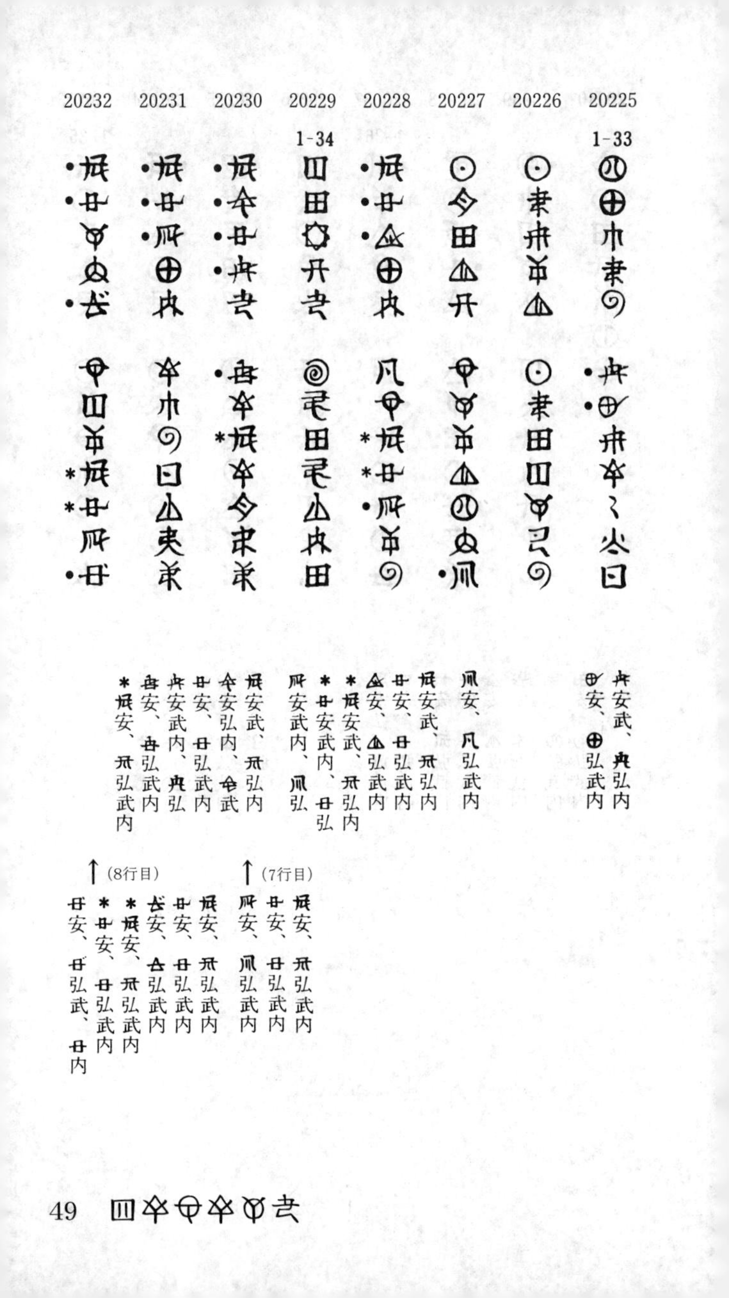

20225 1-33

20226

20227

20228

20229 1-34

20230

20231

20232

安武、弘内

安、弘武内

安、弘武内

安武、弘内

安、弘武内

安、弘武内

安武、弘内

安武内、弘

安武内、弘

安武、弘内

安弘内、武

安、弘武内

安武内、弘

安、弘武内

安、弘武内

↑(7行目)

安、弘武内

安、弘武内

安、弘武内

↑(8行目)

安、弘武内

安、弘武内

安、弘武内

安、弘武内

安、弘武内

安、弘武、内

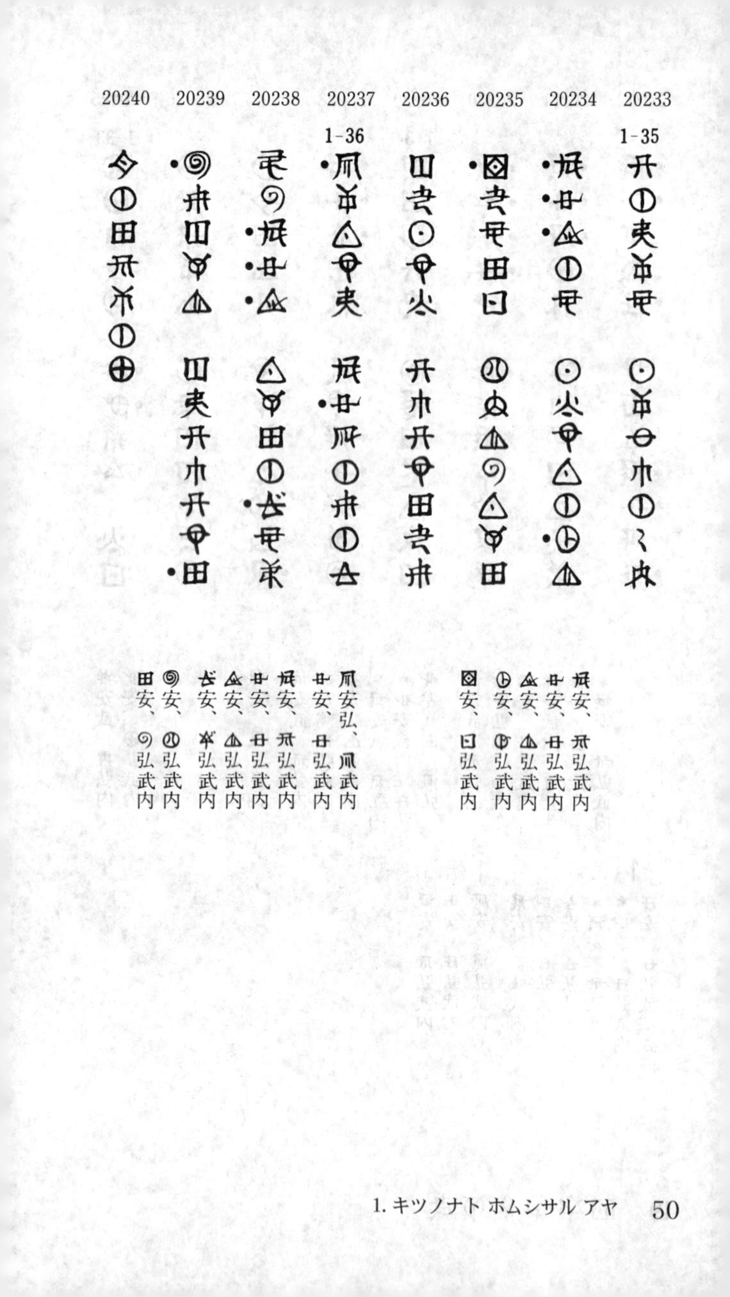

20233
1-35

20234

20235

20236

20237
1-36

20238

20239

20240

安、弘武内
安、弘武内
安、弘武内
安、弘武内
安、弘武内

安弘、武内
安、弘武内
安、弘武内
安、弘武内
安、弘武内
安、弘武内
安、弘武内
安、弘武内

安、弘武内

安、弘武内

安弘、武内

安武内、弘

*安ミ、弘武内

安、ミ弘武内

安、ミ弘武内

安ミ弘武内、朝

安朝弘武内、ミ

安ミ弘武内、朝

安ミ弘武内、朝

安弘武内、朝、ミ

安朝、ミ弘武内

安弘武内、朝ミ

安ミ弘武内、朝

安ミ弘武内、朝

安ミ弘武内、朝

「┆」ミカサ同文箇所

「│」溥泉引用文箇所

↑（8行目）

安ミ弘武内、朝

安ミ弘武内、朝

安ミ弘武内、朝

〓安、〓朝ミ弘武内

〓安弘武内朝、〓ミ

*〓安弘武内朝、〓ミ

〓安ミ弘武内、〓朝

〓安ミ弘武内、〓朝

〓安、〓ミ弘武内

〓安ミ弘武内、〓神

〓安ミ弘武内、〓神

〓安神、〓ミ弘武内

〓安ミ弘武内、〓神

〓安弘武内神、〓ミ

〓安ミ弘武内、〓神

安ミ武、神弘内「―」溥泉引用文箇所

安ミ武、弘内「┆」ミカサ同文箇所

安ミ武、弘内「┆」通当引用文箇所

安弘武内、ミ

＊ミカサ68頁、の異文

安、弘武内

安弘武内、ミ

安弘武内、ミ

安ミ武、弘内

安武、ミ弘内

安弘武内、ミ

安ミ武、弘内

安弘武内、ミ

安弘武内、ミ

安弘武内、ミ

安ミ武内、弘

2-7

20265 [illegible] [illegible]

20266 [illegible] [illegible]

20267 [illegible] [illegible]

20268 [illegible] [illegible]

2-8

20269 [illegible] [illegible]

20270 [illegible] [illegible]

20271 [illegible] [illegible]

20272 [illegible] [illegible]

[illegible]安弘武内、[illegible]ミ

[illegible]安、[illegible]ミ弘武内

＊[illegible]安ミ武内、[illegible]弘

[illegible]安弘武内、[illegible]ミ

[illegible]安ミ、[illegible]弘武内

[illegible]安、[illegible]ミ弘武内

[illegible]安、[illegible]ミ弘武内

[illegible]安弘武内、[illegible]ミ

[illegible]安、[illegible]ミ、[illegible]弘武内

[illegible]安弘武内、[illegible]ミ

[illegible]安弘武内、[illegible]ミ

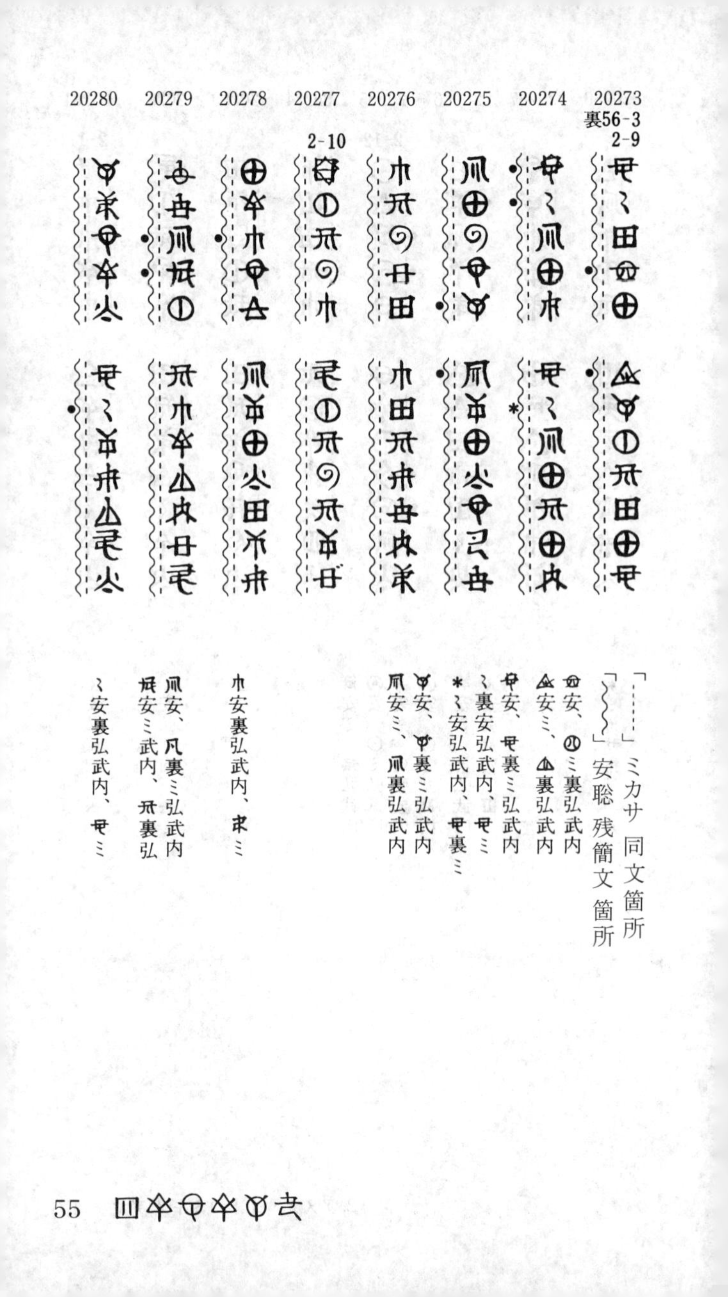

20273 裏56-3 2-9

20274

20275

20276

20277 2-10

20278

20279

20280

「┆」ミカサ同文箇所
「〰」安聡残簡文箇所

安、ミ裏弘武内
安ミ、裏弘武内
安、裏ミ弘武内
裏安弘武内、ミ
*安弘武内、裏ミ
安、裏ミ弘武内
安ミ、裏弘武内

安裏弘武内、ミ

安、裏ミ弘武内
安ミ武内、裏弘

安裏弘武内、ミ

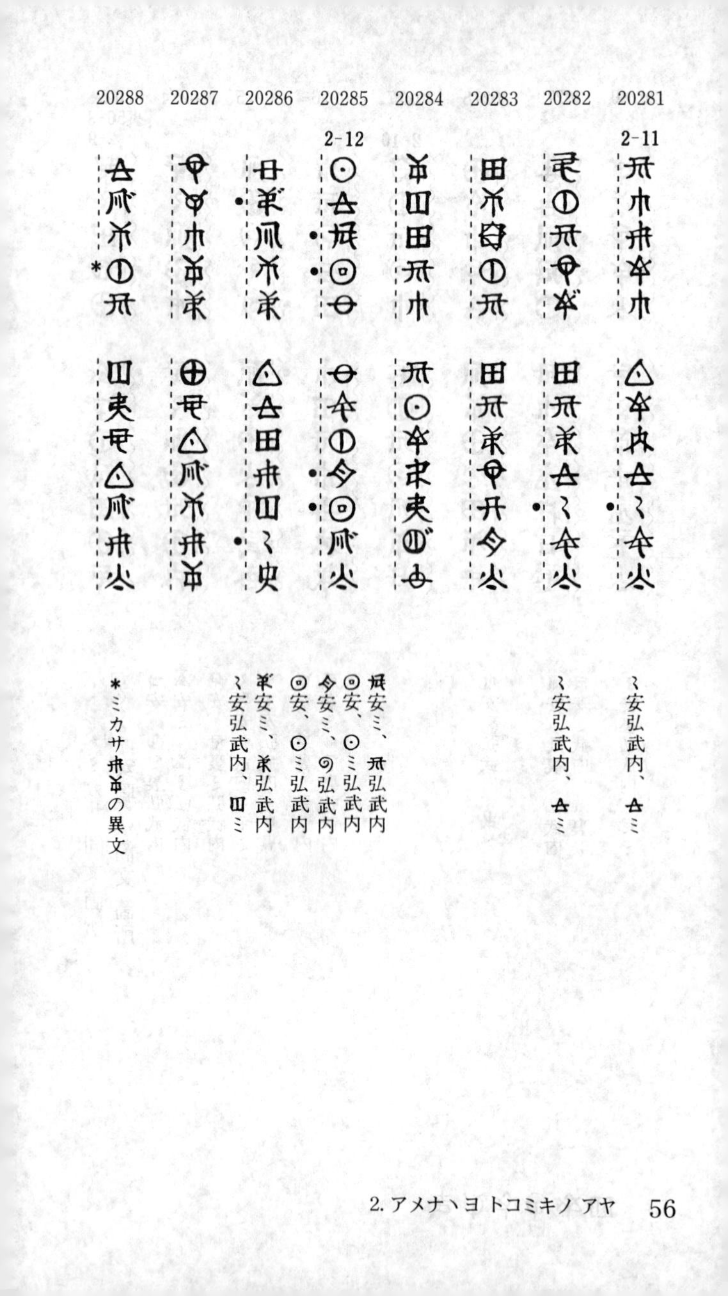

2-11

20281 [illegible] [illegible]・[illegible]

20282 [illegible] [illegible]・[illegible]

20283 [illegible] [illegible]

20284 [illegible] [illegible]

2-12

20285 [illegible]・[illegible]・[illegible] [illegible]・[illegible]・[illegible]

20286 ・[illegible] [illegible]・[illegible]

20287 [illegible] [illegible]

20288 [illegible]*[illegible] [illegible]

[illegible]安弘武内、[illegible]ミ

[illegible]安弘武内、[illegible]ミ

[illegible]安ミ、[illegible]弘武内

[illegible]安、[illegible]ミ弘武内

[illegible]安ミ、[illegible]弘武内

[illegible]安、[illegible]ミ弘武内

[illegible]安ミ、[illegible]弘武内

[illegible]安弘武内、[illegible]ミ

*ミカサ[illegible]の異文

20296	20295	20294	20293	20292	20291	20290	20289
			2-14				2-13
〓〓〓〓〓	〓〓〓〓〓	・〓・〓〓〓〓	〓〓〓〓〓	〓〓〓〓・〓	〓〓〓〓〓	〓〓〓〓〓	〓〓〓〓〓
〓・〓・〓〓〓〓〓	〓・〓〓〓〓〓〓	〓〓〓〓〓〓〓	〓〓〓〓〓〓〓	〓・〓〓〓〓〓〓	〓・〓〓・〓〓〓〓	〓〓〓〓〓〓・〓	〓・〓〓〓〓〓〓

〓安弘武内、〓ミ

〓安弘武内、〓ミ

〓安ミ、〓弘武内
〓安ミ、〓弘武内

〓安ミ、〓弘武内
〓安、〓ミ、〓弘武内

〓安ミ、〓弘武内
〓安ミ、〓弘武内

〓＝弘本のみ〓となっている。

〓安ミ武内、〓弘
〓安弘武内、〓ミ

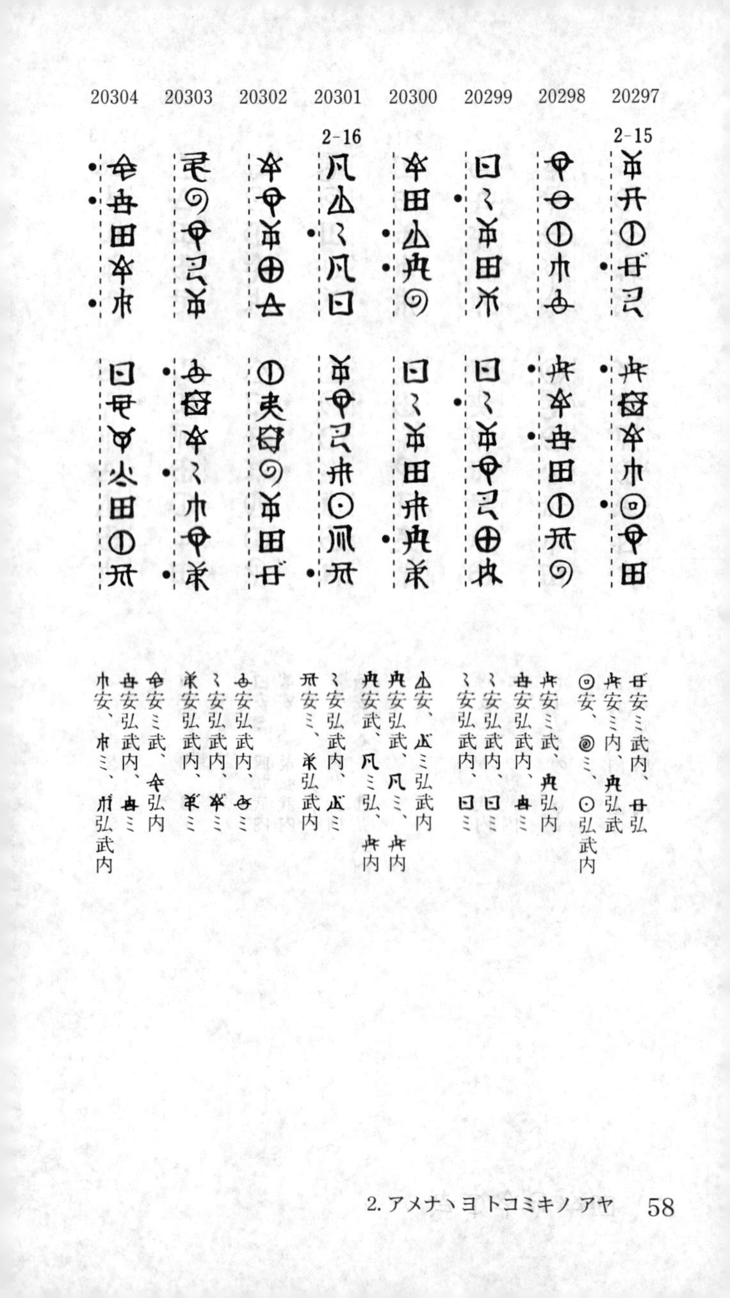

20297 20298 20299 20300 20301 20302 20303 20304

2-15 (20297) 2-16 (20301)

安ミ武内、弘
安ミ内、弘武
安、ミ、弘武内
安ミ武、弘内
安弘武内、ミ
安弘武内、ミ
安弘武内、ミ
安、ミ弘武内
安弘武、ミ、内
安武、ミ弘、内
安弘武内、ミ
安ミ、弘武内
安弘武内、ミ
安弘武内、ミ
安弘武内、ミ
安ミ武、弘内
安弘武内、ミ
安、ミ、弘武内

20305 2-17
〓〓〓〓〓
•〓〓〓〓•〓〓〓

20306
〓〓〓〓〓
〓〓〓〓〓〓〓

20307
〓〓〓〓〓
〓〓〓〓〓〓〓

20308
〓〓〓〓〓
〓〓〓〓*〓〓〓

20309 2-18
〓〓•〓〓〓
〓〓〓〓•〓〓〓

20310
〓〓〓〓〓
〓〓〓*〓〓〓〓

20311
•〓〓〓•〓•〓
〓〓•〓•〓〓〓〓

20312
〓〓〓〓〓
〓〓〓〓〓〓〓

〓安ミ、〓弘武内
〓安弘武内、〓ミ

*ミカサ〓〓〓の異文

〓安、〓ミ弘武内
〓安弘武内、〓ミ

*ミカサ〓〓〓〓の異文

〓安弘武内、〓ミ
〓〓安、〓〓ミ弘武内

〓安ミ、〓弘武内
〓安弘武内、〓ミ

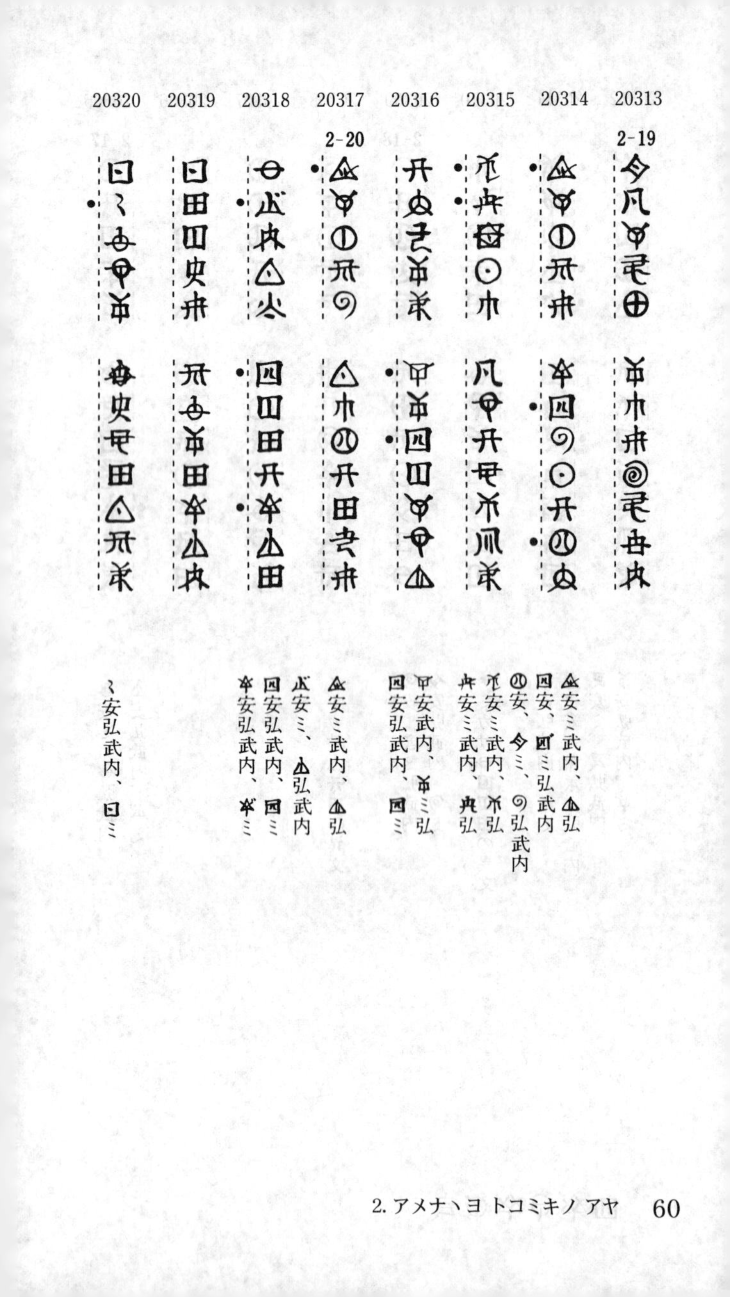

20313 2-19

20314

20315

20316

20317 2-20

20318

20319

20320

[illegible]安ミ武内、[illegible]弘
[illegible]安、[illegible]ミ弘武内
[illegible]安、[illegible]ミ、[illegible]弘武内

[illegible]安ミ武内、[illegible]弘
[illegible]安ミ武内、[illegible]弘

[illegible]安武内、[illegible]ミ弘
[illegible]安弘武内、[illegible]ミ

[illegible]安ミ武内、[illegible]弘

[illegible]安ミ、[illegible]弘武内
[illegible]安弘武内、[illegible]ミ
[illegible]安弘武内、[illegible]ミ

[illegible]安弘武内、[illegible]ミ

20321 2-21

20322

20323

20324

20325 2-22

20326

20327 朝3-12

20328

20321: [illegible]安ミ、[illegible]弘武内

[illegible]安弘武内、[illegible]ミ

[illegible]安弘武内、[illegible]ミ

[illegible]安弘武内、[illegible]ミ

[illegible]安弘武内、[illegible]ミ

[illegible]安弘武内、[illegible]ミ

[illegible]安弘武内、[illegible]ミ

20325: [illegible]安、[illegible]弘武内

20326: [illegible]安、[illegible]弘武内

[illegible]安、[illegible]弘武内

20327: [illegible]安弘武内、[illegible]朝

[illegible]安朝武内、[illegible]弘

20329 2-23

20330

20331

20332 朝2-14

20333 2-24

20334

20335

20336

安弘武内、朝

＊朝、ヌケ

安、朝、弘武内

安弘武内、朝

安、朝弘武内

安弘武内、朝

安弘武内、朝

安弘武内、朝

安弘武内、朝

安、朝弘武内

安弘武内、朝

安弘武内、朝

20337 2-25

安、朝弘武内

20338

安弘武内、朝

安、朝、弘武内

20339

安朝、弘武内

安武、朝、弘内

安朝、弘武内

20340

安、朝弘武内

20341 2-26

安、朝、弘、

武内

20342

20343

安朝、弘武内

安弘武内、朝

安朝、弘武内

20344

安朝、弘武内

安、朝、弘武内

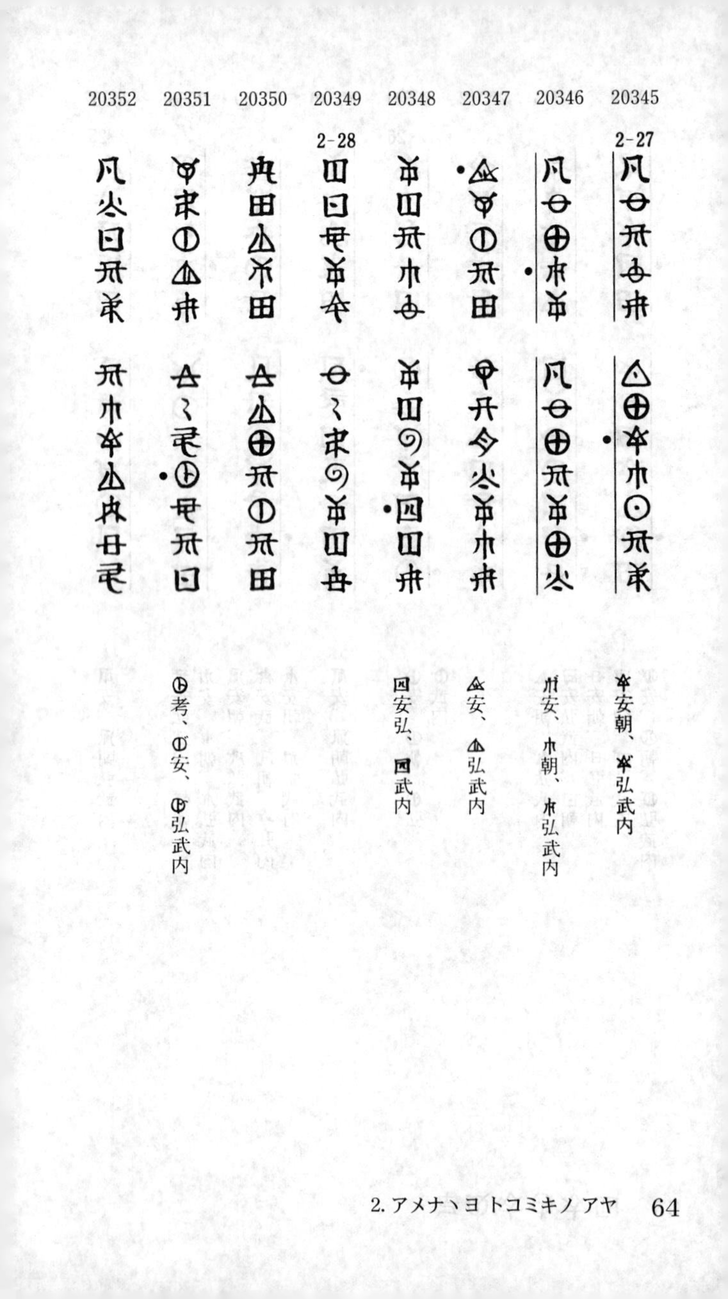

20345 2-27

安朝、弘武内

20346

安、朝、弘武内

20347

安、弘武内

20348

安弘、武内

20349 2-28

20350

20351

考、安、弘武内

20352

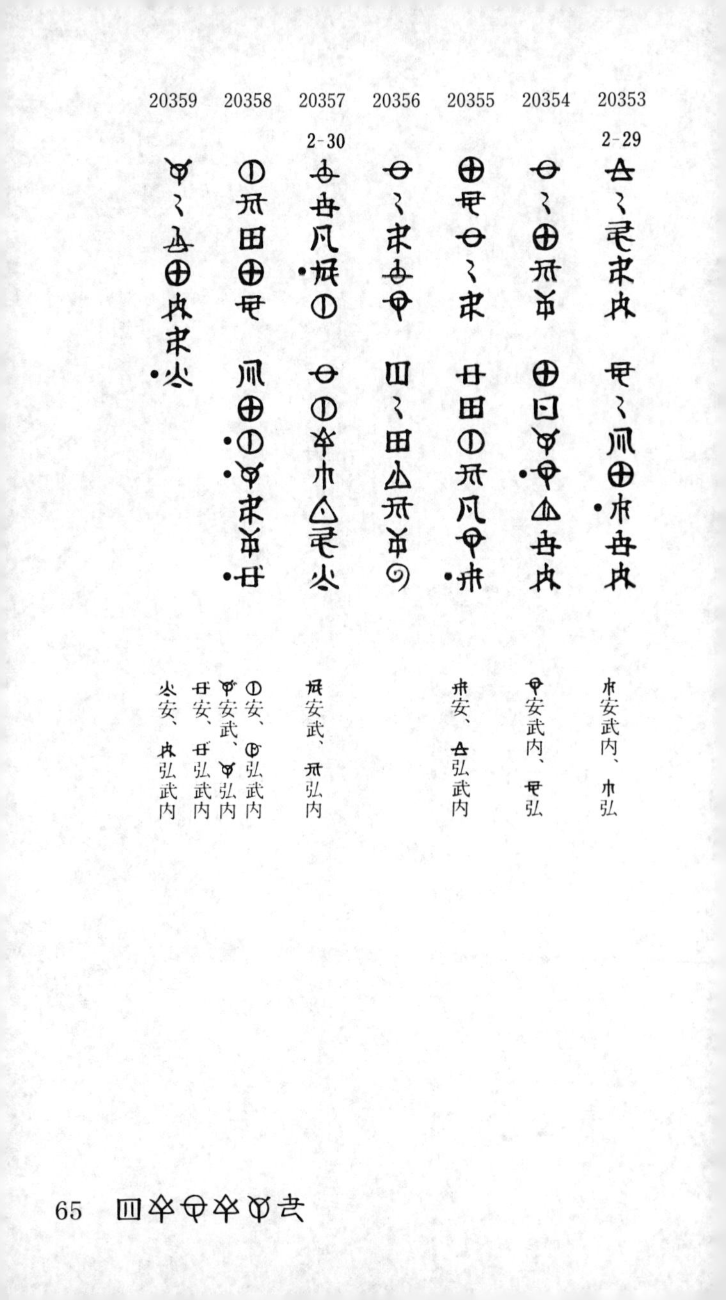

20353 2-29
[illegible]

[illegible]安武内、[illegible]弘

20354
[illegible]

[illegible]安武内、[illegible]弘

20355
[illegible]

[illegible]安、[illegible]弘武内

20356
[illegible]

20357 2-30
[illegible]

[illegible]安武、[illegible]弘内

20358
[illegible]

[illegible]安、[illegible]弘武内
[illegible]安武、[illegible]弘内
[illegible]安、[illegible]弘武内

20359
[illegible]

[illegible]安、[illegible]弘武内

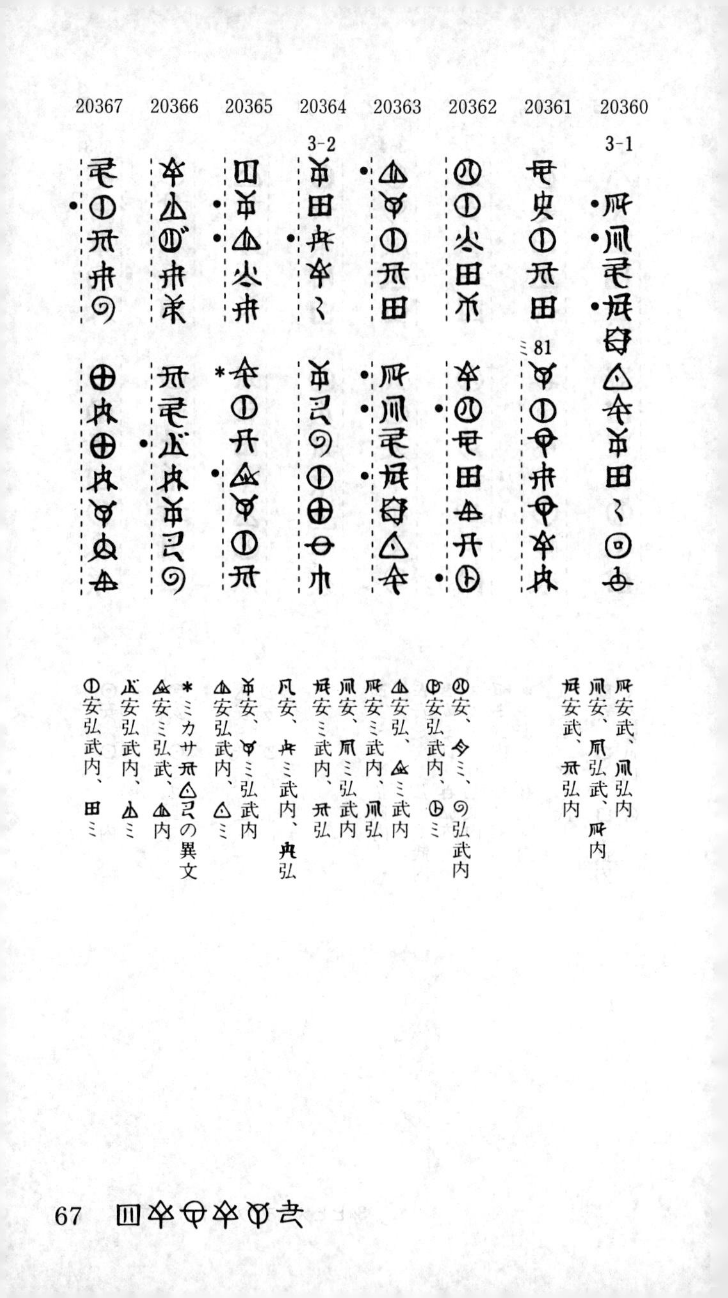

20360 3-1

20361 ミ81

20362

20363

20364 3-2

20365

20366

20367

安武、弘内

安、弘武、内

安武、弘内

安、ミ、弘武内

安弘武内、ミ

安弘、ミ武内

安ミ武内、弘

安、ミ弘武内

安ミ武内、弘

安、ミ武内、弘

安、ミ弘武内

安弘武内、ミ

＊ミカサの異文

安ミ弘武、内

安弘武内、ミ

安弘武内、ミ

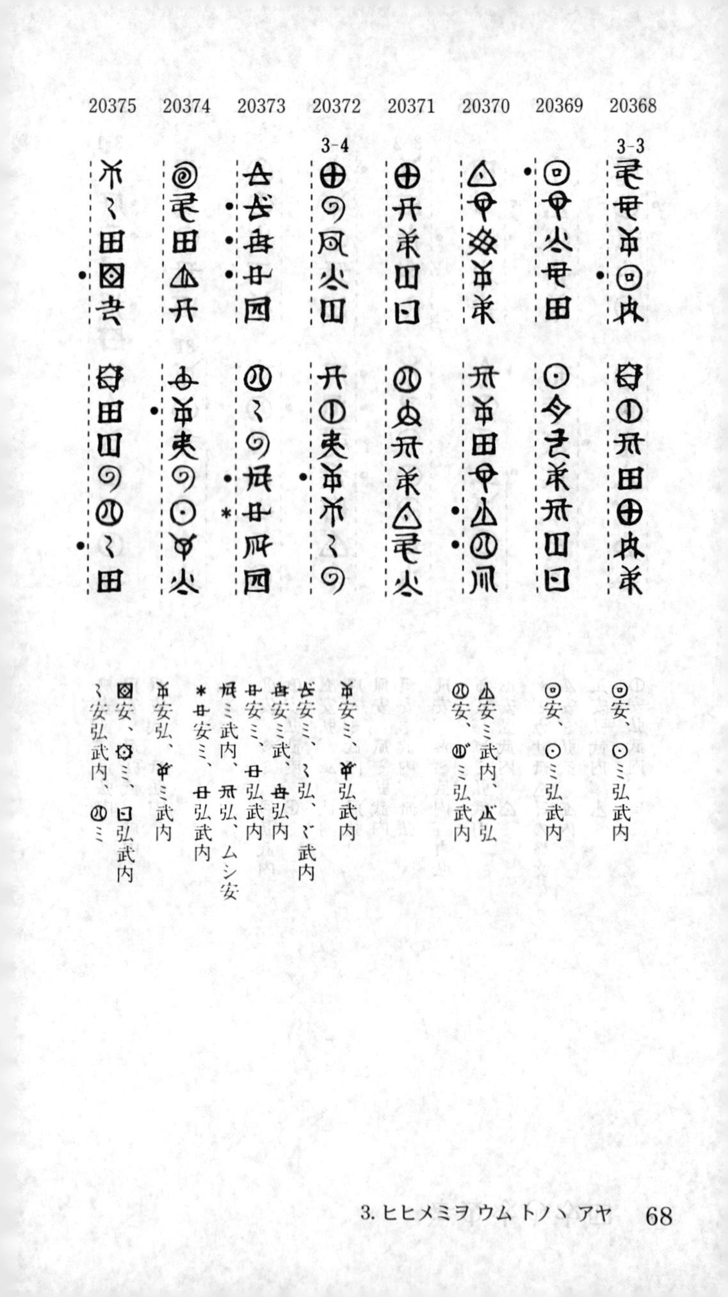

20375	20374	20373	20372	20371	20370	20369	20368
〓	〓	〓	3-4 〓	〓	〓	〓	3-3 〓

〓安、〓ミ弘武内

〓安、〓ミ弘武内

〓安ミ武内、〓弘

〓安、〓ミ弘武内

〓安ミ、〓弘武内

〓安ミ、〓弘、〓武内

〓安ミ武、〓弘内

〓安ミ、〓弘武内

〓ミ武内、〓弘、ムシ安

＊〓安ミ、〓弘武内

〓安弘、〓ミ武内

〓安、〓ミ、〓弘武内

〓安弘武内、〓ミ

3-5

20376 〓〓〓〓〓 〓〓〓〓〓〓〓

20377 〓〓〓〓〓 〓〓〓〓〓〓〓

20378 〓〓〓〓〓 〓〓〓〓〓〓〓

20379 〓〓〓〓〓 〓〓〓〓〓〓〓

3-6

20380 〓〓〓〓〓 〓〓〓〓〓〓〓

20381 〓〓〓〓〓 〓〓〓〓〓〓〓

20382 〓〓〓〓〓 〓〓〓〓〓〓〓

20383 〓〓〓〓〓 〓〓〓〓〓〓〓

20376: 〓安ミ武内、〓弘 / 〓安弘武内、〓ミ

20378: 〓安ミ、〓弘武内

20380: 〓安ミ武内、〓弘

20381: 〓安弘武内、〓ミ / 〓安ミ、〓弘武内

20382: 〓安ミ、〓弘武内

20383: 〓安弘武内、〓ミ / 〓安ミ、〓弘武内

20384 (3-7)

20385 (神2-42)

20386

20387

20388 (3-8)

20389

20390

20391

〓安ミ武内、〓弘

〓安、〓ミ、〓弘武内

⊙安ミ弘武内、〓神

〓安、〓ミ弘武内、〓神

〓安ミ弘武内、〓神

＊神〓〓〓の異文

〓安武内、〓ミ弘

〓安弘武内、〓ミ

〓安、〓ミ弘武内

〓安、〓ミ弘武内

〓安、〓ミ、〓弘武内

〓安弘武内、〓ミ

〓安、〓ミ、〓弘武内

〓安弘武内、〓ミ

20399	20398	20397	20396	20395	20394	20393	20392
			3-10		神2-43		3-9

20392 回安、⊙ミ弘武内
*回安、◎ミ弘武内内

20393 [glyph]安弘武内、[glyph]ミ
[glyph]安ミ、[glyph]弘武内

20394 [glyph]安、のミ弘武内
の安弘武内、[glyph]ミ

20395 [glyph]安ミ武内、[glyph]弘神
[glyph]安ミ武内、[glyph]弘神
[glyph]安、[glyph]ミ弘武内、[glyph]神
[glyph]安弘武内神、[glyph]ミ

↑
⊙安ミ弘武内、◎神
[glyph]安ミ弘武内、[glyph]神
[glyph]安ミ弘武内、[glyph]神
[glyph]安ミ神、[glyph]弘武内

20396 [glyph]安ミ、[glyph]弘武内
[glyph]安、[glyph]ミ、の弘武内

20397 [glyph]安、[glyph]ミ弘武内
[glyph]安、[glyph]ミ、[glyph]弘武内

20399 回安、⊙ミ弘武内
[glyph]安、[glyph]ミ、の弘武内

20400 3-11

20401

20402

20403

20404 3-12

20405 ＊神2-44

20406

20407 ＊

安ミ、弘武内
安弘武内、ミ
安、ミ弘武内
安、ミ弘武内
安弘武内、ミ
安ミ武内、弘
安弘武内、ミ
安、ミ弘武内
安弘武内、ミ
＊安弘武内、ミ
安弘武内、ミ
安、ミ弘武内
＊神、の異文
安ミ、弘武内
安ミ、弘武内
＊神、の異文

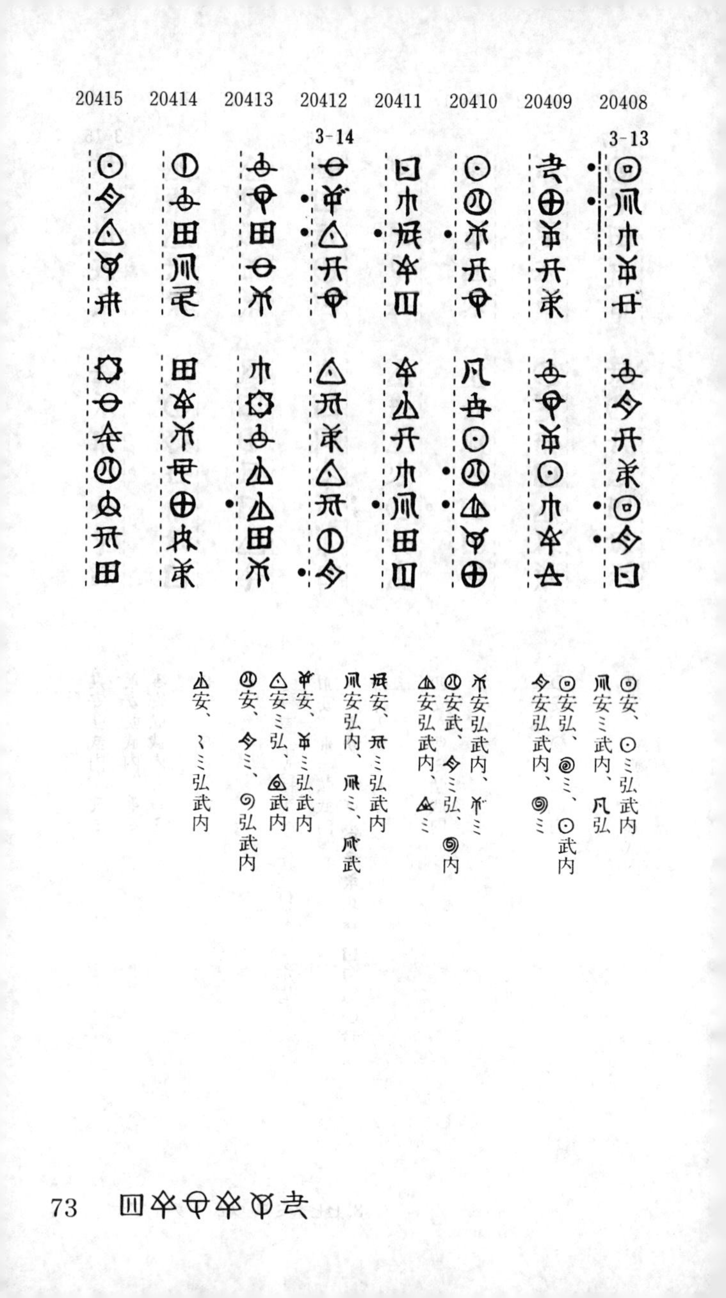

20408 3-13 〓〓〓〓〓 〓〓〓〓〓〓〓

20409 〓〓〓〓〓 〓〓〓〓〓〓〓

20410 〓〓〓〓〓 〓〓〓〓〓〓〓

20411 〓〓〓〓〓 〓〓〓〓〓〓〓

20412 3-14 〓〓〓〓〓 〓〓〓〓〓〓〓

20413 〓〓〓〓〓 〓〓〓〓〓〓〓

20414 〓〓〓〓〓 〓〓〓〓〓〓〓

20415 〓〓〓〓〓 〓〓〓〓〓〓〓

〓安、〓ミ弘武内
〓安ミ武内、〓弘
〓安弘、〓ミ、〓武内
〓安弘武内、〓ミ
〓安弘武内、〓ミ
〓安武、〓ミ弘、〓内
〓安弘武内、〓ミ
〓安、〓ミ弘武内
〓安弘内、〓ミ、〓武
〓安、〓ミ弘武内
〓安ミ弘、〓武内
〓安、〓ミ、〓弘武内
〓安、〓ミ弘武内

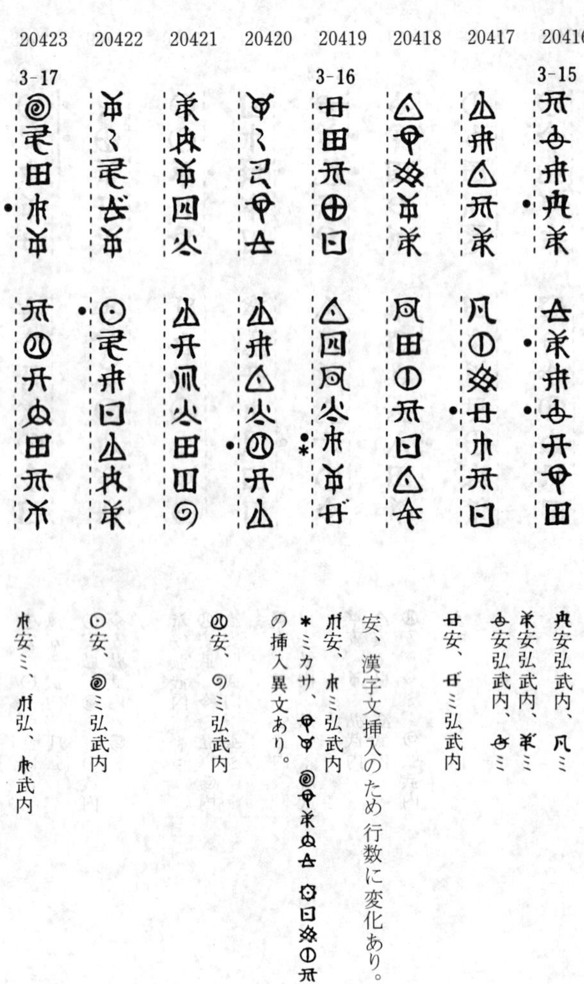

20416
20417
20418
20419
20420
20421
20422
20423
3-15
3-16
3-17
安、漢字文挿入のため 行数に変化あり。

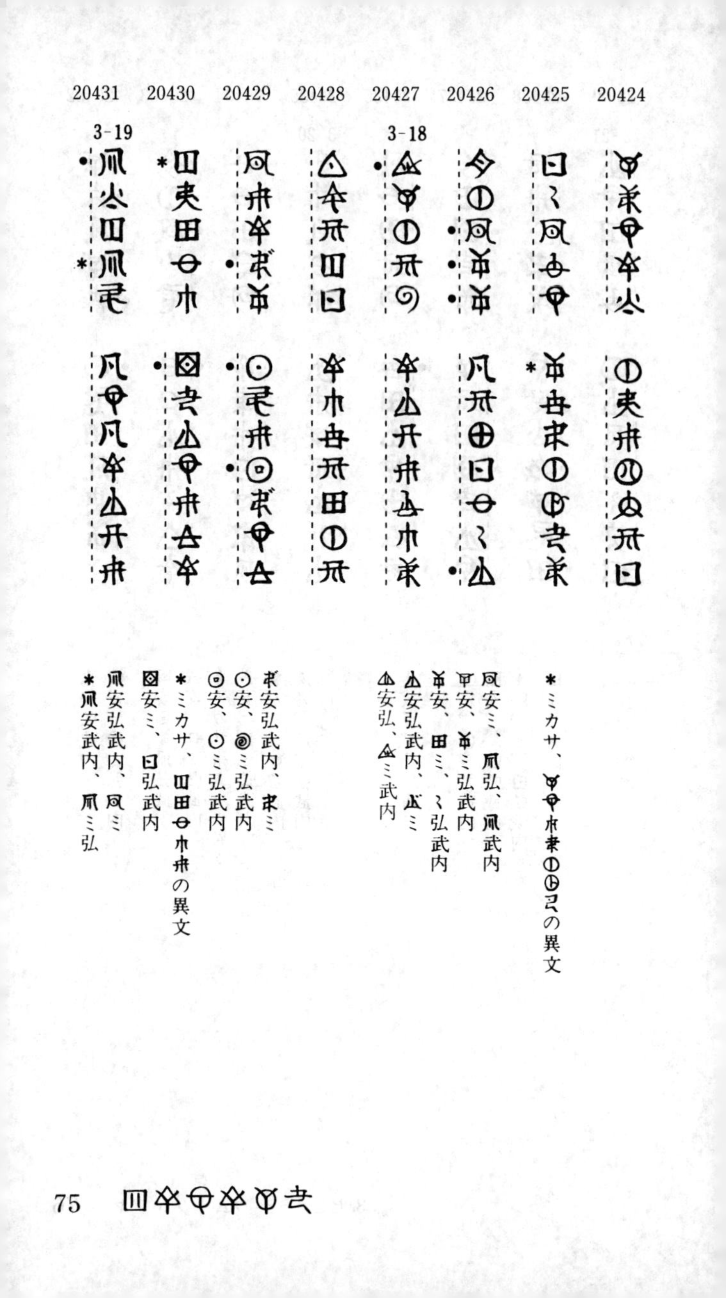

20424 20425 20426 20427 20428 20429 20430 20431

3-18

3-19

*ミカサ、[illegible]の異文

[illegible]安ミ、[illegible]弘、[illegible]武内

[illegible]安、[illegible]ミ弘武内

[illegible]安、[illegible]ミ、[illegible]弘武内

[illegible]安弘武内、[illegible]ミ

[illegible]安弘、[illegible]ミ武内

[illegible]安弘武内、[illegible]ミ

[illegible]安、[illegible]ミ弘武内

[illegible]安、[illegible]ミ弘武内

*ミカサ、[illegible]の異文

[illegible]安ミ、[illegible]弘武内

[illegible]安弘武内、[illegible]ミ

*[illegible]安武内、[illegible]ミ弘

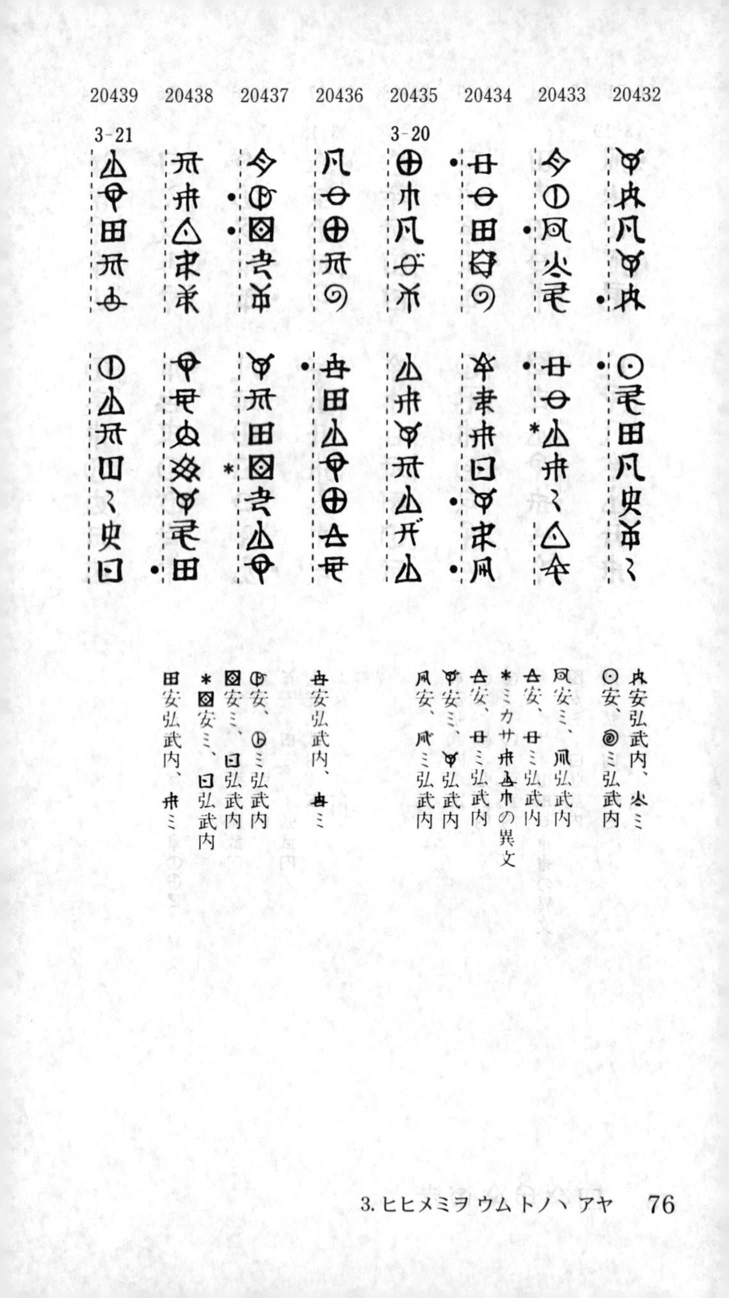

20432

20433

20434

20435 3-20

20436

20437

20438

20439 3-21

[illegible]安弘武内、[illegible]ミ

[illegible]安、[illegible]ミ弘武内

[illegible]安ミ、[illegible]弘武内

[illegible]安、[illegible]ミ弘武内

＊ミカサ[illegible][illegible][illegible]の異文

[illegible]安、[illegible]ミ弘武内

[illegible]安ミ、[illegible]弘武内

[illegible]安、[illegible]ミ弘武内

[illegible]安弘武内、[illegible]ミ

[illegible]安、[illegible]ミ弘武内

＊[illegible]安ミ、[illegible]弘武内

[illegible]安弘武内、[illegible]ミ

20440 [illegible]

20441 [illegible]

20442 [illegible]

3-22

20443 [illegible]

20444 [illegible]

20445 [illegible]

20446 [illegible]

[illegible]安内、[illegible]ミ弘武
[illegible]安ミ武、[illegible]弘内

[illegible]安弘武内、[illegible]ミ

[illegible]安ミ武内、[illegible]弘
[illegible]安弘武内、[illegible]ミ

[illegible]安弘武内、[illegible]ミ
[illegible]安弘武内、[illegible]ミ

[illegible]安、[illegible]ミ弘武内

[illegible]安、[illegible]ミ弘武内
[illegible]安ミ、[illegible]弘武内

*ミカサ[illegible]の異文

20447
4-1

20448

20449

考、安弘武内

20450

安、⊙弘武内

20451
4-2

20452

20453

安、⊙弘武内

20454

考、安弘武内

20455 4-3 朝3-19
〓〓〓〓〓 〓〓〓〓〓〓〓

20456
〓〓〓〓・〓 〓〓〓〓〓〓〓

20457
〓〓〓〓〓 ・〓〓〓〓〓〓〓

20458
〓〓〓〓〓 〓〓〓〓〓・〓〓

20459 4-4
・〓〓〓〓〓 〓〓〓〓〓・〓〓

20460
〓〓〓・〓〓 朝3-22 〓〓〓〓〓〓〓

20461
〓〓〓〓〓 ・〓〓〓〓〓〓〓

20462
・〓・〓〓・〓〓 〓〓〓〓〓〓〓

〓安、〓朝弘武内

〓安、〓朝弘武内

〓安弘武内、〓朝

〓安朝、〓弘武内

〓安弘武内、〓朝

〓安、〓朝弘武内

〓安、〓朝弘武内

〓安武内、〓朝弘

〓安、〓弘武内、〓朝

〓安朝、〓弘武内

20463 4-5

20464

20465

20466

20467 4-6

20468

20469

20470

ヽ安朝、[?]弘武内

[?]安、[?]朝弘武内

[?]安朝、[?]弘武内

回安、⊙朝弘武内

回安、⊙朝、◎弘武内

＊回安、⊙朝弘武内

[?]安朝、[?]弘武内

[?]安、[?]朝弘武内

[?]安、[?]朝弘武内

[?]安、[?]朝弘武内

[?]安、[?]朝、[?]弘武内

20471 4-7

20472

20473

20474

20475 4-8

20476

20477

20478

安、朝弘武内

安武、朝弘内

安、朝弘武内

安武、朝弘内

安、朝弘武内

↑

安朝、弘武内

安、朝、弘武内

安武内、朝弘

安武内、朝弘

安、朝弘武内

安武内、朝弘

安武内、朝弘

安武内、朝弘

安、朝、弘武内

安、朝弘武内

安武内、朝弘

安、弘武内、朝

安武内、朝弘

安武内、朝弘

安武内、朝弘

↑

（4行目）

安、朝弘武内

安朝武内、弘

安、朝弘武内

安、朝弘武内

安、朝弘武内

安朝、弘武内

20479 (4-9)

20480

20481

20482

20483 (4-10)

20484

20485

20486

安、朝弘武内

安、朝、弘武内

安、朝弘武内

安、朝弘武内

安、朝弘武内

安朝、弘武内

安弘武内、朝

安朝、弘武内

安、朝、弘武内

安弘武内、朝

安朝、弘武内

安弘武内、朝

安、朝弘武内

20487 4-11

20488

20489 朝3-25

20490

20491 4-12

20492

20493

20494

〓安、〓朝、〓弘武内

〓安朝、〓弘武内
〓安朝弘内、〓武
〓安、〓朝弘武内

〓安朝弘、〓武内
〓安朝、〓弘武内

〓安弘武内、〓朝
〓安、〓朝、〓弘武内
〓安弘武内、〓朝

〓安、〓朝弘武内
〓安、〓朝弘武内
〓安、〓朝弘武内
〓安、〓朝弘武内

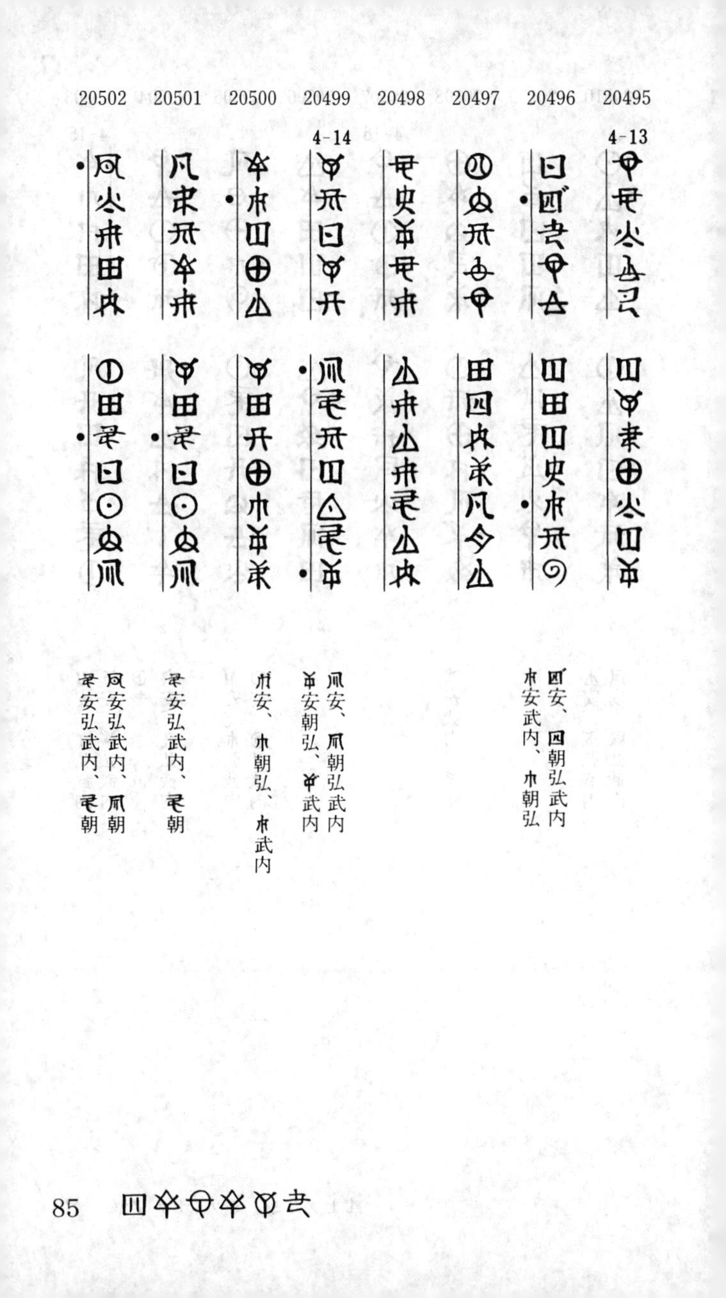

20495 4-13

[illegible]

20496

[illegible]

[illegible]安、[illegible]朝弘武内

[illegible]安武内、[illegible]朝弘

20497

[illegible]

20498

[illegible]

20499 4-14

[illegible]

[illegible]安、[illegible]朝弘武内

[illegible]安朝弘、[illegible]武内

20500

[illegible]

[illegible]安、[illegible]朝弘、[illegible]武内

20501

[illegible]

[illegible]安弘武内、[illegible]朝

20502

[illegible]

[illegible]安弘武内、[illegible]朝

[illegible]安弘武内、[illegible]朝

20503 4-15

20504

20505

20506

20507 4-16

20508

20509

20510

20503: 安、弘武内 / 安、弘武内 / 考、安弘武内

20504: 安、弘武内

20505: 安、弘武内 / 安、弘武内

20508: 安武内、弘

20510: 安、弘武内 / 安、弘武内

20511 4-17

20512

20513

20514 朝3-25

20515 4-18

20516

20517

20518 明下60

[illegible]安、[illegible]弘武内

[illegible]安、[illegible]弘武内

[illegible]安武内、[illegible]弘

[illegible]考、[illegible]安公武内

[illegible]安弘武内、[illegible]朝

[illegible]安弘武内、[illegible]朝

[illegible]考、[illegible]安弘武内、[illegible]朝

[illegible]安、[illegible]朝弘武内

[illegible]安朝、[illegible]弘武内

[illegible]安朝、[illegible]弘武内

[illegible]安弘、[illegible]朝武内

[illegible]安、[illegible]朝弘武内

[illegible]安、[illegible]朝、[illegible]弘武内

[illegible]安、[illegible]朝、[illegible]弘武内

[illegible]安武、[illegible]朝弘内

[illegible]安、[illegible]朝弘武内

[illegible]安弘武内、[illegible]朝明

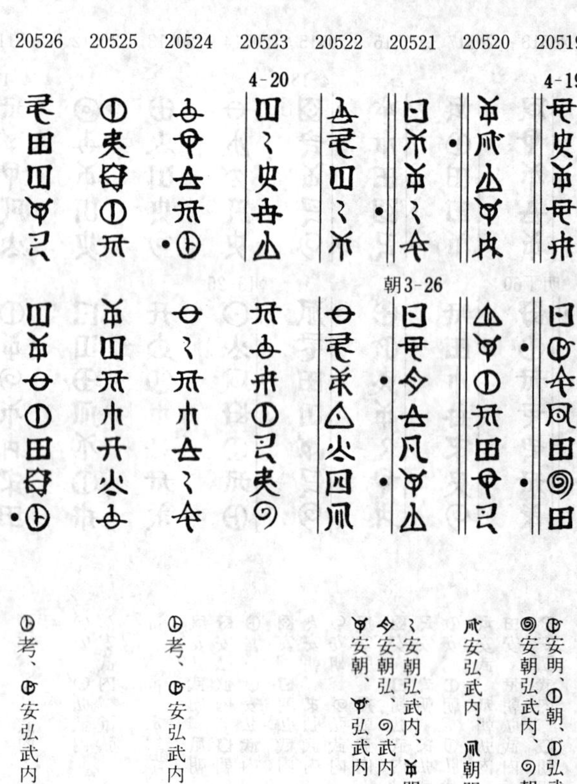
20526
20525
20524
20523
20522
20521
20520
20519
4-19
4-20
朝3-26

20527	20528	20529	20530	20531	20532	20533	20534
4-21				4-22			

20527: [illegible]安武内、[illegible]弘

20528: [illegible]考、[illegible]安弘武内

20529: [illegible]安武内、[illegible]弘

20530: [illegible]安、[illegible]弘武内
[illegible]考、[illegible]安弘武内

20531: [illegible]安内、[illegible]弘武
[illegible]安、[illegible]弘武内
[illegible]安、[illegible]弘武内

20534: [illegible]安、[illegible]弘武内
[illegible]安武内、[illegible]弘

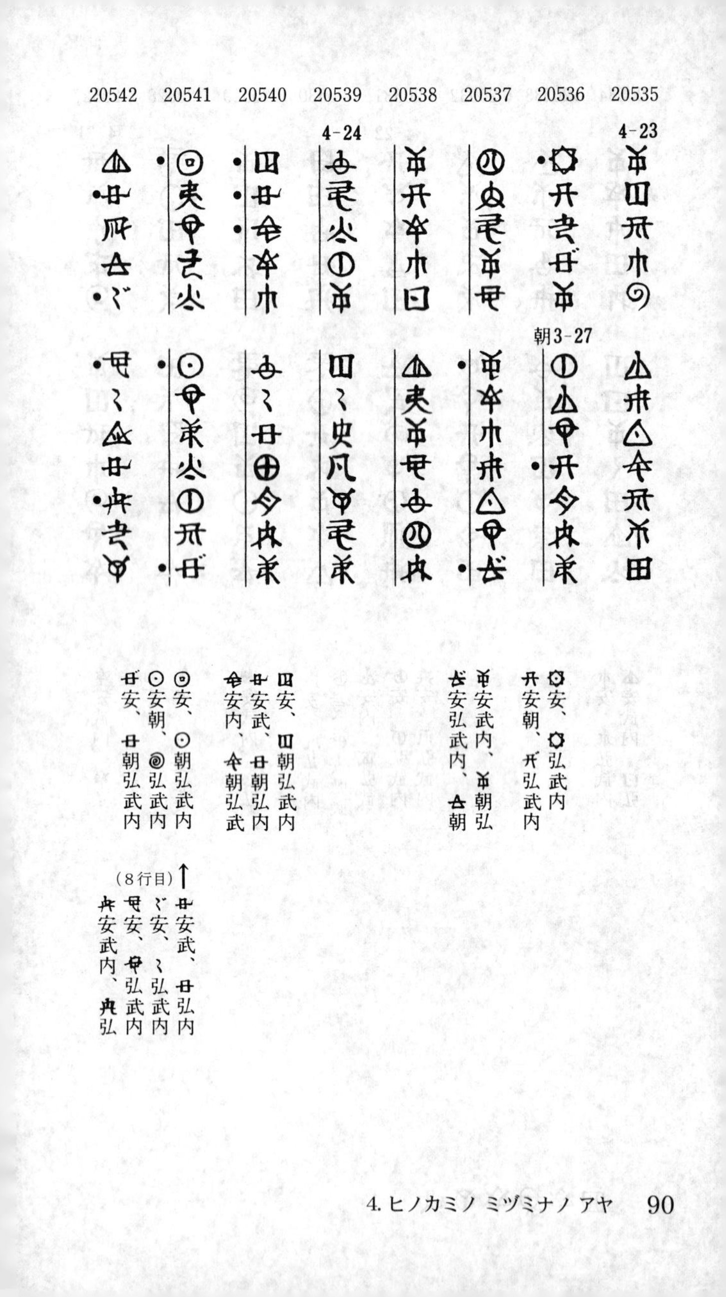

20535 20536 20537 20538 20539 20540 20541 20542

4-23

4-24

朝3-27

安、弘武内

安朝、弘武内

安武内、朝弘

安弘武内、朝

安、朝弘武内

安武、朝弘内

安内、朝弘武

安、朝弘武内

安朝、弘武内

安、朝弘武内

(8行目)↑

安武、弘内

安、弘武内

安、弘武内

安武内、弘

安朝、弘武内
安弘武内、朝
安朝、弘武内

安朝、弘武内
安、朝弘武内
安弘武内、朝
安弘武内、朝
考、安弘武内、朝
安弘武内、朝
安朝神、弘武内
安朝、神弘武内
安朝弘武内、神
安神弘武内、朝
安朝神、弘武、内
安朝弘武内、神
安朝弘武内、神
安神、朝、弘武内

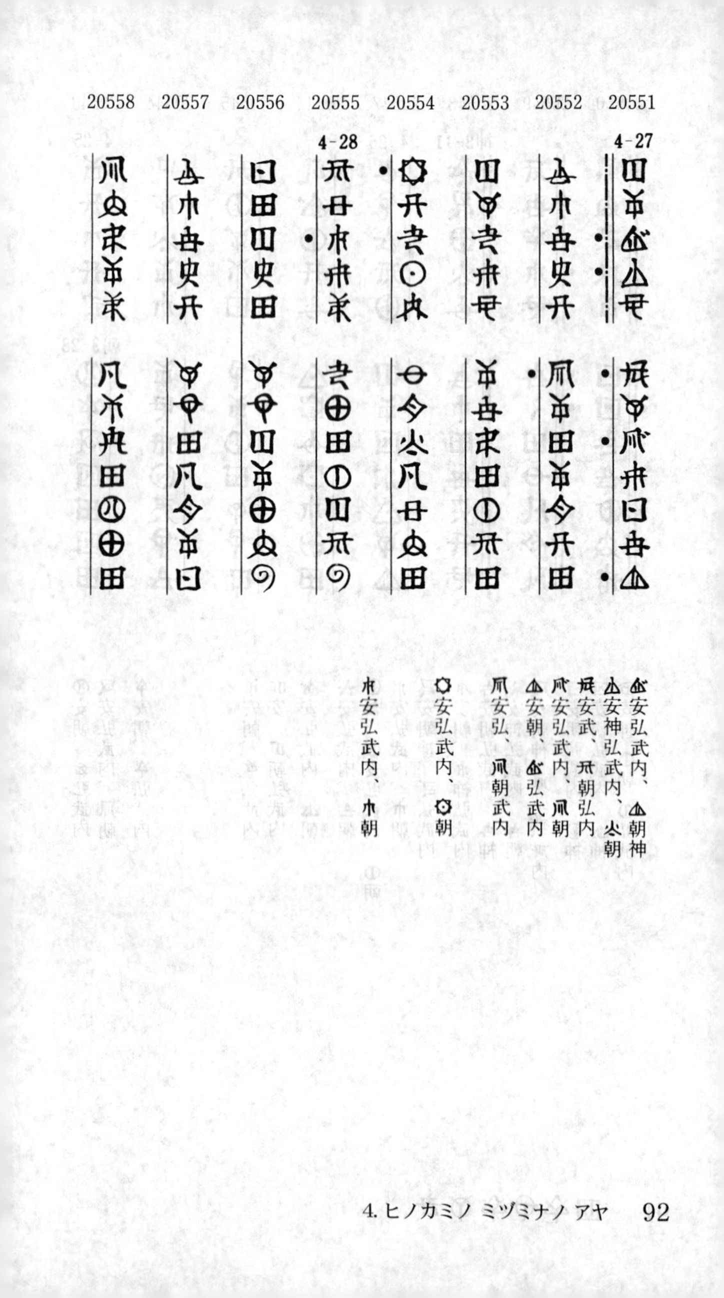

20551 20552 20553 20554 20555 20556 20557 20558

4-27

4-28

安弘武内、朝神

安神弘武内、朝

安武、朝弘内

安弘武内、朝

安朝、弘武内

安弘、朝武内

安弘武内、朝

安弘武内、朝

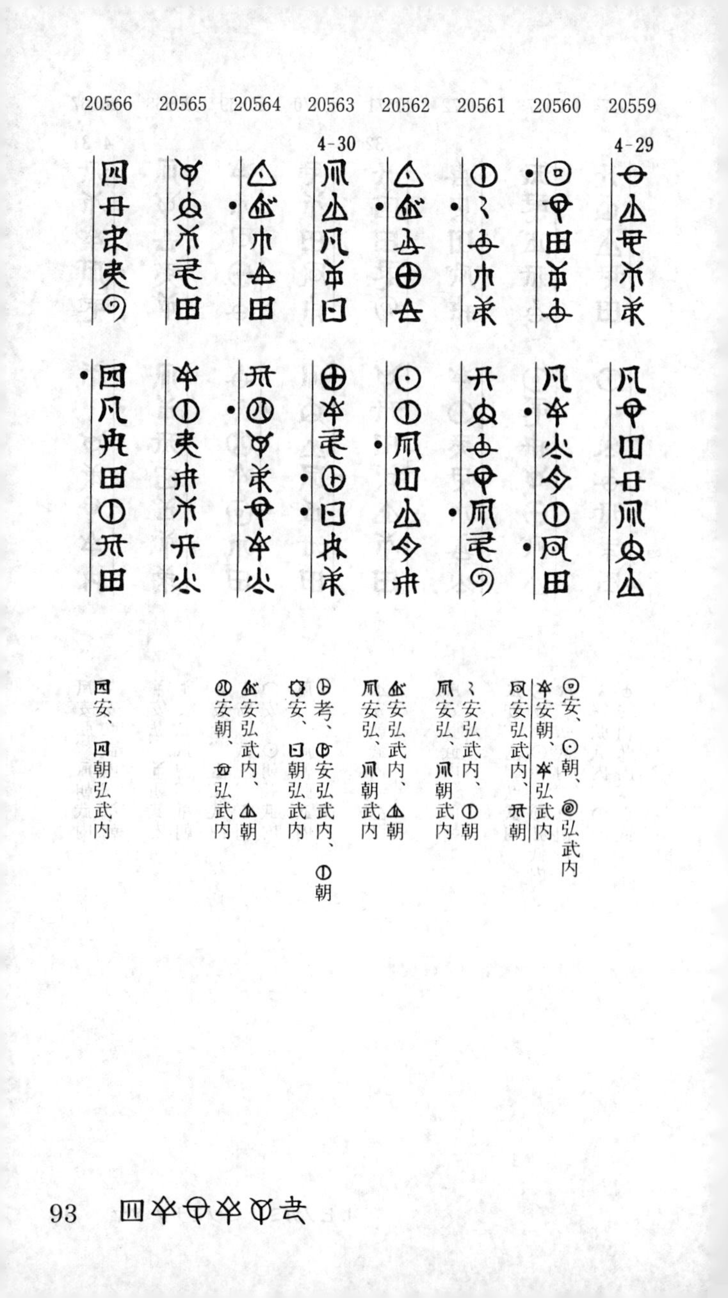

20559 4-29

20560

◎安、⊙朝、◎弘武内
安朝、弘武内
安弘武内、朝

20561

安弘武内、朝
安弘、朝武内

20562

安弘武内、朝
安弘、朝武内

20563 4-30

考、安弘武内、朝
安、朝弘武内

20564

安弘武内、朝
安朝、弘武内

20565

20566

安、朝弘武内

4-31

20567

20568

20569

20570

4-32

20571

20572

20573

20574

安弘、朝武内

安弘武内、朝

安弘、朝武内

安弘武内、朝

安朝、弘武内

安弘武内、朝

安、朝弘武内

安、朝弘武内

安朝武内、弘

安弘武内、朝

安、弘武内

安、朝、弘武内

安弘武内、朝

安弘、武内、朝

安朝弘内、武

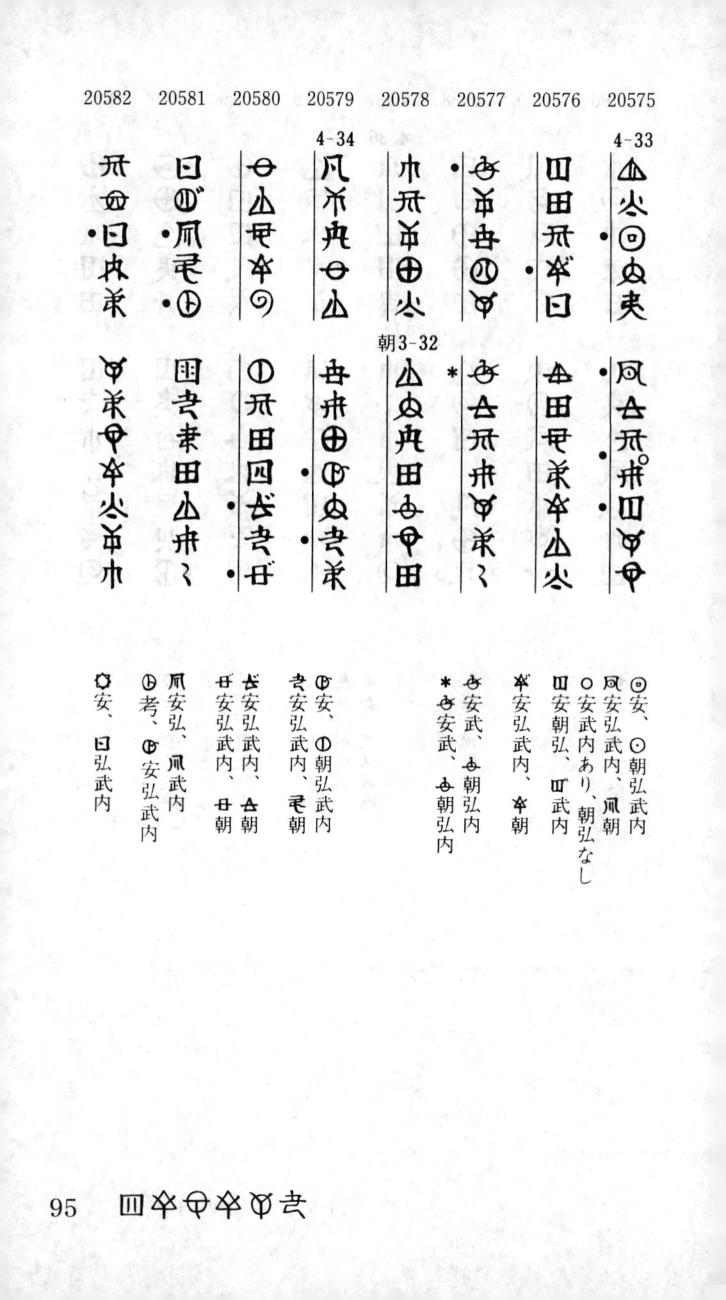

20575 4-33 朝3-32

20576

20577

20578

20579 4-34

20580

20581

20582

〓安、〓朝弘武内

〓安弘武内、〓朝

○安武内あり、朝弘なし

〓安朝弘、〓武内

〓安弘武内、〓朝

〓安武、〓朝弘内

*〓安武、〓朝弘内

〓安、〓朝弘武内

〓安弘武内、〓朝

〓安弘武内、〓朝

〓安弘武内、〓朝

〓安弘、〓武内

〓考、〓安弘武内

〓安、〓弘武内

20583 (4-35)

20584

20585

20586

20587 (4-36)

20588

20589

20590

安、弘武内

考、安弘武内

安、弘武内

安、弘武内

安、弘武内

安、弘武内

安、弘武内

安、弘武内

20591 4-37

[illegible]

20592

[illegible]

[illegible]安弘、[illegible]武内
[illegible]安、[illegible]弘武内

20593

[illegible]

[illegible]安武内、[illegible]弘

20594

[illegible]

[illegible]安、[illegible]弘武内
[illegible]安武内、[illegible]弘

20595 4-38

[illegible]

＊神3―77に類似歌あり（紀記によるため載せず）

20596

[illegible]

[illegible]安、[illegible]弘武内

20597

[illegible]

[illegible]安、[illegible]弘武内

20598

[illegible]

20599 20600 20601 20602 20603 20604 20605 20606

4-39 (20599)

4-40 (20603)

朝3-33 (20604)

20599: 安武内、弘

20600: 安、弘武内 / 安、弘武内

20601: 安弘、武内

20602: 安、弘武内 / 安武、弘内

20603: 安武内、弘 / 安、弘武内 / 安、弘武内

20604: 安武内、弘 / 安、弘武内

20606: 安武内、朝弘 / 安、朝弘武内 / 安、朝、弘武内

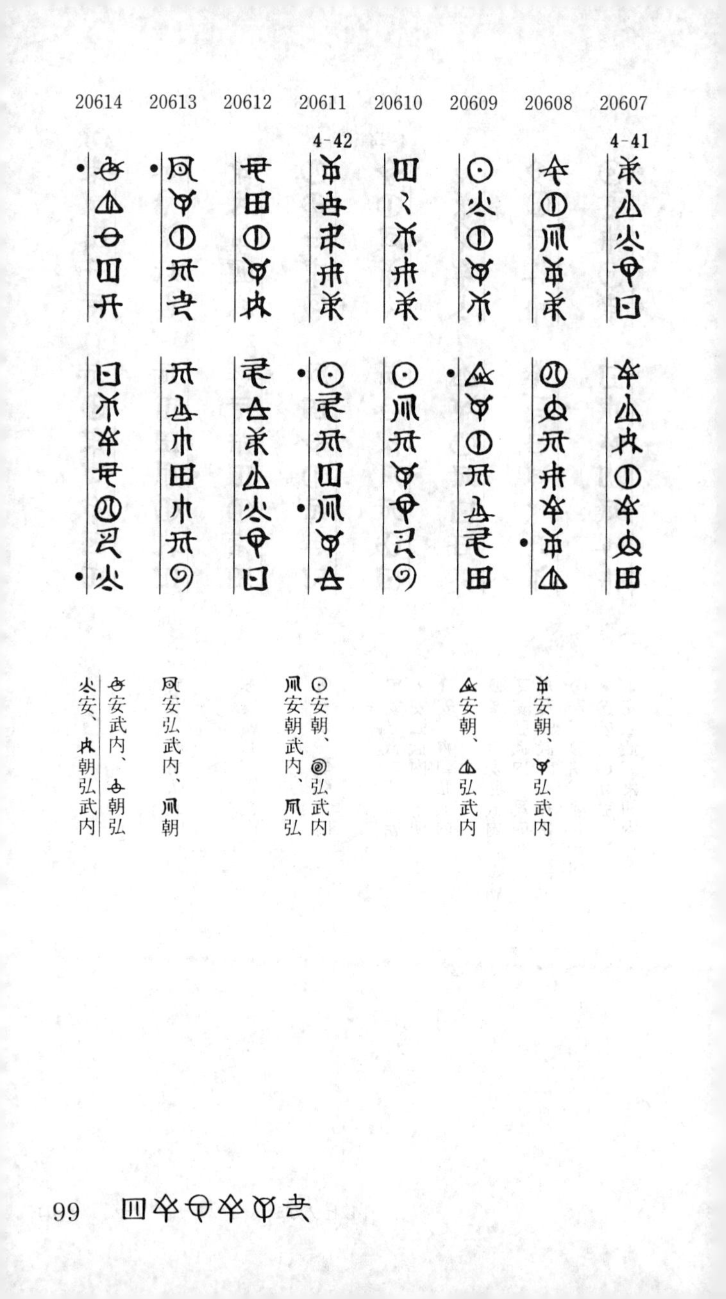

20607 4-41

20608
安朝、弘武内

20609
安朝、弘武内

20610

20611 4-42
安朝、弘武内
安朝武内、弘

20612

20613
安弘武内、朝

20614
安武内、朝弘
安、朝弘武内

4-43

20615 [illegible]

20616 [illegible]

20617 [illegible]

20618 [illegible]

4-44

20619 [illegible]

20620 [illegible]

20621 [illegible]

20622 [illegible]

[illegible]安、[illegible]朝弘武内

[illegible]安朝弘、[illegible]武内

[illegible]安朝、[illegible]弘武内

[illegible]安弘武内、[illegible]朝

[illegible]安弘武内、[illegible]朝

[illegible]安、[illegible]朝弘武内

[illegible]考、[illegible]安弘武内、[illegible]朝

[illegible]安弘武内、[illegible]朝

[illegible]安弘武内、[illegible]朝

[illegible]安、[illegible]朝、[illegible]弘武内

*[illegible]安、[illegible]朝弘武内

[illegible]安弘武、[illegible]朝内

20623 4-45 朝3-38

20624

20625

20626

20627 4-46

20628

20629 朝4-1

20630

⊙安朝、◎弘武内
〓安朝、〓弘武内
回安、⊙朝、◎弘武内
〓安武内、〓朝弘
〓安朝、〓弘武内
〓安弘武内、〓朝
〓安弘武内、〓朝
〓安弘武内、〓朝
〓安内、〓朝弘武
〓安、〓朝弘武内
〓安朝、〓弘武内
回安、⊙朝、◎弘武内
〓安朝、〓弘武内
〓安、〓朝弘武内

4-47

20631 [illegible]

20632 [illegible]

20633 [illegible]

20634 [illegible]

4-48

20635 [illegible]

20636 [illegible]

20637 [illegible]

20638 [illegible]

[illegible]安、[illegible]朝弘武内
[illegible]安、[illegible]朝弘武内
[illegible]安、[illegible]朝弘武内
[illegible]安、[illegible]朝弘武内
[illegible]安、[illegible]朝弘武内
[illegible]安弘武内、[illegible]朝
*[illegible]朝[illegible]ヌケ
[illegible]安、[illegible]朝弘武内
[illegible]安、[illegible]朝弘武内
[illegible]安、[illegible]朝弘武内
[illegible]安、[illegible]朝、[illegible]弘武内
[illegible]安弘武内、[illegible]朝
[illegible]安武内、[illegible]朝弘
[illegible]安朝、[illegible]弘武内
[illegible]安朝武内、[illegible]弘
[illegible]安弘、[illegible]朝武内

↑（8行目）

[illegible]安弘武内、[illegible]朝
[illegible]安弘武内、[illegible]朝
[illegible]安、[illegible]朝弘武内
[illegible]安、[illegible]朝弘武内
[illegible]安、[illegible]朝弘武内

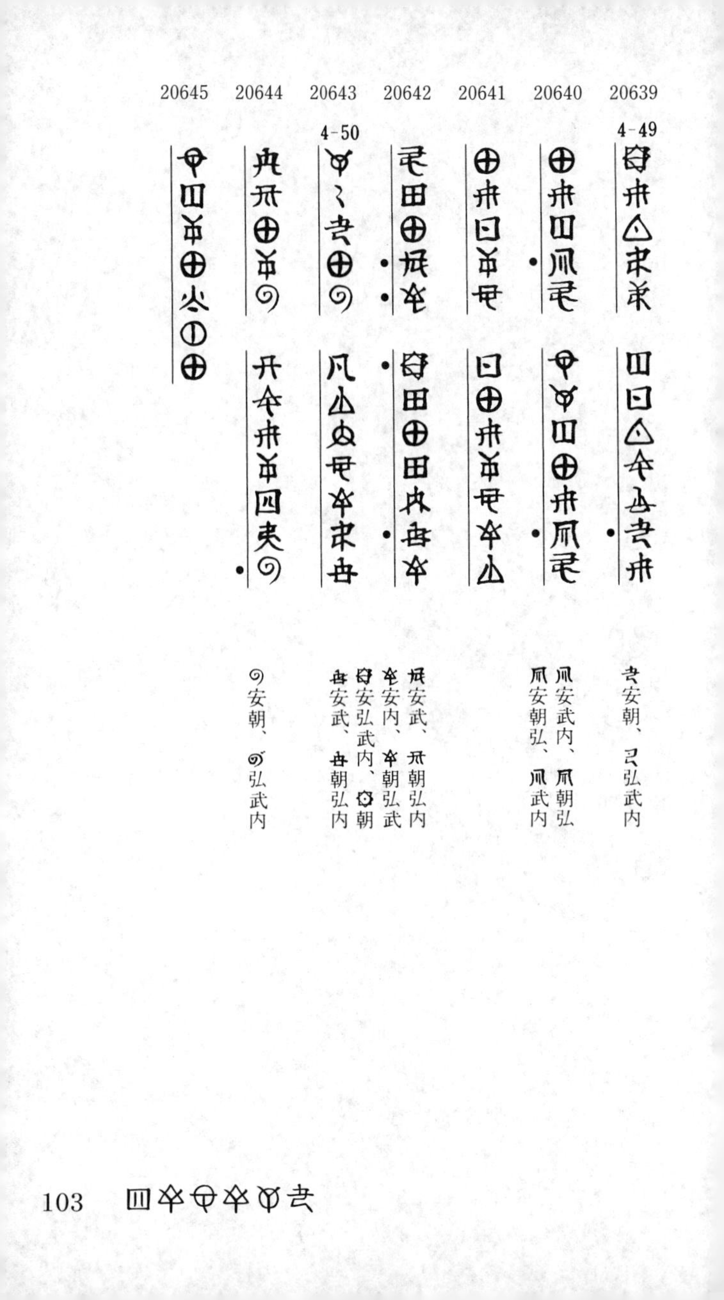

20639 4-49

安朝、弘武内

20640

安武内、朝弘

安朝弘、武内

20641

20642

安武、朝弘内

安内、朝弘武

20643 4-50

安弘武内、朝

安武、朝弘内

20644

安朝、弘武内

20645

20646

5-1

〓安武内、〓弘

20647

20648

〓考、〓安弘武内

〓安、〓弘武内

20649

20650

5-2

〓考、〓安弘武内

〓安、〓弘武内

20651

〓安、〓弘武内

〓安、〓弘武内

20652

20653

20654 5-3

20655

20656

20657

20658 5-4

20659

20660

20661

安弘内、武

安、弘武内

安、弘武内

安武、弘内

安、弘武内

安、弘武内

安、弘武内

安、弘武内

安、弘武内

安、弘武内

安、弘武内

安、弘武内

安、弘武内

20669	20668	20667	20666	20665	20664	20663	20662
			5-6				5-5

安、弘武内

安、弘武内

安、弘武内

安、弘武内

*安、弘武内

安、弘武内

安、弘武内

20670 20671 20672 20673 20674 20675 20676 20677

5-7 (20670)

5-8 (20674)

20670: 安、 弘武内 / 安、 弘武内

20672: 安、 弘武内 / 安、 弘武内

20673: 安、 弘武、内 / 安弘武、内 / 安、 弘武内

20674: 安、 弘武内

20675: 安、 弘武内

20677: 安、 弘武内 / 安、 弘武内 / 安、 弘武内

20678

5-9

20679

安、弘武内

20680

安、弘武内

20681

20682

5-10

安、弘武内

20683

安、弘武内

20684

20685

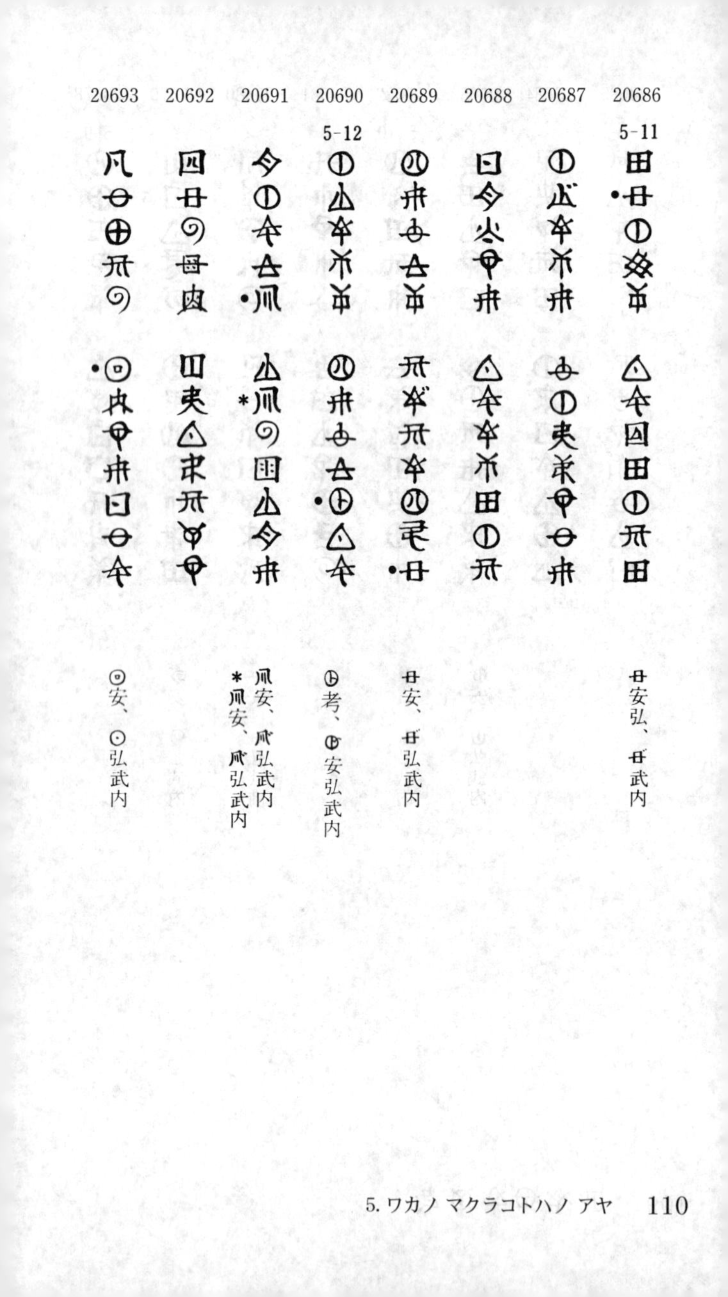

20686

5-11

20687

20688

20689

20690

5-12

20691

20692

20693

安弘、武内

安、弘武内

考、安弘武内

安、弘武内

*安、弘武内

安、弘武内

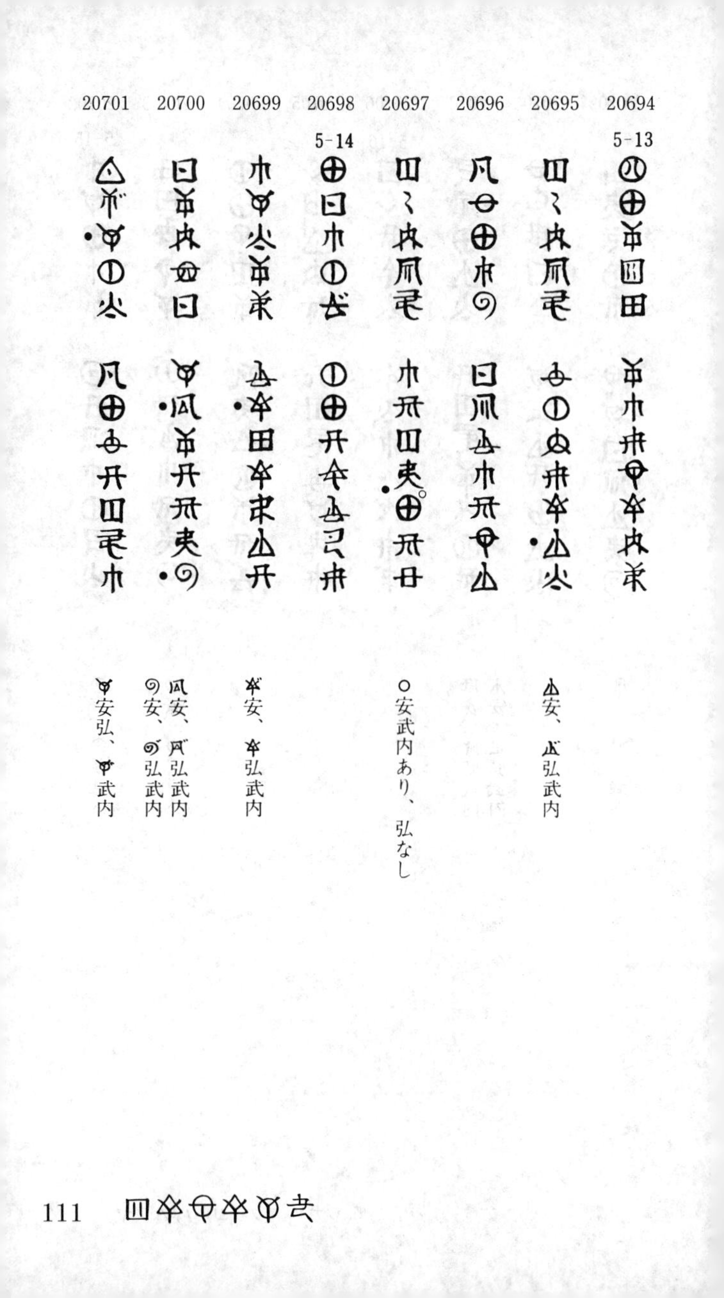

No.	Ref.	Note
20694	5-13	
20695		[illegible]安、[illegible]弘武内
20696		
20697		○安武内あり、弘なし
20698	5-14	
20699		[illegible]安、[illegible]弘武内
20700		[illegible]安、[illegible]弘武内 [illegible]安、[illegible]弘武内
20701		[illegible]安弘、[illegible]武内

20702 (5-15)

20703

20704

20705

20706 (5-16)

20707

20708

20709

20702: 安、弘 武内

20703: 安、弘 武内

20707: 安、弘 武内 / 安、弘 武内

20709: 安、弘 武内

20710 5-17

20711

安内、弘武
安弘、武内

20712

安、弘武内

20713

安、弘武内
安、弘武内
安、弘武内

20714 5-18

20715

安、弘武内

20716

安、弘、武内

20717

安武、弘内
安、弘武内

20718 5-19

安、[ヲシテ]弘武内

20719

[ヲシテ]安武内、[ヲシテ]弘
[ヲシテ]安武、[ヲシテ]弘内

20720

[ヲシテ]安武内、[ヲシテ]弘
[ヲシテ]安、[ヲシテ]弘武内

20721

20722 5-20

20723

20724

20725

[ヲシテ]安、[ヲシテ]弘武内

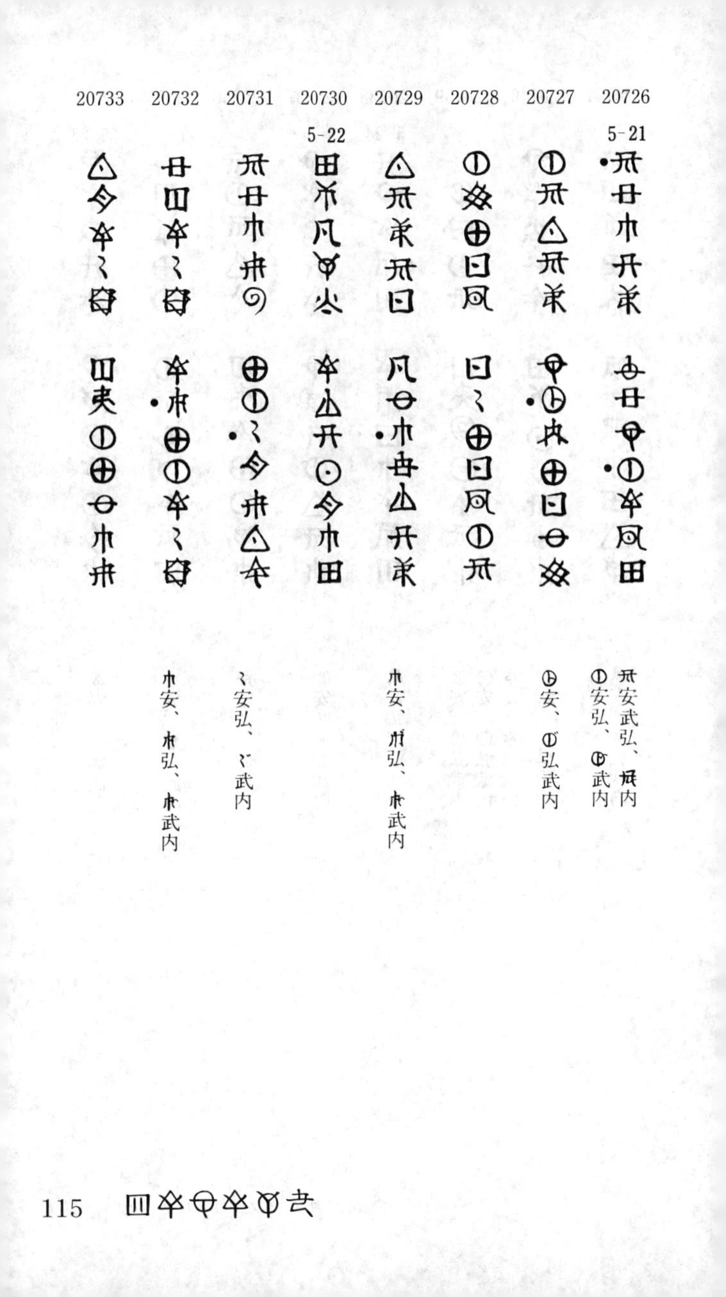

20726

5-21

[illegible]

[illegible]安武弘、[illegible]内

[illegible]安弘、[illegible]武内

20727

[illegible]

[illegible]安、[illegible]弘武内

20728

[illegible]

20729

[illegible]

[illegible]安、[illegible]弘、[illegible]武内

20730

5-22

[illegible]

20731

[illegible]

[illegible]安弘、[illegible]武内

20732

[illegible]

[illegible]安、[illegible]弘、[illegible]武内

20733

[illegible]

20734

5-23

安弘、武内

20735

安、弘武内

20736

安弘、武内

20737

安弘、武内

20738

5-24

安弘、武内

20739

安、弘武内

安、弘武内

20740

安、弘武内

安、弘武内

20741

安、弘武内

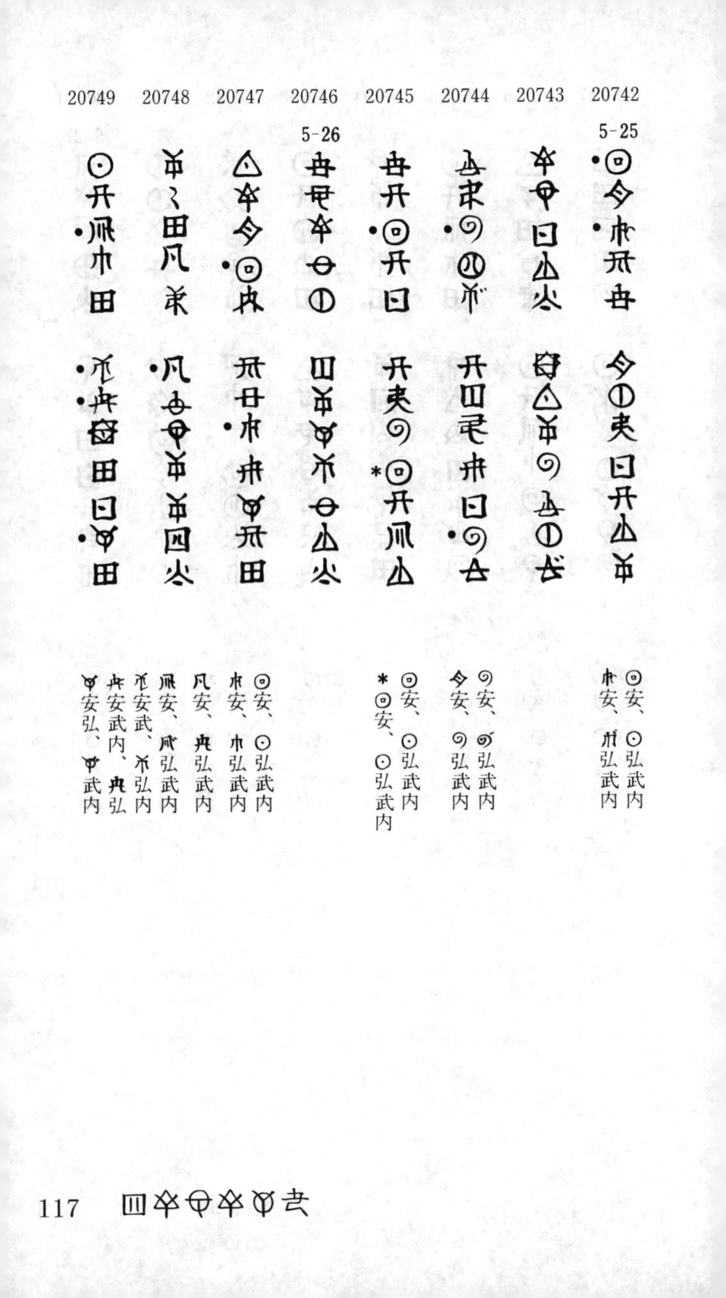

20742 5-25

20743

20744

20745

20746 5-26

20747

20748

20749

20742: 安、⊙弘武内

20744: 安、弘武内

20745: 安、⊙弘武内
*安、⊙弘武内

20746: 安、⊙弘武内

20747: 安、弘武内

20748: 安、弘武内

20749: 安武、弘内
安武内、弘
安弘、武内

20750 5-27
☼安、☼弘武内

20751
◎安、⊙弘武内

20752
[ヲシテ文字]考、[ヲシテ文字]安弘武内
◎安、⊙弘武内

20753
◎安、⊙弘武内
[ヲシテ文字]安、[ヲシテ文字]弘武内

20754 5-28

20755
◎安、⊙弘武内

20756
◎安、⊙弘武内
[ヲシテ文字]安弘、[ヲシテ文字]武内

20757
◎安、⊙弘武内
○安武内あり、弘なし

20758

5-29

20759

20760

安、弘武内
安弘、武内
安武内、弘

20761

20762

5-30

20763

安、弘武内

20764

20765

〓安武内、〓〓弘
〓安武内、〓弘
〓安ミ、〓弘武内
〓安弘武内、〓ミ
〓安ミ、〓弘内、〓武
〓安ミ弘武、〓内
*〓安ミ武、〓弘内
〓安ミ武内、〓弘
〓安ミ、〓弘武内

〓安ミ、〓朝弘武内
〓安、〓ミ朝武内、〓弘
*ミカサ〓〓〓〓〓〓〓の異文
〓安、〓朝、〓弘武内
〓安ミ武、〓朝弘内
〓安ミ、〓朝弘武内
〓安、〓ミ朝弘武内
〓安弘武内、〓ミ、〓朝

6-3

20774

20775

20776

20777

6-4

20778

20779

20780

20781

安、ミ、朝、弘武内

安、ミ朝弘武内

安ミ朝、弘武内

安朝弘武、ミ内

安ミ、朝弘武内

安ミ弘武内、朝

安朝弘武内、ミ

安朝弘、ミ、武内

安朝弘武内、ミ

安弘武内、ミ、朝

•安武内あり

安ミ、朝弘武内

20789 20788 20787 20786 20785 20784 20783 20782

6-6 6-5

〓安ミ朝、〓弘武内
〓安、〓ミ弘武内、〓朝
〓安、⊙ミ朝弘武内
＊〓安、⊙ミ朝弘武内
〓安ミ、〓朝弘武内
〓安ミ弘武内、〓朝
〓安、⊙ミ朝弘武内
〓安朝弘武内、〓ミ
〓安、〓ミ朝弘武内
•安ミ武内あり
〓安弘武内、〓ミ、〓朝
〓安朝弘武内、〓ミ
〓安朝、〓ミ弘武内
〓安、⊙ミ朝弘武内
〓安、〓ミ弘武内、〓朝
〓安、⊙ミ朝弘武内
〓安ミ弘武内、〓朝
〓安弘武内、〓ミ、〓朝
〓安ミ弘武内、〓朝

(8行目)↑
〓安ミ弘武内、〓朝
〓安朝弘武内、〓ミ
〓安弘武内、〓ミ、〓朝

6-7

20790

20791

20792

20793

6-8

20794

20795

20796

20797

[illegible]安弘武内、[illegible]ミ、[illegible]朝

[illegible]安朝弘武内、[illegible]ミ

[illegible]安弘武内、[illegible]ミ朝

[illegible]安、[illegible]ミ朝弘武内

[illegible]安ミ朝、[illegible]弘武内

[illegible]安朝弘武内、[illegible]ミ

[illegible]安ミ弘武内、[illegible]朝

[illegible]安朝弘武内、[illegible]ミ

[illegible]安朝弘武内、[illegible]ミ

[illegible]安ミ、[illegible]朝弘武内

[illegible]安、[illegible]ミ朝弘武内

[illegible]安朝弘武内、[illegible]ミ

[illegible]安ミ弘武内、[illegible]朝

20798 6-9
〓〓〓〓〓・〓〓〓〓〓〓〓

20799
〓〓〓〓〓 朝4-12 〓〓〓〓〓〓〓

20800
〓〓〓〓〓・〓〓〓〓〓〓

20801
〓〓〓〓〓・〓〓〓〓〓〓

20802 6-10
〓〓〓〓〓・〓〓〓〓〓〓

20803
〓〓〓〓〓・〓〓＊〓〓〓〓〓

20804
〓〓〓〓〓・〓〓〓〓〓〓〓

20805
〓〓〓〓〓〓〓〓〓〓〓〓

〓考、〓安、〓ミ弘武内、〓朝

〓安朝朝、〓ミ弘武内

〓安、〓ミ朝朝、〓弘武内

〓安ミ弘武内、〓朝朝

〓安、〓ミ朝弘武内

〓安弘武内、〓ミ朝

〓安弘武内、〓ミ、〓朝

〓安ミ弘武内、〓朝

〓安、〓ミ、〓朝弘武内

〓安朝弘武内、〓ミ

＊ミカサ〓〓〓〓〓の異文

20806 6-11

20807

20808

20809

20810 朝4-10,6-12

20811

20812

20813

安、弘武内

安、弘武内

安、弘

武内

安、弘武内

安、弘武内

安朝弘、武内

安弘武内、朝

安朝武内、弘

安、朝弘武内

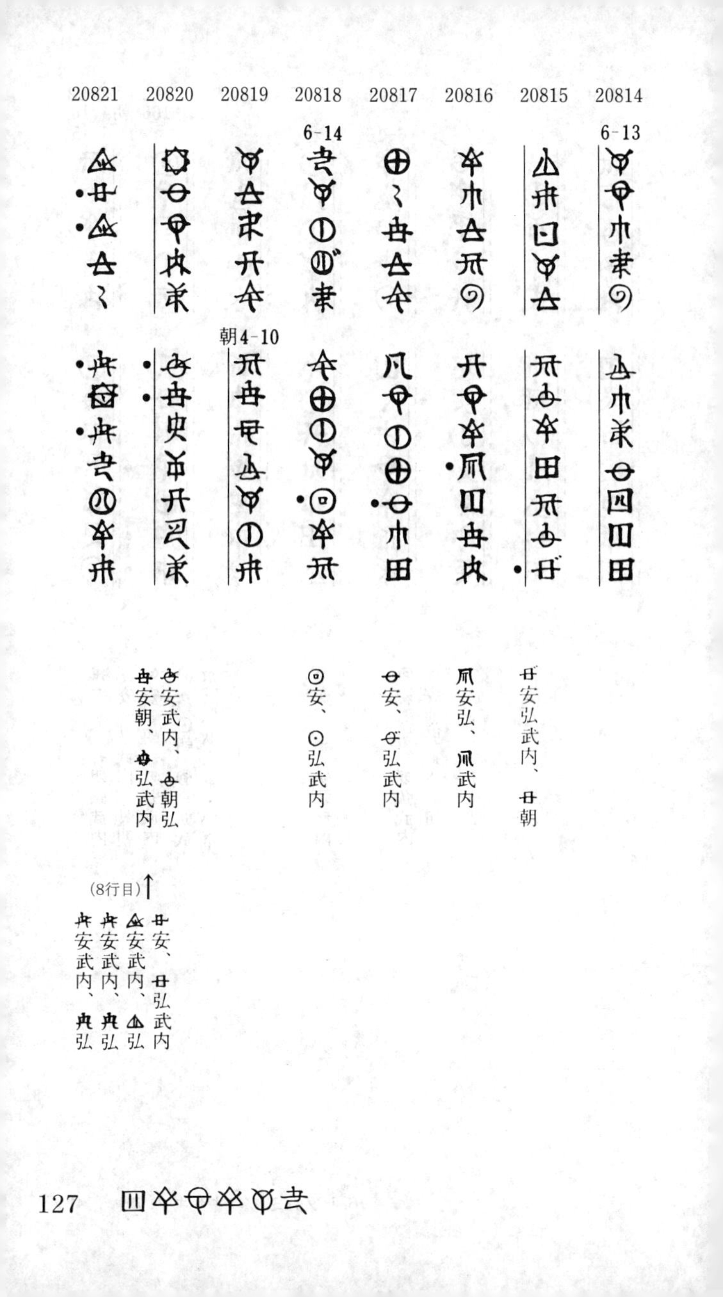

20814 6-13

20815

20816

20817

20818 6-14

20819 朝4-10

20820

20821

（20815）安弘武内、朝

（20816）安弘、武内

（20817）安、弘武内

（20818）安、弘武内

（20820）安武内、朝弘

安朝、弘武内

(8行目)↑

安、弘武内

安武内、弘

安武内、弘

安武内、弘

20822 ミ-106, 朝4-10 6-15

20823

20824

20825

20826 6-16

20827

20828

20829

安ミ、朝弘武内

安ミ弘武内、朝

安ミ朝、弘武内

安、朝、ミ弘武内

安弘武内、ミ、朝

安、ミ朝弘武内

安ミ朝、弘武内

安朝弘武内、ミ

安朝弘武内、ミ

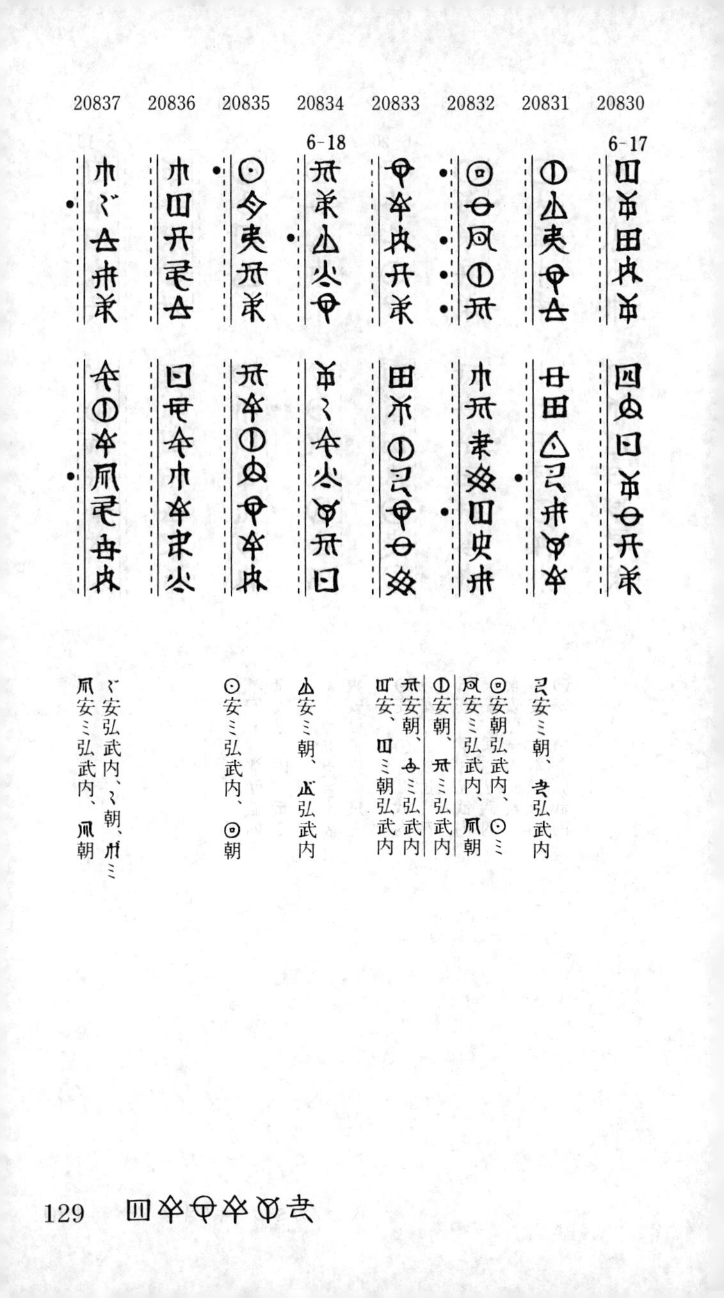

20830 6-17

20831

〓安ミ朝、〓弘武内

20832

⊙安朝弘武内、⊙ミ

〓安ミ弘武内、〓朝

20833

〓安朝、〓ミ弘武内

〓安朝、〓ミ弘武内

〓安、〓ミ朝弘武内

20834 6-18

〓安ミ朝、〓弘武内

20835

⊙安ミ弘武内、◎朝

20836

20837

〓安弘武内、〓朝、〓ミ

〓安ミ弘武内、〓朝

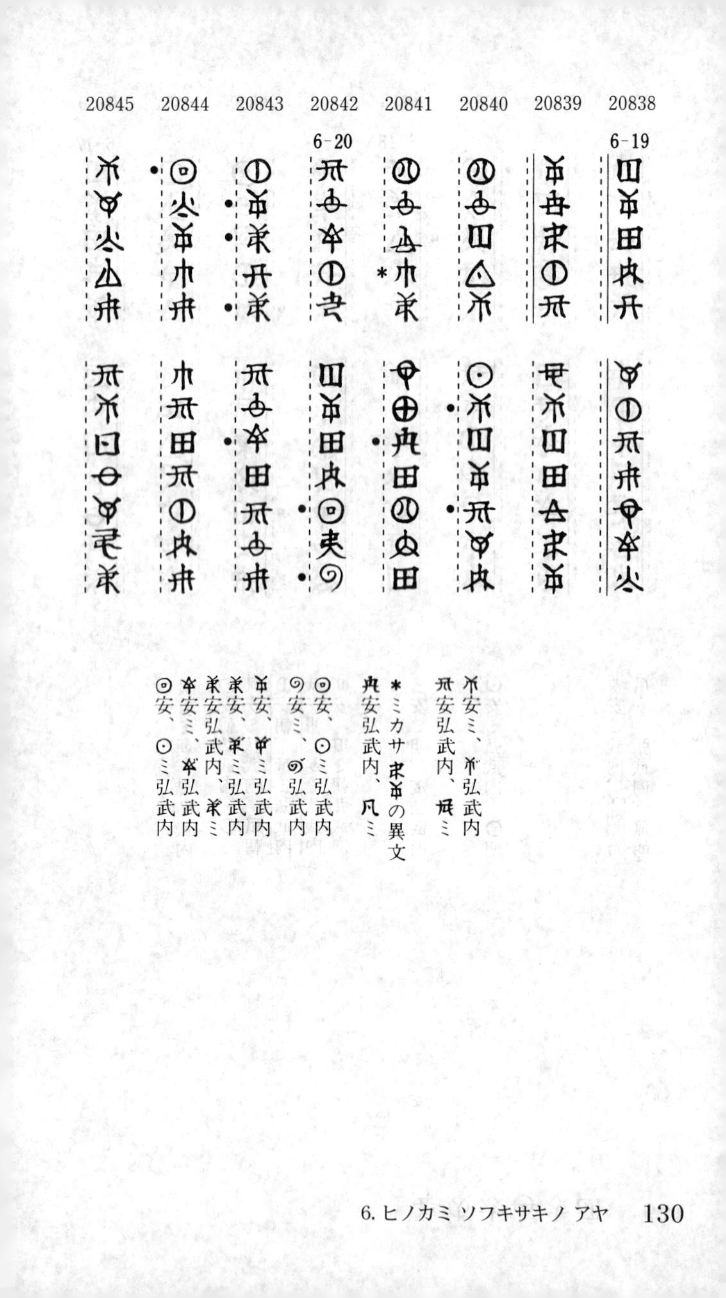

6-19

20838

20839

20840

20841

6-20

20842

20843

20844

20845

安ミ、弘武内

安弘武内、ミ

＊ミカサの異文

安弘武内、ミ

安、ミ弘武内

安ミ、弘武内

安、ミ弘武内

安、ミ弘武内

安弘武内、ミ

安ミ、弘武内

安、ミ弘武内

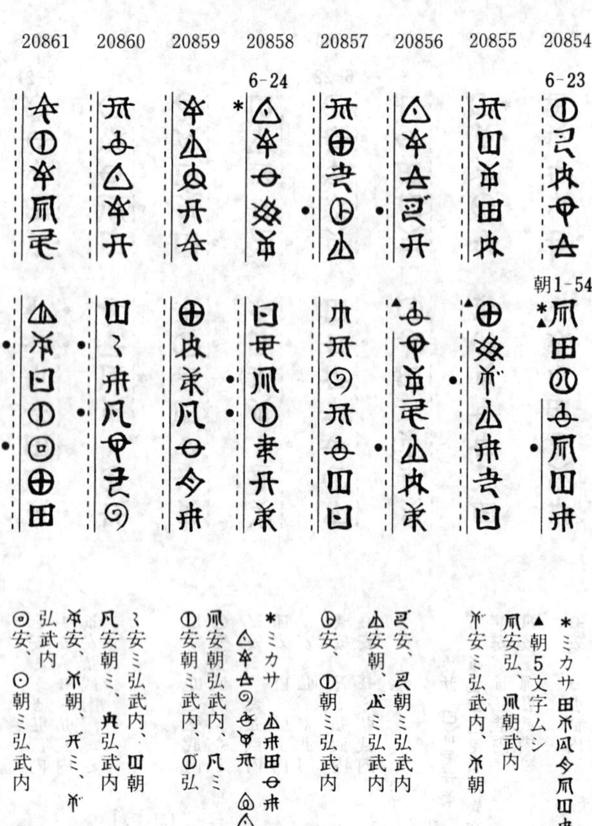

＊ミカサ の異文
▲朝5文字ムシ
安弘、朝武内
安ミ弘武内、朝
安、朝ミ弘武内
安朝、ミ弘武内
安、朝ミ弘武内
＊ミカサ の異文
安朝弘武内、ミ
安朝ミ武内、弘
安ミ弘武内、朝
安朝ミ、弘武内
安、朝、ミ、弘武内
安、朝ミ弘武内

6-25

20862

〓安ミ弘武内、〓朝
〓安朝弘武内、〓ミ

20863

〓安、〓朝ミ弘武内
〓安、〓朝ミ弘武内
〓安ミ弘武内、〓朝

20864

〓安弘武内、〓ミ
〓安弘武内、〓ミ

20865

〓安、〓ミ弘武内
〓安、〓ミ弘武内

6-26

20866

〓安ミ武内、〓弘
〓考、〓安弘武内

20867

〓安弘、〓ミ武内
〓安ミ武内、〓弘

20868

〓安ミ武、〓弘内
〓安弘武内、〓ミ
〓安ミ、〓弘武内

20869

〓安ミ、〓弘武内
〓安ミ弘武、〓内

20870 6-27

20871

20872

20873

20874 6-28

20875

20876

20877

安ミ武、弘内

安武、ミ弘内

安、ミ弘武内

安、ミ弘武内

安弘武内、ミ

安弘武内、ミ

安、ミ弘武内

安、ミ弘武内

安弘武内、ミ

安ミ武内、弘

安ミ、弘武内

安、ミ弘武内

安ミ、弘武内

20878	20879	20880	20881	20882	20883	20884	20885
6-29				6-30			

〓安弘武内、〓ミ
〓安ミ、〓弘武内
〓安ミ武内、〓弘
〓安、〓ミ弘武内
〓安弘武内、〓ミ
〓安弘武内、〓ミ

〓安弘武内、〓ミ

〓安、〓弘武内

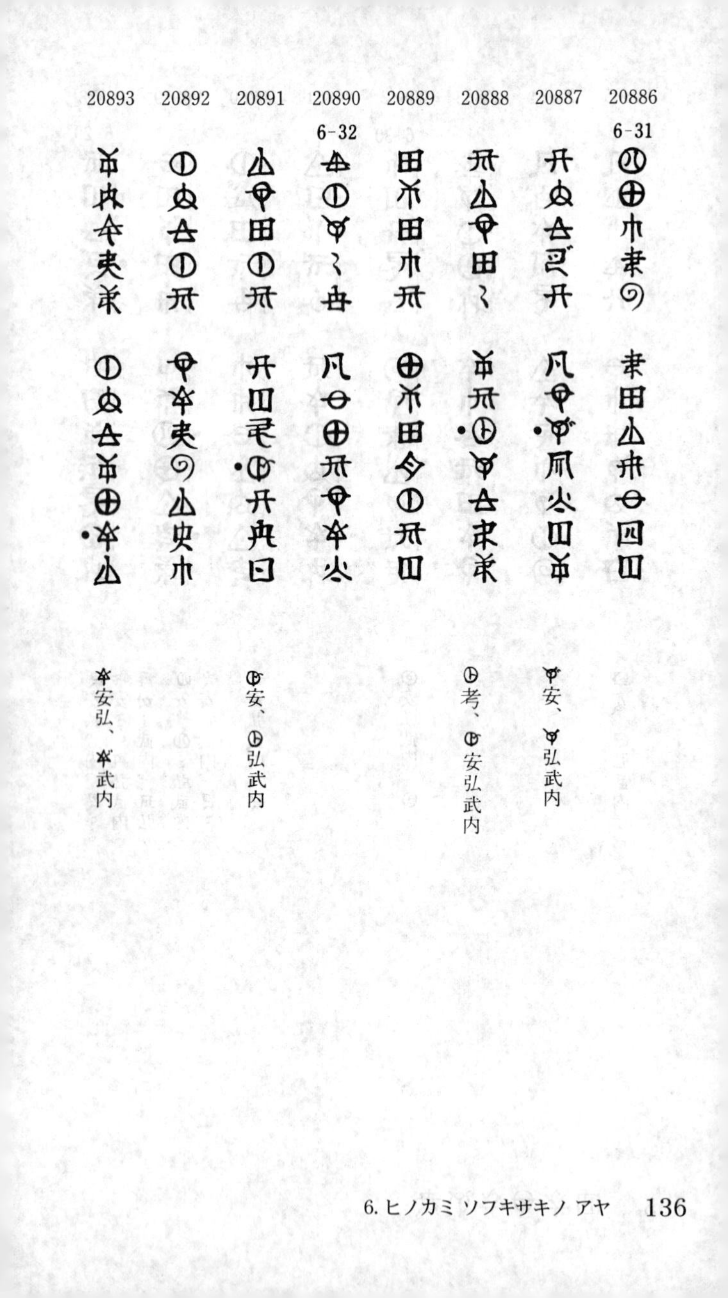

6-31

20886

20887

安、弘武内

20888

考、安弘武内

20889

6-32

20890

20891

安、弘武内

20892

20893

安弘、武内

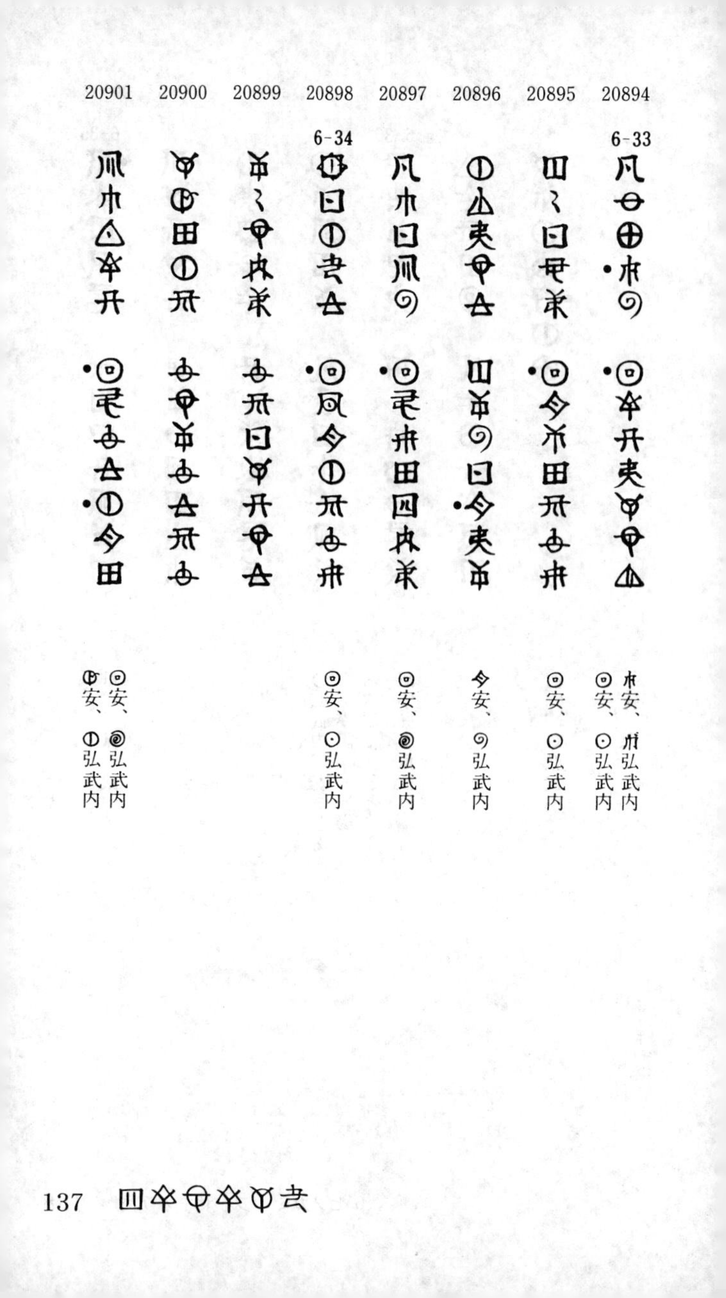

20894 6-33
[illegible]
安、弘武内 / 安、弘武内

20895
[illegible]
安、弘武内

20896
[illegible]
安、弘武内

20897
[illegible]
安、弘武内

20898 6-34
[illegible]
安、弘武内

20899
[illegible]

20900
[illegible]

20901
[illegible]
安、弘武内 / 安、弘武内

20902 6-35

安、弘武内

20903

安、弘武内

20904

20905

⊙弘武内、安⊖とあるも、漢訳「阿智彦」とあるにより⊙とする。

20906 6-36

安弘、武内

20907

20908

安、弘武内

20909
7-1
安、弘武内

20910

20911
考、安弘武内

20912
安弘、武内
安弘、武内

20913
7-2
考、安弘武内

20914

20915

20916

20917 7-3

安武内、弘

20918

安、弘武内

安、弘武内

20919

安、弘武内

*安、弘武内

20920

安、弘武内

20921 7-4

安、弘武内

20922

20923

20924

安、弘武内

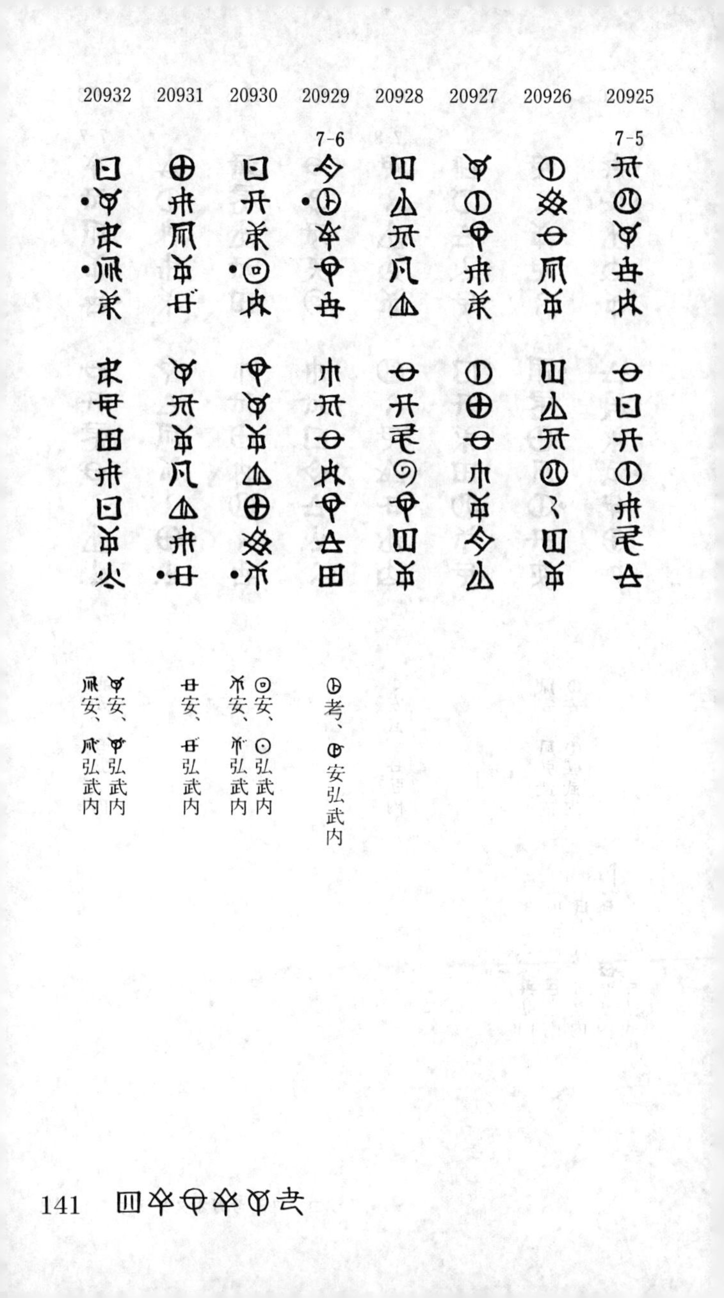

20925 (7-5)

20926

20927

20928

20929 (7-6)

20930

20931

20932

20929: 考、安弘武内

20930: 安、弘武内
安、弘武内

20931: 安、弘武内

20932: 安、弘武内
安、弘武内

20933 7-7

20934

20935

20936

20937 7-8

20938

20939

20940

安、弘武内

安武、弘内

安、弘武内
安、弘武内

↑（8行目）

安武、弘内
安武、弘内
安武、弘内
安、弘武内
安、弘武内

20941 7-9
20942
20943
20944
20945 7-10
20946
20947
20948

〓安、〓弘武内
〓安武、〓弘内
〓安武内、〓弘
〓安、〓弘武内
〓安弘、〓武内
〓安、〓弘武内
〓安、〓弘武内
〓安、〓弘武内
〓安、〓弘武内
〓安、〓弘武内

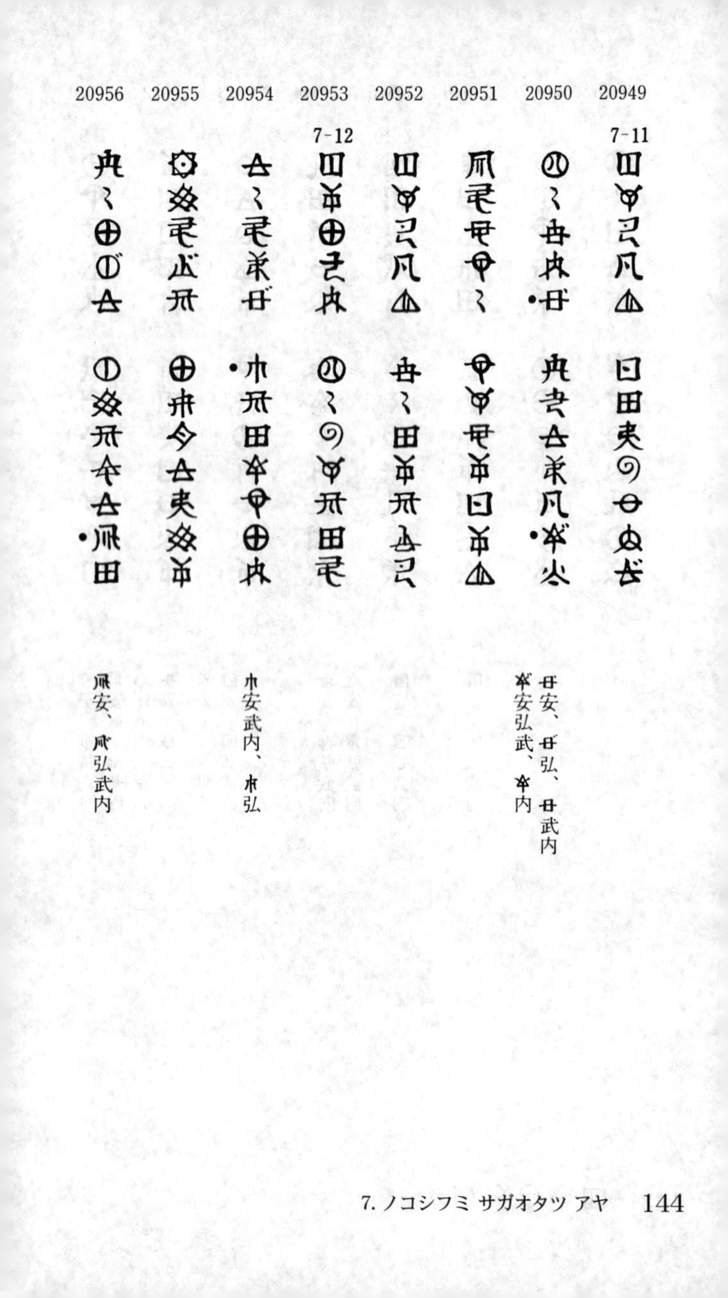

20949

7-11

20950

20951

20952

20953

7-12

20954

20955

20956

（20950 注）安、弘、武内

（20950 注）安弘武、内

（20954 注）安武内、弘

（20956 注）安、弘武内

20957

7-13

安、弘武内

安、弘武内

20958

20959

20960

安、弘武内

安、弘武内

20961

7-14

安、弘武内

20962

安、弘武内

20963

安弘武、内

20964

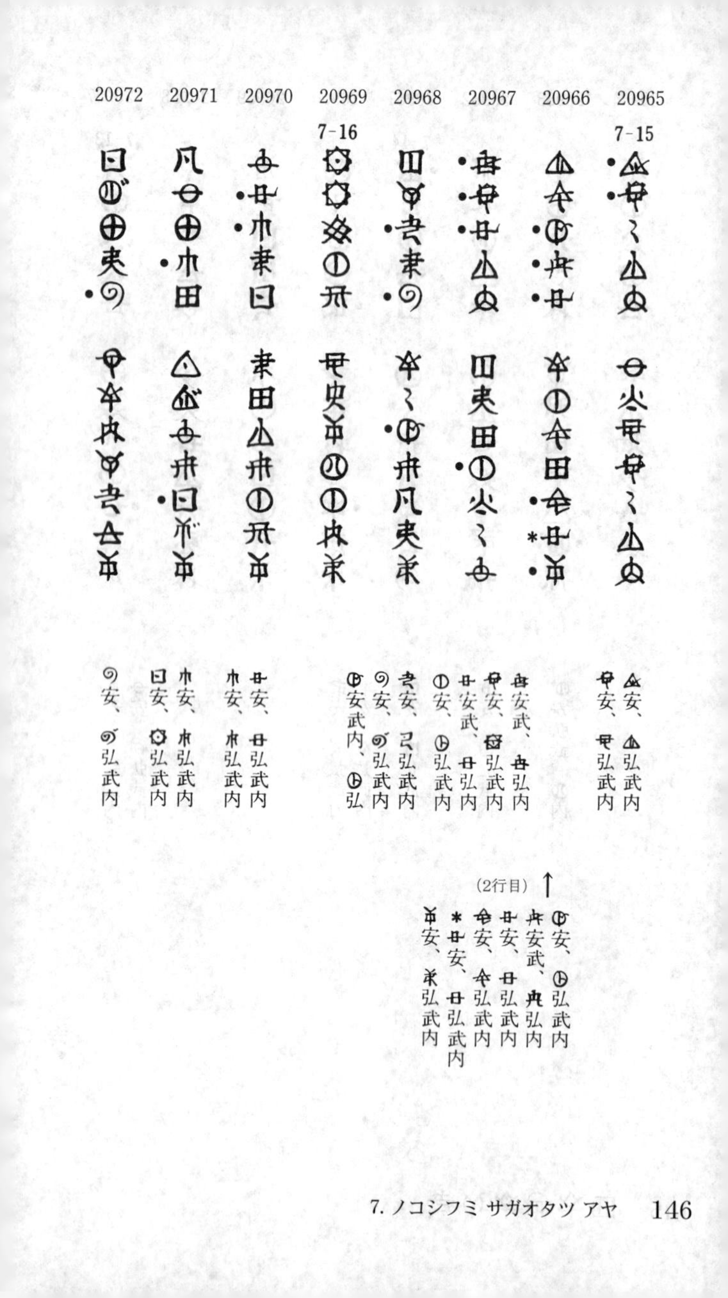

20965 7-15

20966

20967

20968

20969 7-16

20970

20971

20972

安、弘武内

安、弘武内

安武、弘内

安、弘武内

安武、弘内

安、弘武内

安、弘武内

安、弘武内

安武内、弘

安、弘武内

安、弘武内

安、弘武内

安、弘武内

安、弘武内

(2行目) ↑

安、弘武内

安武、弘内

安、弘武内

安、弘武内

安、弘武内

安、弘武内

20973 7-17

20974
安、 弘武内
安、 弘武内
安、 弘武内

20975

20976
安、 弘武内
安、 弘武内

20977 7-18
安弘、 武内
安、 弘武内

20978
安、 弘武内

20979

20980
安、 弘武内

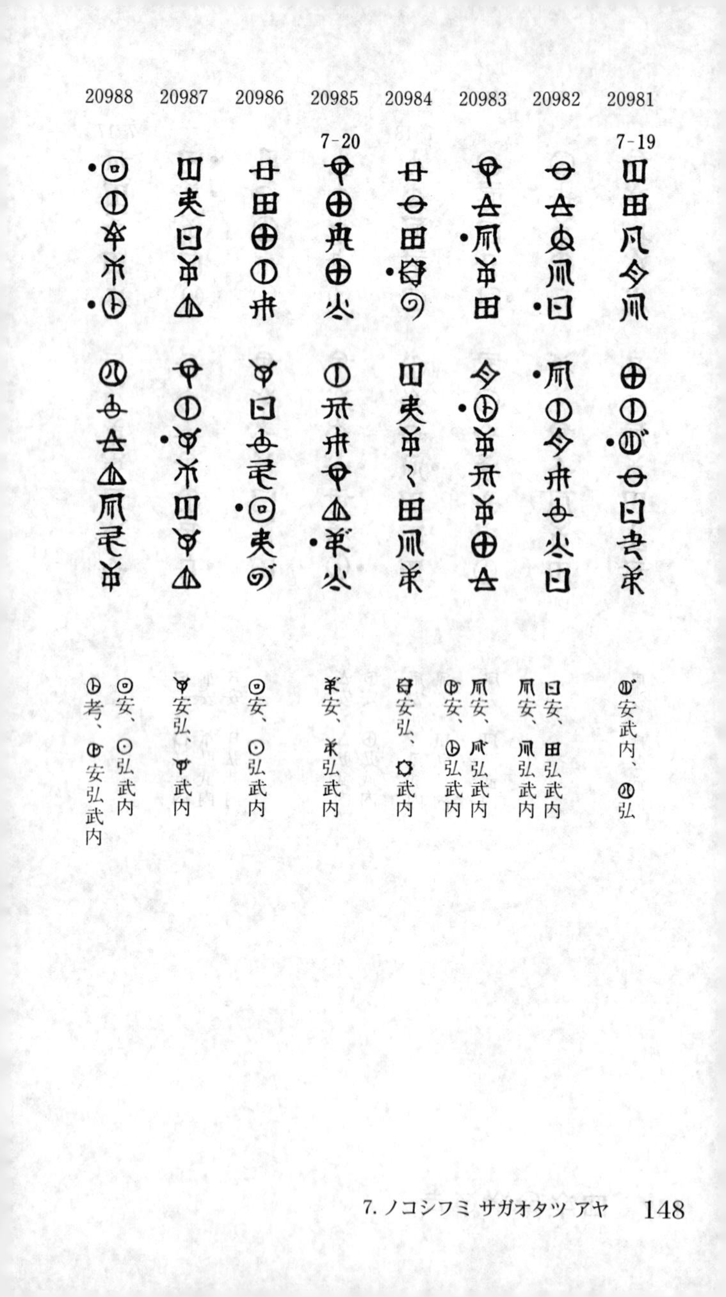

20981
7-19

安武内、弘

20982

安、弘武内
安、弘武内

20983

安、弘武内
安、弘武内

20984

安弘、武内

20985
7-20

安、弘武内

20986

安、弘武内

20987

安弘、武内

20988

安、弘武内
考、安弘武内

20989

7-21

20990

安、弘武内

20991

安、弘武内

安、弘武内

20992

安弘、武内

20993

7-22

20994

20995

安武内、弘

安、弘武内

20996

安、弘武内

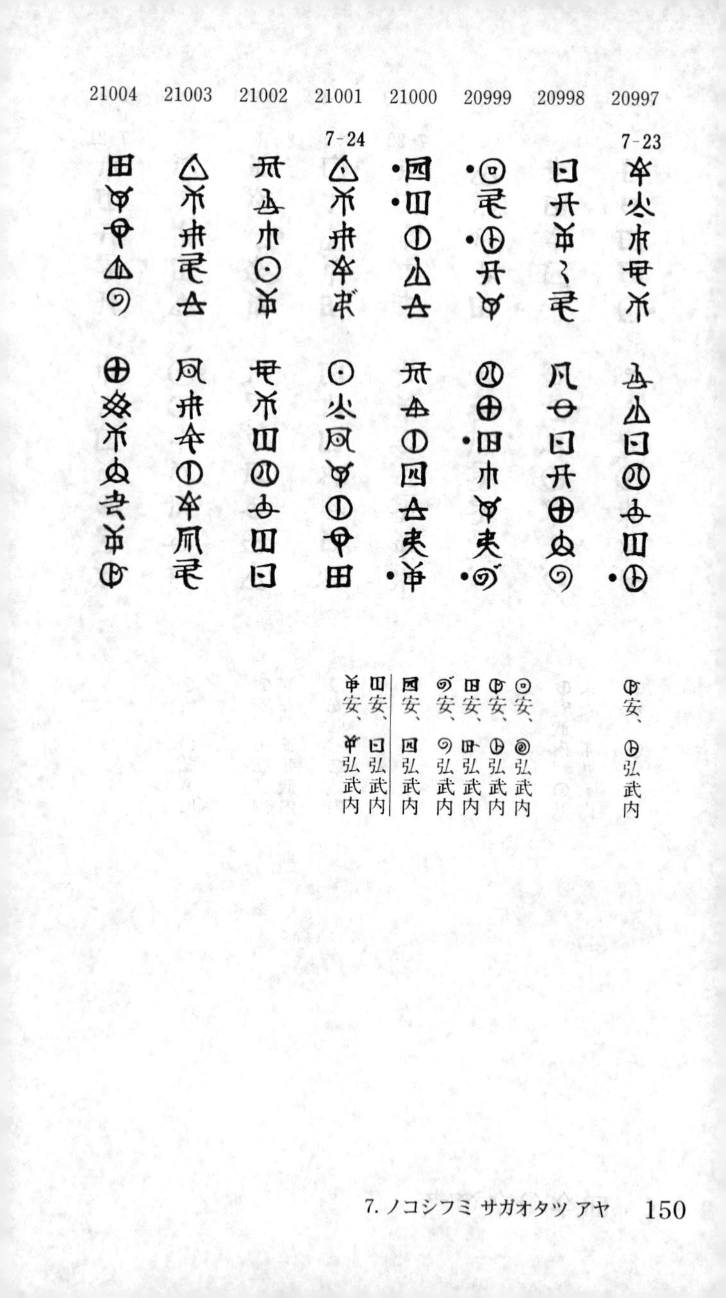

7-23

20997

20998

20999

21000

7-24

21001

21002

21003

21004

安、弘武内

安、弘武内

安、弘武内

安、弘武内

安、弘武内

安、弘武内

安、弘武内

安、弘武内

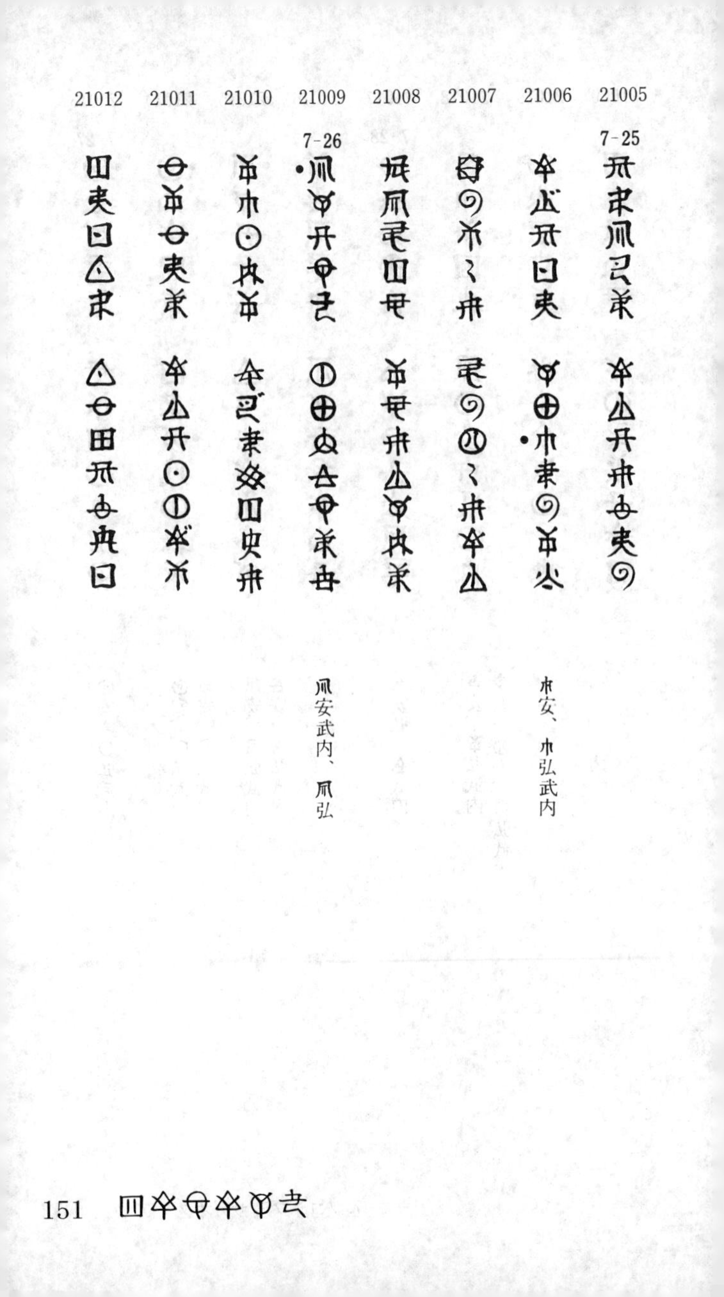

7-25

21005

21006

安、弘武内

21007

21008

7-26

21009

安武内、弘

21010

21011

21012

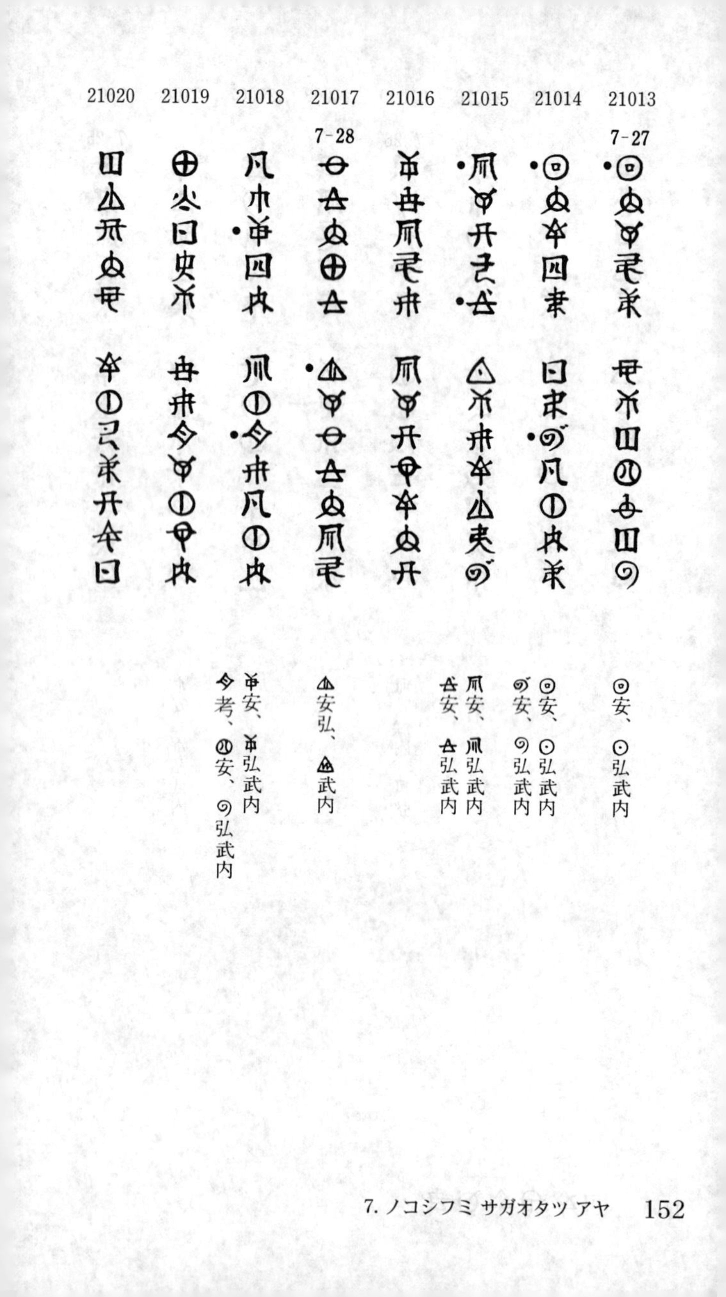

21013 7-27

21014

21015

21016

21017 7-28

21018

21019

21020

21013: 安、弘武内

21014: 安、弘武内 / 安、弘武内

21015: 安、弘武内 / 安、弘武内

21017: 安弘、武内

21018: 安、弘武内 / 考、安、弘武内

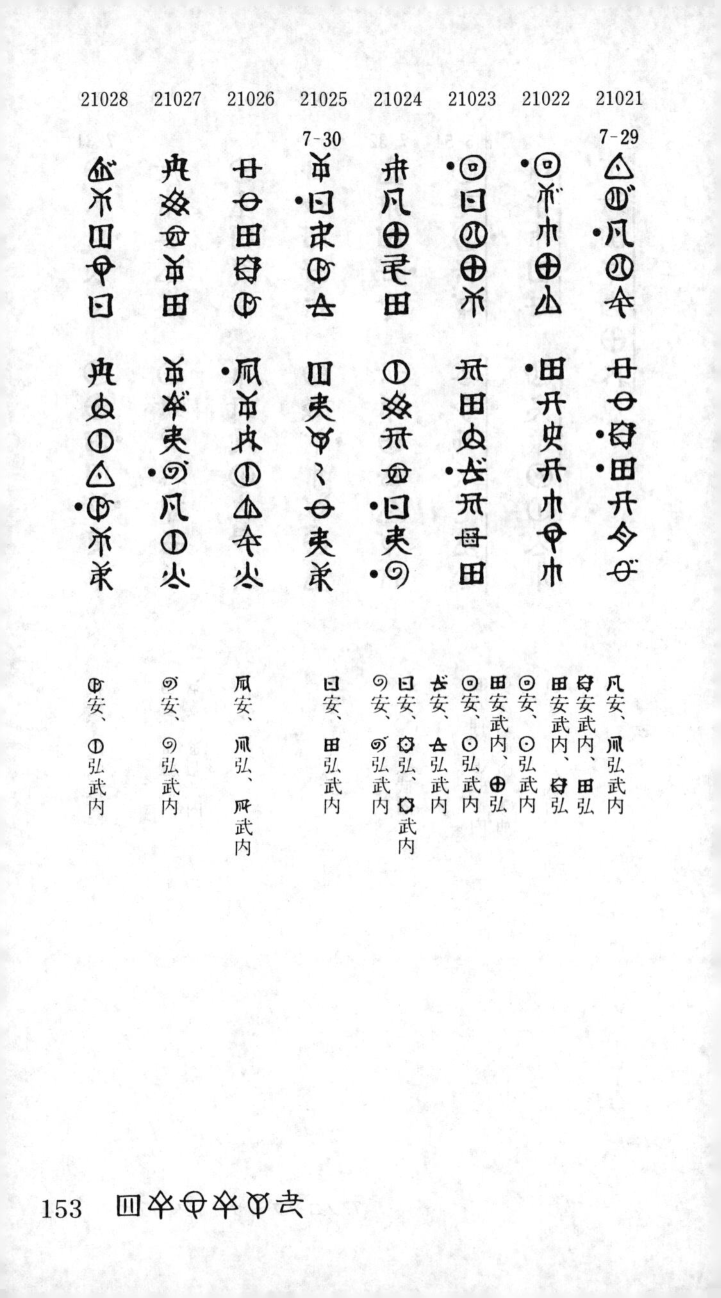

21028	21027	21026	21025	21024	21023	21022	21021
			7-30				7-29
〓〓〓〓〓	〓〓〓〓〓	〓〓〓〓〓	〓・〓〓〓〓	〓〓〓〓〓	・〓〓〓〓〓	・〓〓〓〓〓	〓〓・〓〓〓
〓〓〓〓・〓〓〓	〓〓〓・〓〓〓〓	・〓〓〓〓〓〓〓	〓〓〓〓〓〓〓	〓〓〓〓・〓〓・〓	〓〓〓・〓〓〓〓	・〓〓〓〓〓〓〓	〓〓・〓・〓〓〓〓

〓安、〓弘武内

〓安武内、〓弘

〓安武内、〓弘

〓安、〓弘武内

〓安、〓弘武内

〓安、〓弘武内

〓安、〓弘、〓武内

〓安、〓弘武内

〓安、〓弘武内

〓安、〓弘、〓武内

〓安、〓弘武内

〓安、〓弘武内

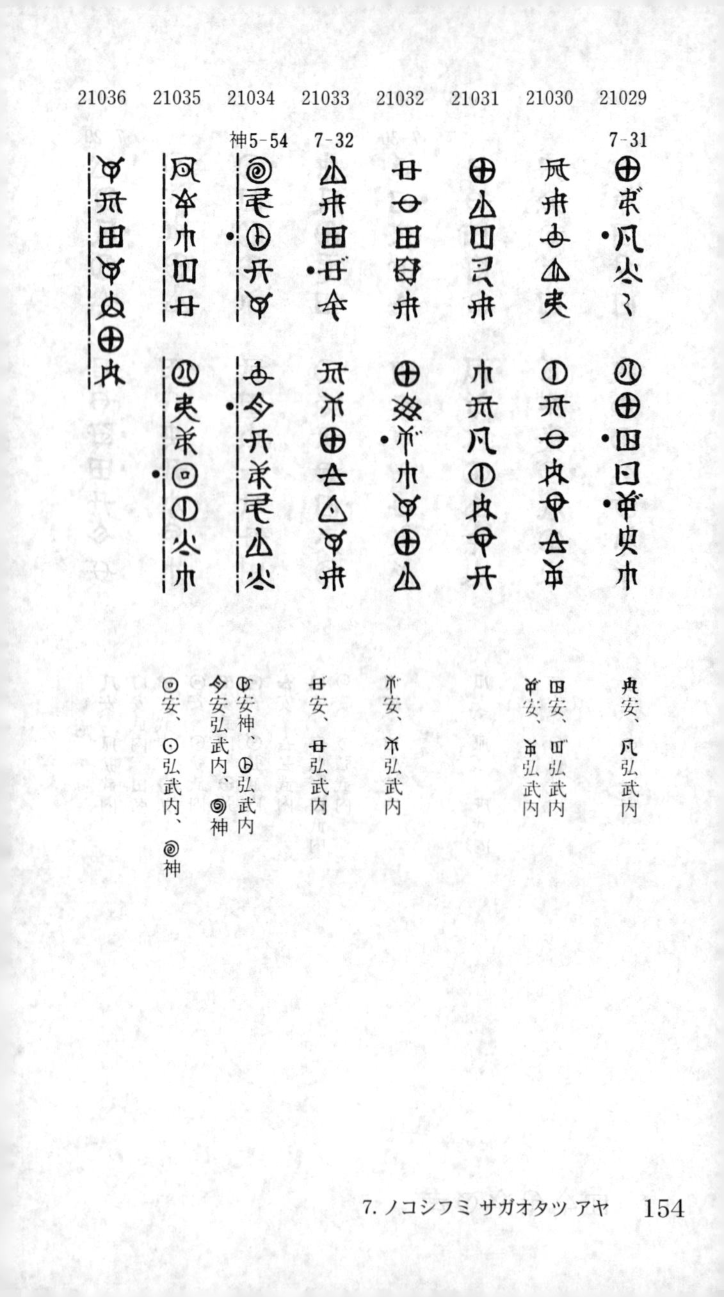

21029 7-31

安、弘武内

21030

安、弘武内

安、弘武内

21031

21032

安、弘武内

21033 7-32

安、弘武内

21034 神5-54

安神、弘武内

安弘武内、神

21035

安、⊙弘武内、

◎神

21036

21037 7-33

21038

21039

21040

21041 7-34

考、安弘武内

安、弘武内

21042

安、弘武内

21043

安、弘武内

21044

考、安弘武内

21045

7-35

21046

21047

21048

21049

7-36

21050

21051

21052

（21046）安武内、弘

（21052）安、凡弘武内

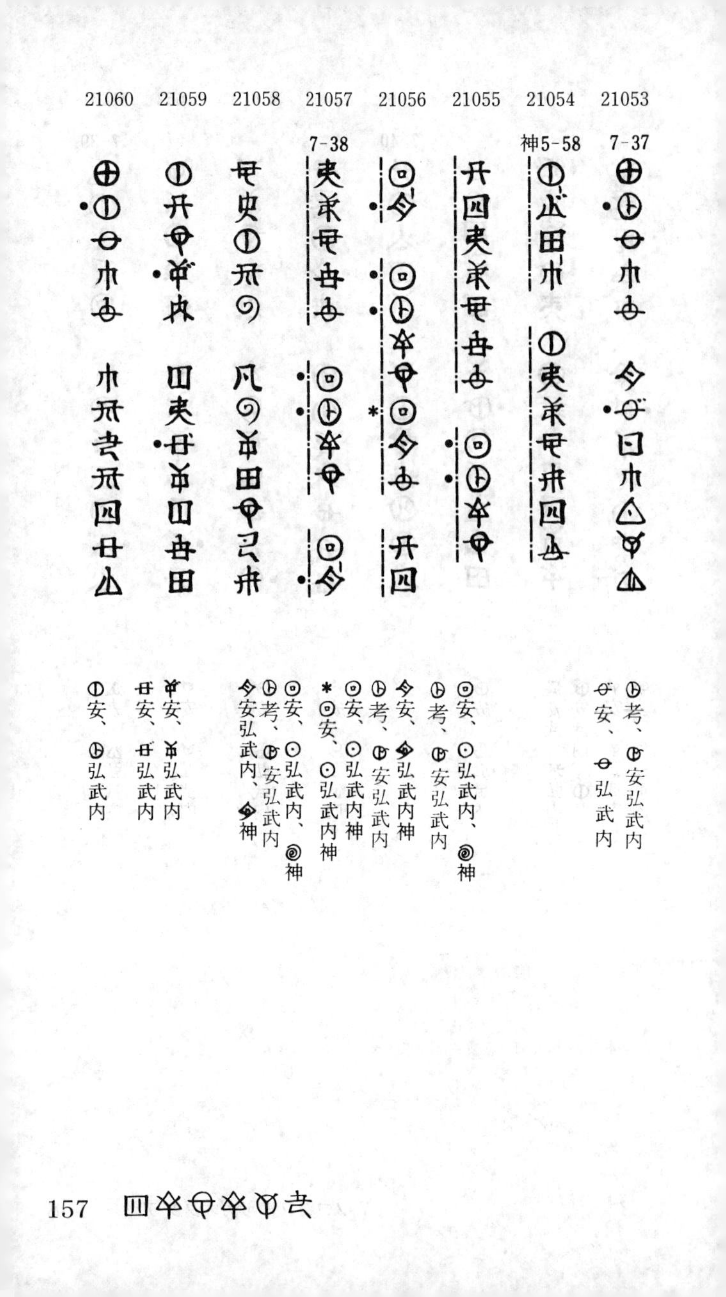

21053 7-37

21054 神5-58

21055

21056

21057 7-38

21058

21059

21060

考、安弘武内
安、弘武内

安、弘武内、神
考、安弘武内

安、弘武内神
考、安弘武内
安、弘武内神
*安、弘武内神

安、弘武内、神
考、安弘武内
安弘武内、神

安、弘武内
安、弘武内

安、弘武内

21061 7-39

21062

21063

21064

21065 7-40

21066

21067

21068

21061: 安、弘武内

21062: 安、弘武内

21063: 安、弘武内

21064: 安、弘武内

21066: 安、弘武内

21067: 安武、弘内 / 安武内、弘

21068: 安、弘武内 / 安、弘武内

21069 7-41

21070

21071

21072

21073 7-42 神5-65

21074

21075

21076

〓安、〓弘武内
〓安、〓弘武内
〓安、〓弘武内
〓安、〓弘武内
〓安、〓弘武内
〓安、〓弘武内
〓安弘武内、〓神
〓安神、〓弘武内
〓安弘武内、〓神
〓安弘武内、〓神
〓安神、〓弘武内
〓安武内神、〓弘
〓安弘武内、〓神
〓安、〓弘武内

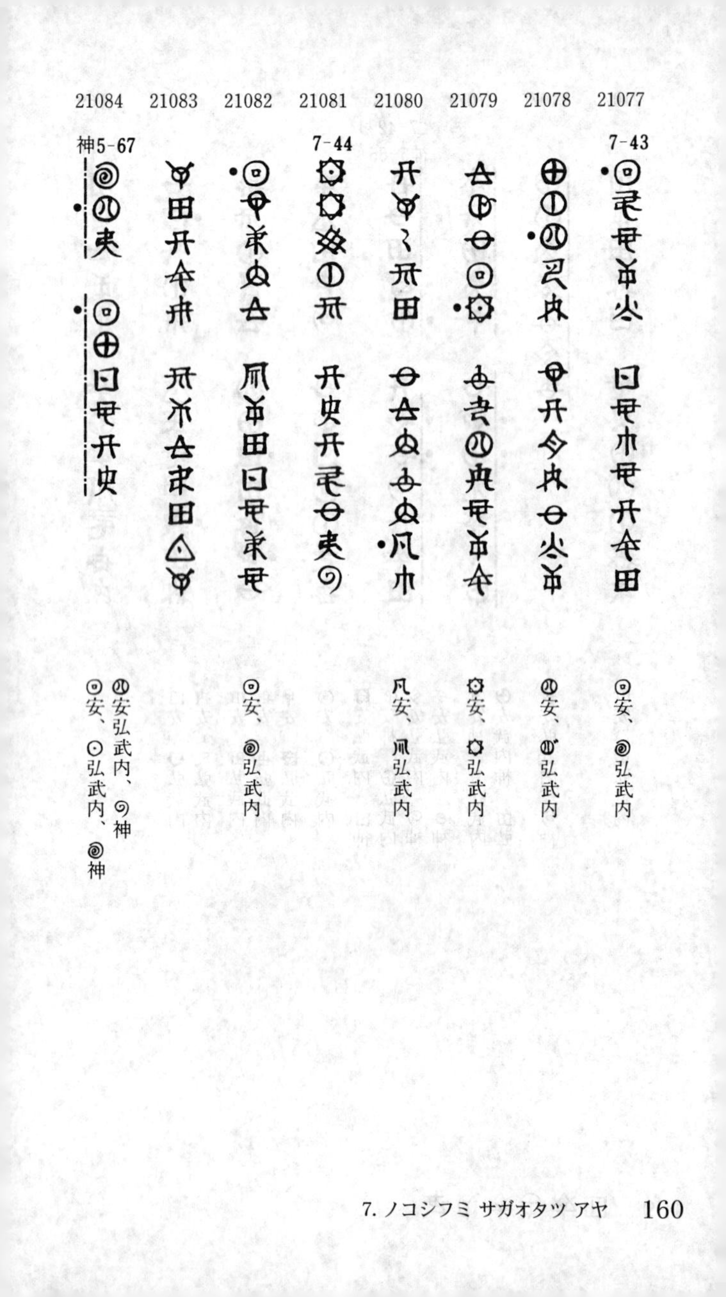

21077 7-43

安、弘武内

21078

安、弘武内

21079

安、弘武内

21080

安、弘武内

21081 7-44

21082

安、弘武内

21083

21084 神5-67

安弘武内、神
安、弘武内、神

21085 7-45

⊡安、⊙弘武内、◎神

*⊡安、⊙弘武内、◎神

21086

21087

⊡安弘武内、◎神

今安弘武内、の神

21088

⊡安、⊙弘武内、◎神

21089 7-46

⊡安、⊙弘武内

21090

の安、今弘武内

21091

21092

21093 7-47

21094

[Woshite]安、[Woshite]弘武内

21095

[Woshite]安、[Woshite]弘武内

21096

21097 7-48

[Woshite]安、[Woshite]弘武内

[Woshite]安、[Woshite]弘武内

21098

[Woshite]安、[Woshite]弘武内

[Woshite]安、[Woshite]弘武内

21099

21100

21101 7-49

安、弘武内

安、弘武内

21102

安、弘武内

21103

安、弘武内

安、弘武内

21104

安、弘武内

21105 7-50

安武、弘内

安武内、弘

21106

安、弘武内

安、弘武内

21107

安、弘武内

安、弘武内

21108

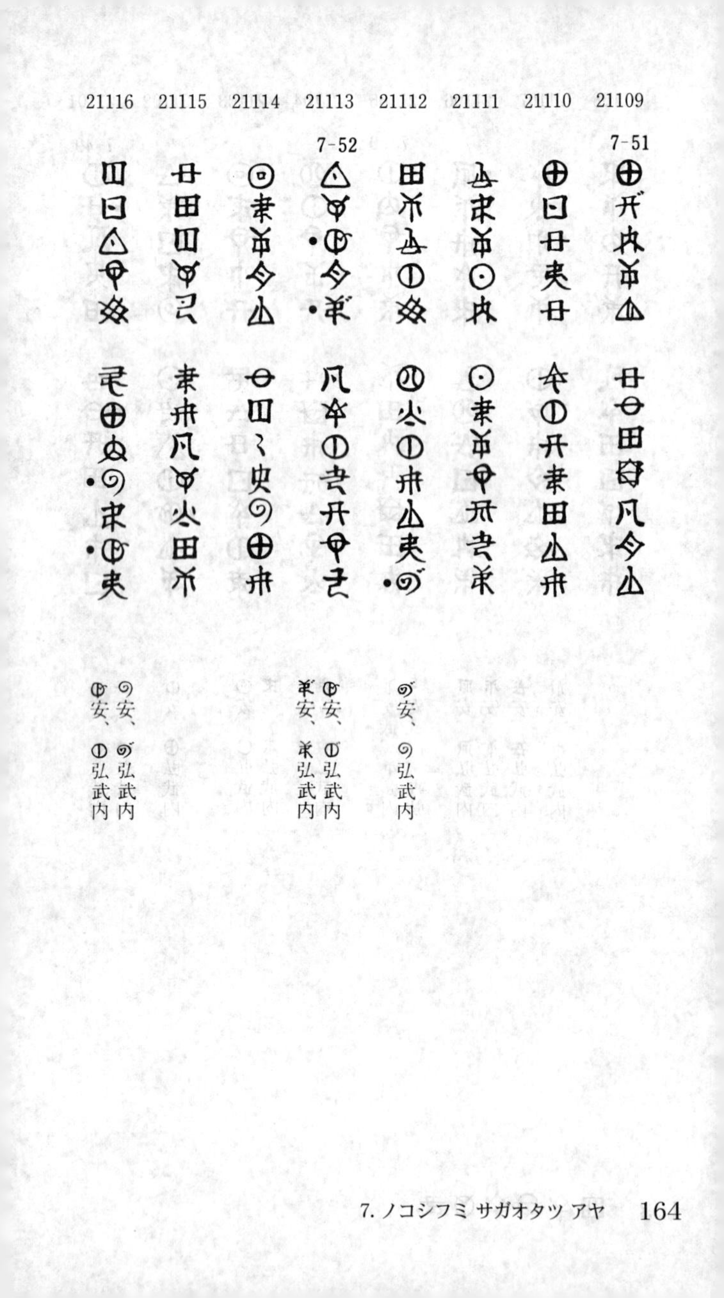

7-51

21109 [illegible]

21110 [illegible]

21111 [illegible]

21112 [illegible]

[illegible]安、[illegible]弘武内

7-52

21113 [illegible]

[illegible]安、[illegible]弘武内

[illegible]安、[illegible]弘武内

21114 [illegible]

21115 [illegible]

21116 [illegible]

[illegible]安、[illegible]弘武内

[illegible]安、[illegible]弘武内

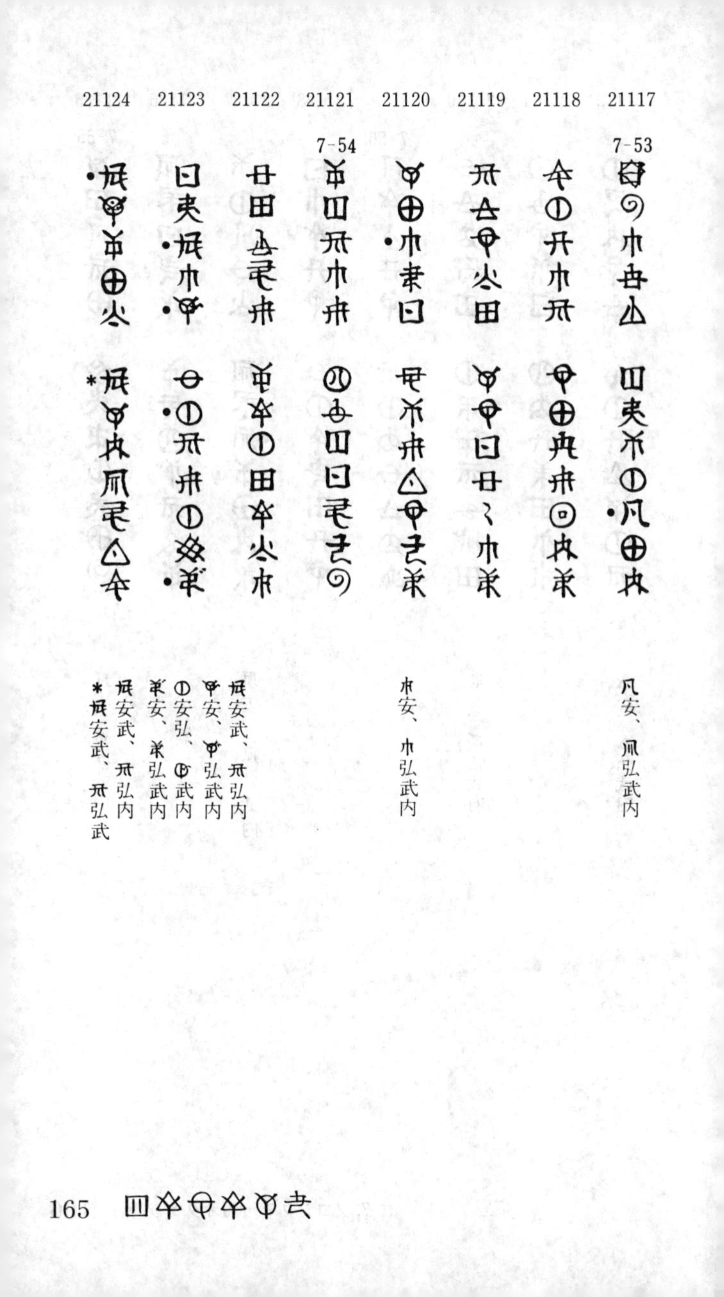

21117 7-53

21118

21119

21120

21121 7-54

21122

21123

21124

[illegible]安、[illegible]弘武内

[illegible]安、[illegible]弘武内

[illegible]安武、[illegible]弘内

[illegible]安、[illegible]弘武内

[illegible]安弘、[illegible]武内

[illegible]安、[illegible]弘武内

[illegible]安武、[illegible]弘内

*[illegible]安武、[illegible]弘武

21125
7-55
安、弘武内

21126

21127
安、弘武内

21128

21129
7-56

21130
安、弘武内

21131

21132
安、弘武内

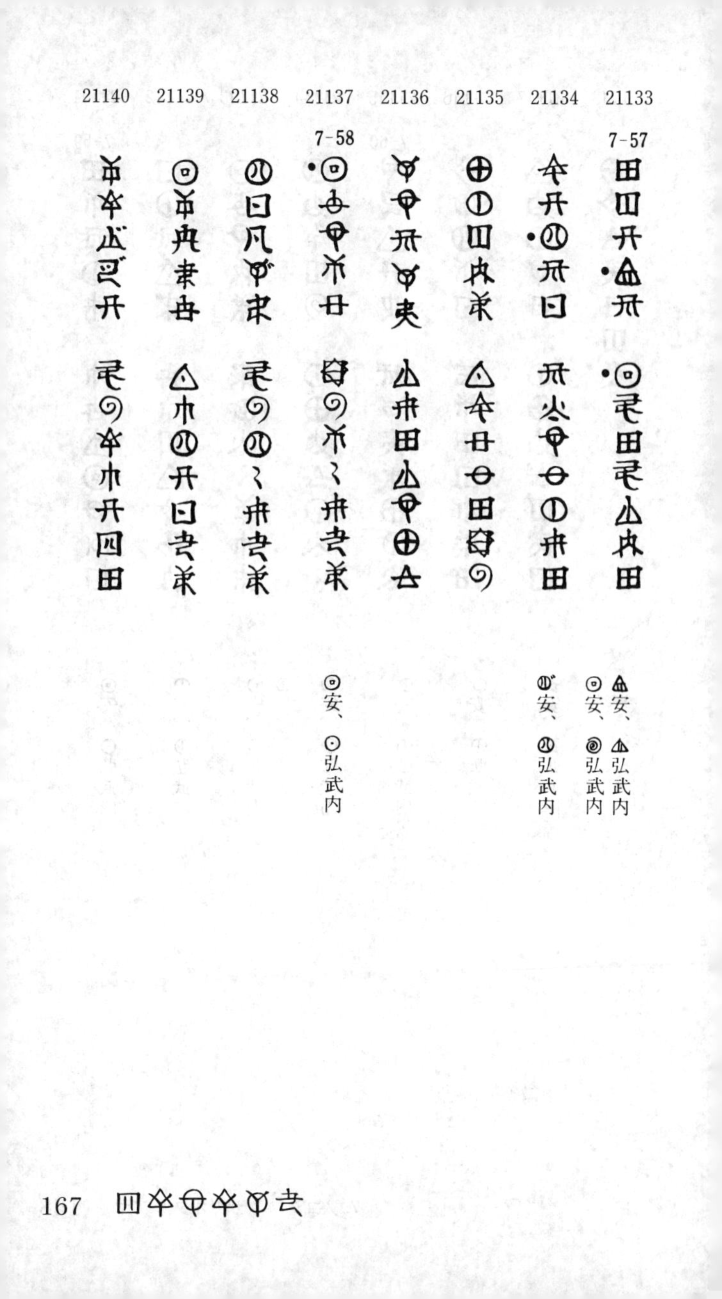

21133

7-57

[glyph]安、[glyph]弘武内

[glyph]安、[glyph]弘武内

21134

[glyph]安、[glyph]弘武内

21135

21136

21137

7-58

[glyph]安、[glyph]弘武内

21138

21139

21140

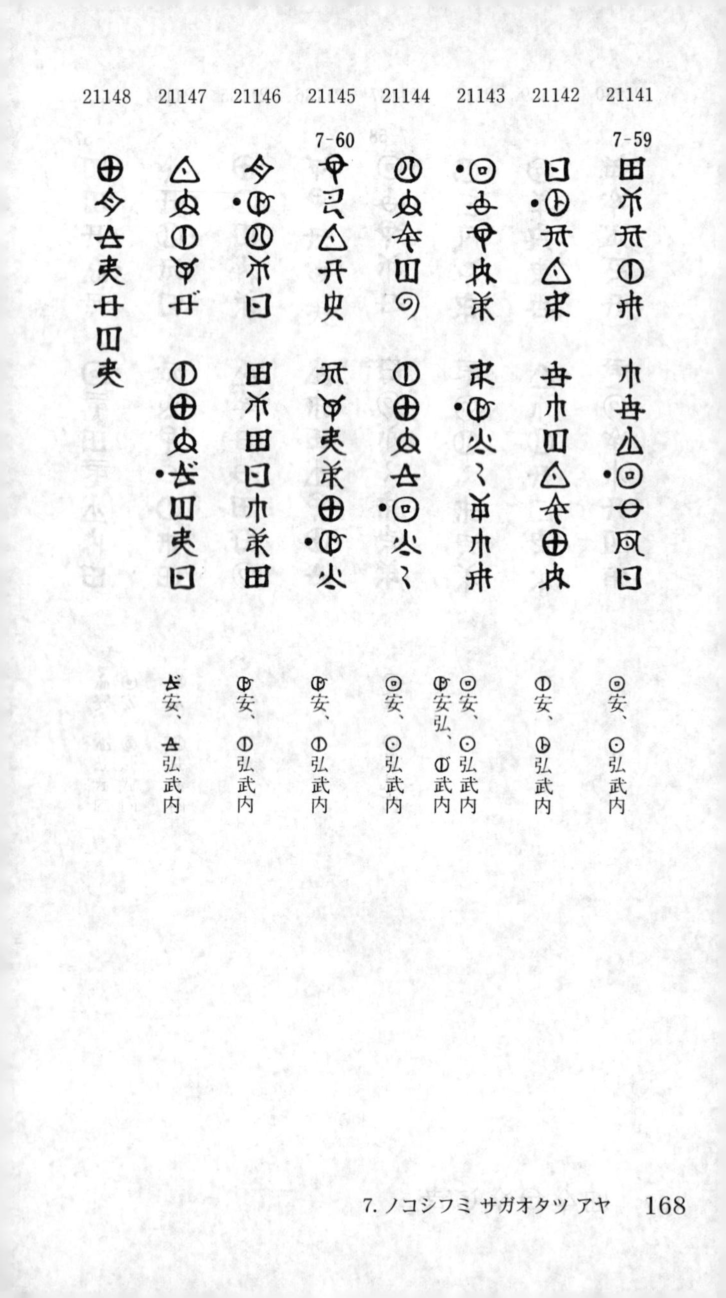

21141
7-59

安、弘武内

21142

安、弘武内

21143

安、弘武内

安弘、武内

21144

安、弘武内

21145
7-60

安、弘武内

21146

安、弘武内

21147

安、弘武内

21148

21149 8-1

21150 春1-31

21151

21152

21153 8-2

21154

21155

21156

〓安、〓弘武内
〓安、〓弘武内
〓安、〓弘武内
春草一-24
〓安、〓春、〓弘武内
〓安弘武内、〓春

〓安弘武内、〓春
〓安、〓春、〓弘武内
〓安弘武内、〓春
〓安武、〓弘内
〓安武内、〓弘

〓安弘武内、〓春
〓安武、〓春弘内
〓安武内、〓春弘
〓安春、〓弘武内
*〓安武、〓春弘、ムシ内
〓安、〓春弘武内
*〓安、〓春弘武内
〓安弘武内、〓春
〓安武、〓春弘内
*〓安武、〓春弘内
↑(4行目)

「——」溥泉 同文箇所

〓安、〓弘武内
〓安武内、〓弘
〓安武、〓弘内
〓安武内、〓弘
*〓安、〓弘武内
↑(8行目)

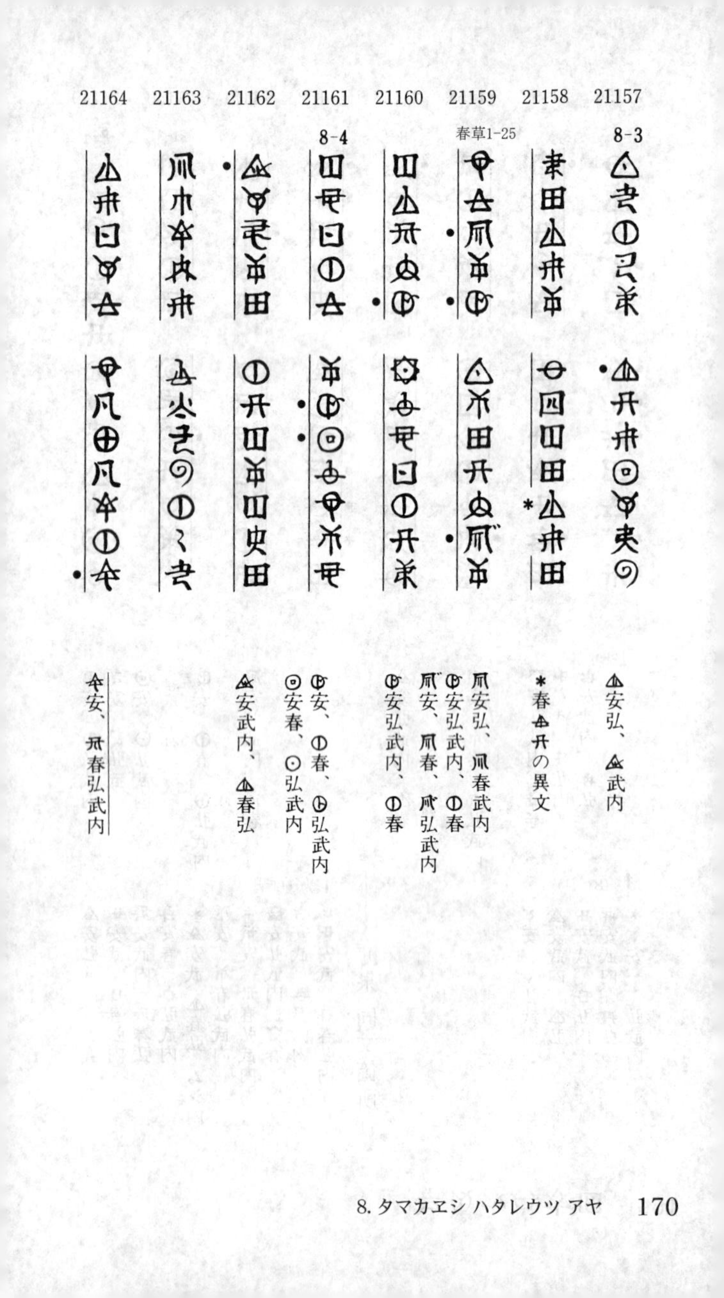

21157　21158　21159　21160　21161　21162　21163　21164

8-3

春草1-25

8-4

安弘、武内

＊春の異文

安弘、春武内

安弘武内、春

安、春、弘武内

安弘武内、春

安、春、弘武内

安春、弘武内

安武内、春弘

安、春弘武内

21165 8-5

[illegible]

[illegible]安春弘、[illegible]武内

[illegible]安、[illegible]春弘武内

21166

[illegible]

[illegible]安、[illegible]春弘武内

21167

[illegible]

[illegible]安弘、[illegible]春武内

[illegible]安、[illegible]春弘武内

21168

[illegible]

[illegible]安弘武内、[illegible]春

21169 8-6

[illegible]

21170

[illegible]

[illegible]安弘武内、[illegible]春

[illegible]安弘武内、[illegible]春

21171

[illegible]

21172

[illegible]

[illegible]安弘武内、[illegible]春

[illegible]安、[illegible]春弘武内

[illegible]考、[illegible]安弘武内、[illegible]春

21173 21174 21175 21176 21177 21178 21179 21180

8-7

8-8

[illegible]安武内、[illegible]春弘
[illegible]安武内、[illegible]春弘
[illegible]安春、[illegible]弘武内
[illegible]安春、[illegible]弘武内
[illegible]安春、[illegible]弘武内
[illegible]安武内、[illegible]春弘
[illegible]安、[illegible]春弘武内

[illegible]安、[illegible]春、[illegible]弘武内

[illegible]安弘武内、[illegible]春
[illegible]安春弘、[illegible]武内
[illegible]安春弘、[illegible]武内

21181 8-9

21182

21183

21184

21185 8-10

21186

21187

21188

〓安武内、〓春弘
〓安弘武内、〓春
〓安、〓春弘武内
〓安、〓春弘武内
〓安春、〓弘武内
〓安、〓春弘武内
*〓安 〓春弘武内

〓安弘武内、〓春

〓安弘武内、〓春
〓安春弘、〓武内

↑（8行目）

〓安、〓春、〓弘武内
〓安春、〓弘武内
〓安武、〓春弘内
〓安、〓春、〓弘武内

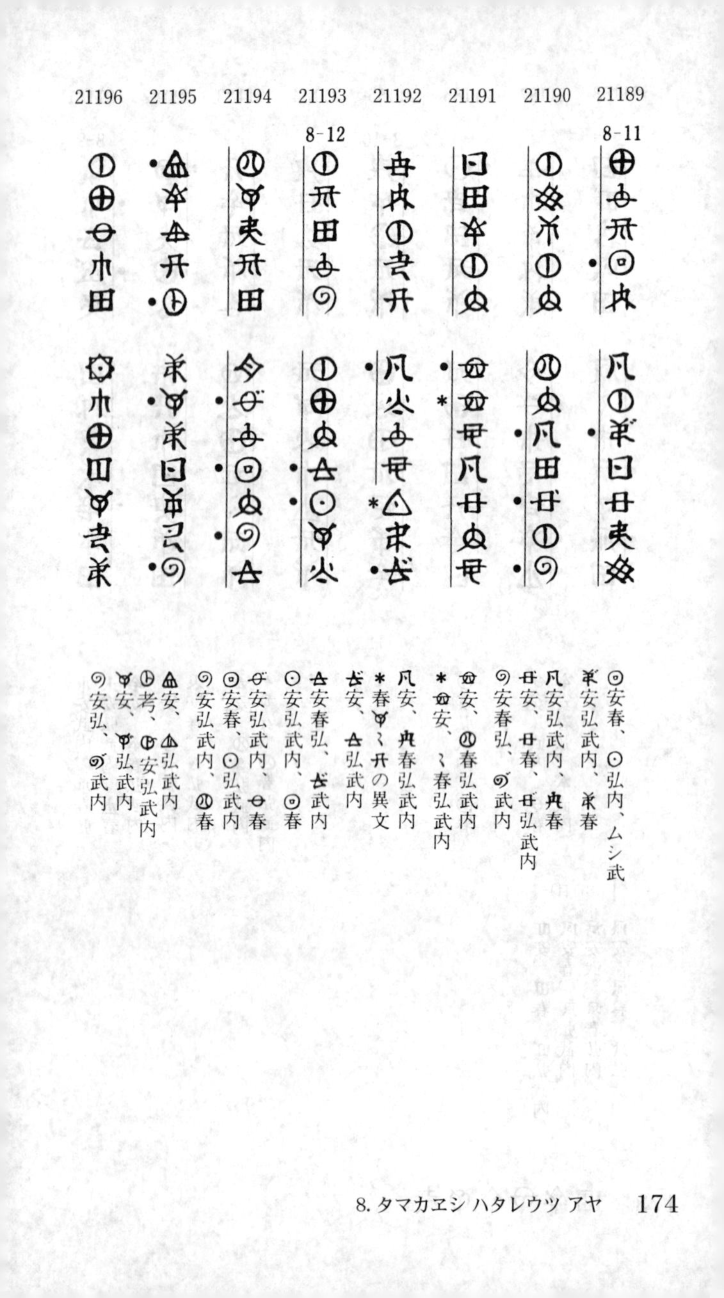

8-11

21189 [illegible]

21190 [illegible]

21191 [illegible]

21192 [illegible]

8-12

21193 [illegible]

21194 [illegible]

21195 [illegible]

21196 [illegible]

[illegible]安春、[illegible]弘内、ムシ武
[illegible]安弘武内、[illegible]春
[illegible]安弘武内、[illegible]春
[illegible]安、[illegible]春、[illegible]弘武内
[illegible]安春弘、[illegible]武内
[illegible]安、[illegible]春弘武内
*[illegible]安、〻春弘武内
[illegible]安、[illegible]春弘武内
*春[illegible]〻[illegible]の異文
[illegible]安、[illegible]弘武内
[illegible]安春弘、[illegible]武内
[illegible]安弘武内、[illegible]春
[illegible]安弘武内、[illegible]春
[illegible]安春、[illegible]弘武内
[illegible]安弘武内、[illegible]春
[illegible]安、[illegible]弘武内
[illegible]考、[illegible]安弘武内
[illegible]安、[illegible]弘武内
[illegible]安弘、[illegible]武内

21197 (8-13)

21198

[illegible]安弘、[illegible]武内

21199

21200

21201 (8-14)

[illegible]安、[illegible]弘武内
[illegible]安弘、[illegible]武内

21202

21203

[illegible]安武内、[illegible]弘
[illegible]安、[illegible]弘武内

21204

21205 8-15

21206

21207

21208

21209 8-16

21210

21211

21212

安、⊙弘武、ムシ内

安、弘武内

安、弘武内

安、弘武内

安、弘武内

安、弘武内

安、弘武内

安、弘武内

安、弘武内

安武内、弘

安武内、弘

安、弘武内

安、弘武内

安、弘武内

(6行目)↑

安、弘武内

安、弘武内

21213 8-17

21214

21215

21216

21217 8-18

21218

21219

21220

安、弘武内

安、弘武内

安、弘武内

安、弘武内

安、弘武内

安、弘武内

安、弘武内

21221 8-19

21222

21223

21224

21225 8-20

21226

21227

21228

安、弘武内

安、弘武内
安、弘武内
安、弘武内

安、弘武内
安、弘武内
安、弘武内
安、弘武内
安、弘武内

21229 (8-21)

21230

〓安、〓弘武内

〓安武内、〓弘

21231

〓安、〓弘武内

21232

21233 (8-22)

〓安武内、〓弘

〓安武内、〓弘

〓安、〓弘武内

21234

21235 (春2-2)

春草二-2

〓安、〓春、〓弘武内

21236

〓安、〓春弘武内

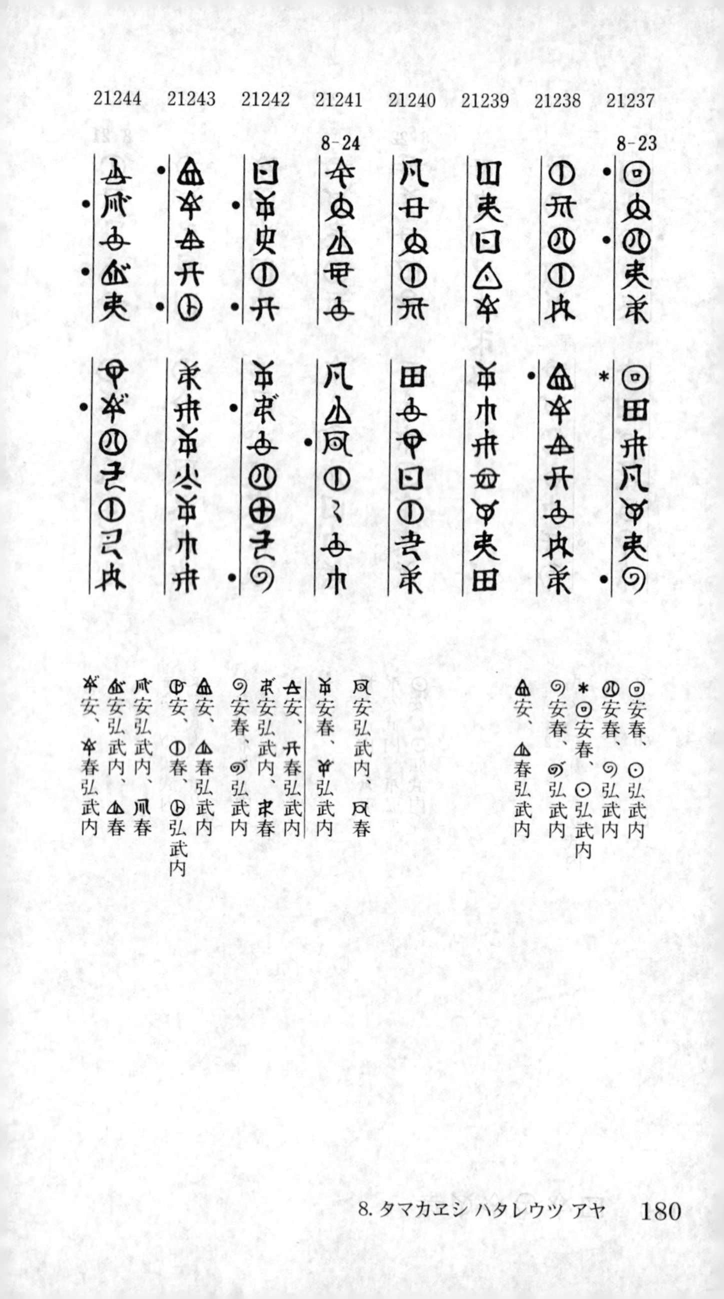

21244 21243 21242 21241 21240 21239 21238 21237

8-23

8-24

安春、弘武内

安春、弘武内

*安春、弘武内

安春、弘武内

安、春弘武内

安弘武内、春

安春、弘武内

安、春弘武内

安弘武内、春

安春、弘武内

安、春弘武内

安、春、弘武内

安弘武内、春

安弘武内、春

安、春弘武内

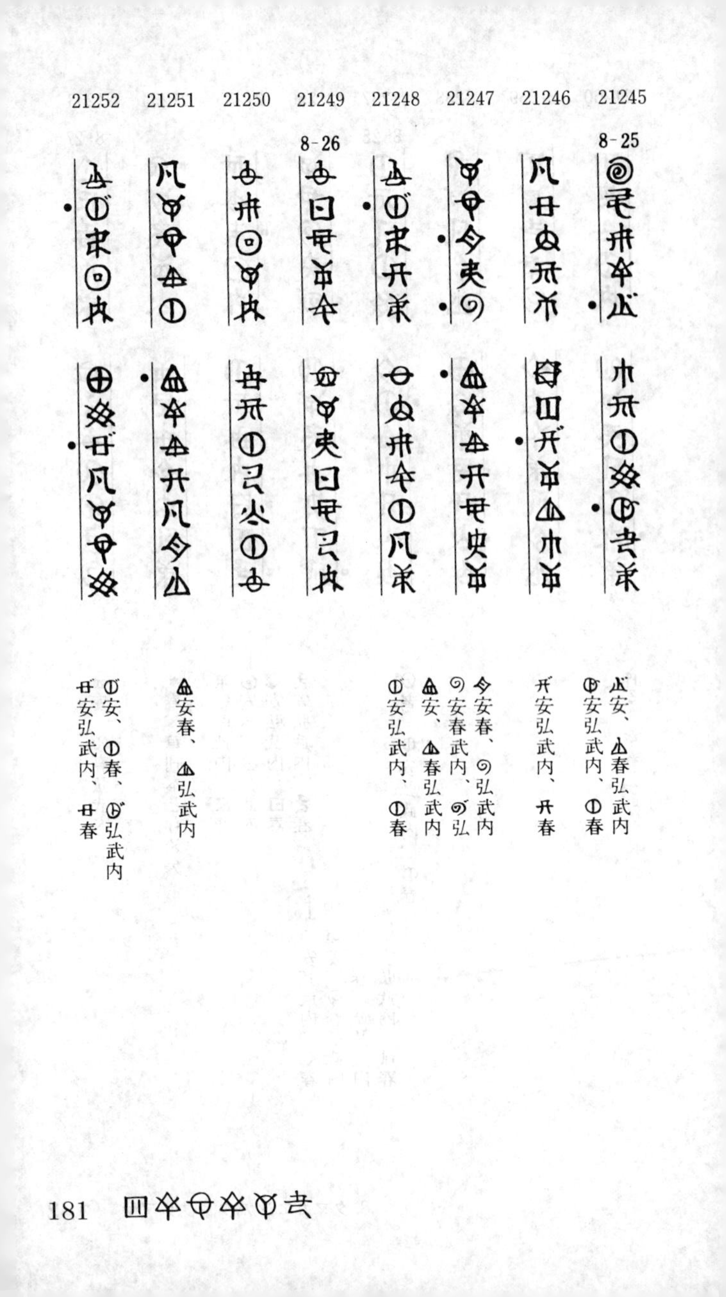

21245 8-25

□安、□春弘武内
□安弘武内、□春

21246

□安弘武内、□春

21247

□安春、□弘武内
□安春武内、□弘
□安、□春弘武内

21248

□安弘武内、□春

21249 8-26

21250

21251

□安春、□弘武内

21252

□安、□春、□弘武内
□安弘武内、□春

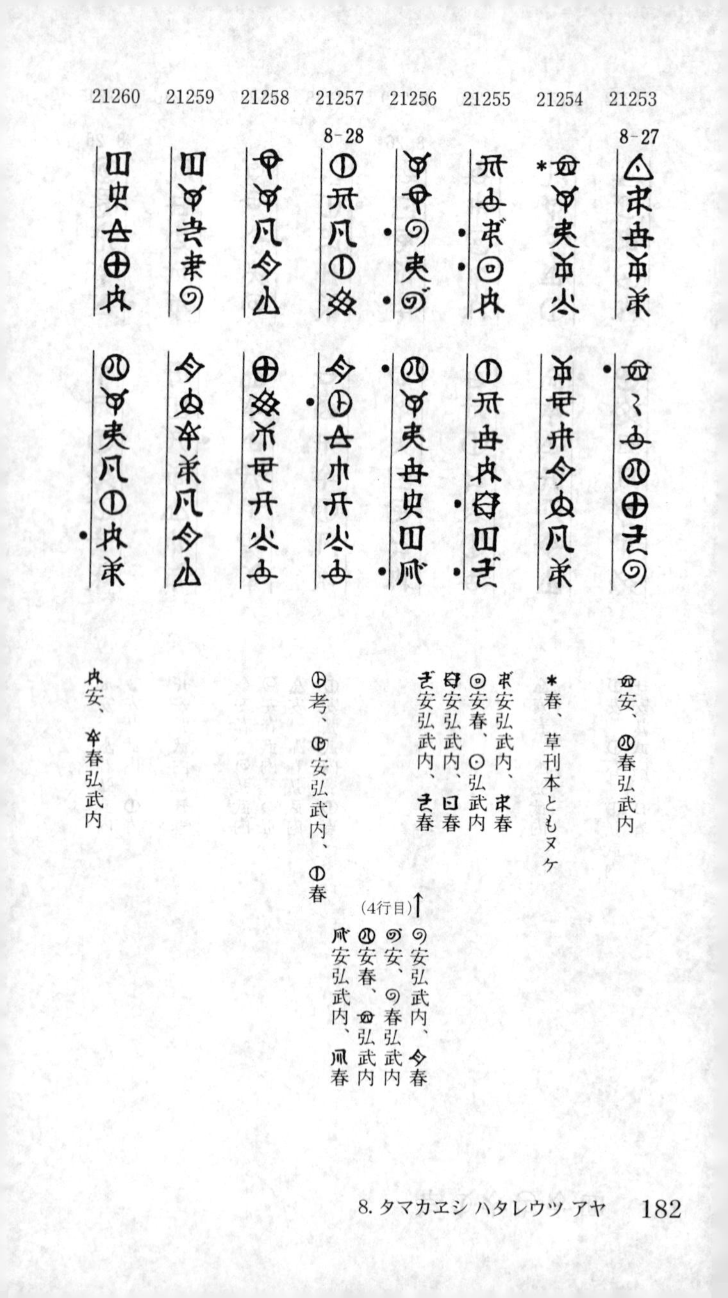

21253 8-27

21254

21255

21256

21257 8-28

21258

21259

21260

安、春弘武内

＊春、草刊本ともヌケ

安弘武内、春
安春、弘武内
安弘武内、春
安弘武内、春

(4行目)↑
安弘武内、春
安、春弘武内
安春、弘武内
安弘武内、春

考、安弘武内、春

安、春弘武内

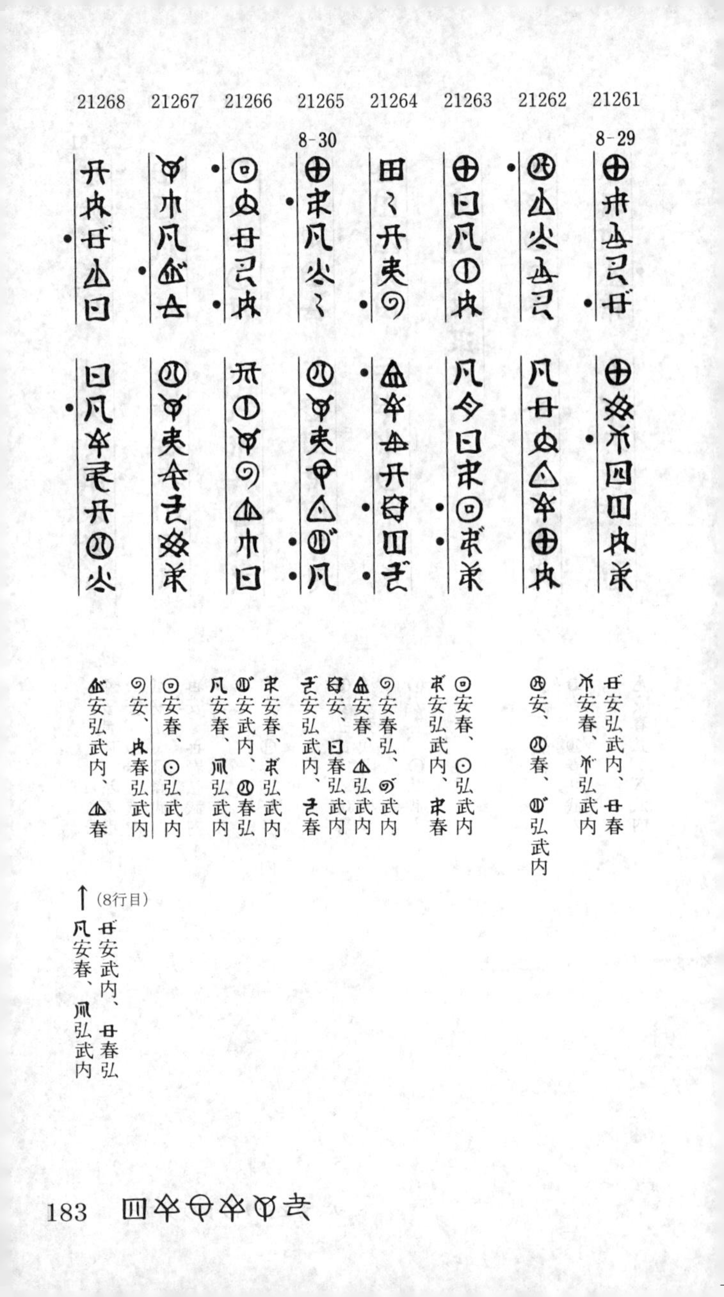

21261 8-29

21262

21263

21264

21265 8-30

21266

21267

21268

安弘武内、春
安春、弘武内
安、春、弘武内
安春、弘武内、春
安春弘、武内
安春、弘武内
安、春弘武内
安弘武内、春
安春、弘武内
安武内、春弘
安春、弘武内
安春、弘武内
安、春弘武内
安弘武内、春

↑（8行目）
安武内、春弘
安春、弘武内

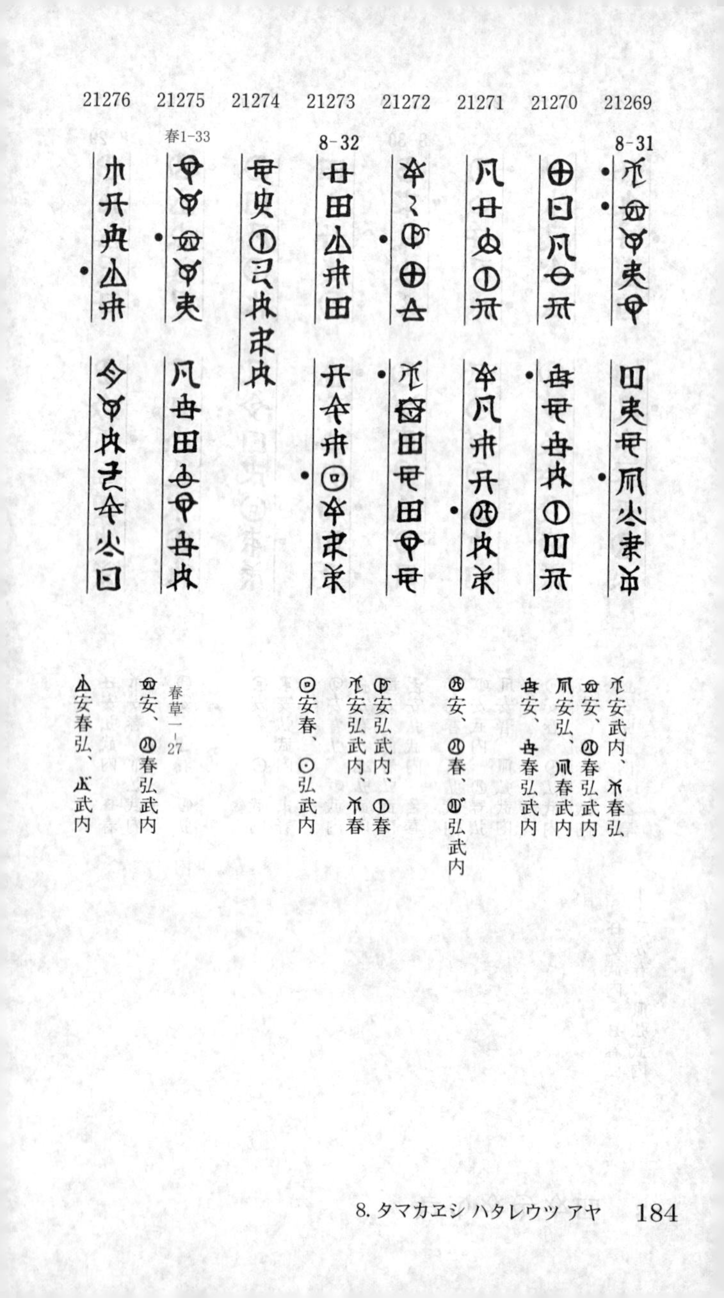

21269 8-31

21270

21271

21272

21273 8-32

21274

21275 春1-33

21276

安武内、春弘

安、春弘武内

安弘、春武内

安、春弘武内

安、春、弘武内

安弘武内、春

安弘武内、春

安春、弘武内

春草一-27

安、春弘武内

安春弘、武内

21277 8-33

21278

21279

21280

21281 8-34

21282

21283

21284

[illegible]安春、[illegible]弘武内
[illegible]安春武内、[illegible]弘

＊[illegible]の三文字、春草本ヌケ、刊本あり
[illegible]安春弘、[illegible]武内

[illegible]安弘武内、[illegible]春
[illegible]安弘武内、[illegible]春

[illegible]安春、[illegible]弘武内

[illegible]安、[illegible]春弘武内
[illegible]安、[illegible]春弘武内

[illegible]安弘武内、[illegible]春

[illegible]安春弘、[illegible]武内

21285 8-35

安武内、春弘

21286

安春、弘武内

21287

考、安弘武内、春

安、春弘武内

21288

考、安、春武内、弘

安、春弘武内

21289 8-36

安弘武内、春

21290

安、春弘武内

21291

安弘武内、春

21292

安、春弘武内

安、春弘、武内

安春弘、武内

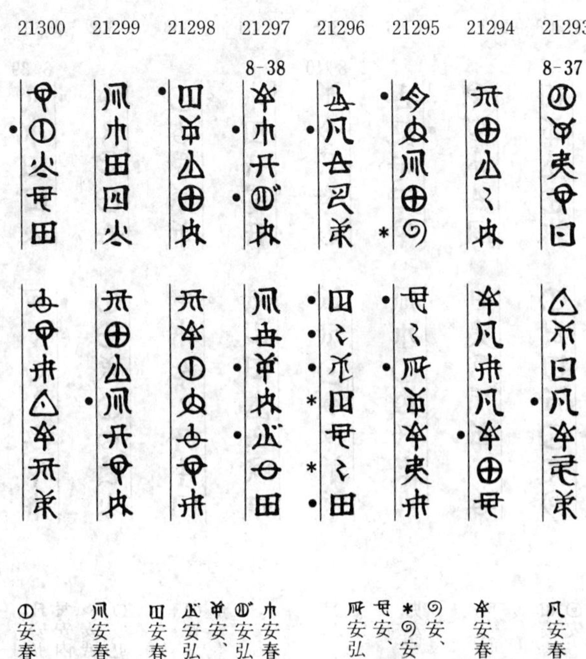

[illegible]安春、[illegible]弘武内

[illegible]安春弘、[illegible]武内

[illegible]安、[illegible]春弘武内
*[illegible]安春、[illegible]弘武内

[illegible]安、[illegible]春弘武内
[illegible]安弘武内、[illegible]春

[illegible]安春、[illegible]弘武内
[illegible]安弘武内、[illegible]春

[illegible]安、[illegible]春弘武内
[illegible]安弘武内、[illegible]春

[illegible]安春、[illegible]弘武内

[illegible]安春、[illegible]弘武内

[illegible]安春弘、[illegible]武内

(4行目)↑
[illegible]安、[illegible]春弘武内
[illegible]安、[illegible]春弘武内
[illegible]安武内、[illegible]春弘
[illegible]安武内、[illegible]春弘
*[illegible]安武、[illegible]春弘内
*[illegible]安、[illegible]春弘武内
[illegible]安春武内、[illegible]弘

21308 21307 21306 21305 21304 21303 21302 21301

8-39

8-40

安弘武内、春

安内、春弘武

安武内、春弘

安弘武内、春

安春、弘武内

安春、弘武内

安春、弘武内

安、春弘武内

安弘、春武内

安春、弘武内

安春、弘武内

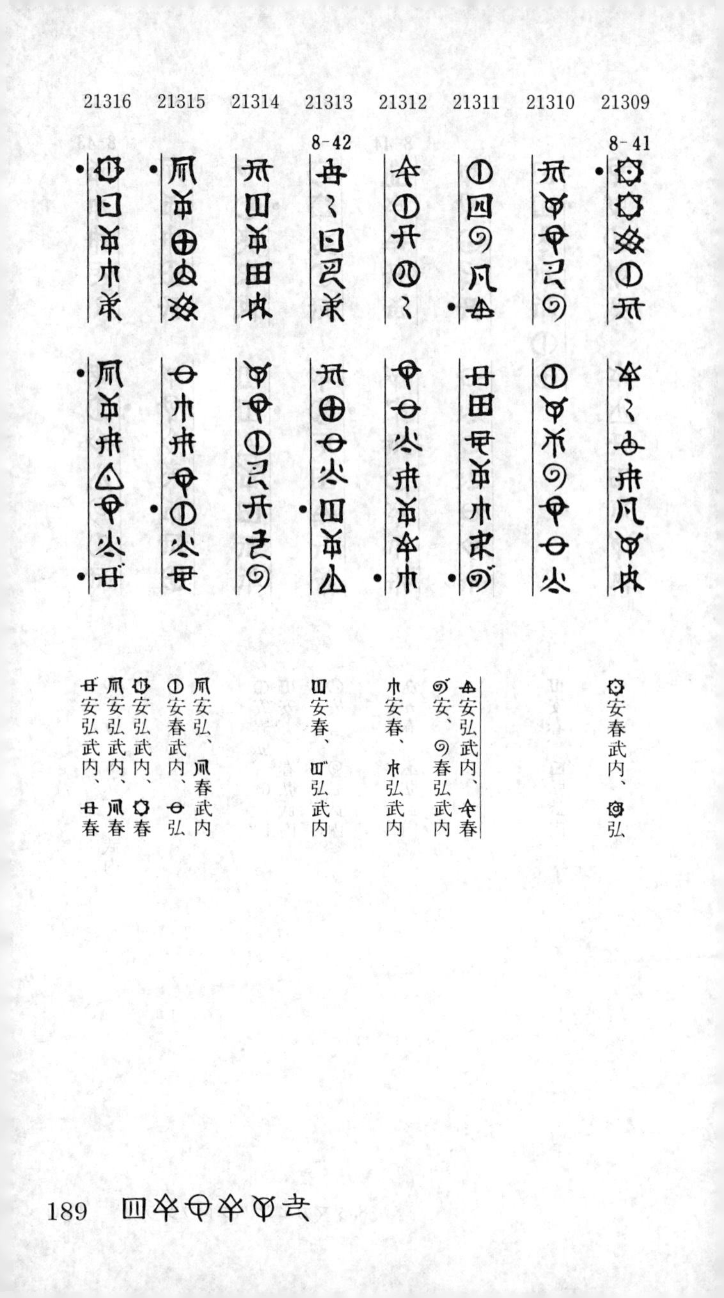

21309 8-41

21310

21311

21312

21313 8-42

21314

21315

21316

安春武内、弘

安弘武内、春

安、春弘武内

安春、弘武内

安春、弘武内

安弘、春武内

安春武内、弘

安弘武内、春

安弘武内、春

安弘武内、春

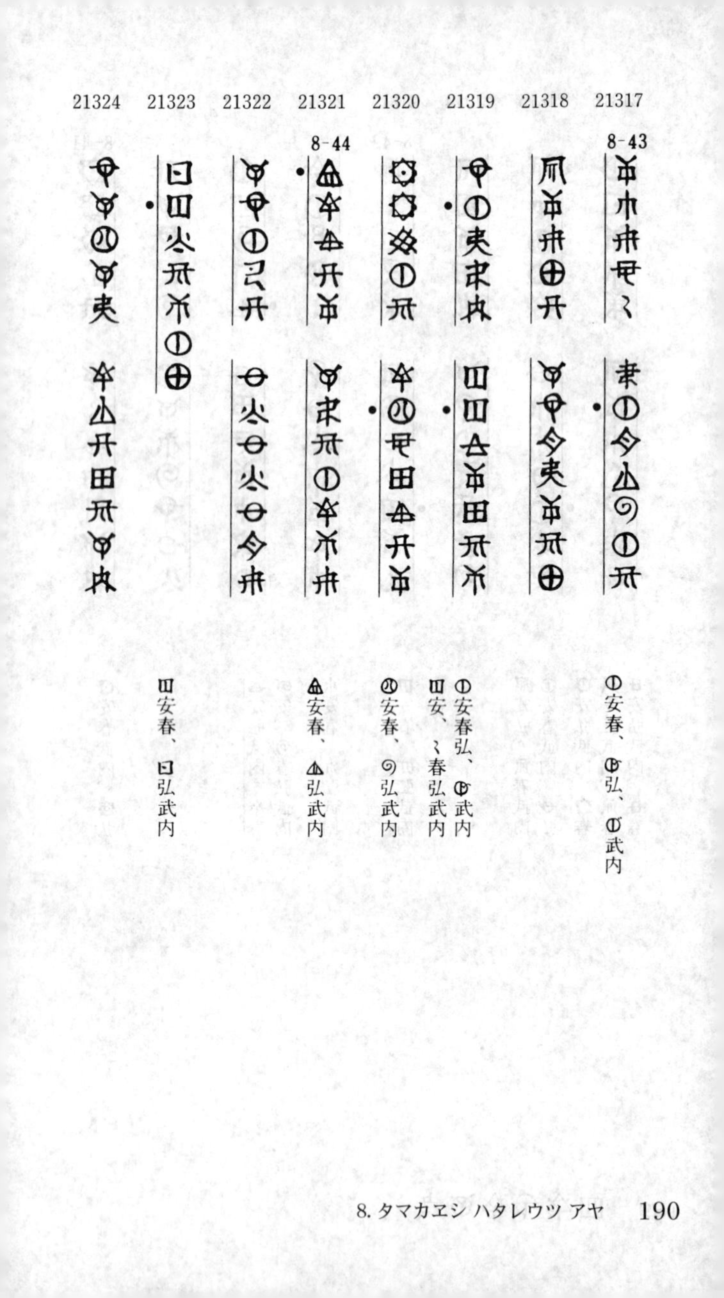

21317 8-43

21318

21319

21320

21321 8-44

21322

21323

21324

21317: 安春、弘、武内

21319: 安春弘、武内／安、〻春弘武内

21320: 安春、弘武内

21321: 安春、弘武内

21323: 安春、弘武内

21325 8-45

安武、弘内

21326

安、弘武内

21327

安、弘武内

21328

21329 8-46

安、弘武内

考、安弘武内

安、弘武内

21330

安弘、武内

21331

安、弘武内

21332

安、弘武内

安、弘武内

21333

8-47

安、弘武内

21334

安、弘武内

21335

安、弘武内

安弘、武内

21336

21337

8-48

21338

21339

安、弘、武内

安武内、弘

21340

安、弘武内

安、弘武内

21341	21342	21343	21344	21345	21346	21347	21348
8-49				8-50			
安、弘武内	安、弘武内	安、弘武内		安、弘武内 安、弘武内	安武、田弘内 考、安弘武内	安、弘武内	安、弘武内

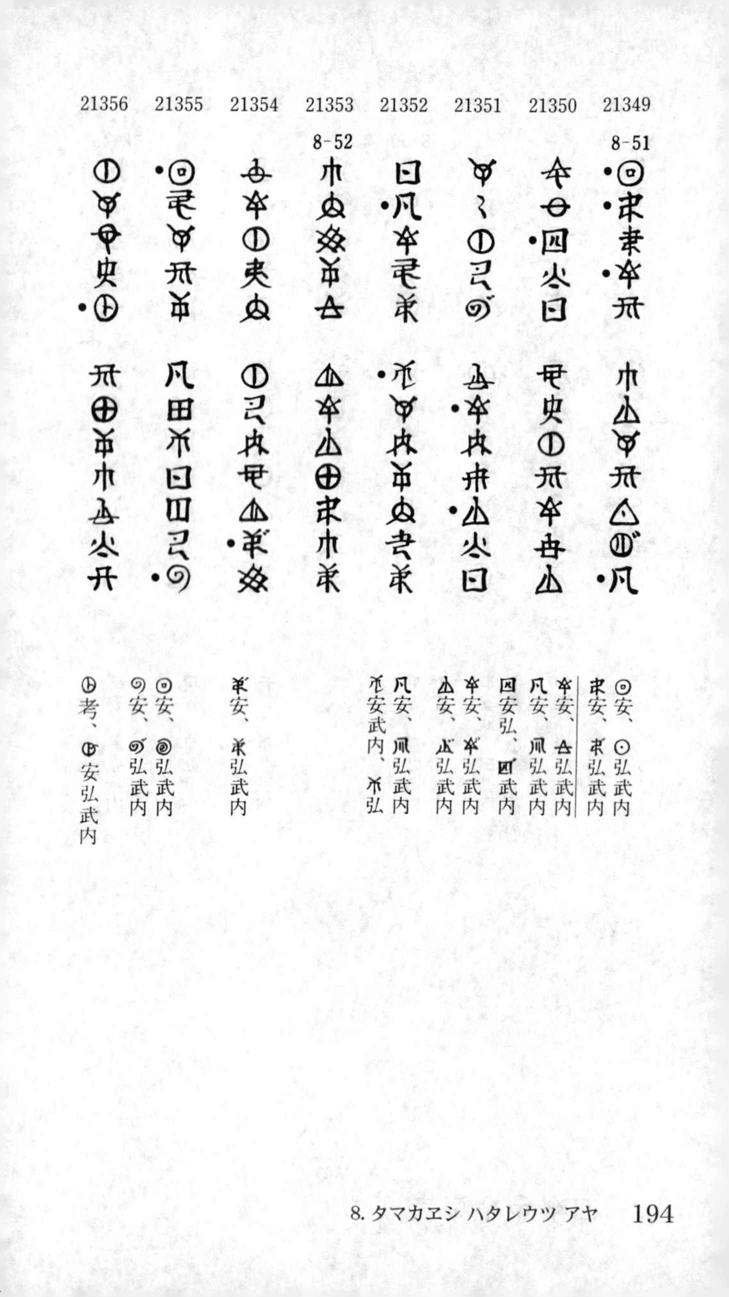

21356 21355 21354 21353 21352 21351 21350 21349

8-52 (21353)　8-51 (21349)

〓安、〓弘武内
〓安、〓弘武内
〓安、〓弘武内
〓安、〓弘武内
〓安弘、〓武内
〓安、〓弘武内
〓安、〓弘武内
〓安、〓弘武内
〓安武内、〓弘
〓安、〓弘武内
〓安、〓弘武内
〓安、〓弘武内
〓考、〓安弘武内

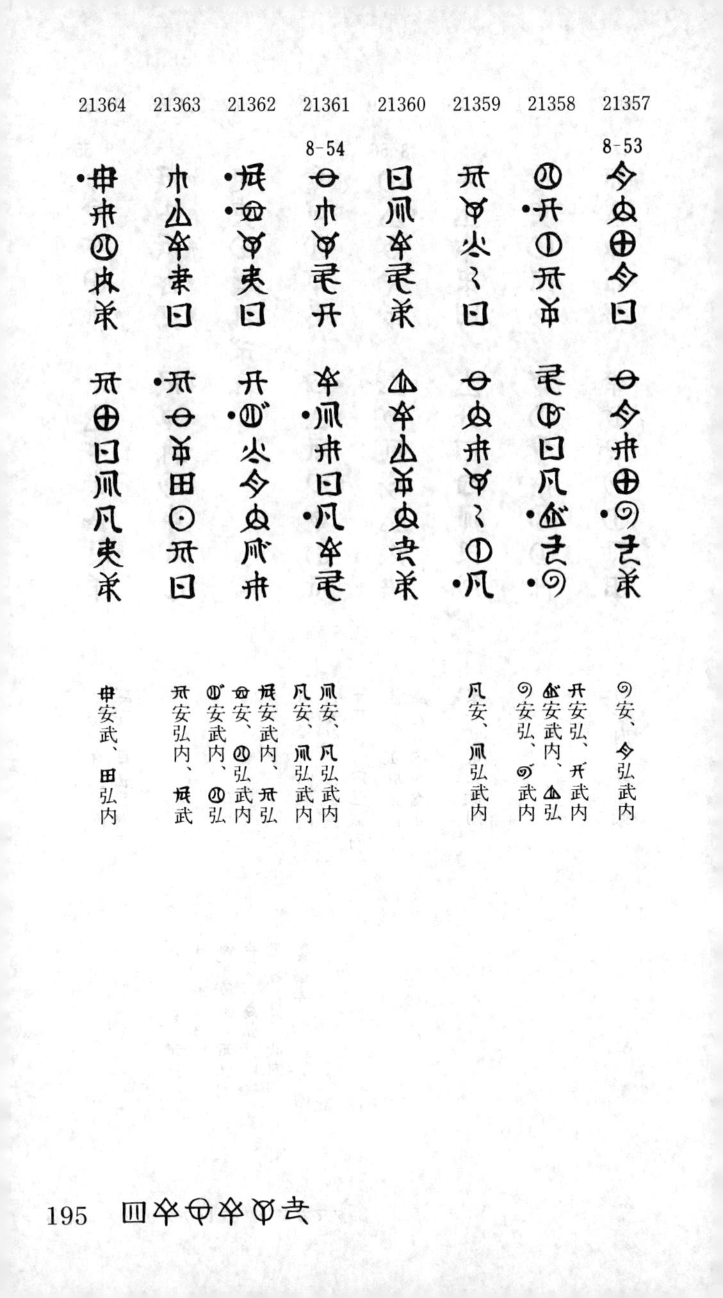

21357 8-53

安、弘武内

21358

安弘、武内

安武内、弘

安弘、武内

21359

安、弘武内

21360

21361 8-54

安、弘武内

安、弘武内

21362

安武内、弘

安、弘武内

安武内、弘

21363

安弘内、武

21364

安武、田弘内

21365 8-55

21366

21367

21368

21369 8-56

21370

21371

21372

安、弘武内

安、弘武内

安弘、弘武内

*安、弘武内

安、弘武内

安武内、弘

安、弘武内

安内、弘武

↑（2行目）

安弘武、内

安武、弘内

*安武、弘内

安、弘武内

安、弘武内

**安武、弘内

21373 8-57

21374

〓安、〓弘武内

21375

〓安、〓弘武内

21376

21377 8-58

21378

〓安弘、〓武内

21379

〓安内、〓弘武

〓安、〓弘武内

*〓安、〓弘武内

21380

〓安武内、〓弘

〓安、〓弘武内

〓安弘武内、〓裏

〓安裏、〓弘武内

〓安弘武内、〓裏

〓安裏、〓弘武内

〓安弘武内、〓裏

＊裏〓の〓の異文

〓安弘、〓裏武内

〓安裏弘、〓武内

〓裏なし

〓安裏、〓弘武内

〓安武内、〓裏弘

〓安弘武内、〓裏

〓安裏武、〓弘内

〓安、〓裏弘武内

21389 8-61

[illegible]

21390

[illegible]

21391

[illegible]

[illegible]安武内、[illegible]弘

21392

[illegible]

21393 8-62

[illegible]

[illegible]安、[illegible]弘武内

21394

[illegible]

[illegible]安、[illegible]弘武内
[illegible]安弘内、[illegible]武

21395

[illegible]

[illegible]安、[illegible]弘武内
*[illegible]安、[illegible]弘武内

21396

[illegible]

[illegible]安、[illegible]弘、[illegible]武内
[illegible]安、[illegible]弘武内

21397 8-63

〓〓〓〓〓 ・〓〓〓〓〓〓〓

〓安、〓弘武内

21398

〓・〓〓〓〓 〓〓〓・〓〓〓〓

〓安、〓弘武内

〓安、⊙弘武内

21399

〓〓〓・〓・〓 〓〓〓〓〓〓〓

〓安弘、〓武内

〓安弘、〓武内

21400

〓〓〓〓〓 〓〓〓〓〓〓・〓

〓安弘、〓武内

21401 8-64

〓〓・〓・〓〓 〓〓〓〓〓〓〓

〓安武内、⊙弘

〓安武、〓弘内

21402

〓〓〓〓〓 〓〓〓〓〓〓〓

21403

〓〓〓〓〓 ・〓〓〓〓〓〓・〓

〓安武内、⊙弘

〓安武内、〓弘、

21404

〓〓〓〓・〓 〓〓〓〓〓〓・〓

〓安武内、〓弘

〓安、〓弘武内

21405 8-65

21406

安武内、弘

考、安弘、武内

21407

21408

21409 8-66

安、弘武内

21410

21411

安、弘武内

21412

安、弘武内

安、弘武内

21413 8-67
〓〓〓〓〓
〓〓〓〓〓〓〓

21414
〓〓〓〓〓
〓〓〓〓〓〓〓

21415
〓〓〓〓〓
〓〓〓〓〓〓〓

21416
〓〓〓〓〓
〓〓〓〓〓〓〓

21417 8-68
〓〓〓〓〓
〓〓〓〓〓〓〓

21418
〓〓〓〓〓
〓〓〓〓〓〓〓

21419
〓〓〓〓〓
〓〓〓〓〓〓〓

21420
〓〓〓〓〓
〓〓〓〓〓〓〓

〓安、〓弘武内
〓安、〓弘武内
〓安弘内、〓武
〓安、〓弘武内
〓考、〓安弘武内
〓安、〓弘武内
〓安、〓弘武内
〓安、〓弘武内
〓安、〓弘武内
〓安武内、〓弘
〓安、〓弘武内
〓安、〓弘武内
〓安弘、〓弘武内

21428　21427　21426　21425　21424　21423　21422　21421

8-70　8-69

安武、弘内

安武内、弘内

安武内、弘

安武内、弘

安、弘武内

安武、弘内

安、弘武内

安、弘武内

安、弘武内

安武、弘内

安、弘武内

安、弘武内

考、安弘武内

(7行目)↑

安武、弘内

安武、弘内

*安武内、弘

安弘内、武

安、弘武内

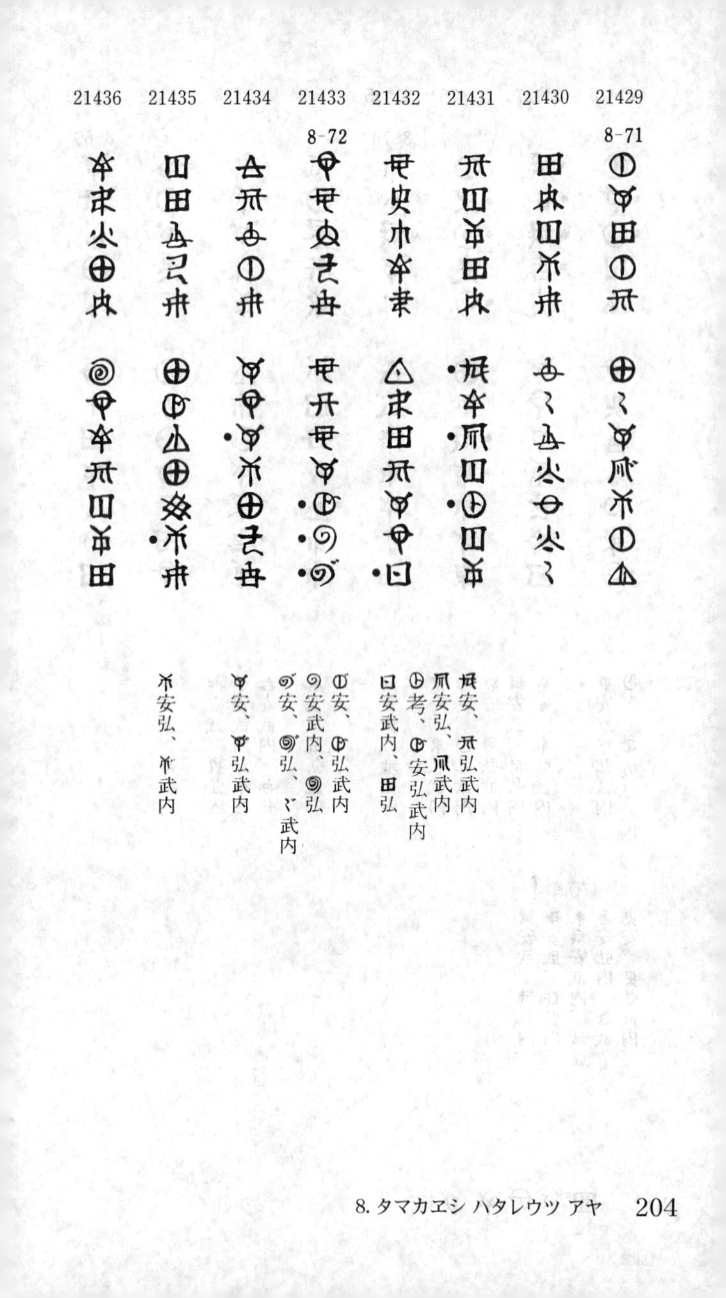

21436 21435 21434 21433 21432 21431 21430 21429

8-71

8-72

安、弘武内

安弘、武内

考、安弘武内

安武内、弘

安、弘武内

安武内、弘

安、弘、武内

安、弘武内

安弘、武内

21437 8-73

[illegible]安、[illegible]弘武内
[illegible]安、[illegible]弘武内

21438

21439

[illegible]安武、[illegible]弘内

21440

[illegible]安武、[illegible]弘内
[illegible]安武内、[illegible]弘

21441 8-74

[illegible]安、[illegible]弘武内

21442

21443

[illegible]安、[illegible]弘武内

21444 春1-36

[illegible]安弘武内、[illegible]春

春草一-30

21445 8-75

21446

21447

21448

21449 8-76

21450

21451

21452

安、春弘武内

安春、弘武内

安、春弘、武内

安弘武内、春

安弘武内、春

安弘武内、春

安春弘、武内

安春、弘武内

安春、弘武内

安弘、春、武内

安、春弘武内

安、春弘武内

安弘武内、春

安弘武内、春

安弘、春武内

安弘武内、春

*春、弘武内の異文

(5行目)↑

安、春弘武内

安武、春弘内

安、春弘武内

安弘武内、春

21453 8-77

〓〓〓〓〓　〓〓〓〓〓〓〓

〓安、〓春弘武内

21454

〓〓〓〓〓　〓〓〓〓〓〓〓

〓安弘武内、〓春
〓安武内、〓春弘
〓安弘武内、〓春

21455

〓〓〓〓〓　〓〓〓〓〓〓〓

(3行目)↑
〓安武、〓春弘内
〓安春弘内、〓武
〓安、〓春弘武内
〓安武、〓春弘内
〓安弘武内、〓春

21456

〓〓〓〓〓〓〓

〓安春、〓弘武内
〓安、〓春、〓弘武内

21457 8-78

〓〓〓〓〓　〓〓〓〓〓〓〓

〓安武内、〓弘
〓考、〓安弘武内

21458

〓〓〓〓〓　〓〓〓〓〓〓〓

21459

〓〓〓〓〓　〓〓〓〓〓〓〓

〓安弘、〓武内

21460

〓〓〓〓〓　〓〓〓〓〓〓〓

21461 8-79

21462

21463

21464

21465 8-80

21466

21467

21468

安、弘武内

安弘、武内

安弘、武内

安、弘武内

安、弘武内

安弘、武内

安、弘武内

安弘、武内

21469 8-81

[glyph]安弘、[glyph]武内
凡安、[glyph]弘武、[glyph]内

21470

凡安、[glyph]弘武内

21471

[glyph]安弘、[glyph]武内

21472

[glyph]安、[glyph]弘武内

21473 8-82

[glyph]安弘、[glyph]武内

21474

[glyph]安弘、[glyph]武内

21475

[glyph]安、[glyph]弘武内
[glyph]安武内、[glyph]弘

21476

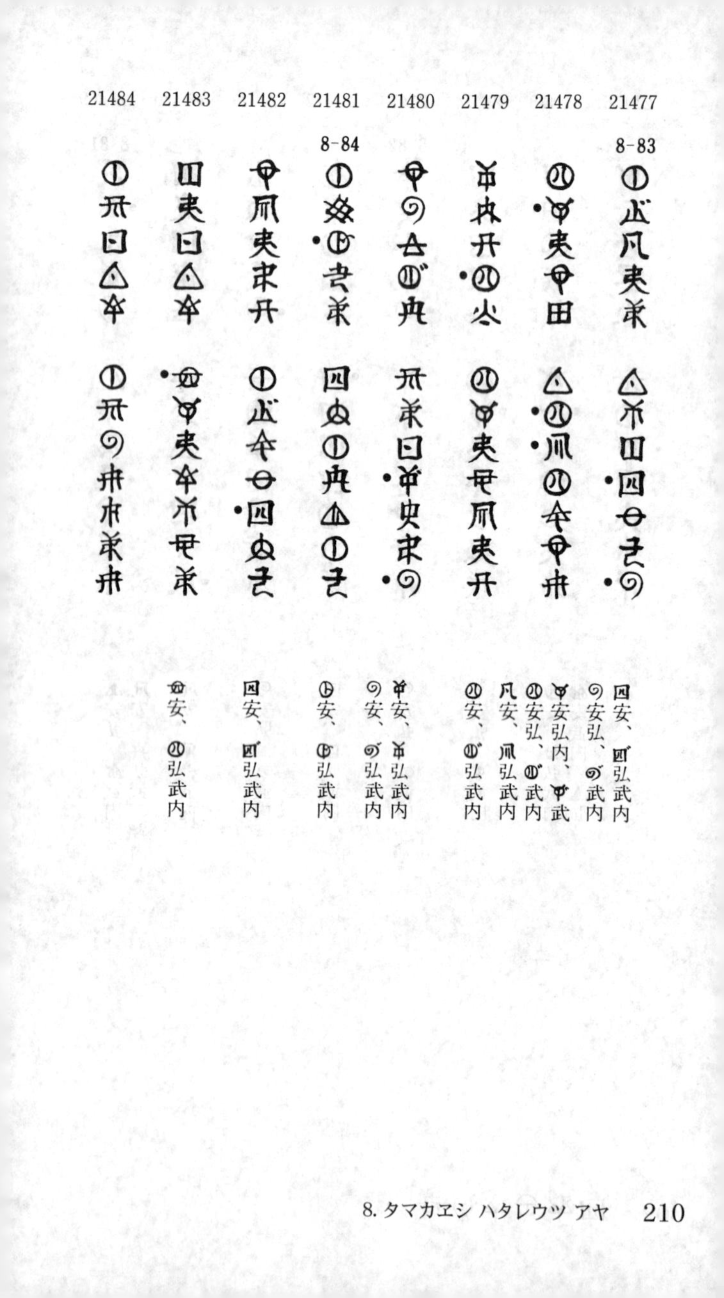

21477 8-83

21478

21479

21480

21481 8-84

21482

21483

21484

安、弘武内

安弘、武内

安弘内、武

安弘、武内

安、弘武内

安、弘武内

安、弘武内

安、弘武内

安、弘武内

安、弘武内

安、弘武内

21485

8-85

[illegible]安弘、[illegible]武内

21486

21487

[illegible]安、[illegible]弘武内

[illegible]安、[illegible]弘武内

[illegible]考、[illegible]安弘武内

21488

21489

8-86

[illegible]安武内、[illegible]弘

[illegible]安、[illegible]弘武内

[illegible]安弘、[illegible]武内

21490

[illegible]安弘武、[illegible]内

21491

[illegible]安、[illegible]弘武内

21492

[illegible]安弘、[illegible]武内

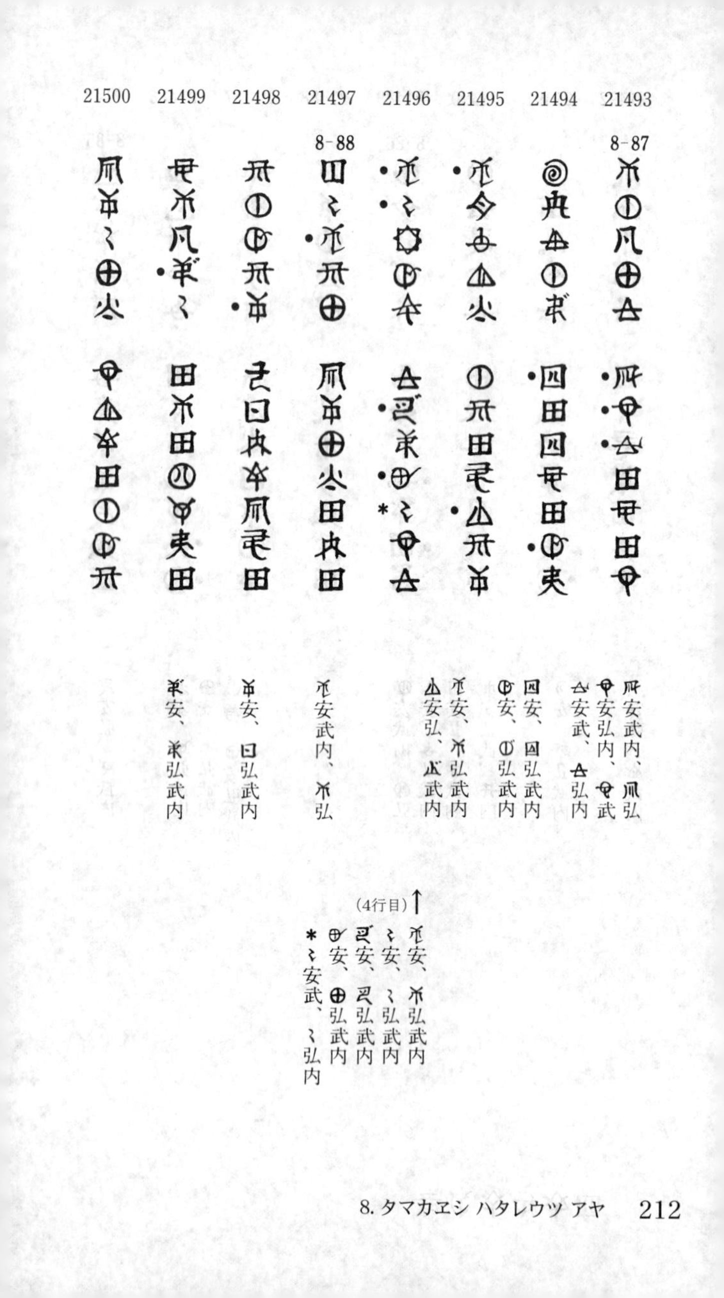

21493 (8-87)

21494

21495

21496

21497 (8-88)

21498

21499

21500

安武内、弘
安弘内、武
安武、弘内
安、弘武内
安、弘武内
安、弘武内
安弘、武内
安武内、弘
安、弘武内
安、弘武内

(4行目)↑
安、弘武内
安、弘武内
安、弘武内
安、弘武内
*安武、弘内

21501 8-89

21502

21503

21504

21505 春1-37 8-90

21506

21507

21508

〓安、〓弘武内

〓安弘武、〓内

〓安、〓弘武内

〓安、〓弘武内

〓安、〓弘武内

〓安、〓弘武内

〓安、〓弘武内

〓安、〓弘武内

〓安武、田春弘内

〓安弘武内、〓春

〓安弘武内、〓春

〓安春、〓弘武内

〓安弘武内、〓春

春草一-31

21509 8-91

21510

21511

安、弘武内

21512 春2-4

安、弘武内

安、春弘武内

春草二-4

21513 8-92

安弘武内、春

21514 春1-19

春草一-14

21515

安弘武内、春（振り仮名はヌと作る。草、刊本とも）

21516

安弘武内、春

21517 8-93 [illegible]

21518 [illegible] 春2-6 *[illegible]

21519 [illegible]

21520 [illegible]

21521 8-94 [illegible]

21522 [illegible]

21523 [illegible]

21524 [illegible]

*春、[illegible]の[illegible]三文字、刊本あり。草本ヌケ。

[illegible]考、[illegible]安弘武内
[illegible]安弘武内、[illegible]春

[illegible]安春弘、[illegible]武内

[illegible]安、[illegible]春弘武内
[illegible]安武内、[illegible]春弘

[illegible]安武、[illegible]春弘内
[illegible]安弘武内、[illegible]春
[illegible]安武、[illegible]春弘内
[illegible]安春、[illegible]弘武内

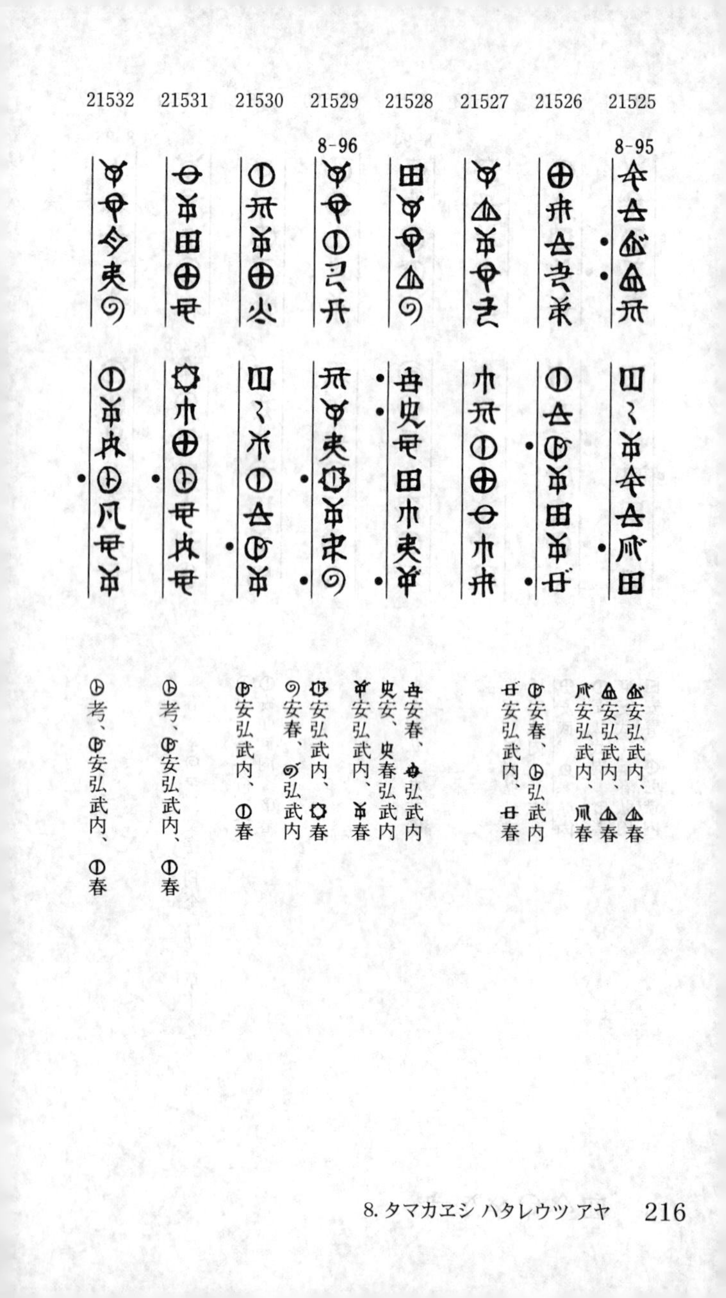

21525 8-95

21526

21527

21528

21529 8-96

21530

21531

21532

安弘武内、春

安弘武内、春

安弘武内、春

安春、弘武内

安弘武内、春

安春、弘武内

安、春弘武内

安弘武内、春

安弘武内、春

安春、弘武内

安弘武内、春

考、安弘武内、春

考、安弘武内、春

21533

8-97

[illegible]

[illegible]安春、[illegible]弘武内

[illegible]安弘武内、[illegible]春

[illegible]安弘武内、[illegible]春

21534

[illegible]

[illegible]安、[illegible]春、[illegible]弘武内

21535

[illegible]

[illegible]安弘武内、[illegible]春

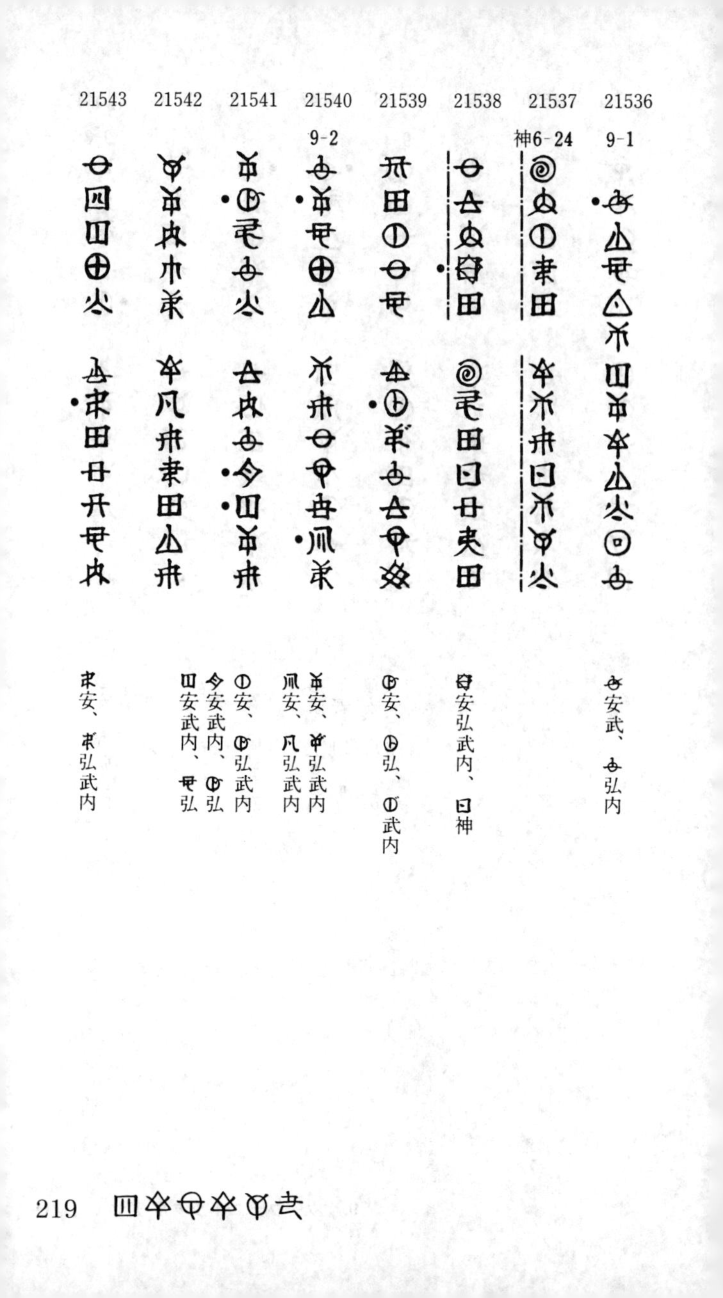

21536 9-1

安武、弘内

21537 神6-24

21538

安弘武内、神

21539

安、弘、武内

21540 9-2

安、弘武内

安、弘武内

21541

安、弘武内

安武内、弘

21542

安武内、弘

21543

安、弘武内

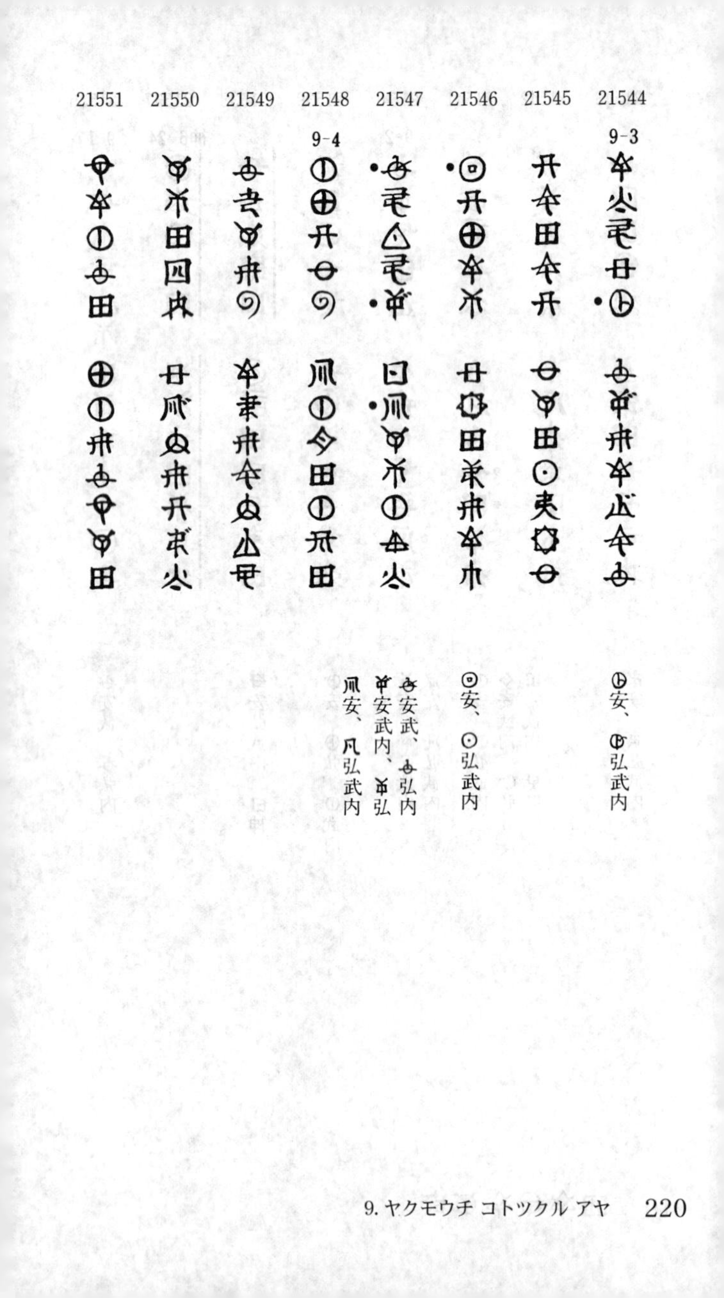

21551 21550 21549 21548 21547 21546 21545 21544

9-4 (21548)

9-3 (21544)

21544: 安、弘武内

21546: 安、弘武内

21547: 安武、弘内

21547: 安武内、弘

21548: 安、弘武内

21552 9-5

安、弘武内
安、弘武内

21553

21554

安、弘武内
安、弘、武内

21555

安弘、武内

21556 9-6

安、弘武内
安、弘武内

21557

安、弘武内

21558

安、弘武内
安、弘武内

21559

21560
9-7

21561
〓安、〓弘武内

21562
〓安、〓弘武内
〓安弘、〓武内

21563

21564
9-8
〓安武内、〓弘

21565
〓安、〓弘武内
〓安、〓弘武内

21566
〓安、〓弘武内
〓安弘武、〓内

21567
〓安、〓弘武内
〓安内、〓弘武

21568
9-9
安武内、弘

21569

21570
安弘内、武

21571
安武、弘内

21572
9-10
安、弘武内

21573
安武内、弘

21574

21575
安、弘武内
安、弘武内

21576 9-11

21577

21578

21579

21580 9-12

21581

21582

21583

ホ安弘、ホ武内

◎安、⊙弘武内

⑩安、⑪弘武内

⑪安、ミ弘武内

◎安、⊙弘武内

爪安弘、爪武内

の安、の弘武内

の安弘、の武内

◎安、⊙弘武内

⊕安、⊕弘武内

ホ安、ホ弘武内

21584 9-13

安、弘武内

安、弘、武内

21585

安弘、武内

21586

21587

安、弘武内

安武内、弘

安、弘武内

21588 9-14

安、弘武内

21589

安、弘武内

21590

21591

安弘、武内

9-15

21592

21593

21594

21595

安、弘、武内

9-16

21596

21597

安弘、武内

21598

安、弘武内
安、弘武内

21599

21600 9-17

[illegible]安、[illegible]弘武内
[illegible]安弘、[illegible]武内

21601

[illegible]安武内、[illegible]弘

21602

[illegible]安、[illegible]弘武内

21603

[illegible]安武内、[illegible]弘
[illegible]安、[illegible]弘武内

21604 9-18

[illegible]安、[illegible]弘武内
[illegible]安武内、[illegible]弘

21605

[illegible]安、[illegible]弘武内
[illegible]安、[illegible]弘、[illegible]武内

21606

21607

[illegible]安、[illegible]弘武内

21608 9-19
〓〓〓・〓〓 〓〓〓〓〓〓〓

21609
〓〓〓〓〓 〓・〓〓〓〓〓〓

21610 神5-36
〓〓〓・〓〓 ・〓・〓〓〓〓〓〓

21611
〓〓〓〓〓 ・〓・〓〓*〓〓〓〓

21612 9-20
・〓〓・〓〓〓〓〓

21613
〓〓〓〓・〓 〓〓〓〓〓〓〓

21614
〓〓〓〓〓 〓〓〓〓〓〓〓

21615
〓・〓〓〓〓 〓〓〓〓〓〓・〓

〓安、〓弘武内

〓安、〓弘武内

〓安、〓神弘武内、〓神
〓安、〓弘武内、〓神
〓安武内神、〓弘

〓安弘神、〓武内
〓安弘神、〓武内
*神〓〓の異文

〓安、〓弘武内、〓神
〓安弘武内、〓神

〓安、〓弘武内

〓安、〓弘武内
〓安、〓弘武内

21616 9-21

21617

安、 弘武内

21618

21619

21620 9-22

21621

安武内、 弘

安、 弘武内

21622

安、 弘武内

21623

安、 弘武内

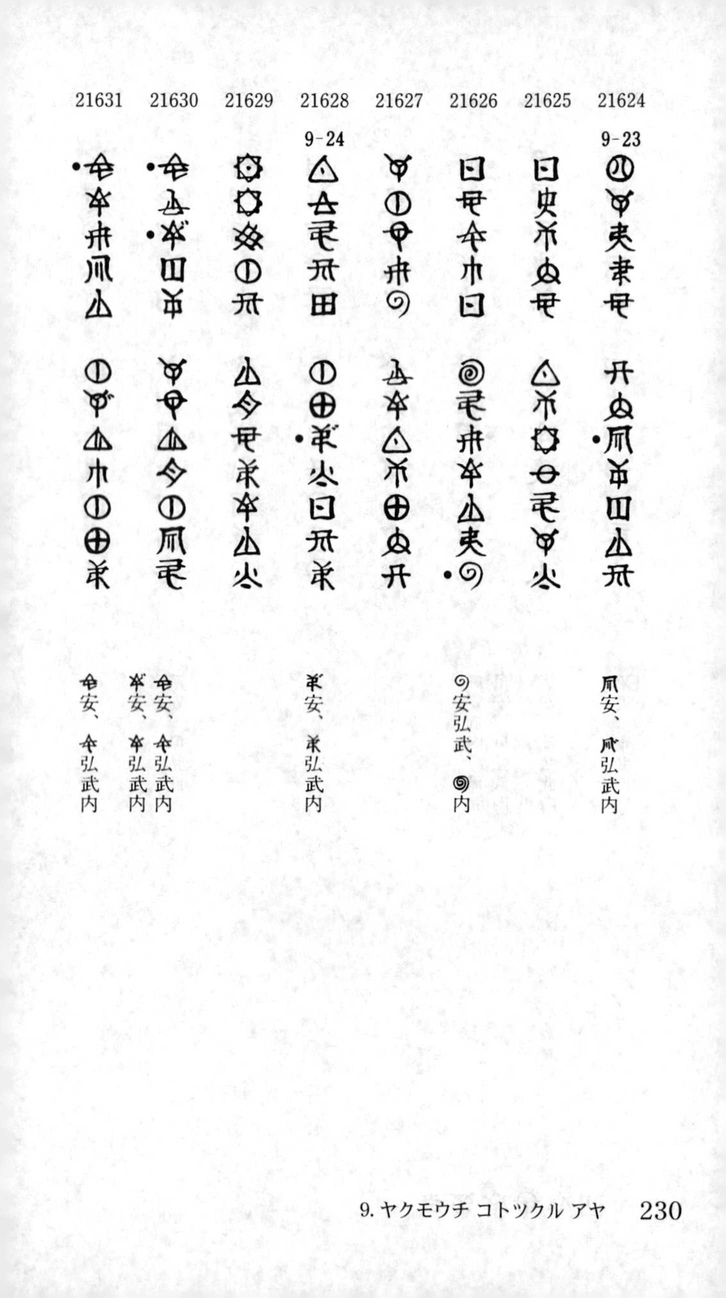

21624
9-23

安、弘武内

21625

21626

安弘武、内

21627

21628
9-24

安、弘武内

21629

21630

安、弘武内
安、弘武内

21631

安、弘武内

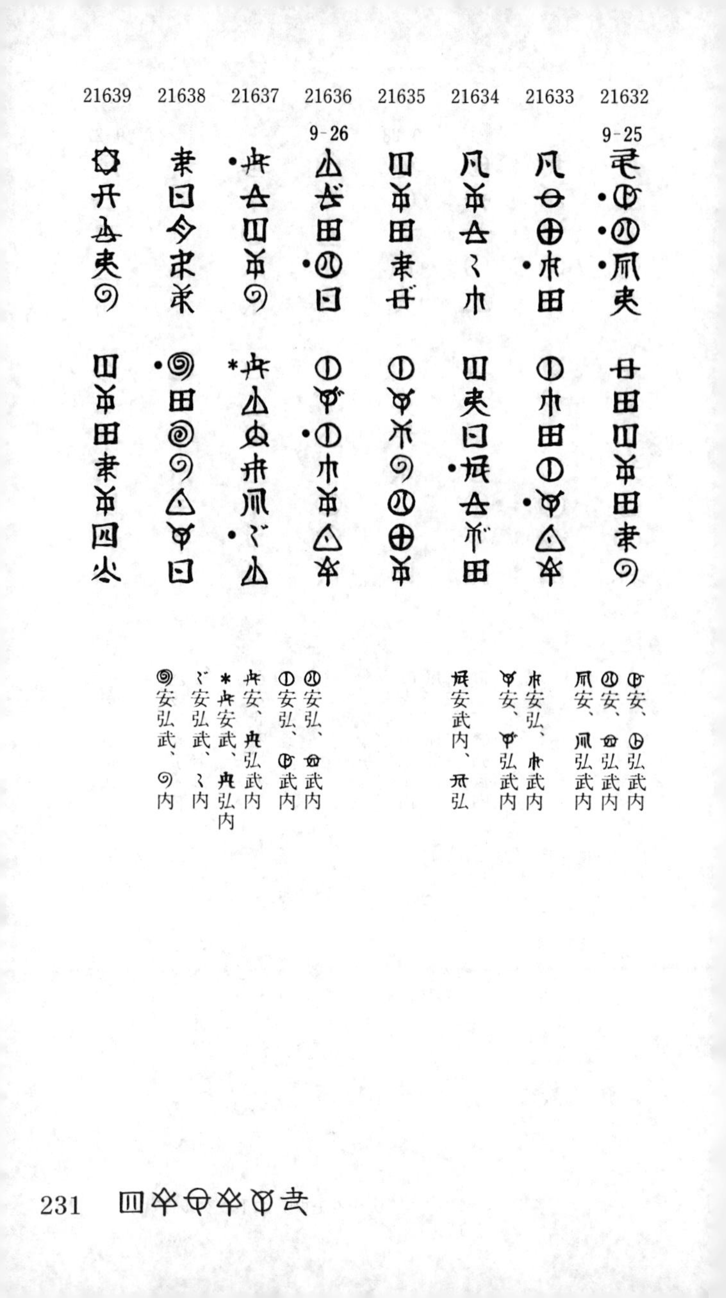

21632 9-25

21633

21634

21635

21636 9-26

21637

21638

21639

安、弘武内
安、弘武内
安、弘武内
安弘、武内
安、弘武内
安武内、弘

安弘、武内
安弘、武内
安、弘武内
*安武、弘内
安弘武、内
安弘武、内

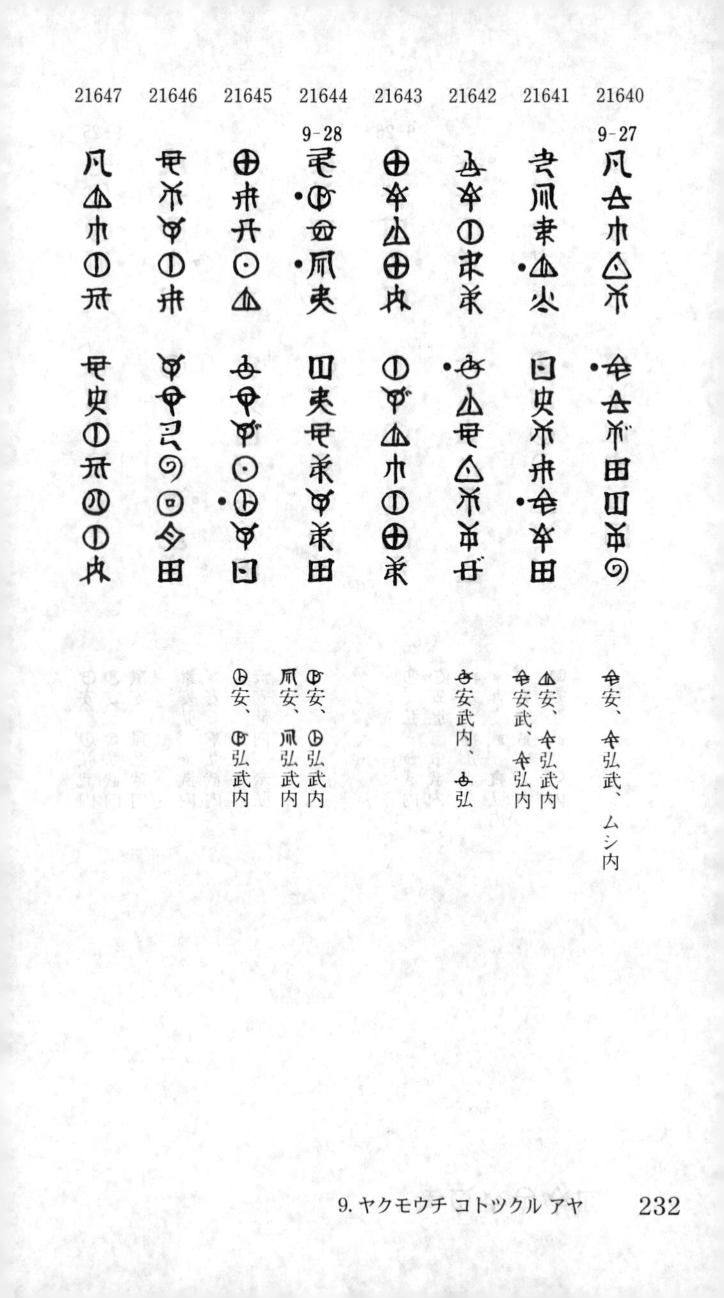

21640
9-27

21641

21642

21643

21644
9-28

21645

21646

21647

安、弘武、ムシ内

安、弘武内

安武、弘内

安武内、弘

安、弘武内

安、弘弘武内

安、弘武内

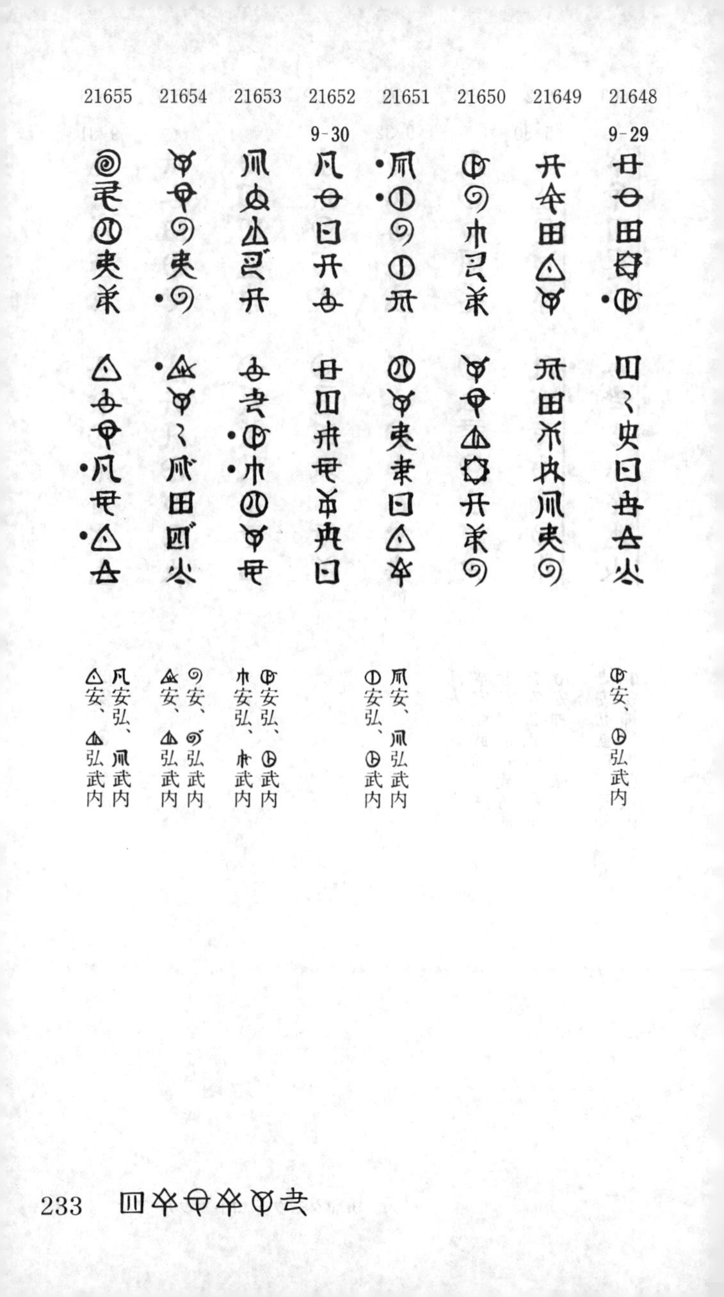

9-29

21648

安、弘武内

21649

21650

21651

安、弘武内

安弘、武内

9-30

21652

21653

安弘、武内

安弘、武内

21654

安、弘武内

安、弘武内

21655

安弘、武内

安、弘武内

21656 9-31

[Woshite]安、[Woshite]弘武内

21657

21658

21659

21660 9-32

21661

[Woshite]安弘武内、[Woshite]神

[Woshite]安弘武内、[Woshite]神

[Woshite]安、[Woshite]弘武内神

21662 神5-30

[Woshite]安弘武内、[Woshite]神

[Woshite]安神、[Woshite]弘武内

21663

[Woshite]安弘武内、[Woshite]神

[Woshite]安神、[Woshite]弘武内

21664 21665 21666 21667 21668 21669 21670 21671

9-33 (21664)

9-34 (21668)

21665: 安、弘武内 / 安、弘武内

21666: 安、弘武内 / 安、弘武内

21667: 安、弘武内

21669: 安、弘武内 / 安、弘武内

↑ 安、弘武内神
安弘武内、神
安神、弘武内
、安本とあるが漢訳文に和となっているために改めた。
弘武内、神

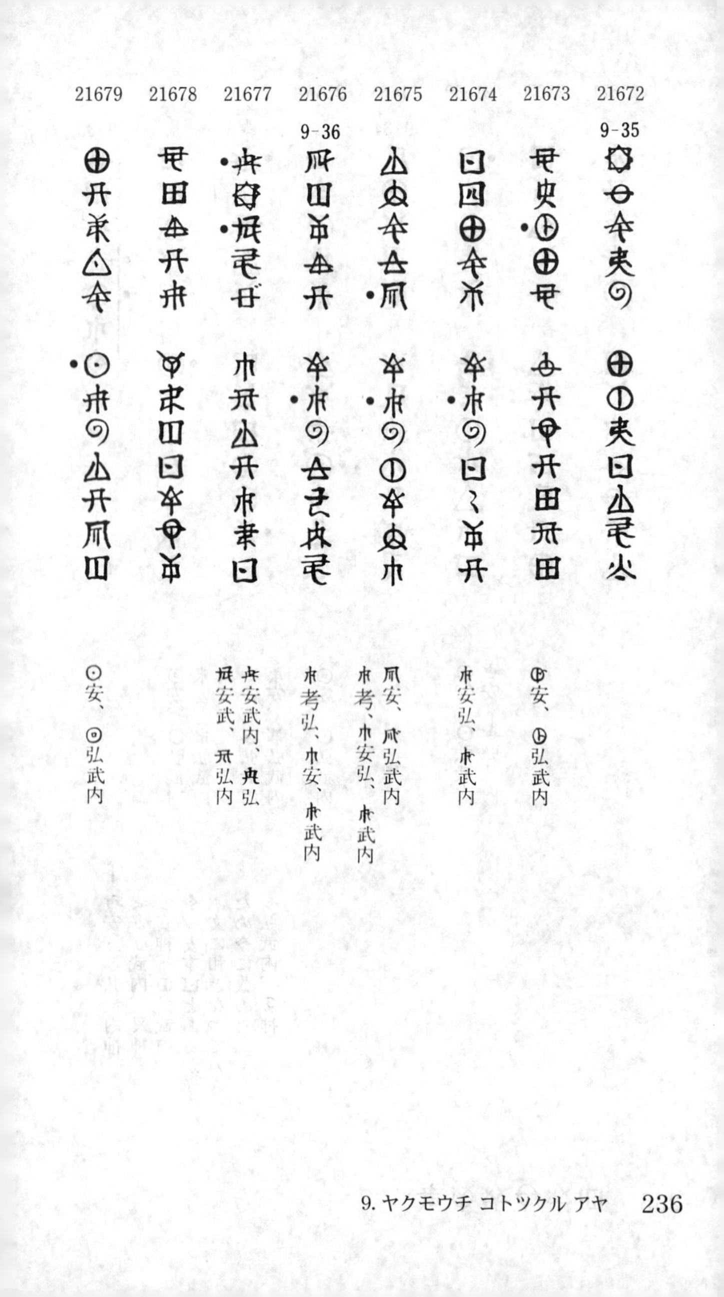

21672 9-35

21673

21674

21675

安、弘武内

考、安弘、武内

21676 9-36

考弘、安、武内

21677

安武内、弘

安武、弘内

21678

21679

安、弘武内

21680 9-37
〓〓〓〓〓　〓〓〓〓〓〓〓

21681
〓〓〓〓〓　〓〓〓〓・〓〓〓
〓安、〓弘武内

21682
〓〓〓〓・〓　〓・〓〓〓〓〓〓
〓安、〓弘武内
〓安、〓弘武内

21683
〓〓〓〓〓　〓〓・〓〓〓〓〓
〓安武内、〓弘

21684 9-38
〓〓〓〓・〓　〓〓〓〓〓〓〓
〓安、〓弘武内

21685
・〓・〓〓〓〓　〓〓〓〓〓〓〓
〓安武内、〓弘
〓安武、〓弘、ムシ内

21686
〓〓〓〓〓　〓〓〓・〓〓〓〓
〓安弘、〓武内

21687
〓〓〓〓〓　〓〓〓〓・〓〓〓
〓安、〓弘武内

21688 9-39

21689

21690

21691

21692 9-40

21693

21694

21695 朝4-35

〓安、〓弘武、ムシ内

〓安、〓弘武内

〓安、〓弘武内

〓安、〓弘武内

〓安、〓弘武内

〓安、〓弘武内

〓安、〓弘武内

〓安弘武内、〓朝

〓安朝、〓弘武内

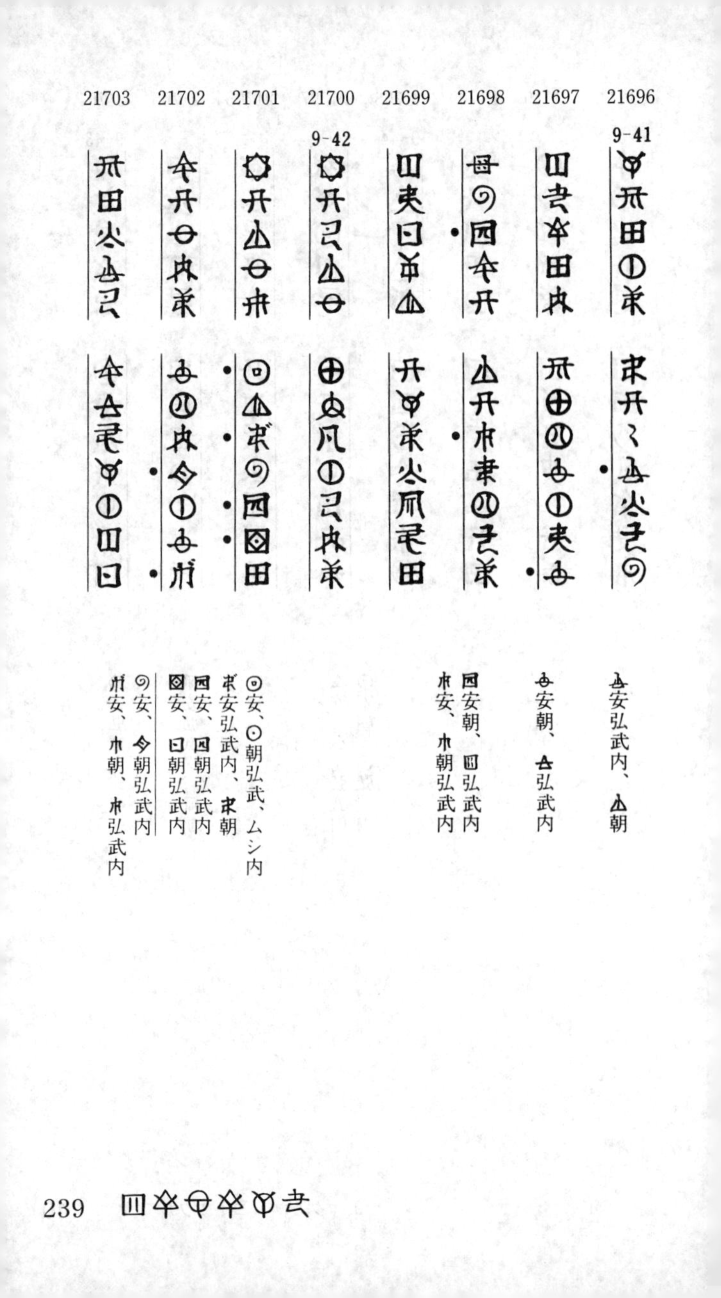

21696 9-41

21697

21698

21699

21700 9-42

21701

21702

21703

安弘武内、朝

安朝、弘武内

安朝、弘武内

安、朝弘武内

安、朝弘武、ムシ内

安弘武内、朝

安、朝弘武内

安、朝弘武内

安、朝弘武内

安、朝、弘武内

9-43

21704

21705

21706

21707

9-44

21708

21709

21710

21711

◎安弘武内、⊙朝

爪安弘武内、爪朝

△安、△朝弘武内

回安朝、⊙弘武内

21712 21713 21714 21715 21716 21717 21718 21719

21712 9-45

[glyph]安武内、[glyph]弘
[glyph]安武内、[glyph]弘
[glyph]安武、[glyph]弘内
[glyph]安、[glyph]弘武内
[glyph]安武、[glyph]弘内
[glyph]安武弘、[glyph]内

21716 9-46

[glyph]安弘、[glyph]武内
[glyph]安、[glyph]弘武内

21717

[glyph]安、[glyph]弘武内

21718

[glyph]安弘、[glyph]武内

21719

[glyph]安、[glyph]弘武内
[glyph]安、[glyph]弘武内

21720 9-47

安、弘武内 安、弘武内

21721

21722

安、弘武内

21723

21724 9-48

21725

21726

安、弘武内

21727

安、弘武内

21728

9-49

21729

安、弘武内

安、弘武内

安、弘武内

21730 10-1

21731

21732

21733

21734 10-2

21735 春1-21

21736

21737

安、安内、弘武内、弘武

安、弘武内、安、弘武内

安、弘武内

安武内、春弘

(2行目)↑

安武内、弘

安武、弘内

安武内、弘

安武、弘内

安武、弘内

春草一-15

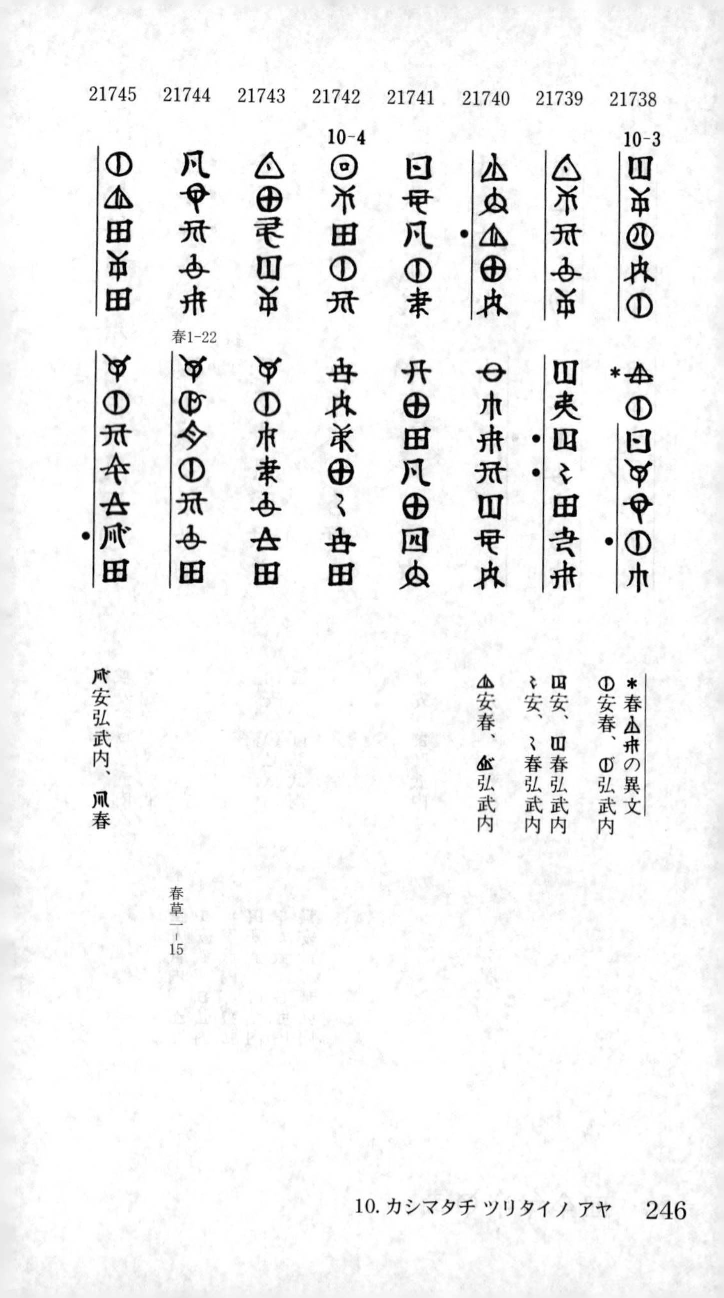

21738 10-3

21739

21740

21741

21742 10-4

21743

21744 春1-22

21745

*春の異文

安春、弘武内

安、春弘武内

安、春弘武内

安春、弘武内

安弘武内、春

春草一-15

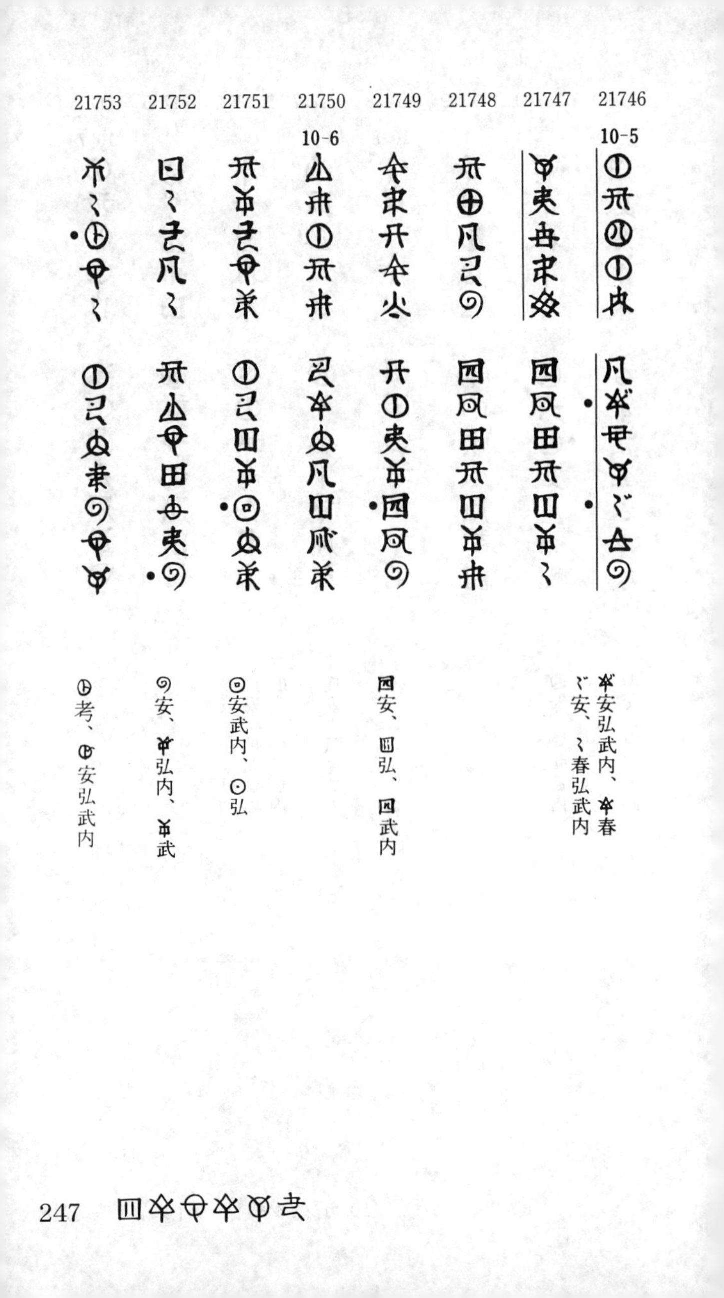

10-5

21746

安弘武内、春
安、春弘武内

21747

21748

21749

安、弘、武内

10-6

21750

21751

安武内、弘

21752

安、弘内、武

21753

考、安弘武内

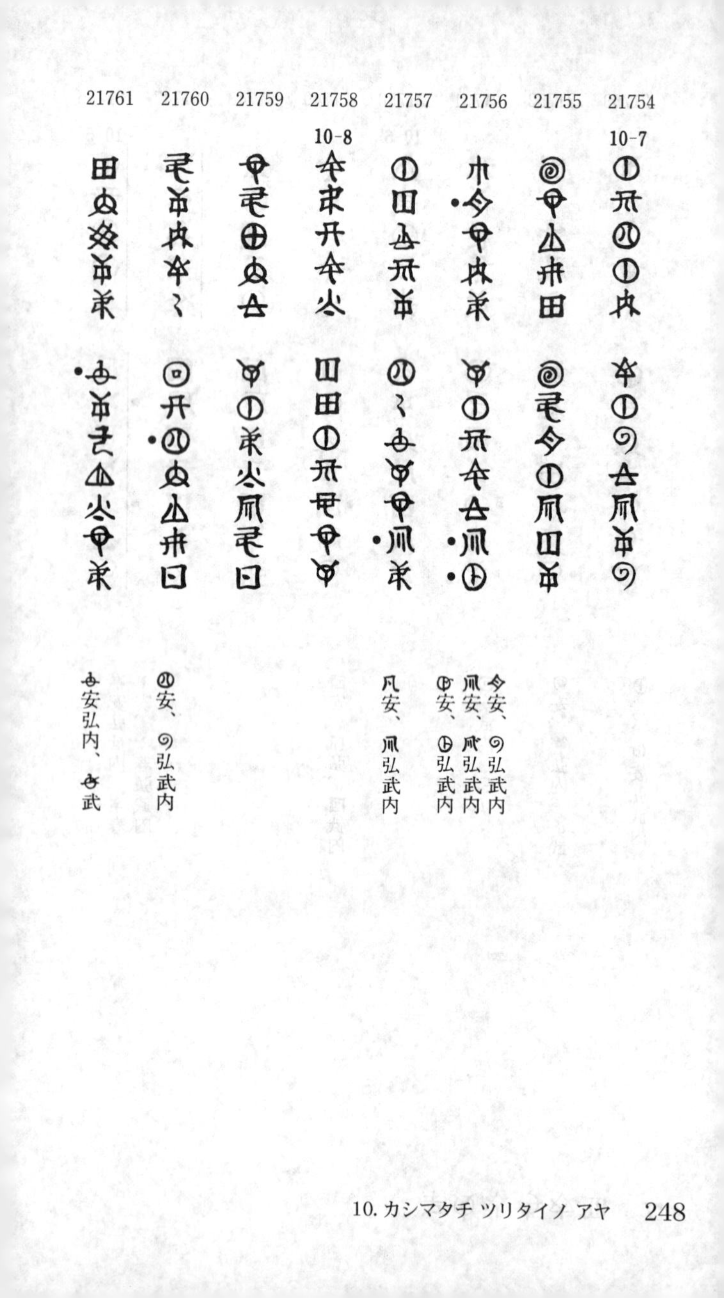

21754 10-7

21755

21756

21757

21758 10-8

21759

21760

21761

安、の弘武内
安、弘武内
安、弘武内
安、弘武内

安、の弘武内
安弘内、武

21762 10-9
安弘武、内

21763
安武内、弘

21764
考、安弘武内

21765
安、弘武内

21766 10-10
安、弘武内

21767

21768
考、安弘武内
安、弘武内

21769

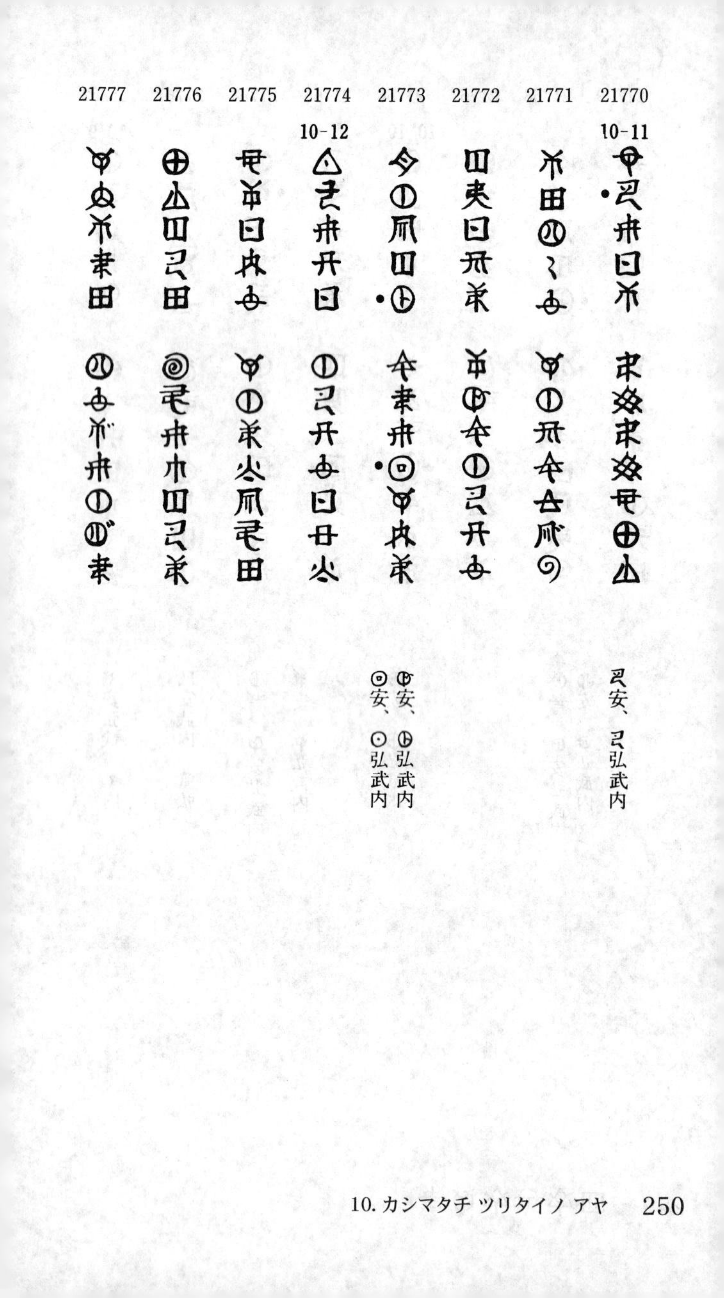

21770 10-11

21771

21772

21773

21774 10-12

21775

21776

21777

（21770）安、弘武内

（21773）安、弘武内
安、弘武内

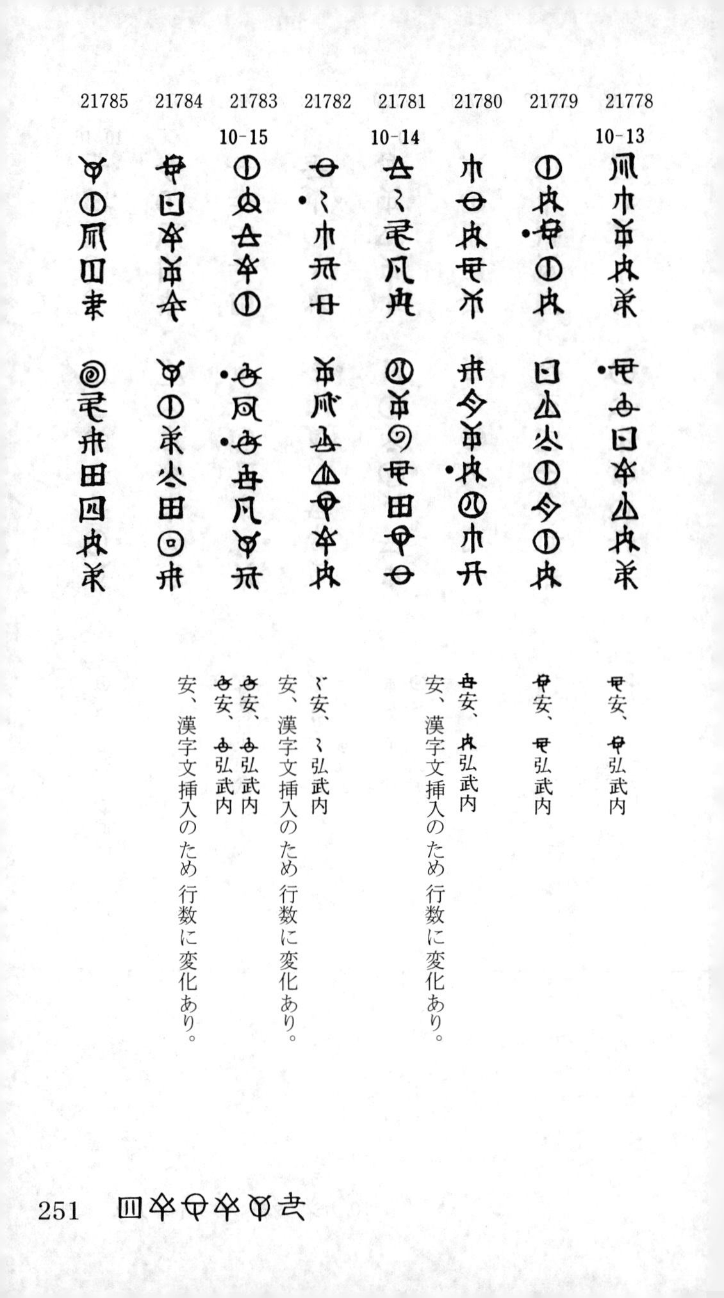

21778 10-13

21779

21780

21781 10-14

21782

21783 10-15

21784

21785

[illegible]安、[illegible]弘武内

[illegible]安、[illegible]弘武内

[illegible]安、[illegible]弘武内

安、漢字文挿入のため行数に変化あり。

[illegible]安、[illegible]弘武内

安、漢字文挿入のため行数に変化あり。

[illegible]安、[illegible]弘武内

[illegible]安、[illegible]弘武内

安、漢字文挿入のため行数に変化あり。

10-16

21786

安、 弘、 武内

21787

21788

安、 弘武内

21789

安弘、 武内
安、 弘武内

10-17

21790

安、 弘武内
安、 弘武内

21791

21792

21793

安、 弘武内
安、 弘武内
安、 弘武内

21794 10-18

安、弘武内

21795

安、弘武内

安、弘武内

21796

21797

安、弘武内

21798 10-19

安、弘武内

21799

21800

21801 神7-69

21802 10-20

21803

21804

21805

21806 10-21

21807

21808

21809

[illegible]安、[illegible]弘武内、[illegible]朝
[illegible]安、[illegible]弘武内神
[illegible]安、[illegible]弘武内神
[illegible]安弘、[illegible]武内神
[illegible]安、[illegible]弘武内、[illegible]神
[illegible]安弘武内、[illegible]神
[illegible]安弘神、[illegible]武内

21810 神7-72 10-22 [ヲシテ文字]

21811 [ヲシテ文字]

21812 [ヲシテ文字]

21813 [ヲシテ文字]

21814 10-23 [ヲシテ文字]

21815 [ヲシテ文字]

21816 [ヲシテ文字]

21817 [ヲシテ文字]

[ヲシテ]安、[ヲシテ]弘武内神

[ヲシテ]安弘武内、[ヲシテ]神

[ヲシテ]安弘武内、[ヲシテ]神

[ヲシテ]安弘神、[ヲシテ]武内

[ヲシテ]安、[ヲシテ]弘武内、[ヲシテ]神

[ヲシテ]安、[ヲシテ]弘武内

[ヲシテ]安、[ヲシテ]弘武内

[ヲシテ]安、[ヲシテ]弘武内

[ヲシテ]安、[ヲシテ]弘武内

21818 10-24

安、弘武内

21819

安、弘武内

21820

安、弘武内

安、弘武内

21821

21822 10-25

考、安弘武内

21823

安、弘武内

21824

安武内、弘

21825 春1-22

春草一-16

21826

10-26

21827

安春、弘武内

安春、弘武内

21828

安弘武内、春

安弘武内、春

安、春弘武内

21829

21830

10-27

安春、弘武内

21831

安弘武内、春

21832

21833

安春武内、弘

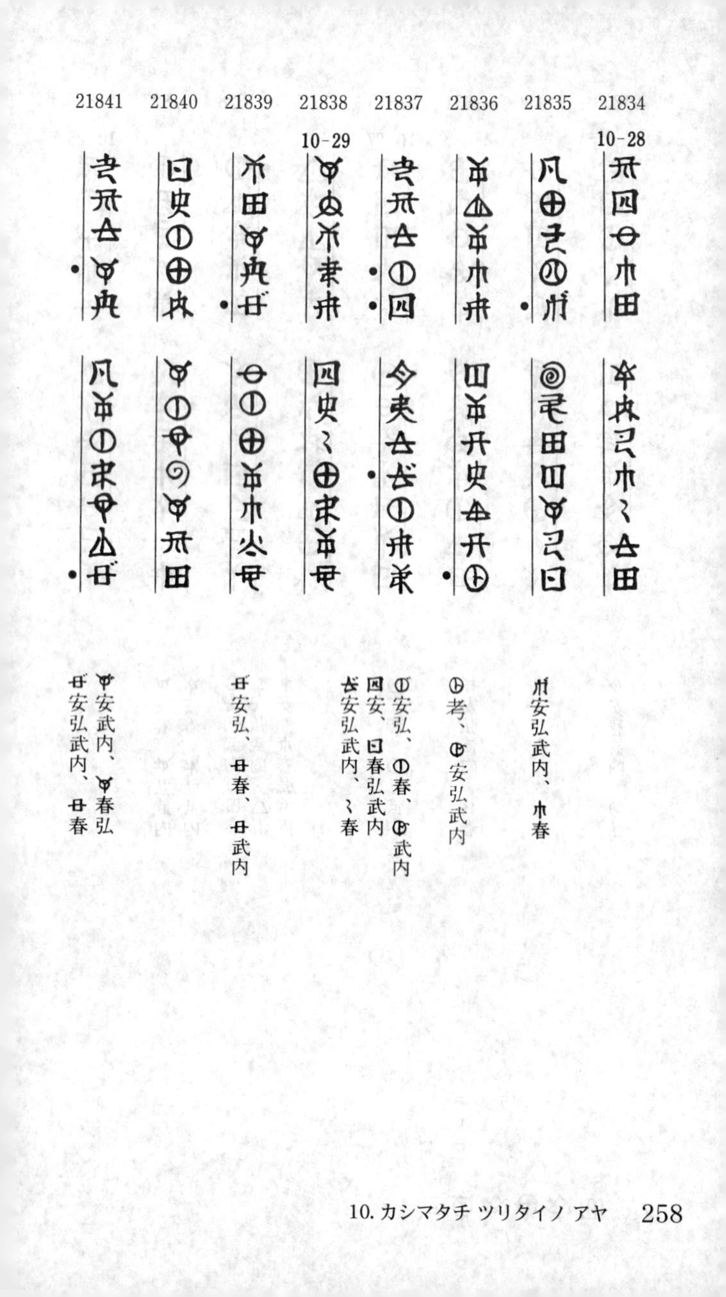

10-28

21834

21835

安弘武内、春

21836

考、安弘武内

21837

安弘、春、武内
安、春弘武内
安弘武内、春

10-29

21838

21839

安弘、春、武内

21840

21841

安武内、春弘
安弘武内、春

21842 10-30

21843

21844 春1-20

21845

21846 10-31

21847

21848

21849

◯安、◯春、◯弘武内
◯安、◯春弘武内

◯安春、◯弘武内
◯安春、◯弘武内
◯安春、◯弘武内

◯安弘武内、◯春

◯安、◯春弘武内
◯安弘武内、◯春
◯安、◯春、◯弘武内
◯安弘武内、◯春
*◯安弘武内、◯春
◯安春弘、◯武内
◯考、◯安、◯春、◯弘、
◯武内

21850
10-32
[ヲシテ]

21851
[ヲシテ]

21852
[ヲシテ]

21853
[ヲシテ]

21854
10-33
[ヲシテ]

21855
[ヲシテ]

21856
[ヲシテ]

21857
[ヲシテ]

[ヲシテ]安弘武内、[ヲシテ]春
[ヲシテ]安、[ヲシテ]春、[ヲシテ]弘武内
[ヲシテ]安、[ヲシテ]春弘武内

[ヲシテ]安春、[ヲシテ]弘武内
[ヲシテ]安武内、[ヲシテ]春、[ヲシテ]弘

[ヲシテ]安、[ヲシテ]春弘武内

[ヲシテ]安弘武内、[ヲシテ]春

[ヲシテ]安春、[ヲシテ]弘武内

[ヲシテ]安弘武内、[ヲシテ]春

21858 10-34

21859

21860

21861

21862 10-35

21863

21864

21865

安、春弘武内

考、安、春弘武内

安春、弘武内

安春、弘武内

安、春、弘武内

安弘、春、武内

21866

10-36

21867

[illegible]安春、[illegible]弘武内
[illegible]安、[illegible]春弘武内

21868

[illegible]安、[illegible]春弘武内

21869

21870

10-37

[illegible]安春、[illegible]弘武内
[illegible]安春、[illegible]弘武内

21871

[illegible]安、[illegible]春弘武内
[illegible]安春、[illegible]弘武内

21872

[illegible]安、[illegible]春弘武内
[illegible]安春、[illegible]弘武内

21873

21874 10-38

[glyph]安、[glyph]弘武内
[glyph]安、[glyph]弘武内
[glyph]安、[glyph]弘武内
[glyph]安、[glyph]弘武内

21875

[glyph]安、[glyph]弘武内

21876

[glyph]安、[glyph]弘武内
[glyph]安、[glyph]弘武内

21877

[glyph]安、[glyph]弘、[glyph]武内
[glyph]安、[glyph]弘武内

21878 10-39

[glyph]安、[glyph]弘武内
[glyph]安武内、[glyph]弘

21879

21880

[glyph]安、[glyph]弘武内

21881

[glyph]安武内、[glyph]弘

21882 10-40

21883

21884

21885

21886 10-41

21887

21888

21889

安、弘武内

安、弘武内

安、弘武内

安、弘武内

安、弘武内

安、弘武内

安、弘、武、内

安、弘武内

安、弘武内

安、弘武内

21890

10-42

安、弘武内

安武、弘内

21891

安、弘武内

安、弘武内

21892

安弘、武内

21893

安弘内、武

安、弘武内

21894

10-43

安、弘武内

21895

21896

安弘、武内

21897

安、弘武内

安、弘武内

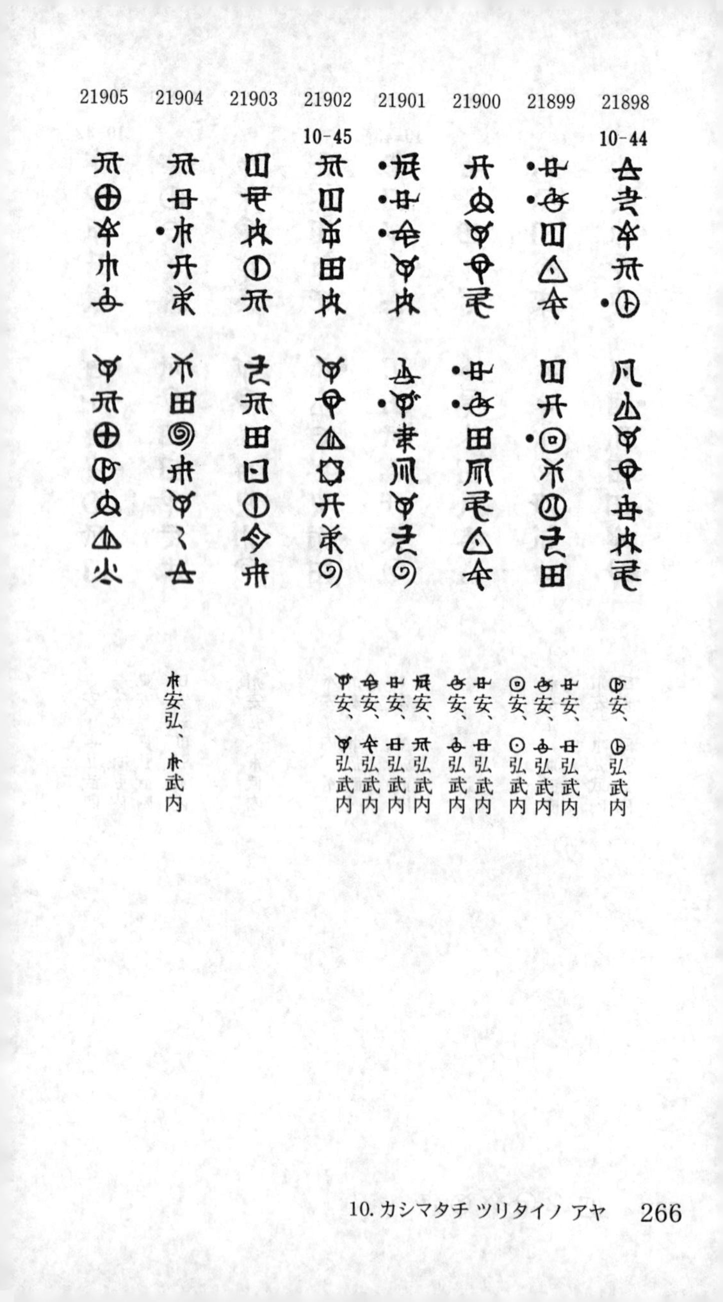

21898 10-44

21899

21900

21901

21902 10-45

21903

21904

21905

安、弘武内

安、弘武内

安、弘武内

安、弘武内

安、弘武内

安、弘武内

安、弘武内

安、弘武内

安、弘武内

安弘、武内

21906

10-46

21907

21908

[illegible]安、[illegible]弘武内

21909

[illegible]安弘、[illegible]武内

[illegible]安、[illegible]弘武内

21910

10-47

[illegible]安、[illegible]弘、[illegible]武内

[illegible]安、[illegible]弘武内

21911

21912

21913

[illegible]安、[illegible]弘武内

[illegible]安、[illegible]弘武内

21914 10-48

21915

21916

21917

21918 10-49

21919

21920

21921

安武、弘内

安、弘武内

安、弘、武内

安内、弘武

安弘武、内

安武、弘内

安武、弘内

安、弘、武内

*安、弘、武内

安、弘武内

安弘、武内

安、弘武内

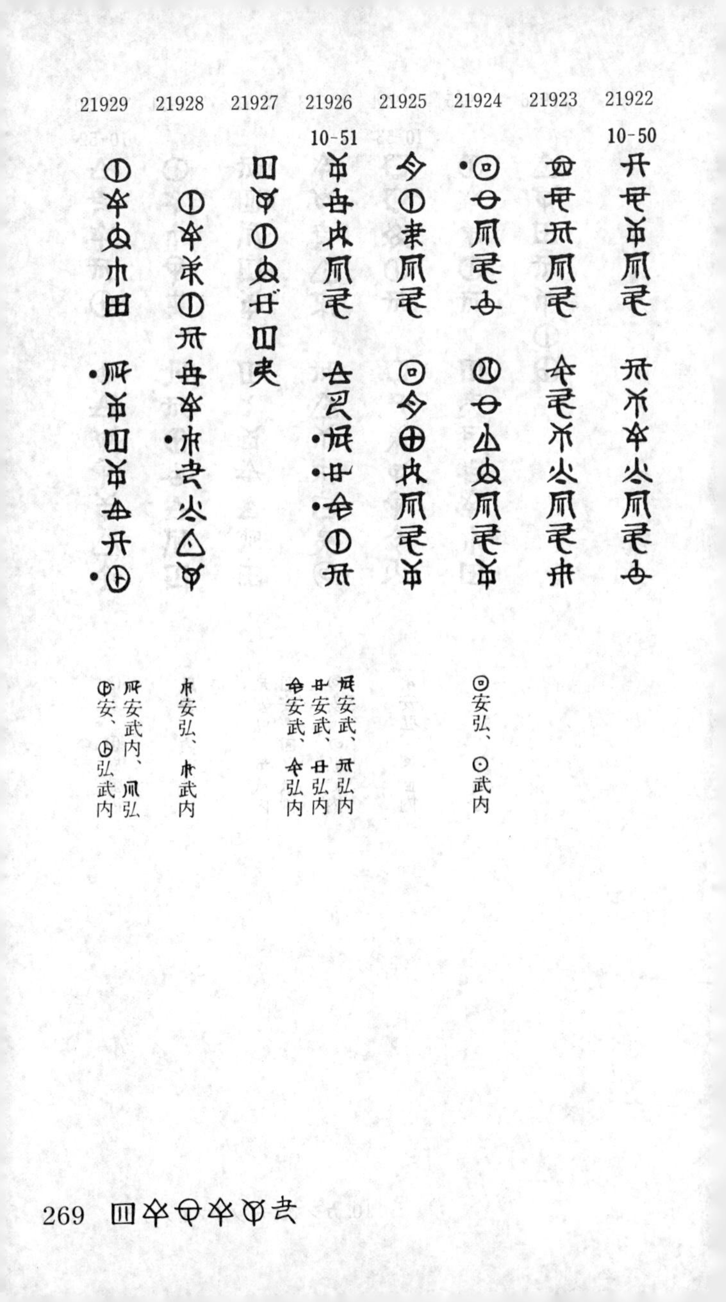

21922 10-50

21923

21924

安弘、武内

21925

21926 10-51

安武、弘内

安武、弘内

安武、弘内

21927

21928

安弘、武内

21929

安武内、弘

安、弘武内

21930

10-52

安、弘武内

21931

安、弘武内

21932

安弘、武内

21933

安、弘武内

21934

10-53

安弘、武内

21935

安弘、武内

21936

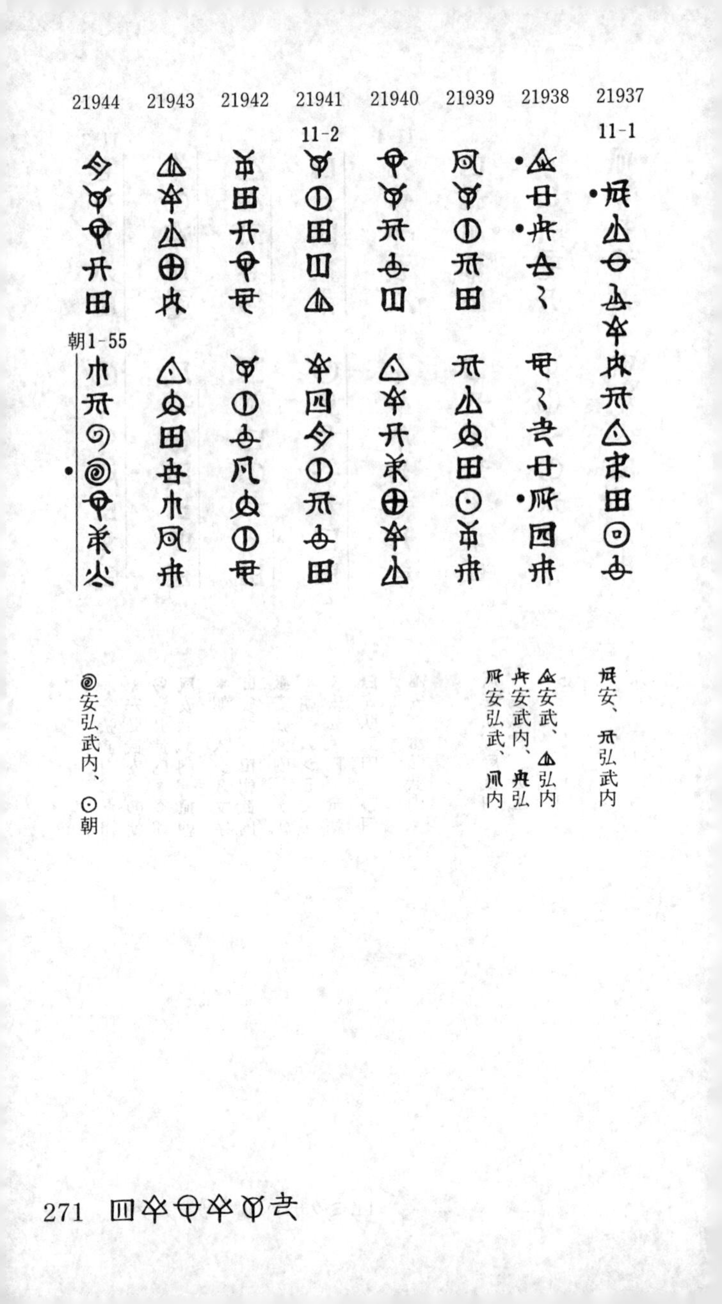

21937 11-1

21938

21939

21940

21941 11-2

21942

21943

21944 朝1-55

安、弘武内

安武、弘内

安武内、弘

安弘武、内

安弘武内、朝

11-3

21945

21946

21947

21948

11-4

21949

21950

21951

21952

[illegible]安弘武内、[illegible]朝

[illegible]安弘武内、[illegible]朝

[illegible]安弘武内、[illegible]朝

[illegible]安弘武内、[illegible]朝

*朝　ムシ3文字

[illegible]安弘、[illegible]朝武内

[illegible]安弘武内、[illegible]朝

*朝　ムシ5文字

[illegible]安弘武内、[illegible]朝

[illegible]安弘武内、[illegible]朝

[illegible]安、[illegible]弘武内

[illegible]安弘、[illegible]武内

[illegible]安武内、[illegible]弘

[illegible]安、[illegible]弘武内

[illegible]安、[illegible]弘武内

21953

11-5

21954

[illegible]安、[illegible]弘武内

21955

[illegible]安、[illegible]弘武内

21956

[illegible]安弘、[illegible]武内

21957

11-6

21958

21959

[illegible]安、[illegible]弘武内

21960

[illegible]安、[illegible]弘武内

21961 11-7

21962

21963

21964

21965 11-8

21966

21967

21968

安武、弘内

安、弘武内

安武、弘内

安武、弘内

安弘内、武

安、弘武内

安、弘武内

安弘、武内

安、弘武内

安、弘武内

21969
11-9

21970

21971
[illegible]安、[illegible]弘、[illegible]武内

21972
[illegible]安、[illegible]弘、[illegible]武内
[illegible]安弘、[illegible]武内

21973
11-10
[illegible]安、[illegible]弘武内

21974
[illegible]安、[illegible]弘武内

21975

21976
[illegible]安、[illegible]弘武内

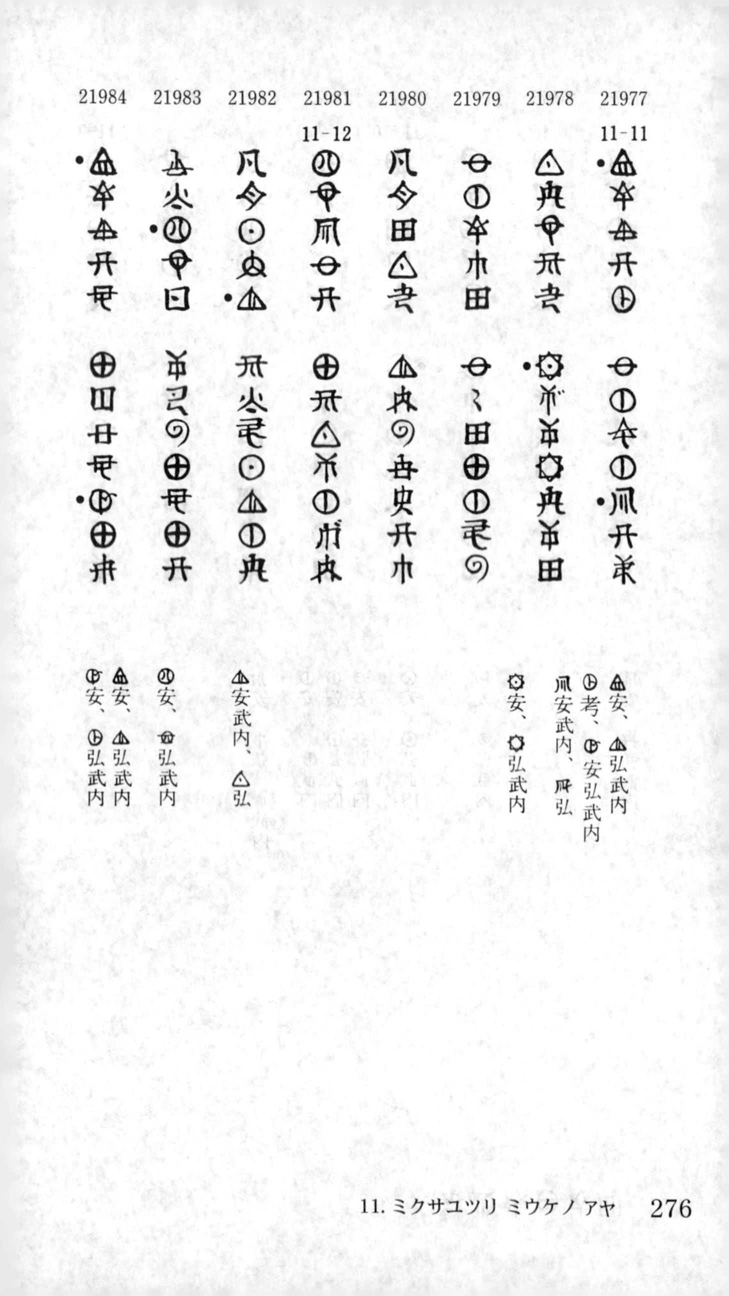

21977 11-11

21978

21979

21980

21981 11-12

21982

21983

21984

安、弘武内

考、安弘武内

安武内、弘

安、弘武内

安武内、弘

安、弘武内

安、弘武内

安、弘武内

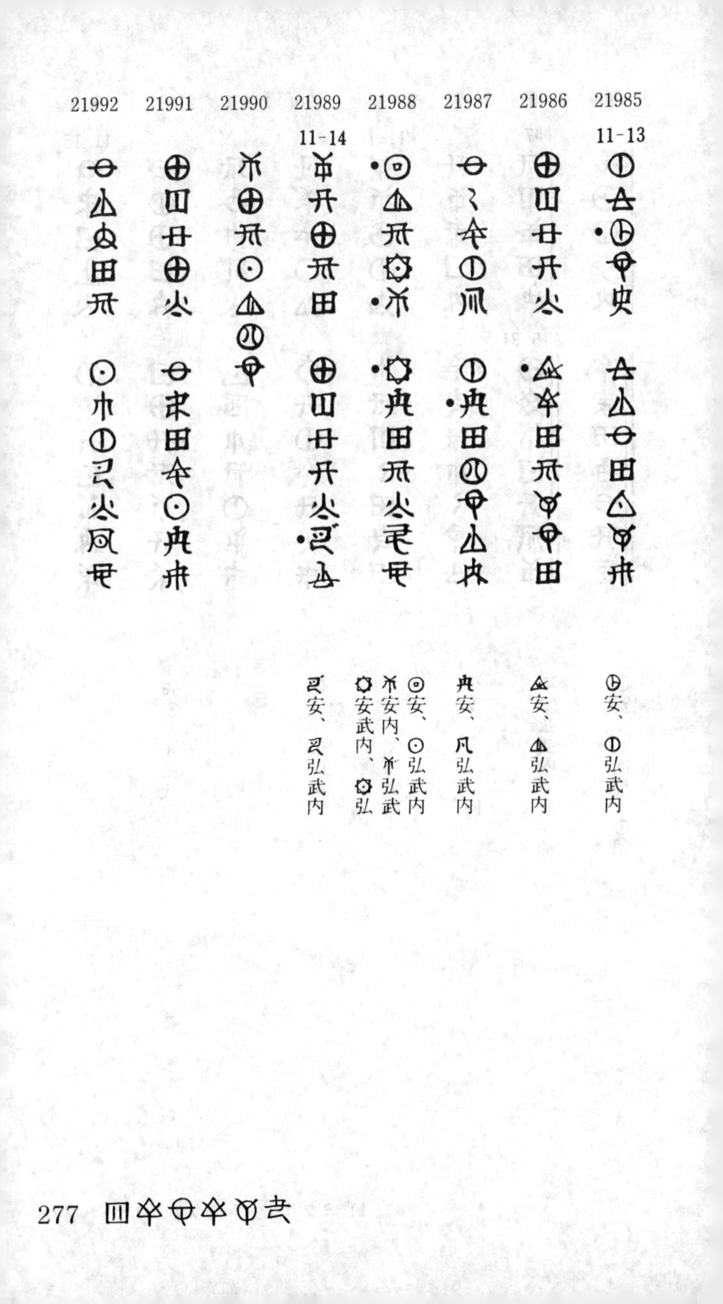

21985 11-13

21986

21987

21988

21989 11-14

21990

21991

21992

安、弘武内

安、弘武内

安、弘武内

安、弘武内

安内、弘武

安武内、弘

安、弘武内

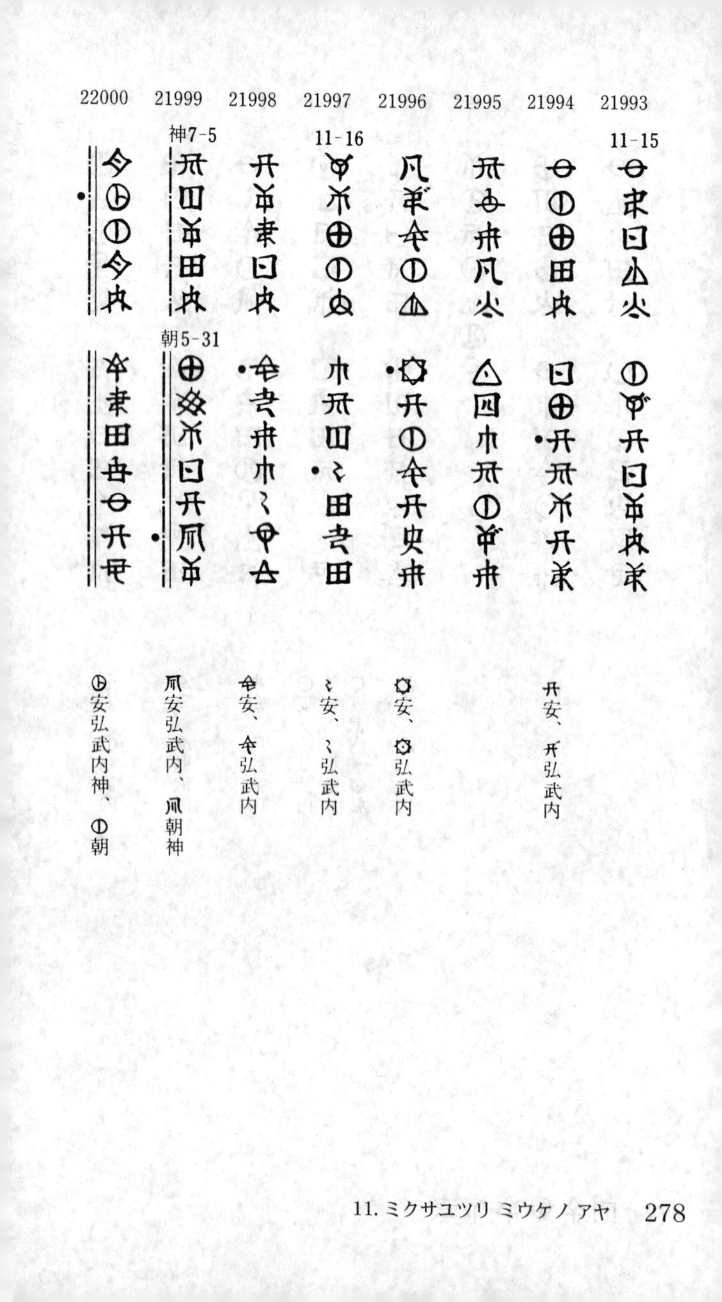

21993 11-15

21994

21995

21996

21997 11-16

21998

21999 神7-5 朝5-31

22000

安、弘武内

安、弘武内

安、弘武内

安、弘武内

安弘武内、朝神

安弘武内神、朝

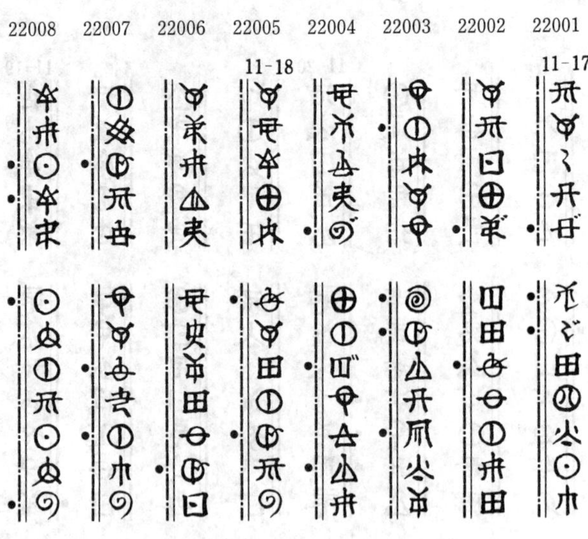

〓安弘武内神、〓朝
〓安、〓朝弘武内神
〓安、〓朝、〓弘武内神
〓安、〓朝弘武内神
〓安武内神、〓朝弘

〓安弘武内神、〓朝
〓安、〓朝弘武内神
〓安朝、〓弘武内神
〓安、〓朝弘武内神
〓安弘武内神、〓朝
〓安弘武内神、〓朝
〓安弘武内神、〓朝
〓安朝弘、〓武内神
〓安朝、〓弘神、〓武内

(3行目)↑
〓安朝弘内、〓武、〓神
〓安弘武内神、〓朝
〓安、〓朝、〓弘武内神
〓安弘武内、〓朝神

↑(8行目)
〓安朝弘武内、〓神
〓安朝、〓弘武内神
〓安朝弘武内、〓神
〓安朝、〓弘武内神

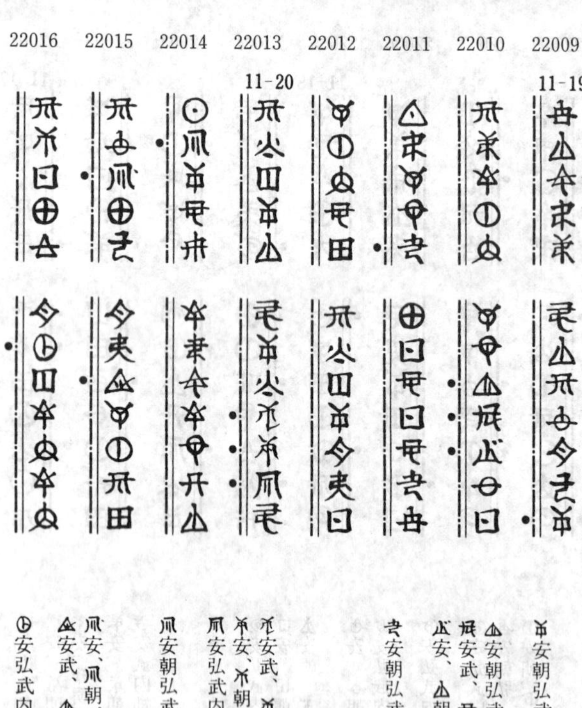

安朝弘武内、神

安朝弘武神、内

安武、朝弘内神

安、朝弘武内神

安朝弘武内、神

安武、朝弘内神

安、朝弘武内、神

安弘武内、朝神

安朝弘武内、神

安、朝、弘武内神

安武、朝弘内神

安弘武内、朝、神

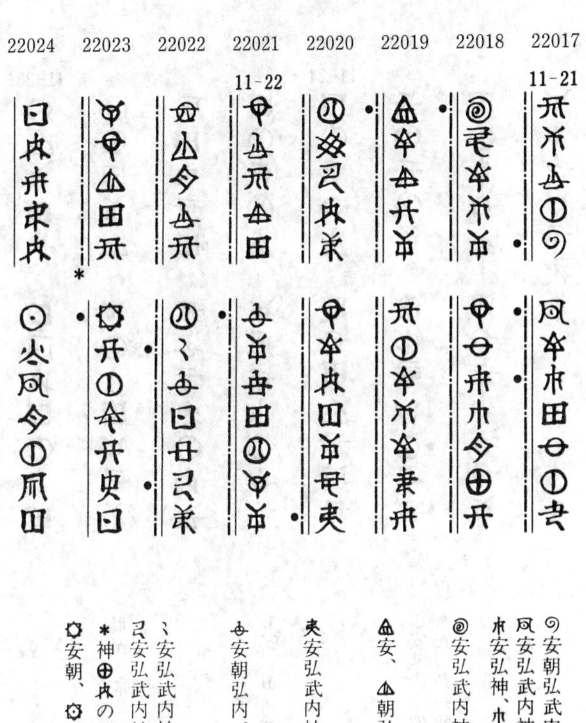

安朝弘武内、神
安弘武内神、朝
安弘神、朝内、武
安弘武内神、⊙朝
安、朝弘武内神
安弘武内神、朝
安朝弘内、武神
安弘武内神、朝
安弘武内神、朝
*神⊕内の二文字が下についている。
安朝、弘武内

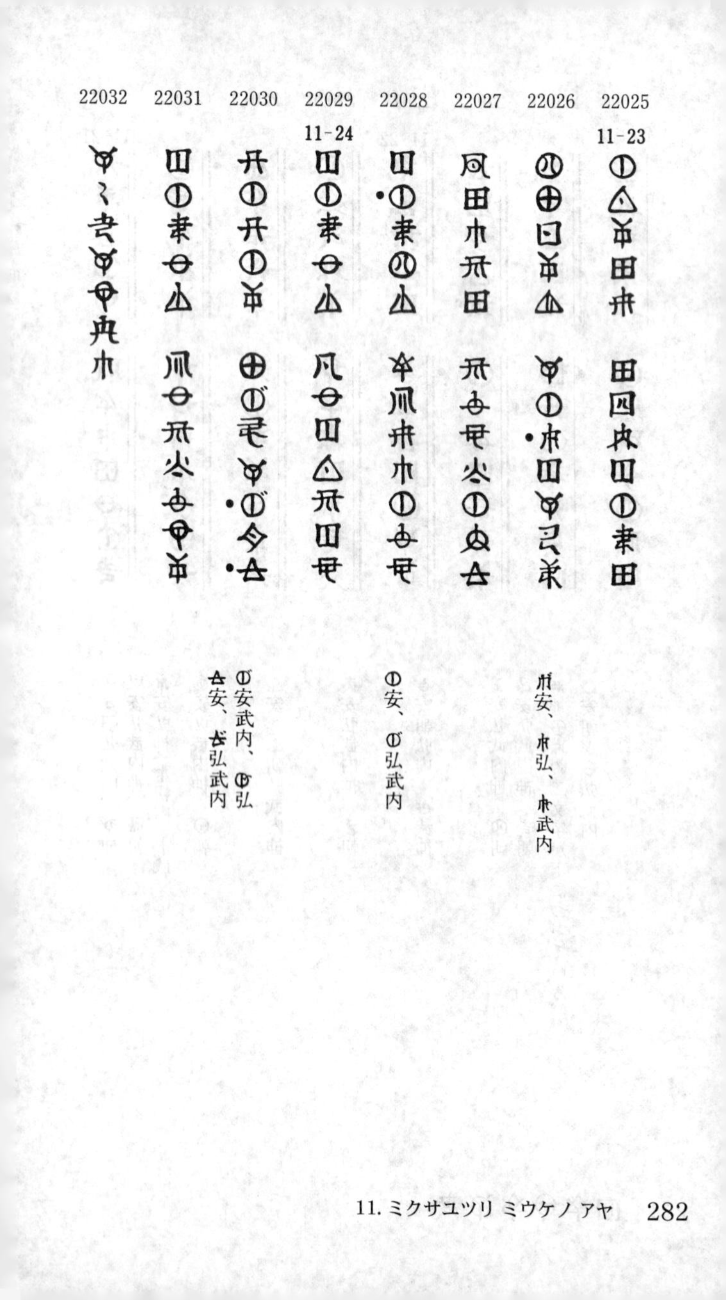

22025 11-23

22026

安、弘、武内

22027

22028

安、弘武内

22029 11-24

22030

安武内、弘

安、弘武内

22031

22032

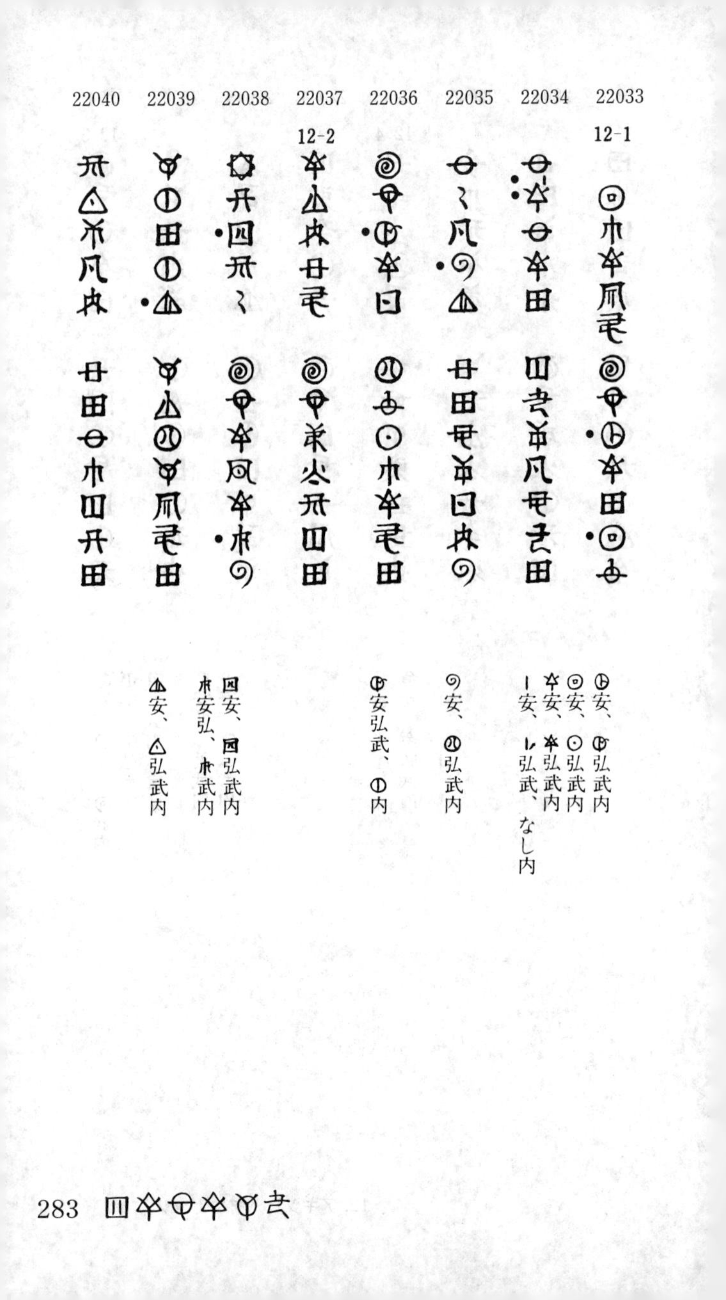

22033 12-1

22034

22035

22036

22037 12-2

22038

22039

22040

安、弘武内

安、弘武内

安、弘武、なし内

安、弘武内

安弘武、内

安、弘武内

安弘、武内

安、弘武内

22041 (12-3)

22042

22043

22044

22045 (12-4)

22046

22047

22048

安、弘、武内

安、弘武内

安武内、弘

安弘、武内

安、弘武内

安、弘武内

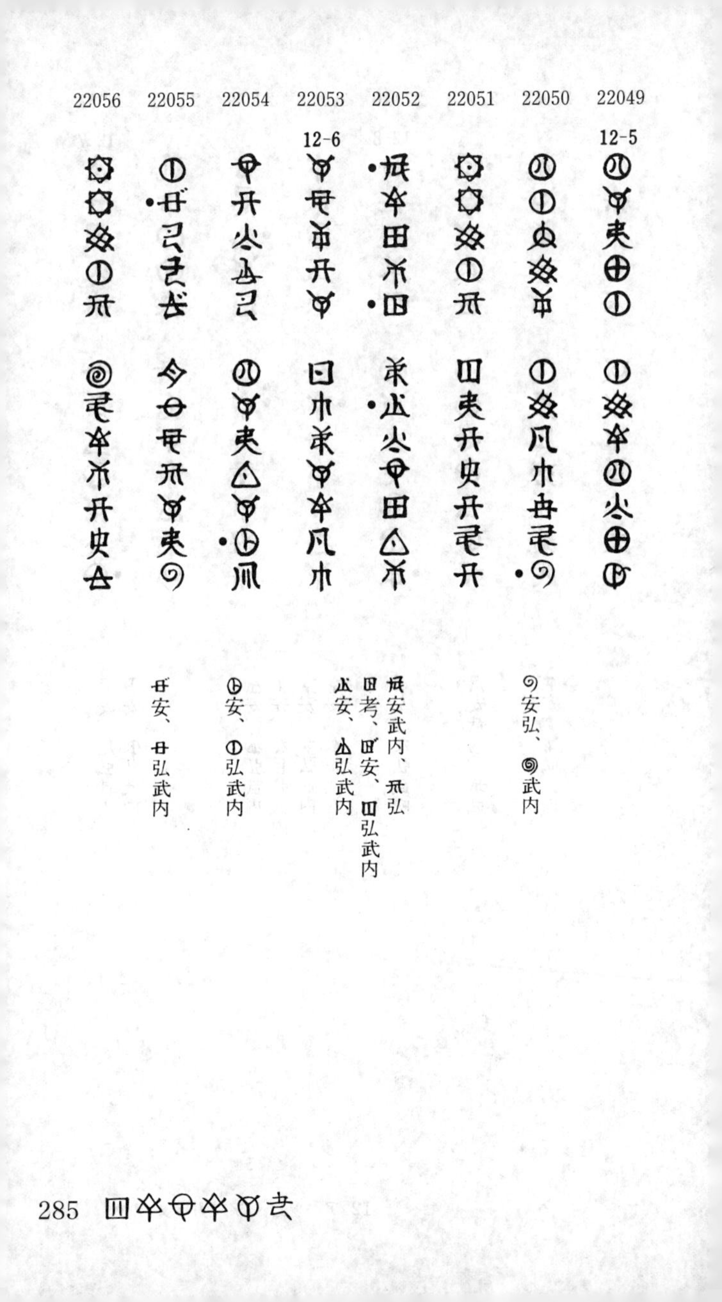

22049 12-5

22050

[glyph]安弘、[glyph]武内

22051

22052

[glyph]安武内、[glyph]弘

[glyph]考、[glyph]安、[glyph]弘武内

22053 12-6

[glyph]安、[glyph]弘武内

22054

[glyph]安、[glyph]弘武内

22055

[glyph]安、[glyph]弘武内

22056

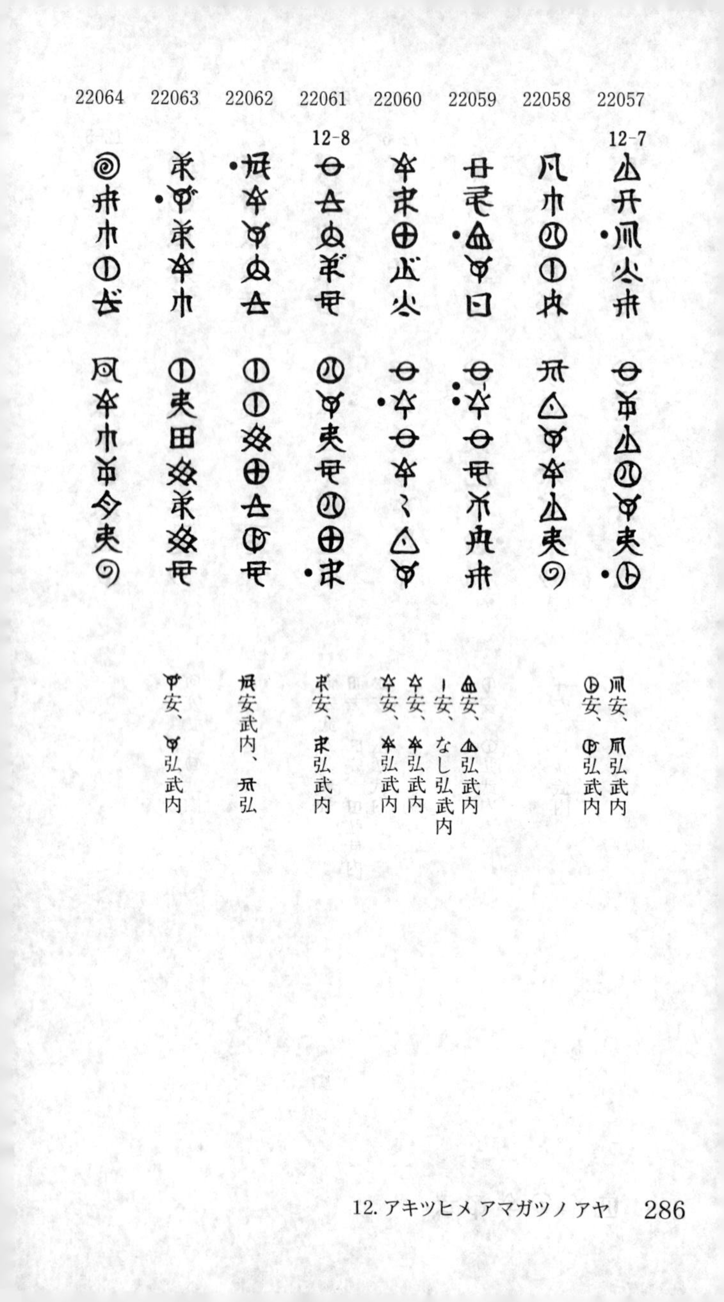

22057 12-7

安、弘武内
安、弘武内

22058

22059

安、弘武内
安、なし弘武内
安、弘武内

22060

安、弘武内

22061 12-8

安、弘武内

22062

安武内、弘

22063

安、弘武内

22064

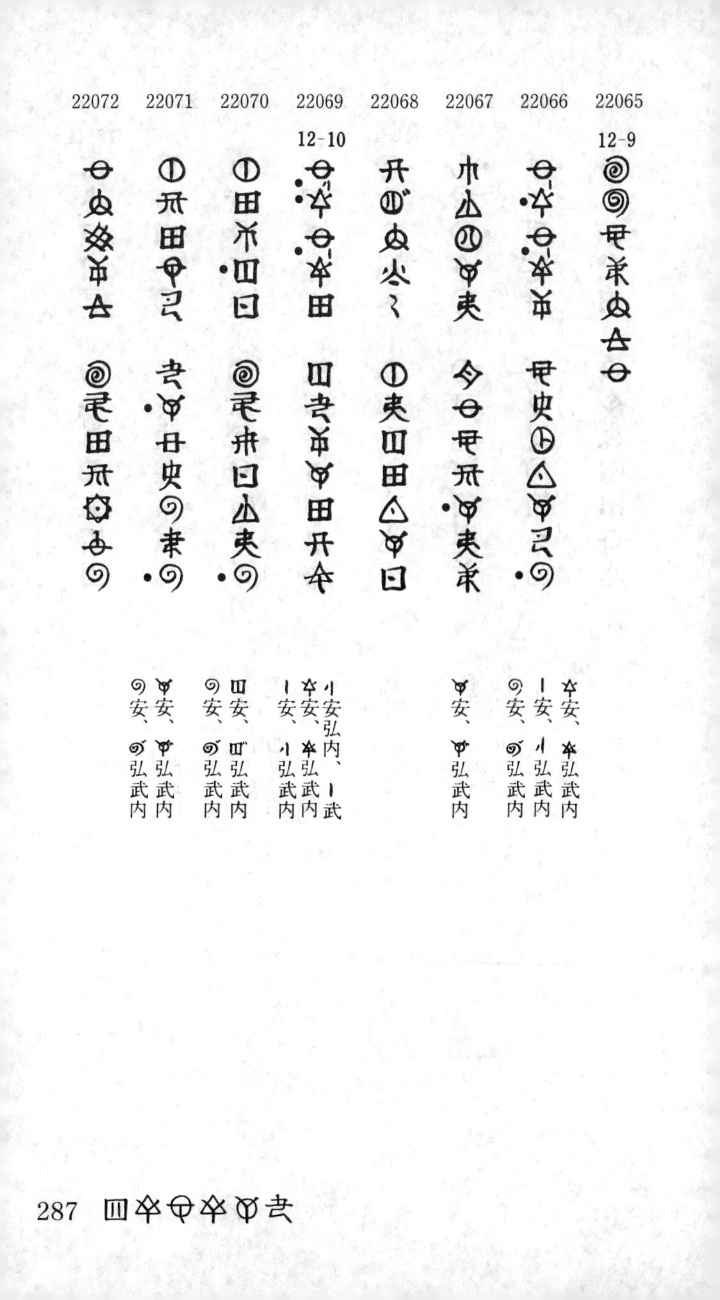

22072	22071	22070	22069	22068	22067	22066	22065
			12-10				12-9

22066
安、弘武内
｜安、ﾉ弘武内
安、弘武内

22067
安、弘武内

22069
ﾉ安弘内、｜武
安、弘武内
｜安、ﾉ弘武内

22070
安、弘武内
安、弘武内

22071
安、弘武内
安、弘武内

22073 12-11

安、弘武内

22074

安、弘武内

22075

安武内、弘

安、弘武内

22076

22077 12-12

安、弘武内

22078

安、弘武内

安、弘武内

22079

安、弘武内

安、弘武内

22080

安、弘武内

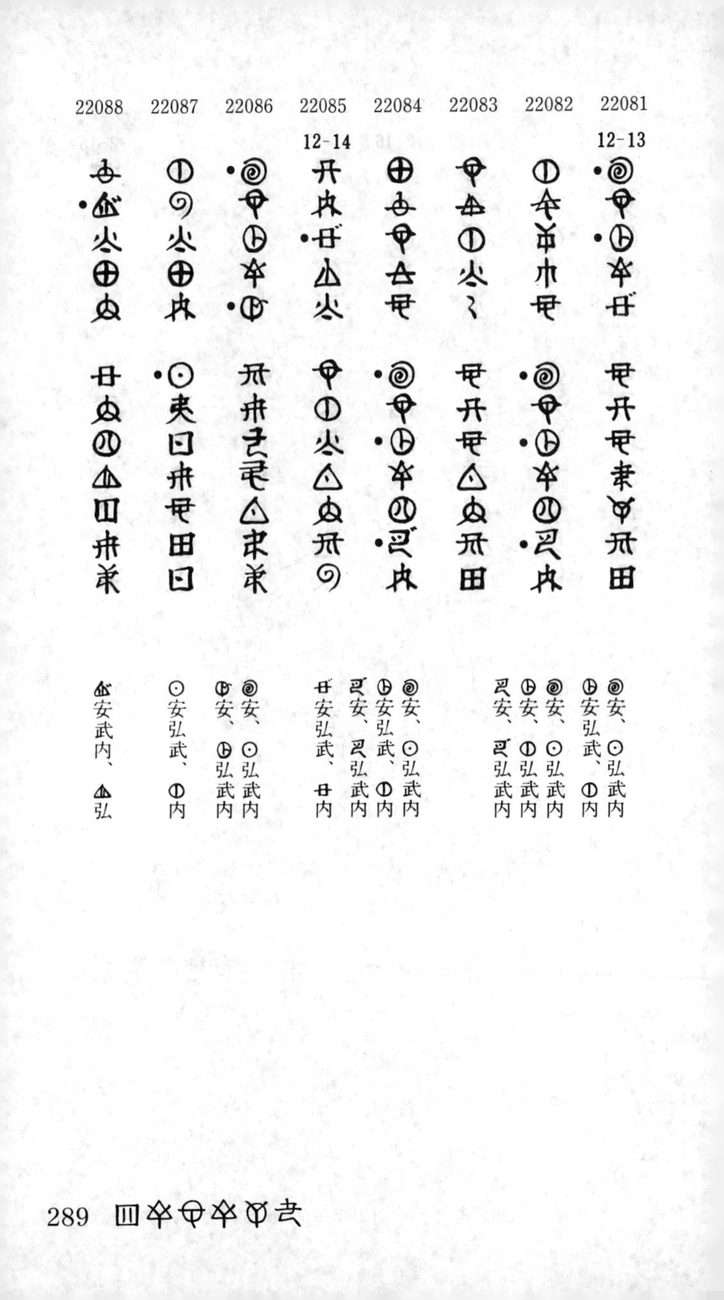

22081 12-13

◎安、⊙弘武内
〓安弘武、〓内

22082

◎安、⊙弘武内
〓安、〓弘武内

22083

〓安、〓弘武内

22084

◎安、⊙弘武内
〓安弘武、〓内
〓安、〓弘武内

22085 12-14

〓安弘武、〓内

22086

◎安、⊙弘武内
〓安、〓弘武内

22087

⊙安弘武、〓内

22088

〓安武内、〓弘

22089
12-15

22090

22091

22092

22093
12-16

22094

22095

22096

安武内、弘
安、弘武内

安、弘武内
安内、弘武

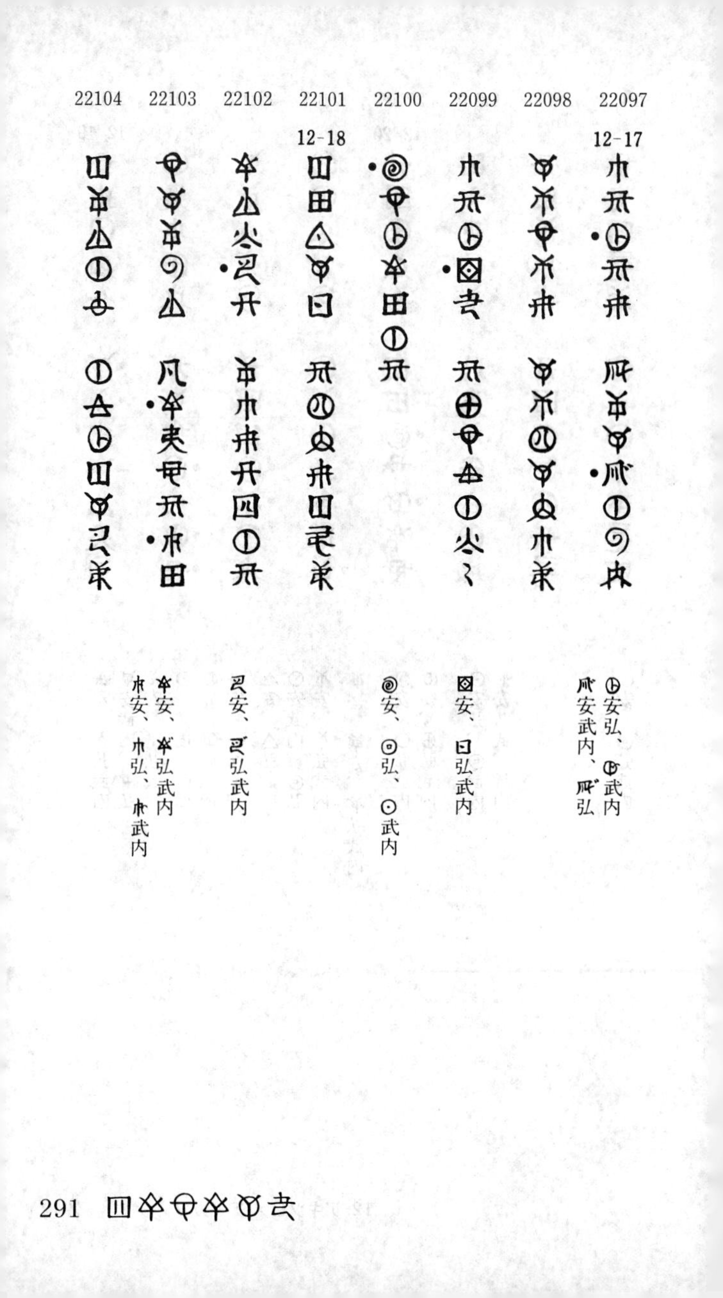

22097

12-17

安弘、武内

安武内、弘

22098

22099

安、弘武内

22100

安、弘、武内

22101

12-18

22102

安、弘武内

22103

安、弘武内

安、弘、武内

22104

22105 12-19

22106

22107

22108

22109 12-20

22110

22111

22112

[illegible]安、[illegible]弘武内
[illegible]安武内、[illegible]弘
[illegible]安、[illegible]弘武内
⊙安武内、[illegible]弘
[illegible]安、[illegible]弘武内
[illegible]安、[illegible]弘武内
[illegible]安、[illegible]弘武内
⊙安武内、[illegible]弘
[illegible]安、[illegible]弘武内
[illegible]考、[illegible]安、[illegible]弘武内
[illegible]安、⊙弘武内
[illegible]安、[illegible]弘武内
⊙安弘、[illegible]武内
[illegible]安弘武、[illegible]内
⊙安、[illegible]弘武内

22113

12-21

[illegible]

22114

[illegible]

22115

[illegible]

22116

[illegible]

[illegible]安、[illegible]弘武内

[illegible]安、[illegible]弘武内

[illegible]安、なし弘武内

[illegible]安、[illegible]弘、[illegible]武内

[illegible]安、[illegible]弘武内

[illegible]安、[illegible]弘武内

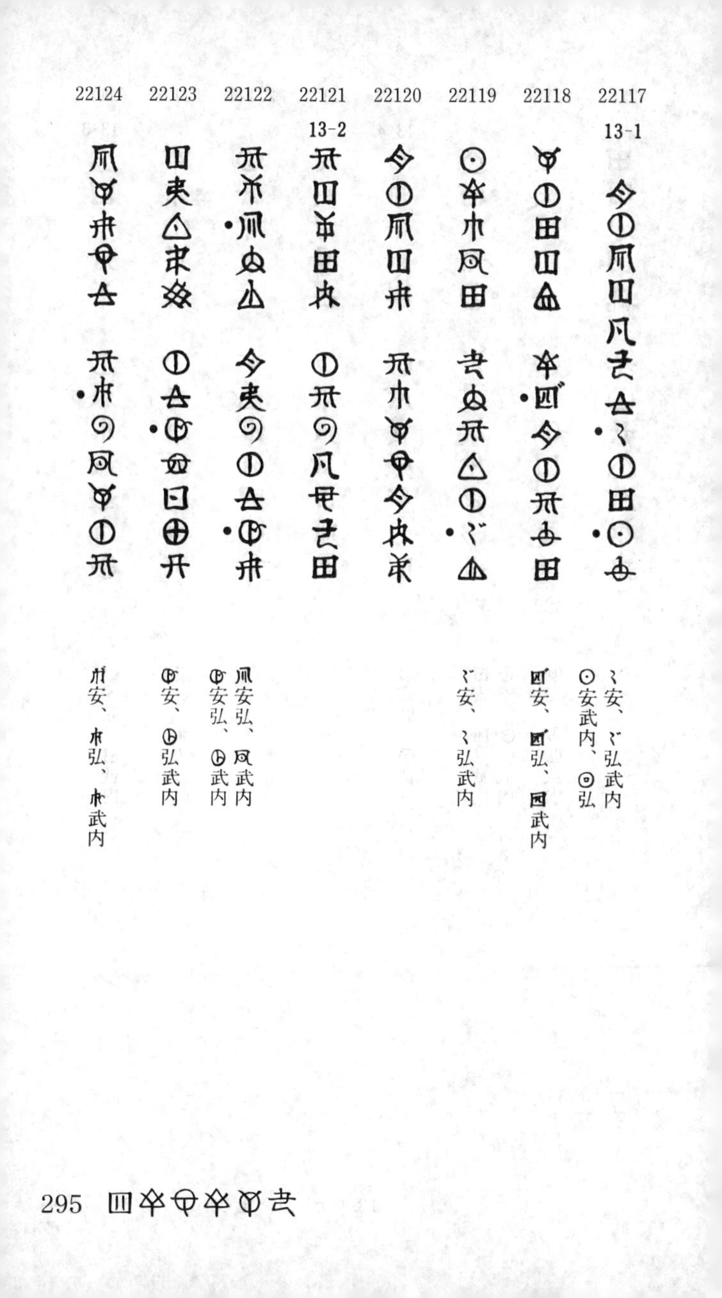

22117 13-1

〔安、弘武内〕〔安武内、弘〕

22118

〔安、弘、武内〕

22119

〔安、弘武内〕

22120

22121 13-2

22122

〔安弘、武内〕〔安弘、武内〕

22123

〔安、弘武内〕

22124

〔安、弘、武内〕

22125 13-3

22126

22127

22128

22129 13-4

22130

22131

22132

22125: 安弘、武内

22126: 安、弘、武内

22129: 安弘、武内

22130: 安、弘武内

22130: 安、弘武内

22131: 安、弘武内

22133

13-5

安、弘、武内

22134

安弘、武内 安、弘武内

22135

安、弘武内 安武内、弘 安、弘武内

22136

22137

13-6

22138

安、弘武内

22139

安、弘武、内

22140

安武内、弘 安、弘武内

13-7

22141 [illegible]

22142 [illegible]

22143 [illegible]

22144 [illegible]

13-8

22145 [illegible]

22146 [illegible]

22147 [illegible]

22148 [illegible]

[illegible]安、[illegible]弘武内

[illegible]安、[illegible]弘武内

[illegible]安武内、[illegible]弘

[illegible]安武内、[illegible]弘

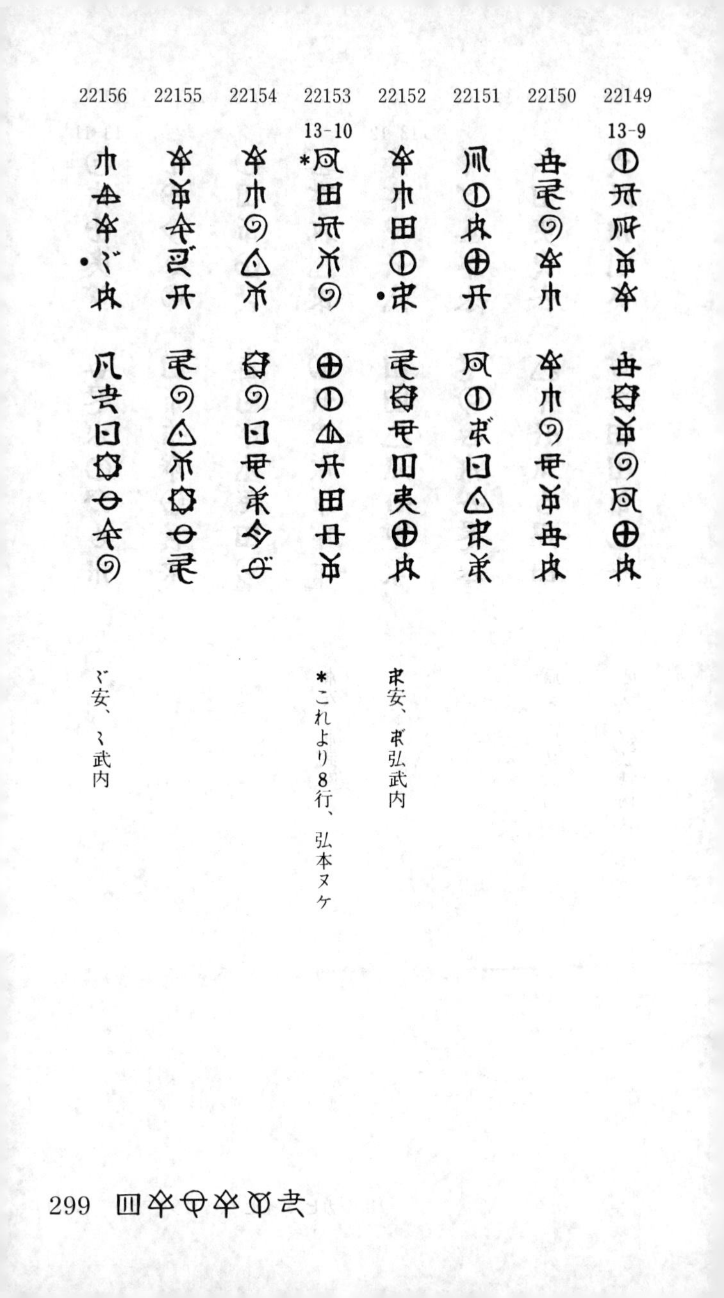

22149
13-9

22150

22151

22152

[illegible]安、[illegible]弘武内

22153
13-10

*これより8行、弘本ヌケ

22154

22155

22156

[illegible]安、[illegible]武内

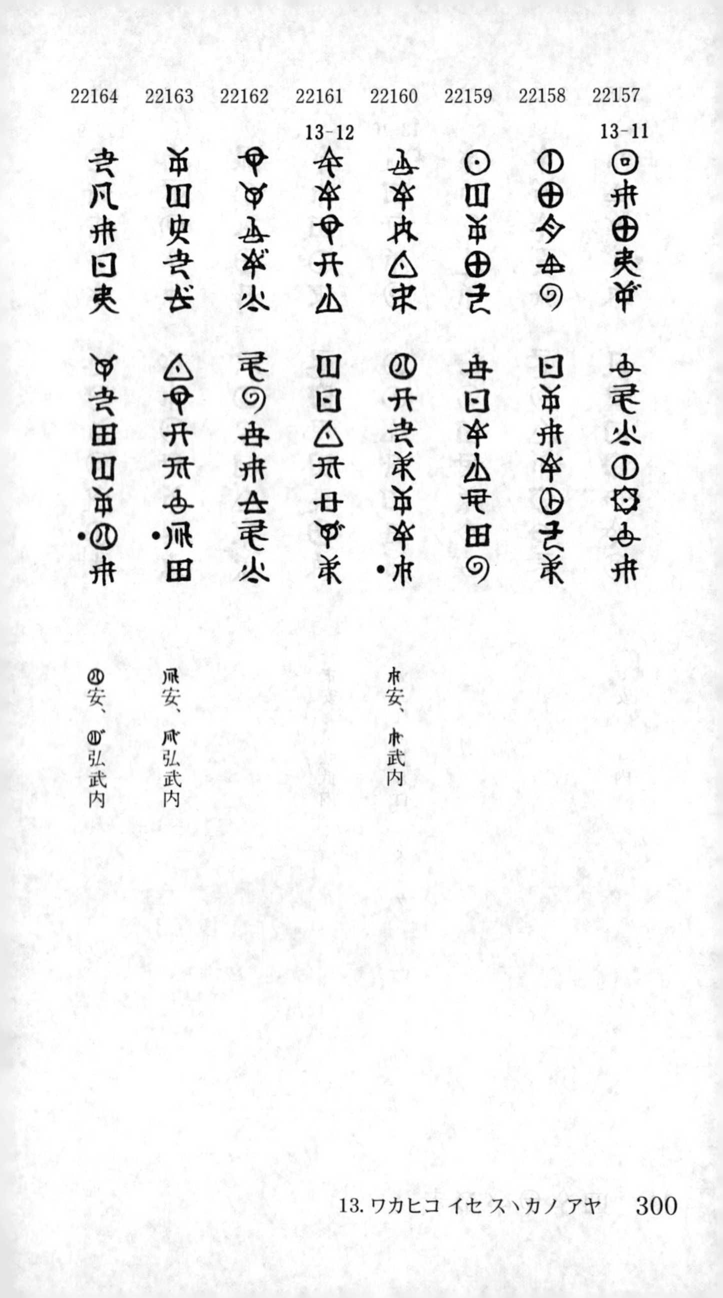

22157 13-11

22158

22159

22160

安、武内

22161 13-12

22162

22163

安、弘武内

22164

安、弘武内

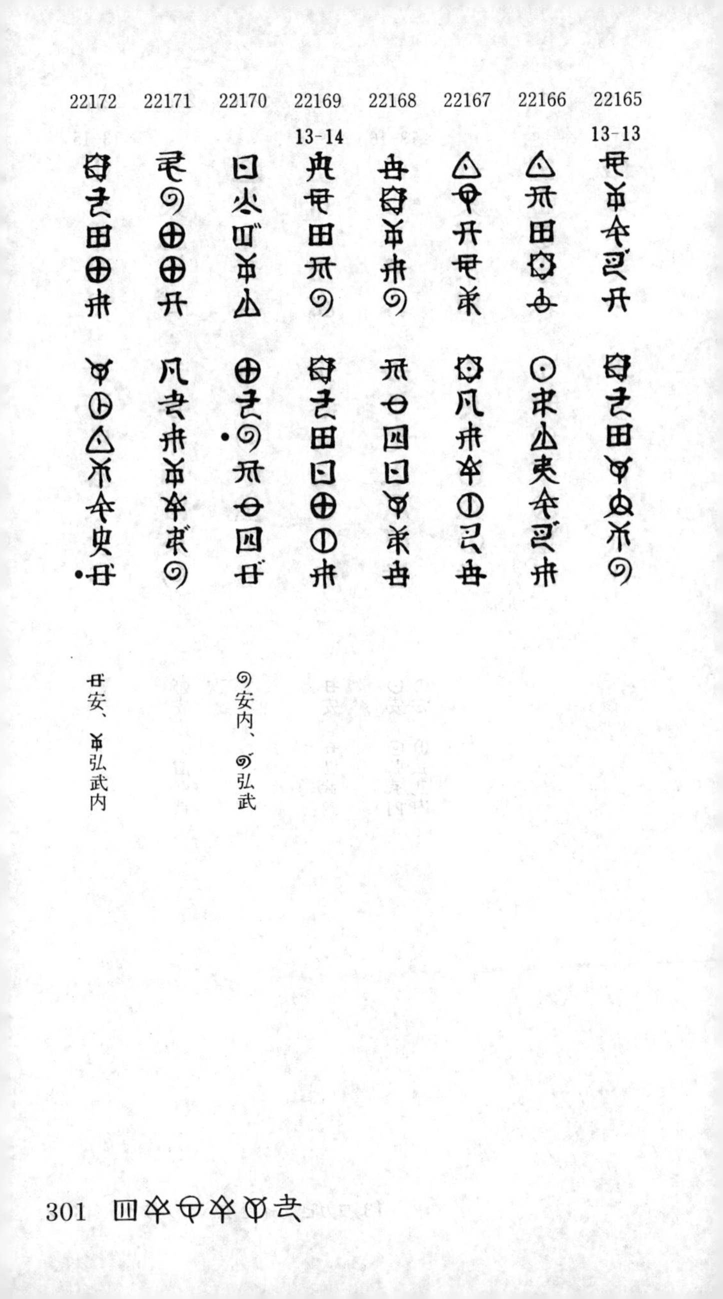

22165
13-13

22166

22167

22168

22169
13-14

22170

安内、弘武

22171

22172

安、弘武内

22173 13-15

22174

22175

22176

22177 13-16

22178

22179

22180

安内、弘武

安、弘武内

安、弘武内

安、弘武内

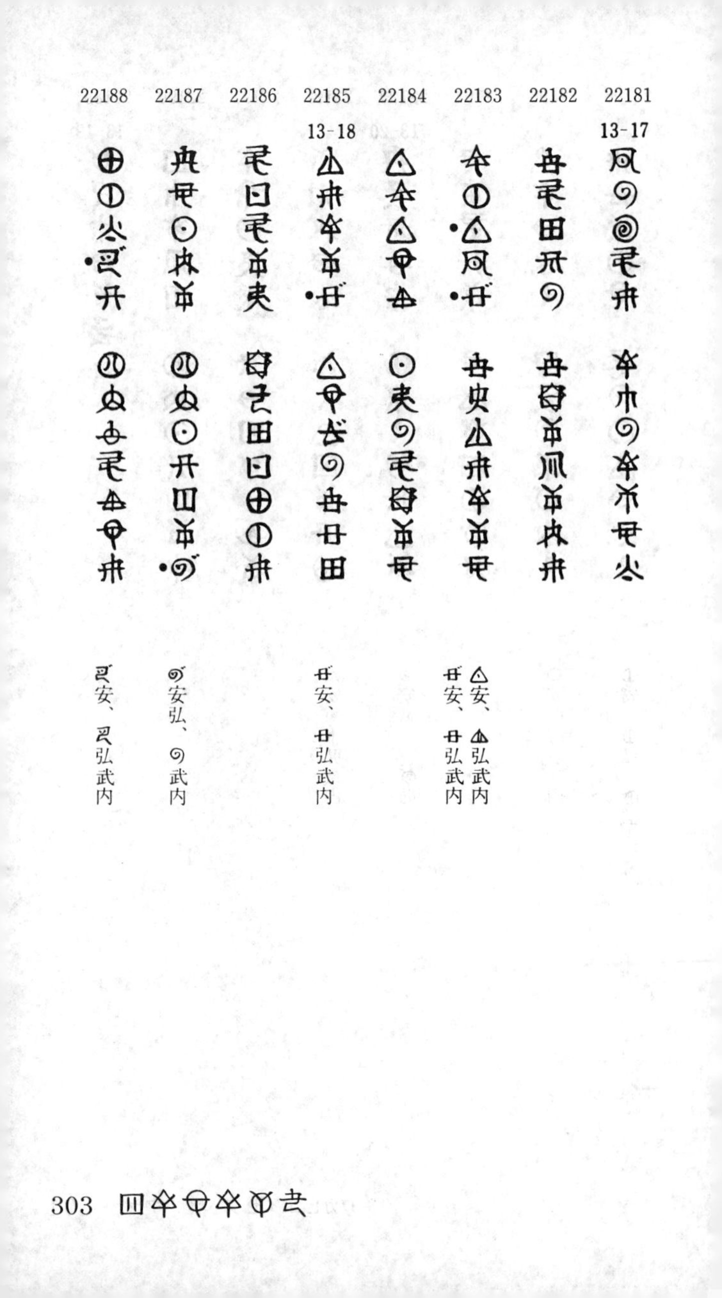

22181 13-17

22182

22183

安、弘 武内
安、弘 武内

22184

22185 13-18

安、弘 武内

22186

22187

安弘、武内

22188

安、弘 武内

22189 13-19 [illegible]

22190 [illegible]

22191 [illegible]

22192 [illegible]

[illegible]安、[illegible]弘武内

22193 13-20 [illegible]

[illegible]安武内、[illegible]弘

22194 [illegible]

22195 [illegible]

[illegible]安弘、[illegible]武内

22196 [illegible]

[illegible]安、[illegible]弘、[illegible]武内

22204 22203 22202 22201 22200 22199 22198 22197

13-22 (at 22201) 13-21 (at 22197)

安、弘武内

安、弘武内

安、弘武内

安弘、武内

安武内、弘

安、弘武内

安武内、弘

安、弘武内

安弘、武内

22205 13-23

22206

22207

22208

22209 13-24

22210

22211

22212

安、弘 武内

安、弘 武内

22213
13-25

22214

22215
安、弘武内

22216
安武内、弘

22217
13-26
安、弘武内
安、弘武内

22218

22219
安、弘武内

22220
安、弘武内

22221
13-27

22222

安武内、弘
安、弘武内

22223

安、弘武内

22224

22225
13-28

22226

安、弘武内
安、弘武内
安弘、武内

22227

安、弘武内

22228

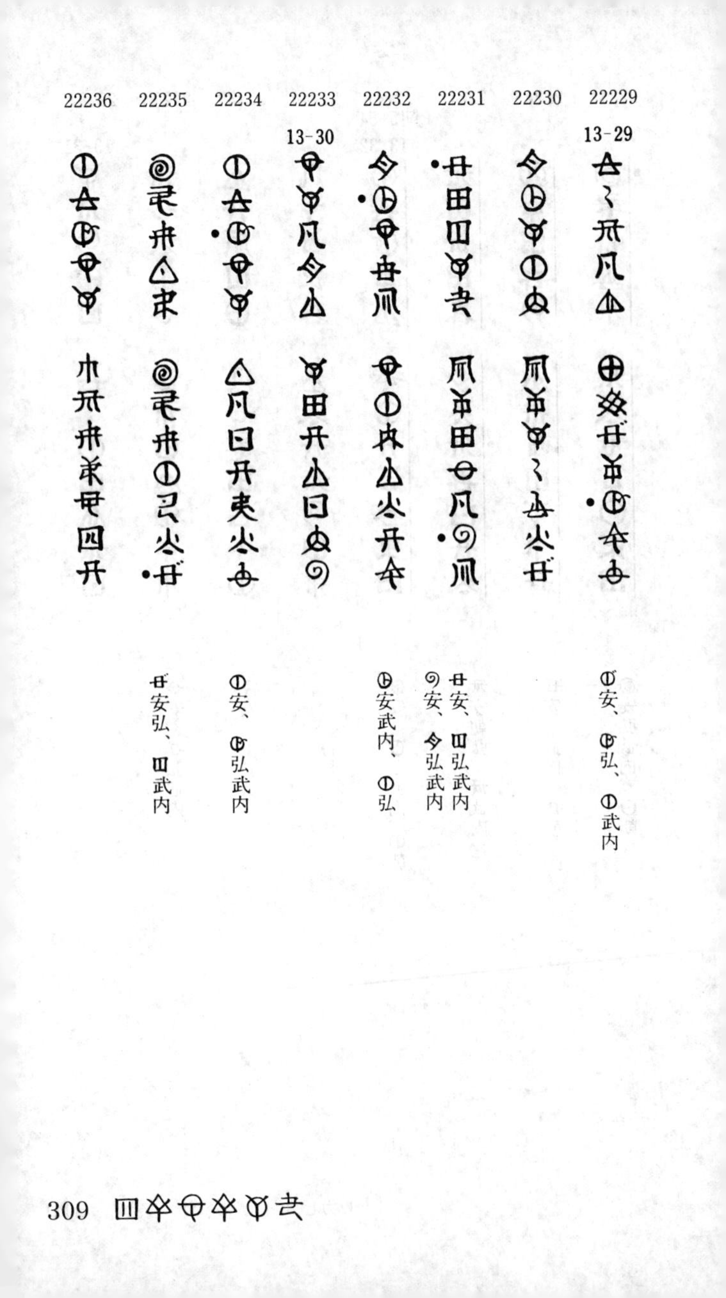

22229
13-29

安、弘、武内

22230

22231

安、弘武内
安、弘武内

22232

安武内、弘

22233
13-30

22234

安、弘武内

22235

安弘、武内

22236

22237
13-31

22238
安、弘武内

22239
安、弘武内

22240

22241
朝5-54
13-32
安、弘武内、朝

22242
安朝弘、武内

22243
安弘武内、朝

22244
安弘武内、朝

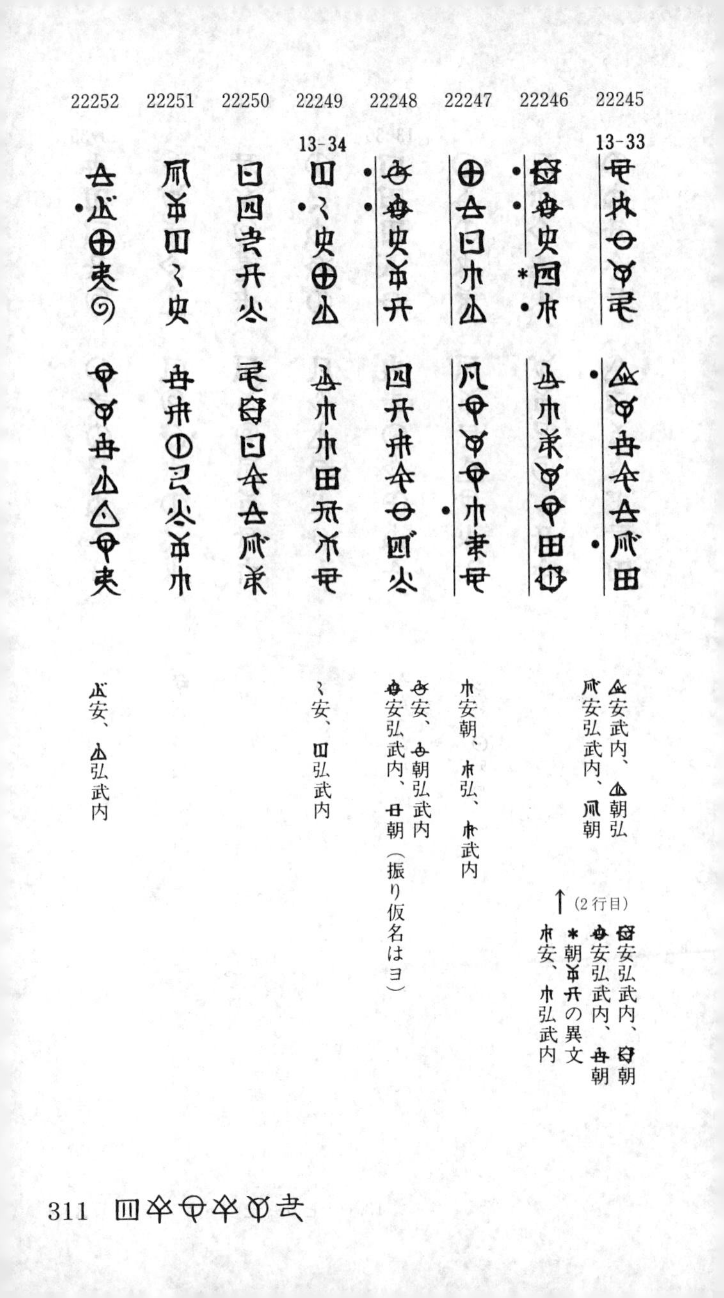

22245
13-33

安武内、朝弘
安弘武内、朝

↑（2行目）

22246

安弘武内、朝
安弘武内、朝
*朝の異文
安、弘武内

22247

安朝、弘、武内

22248

安、朝弘武内
安弘武内、朝（振り仮名はヨ）

22249
13-34

安、弘武内

22250

22251

22252

安、弘武内

22253 13-35

22254

[script]安、[script]弘、[script]武内

22255

22256

22257 13-36

[script]安、[script]弘武内

22258

[script]安、[script]弘武内

22259

22260

22261
13-37

22262

22263

22264

22265
13-38

安、弘、武内

22266

安、弘武内

22267

22268

安、弘武内

22269 13-39

22270
安、弘武内

22271
安、弘武内

22272

安弘、武内

22273 13-40
安、弘武内

安、弘武内

22274
安、弘武内

22275

22276
安、弘、武内

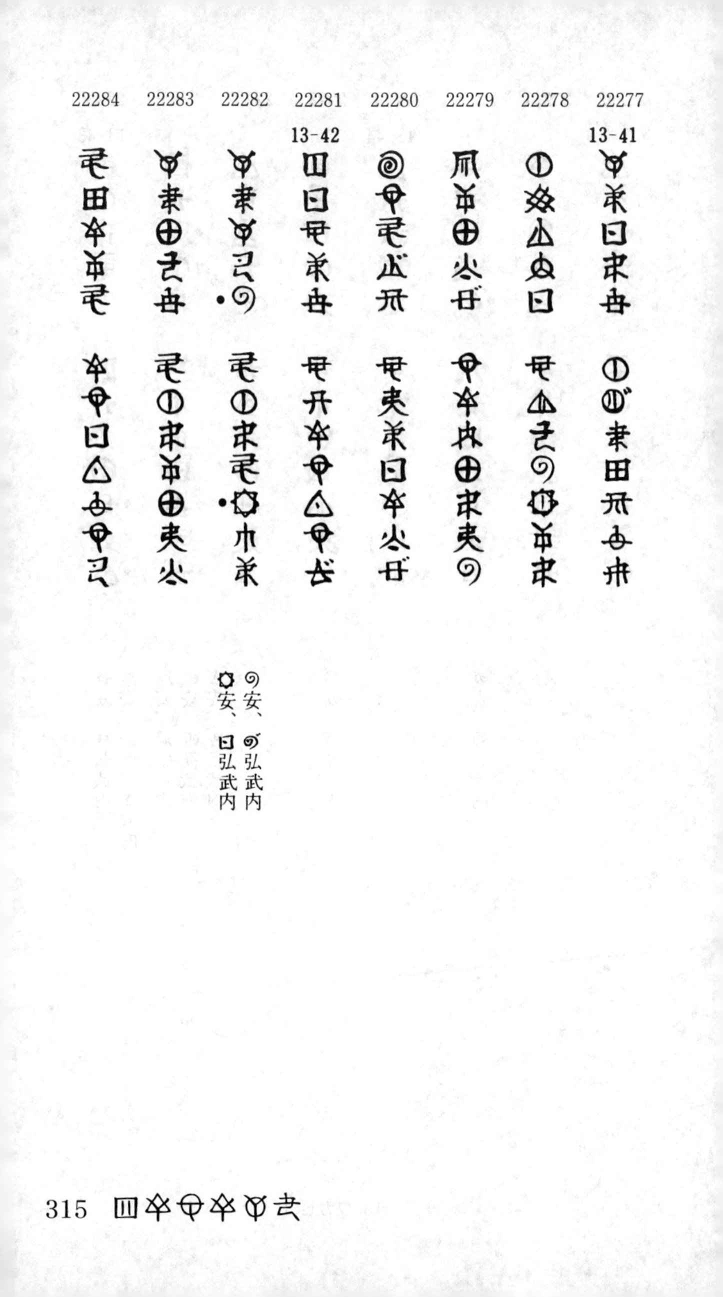

22277 13-41

22278

22279

22280

22281 13-42

22282

22283

22284

安、弘武内

安、弘武内

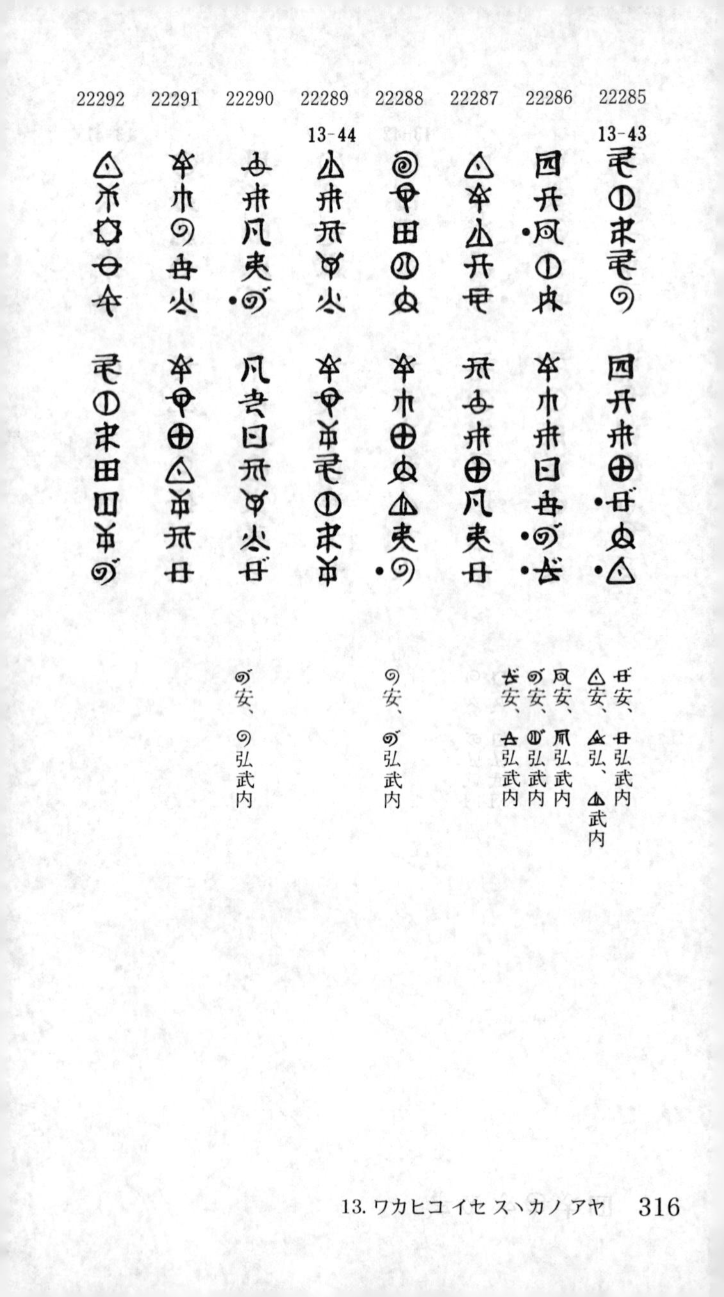

22285 13-43

[ヲシテ]安、[ヲシテ]弘武内
[ヲシテ]安、[ヲシテ]弘、[ヲシテ]武内

22286

[ヲシテ]安、[ヲシテ]弘武内
[ヲシテ]安、[ヲシテ]弘武内
[ヲシテ]安、[ヲシテ]弘武内

22287

22288

[ヲシテ]安、[ヲシテ]弘武内

22289 13-44

22290

[ヲシテ]安、[ヲシテ]弘武内

22291

22292

22293
13-45

22294
安弘、武内

22295

22296
安、弘武内

22297
13-46

22298
安、弘武内

22299
安、弘武内

22300

22301
13-47

22302

22303

22304

22305
13-48

22306

22307

22308

安、 弘 武内
安、 弘 武内

安、 弘 武内
安、 弘 武内
安、 弘 武内

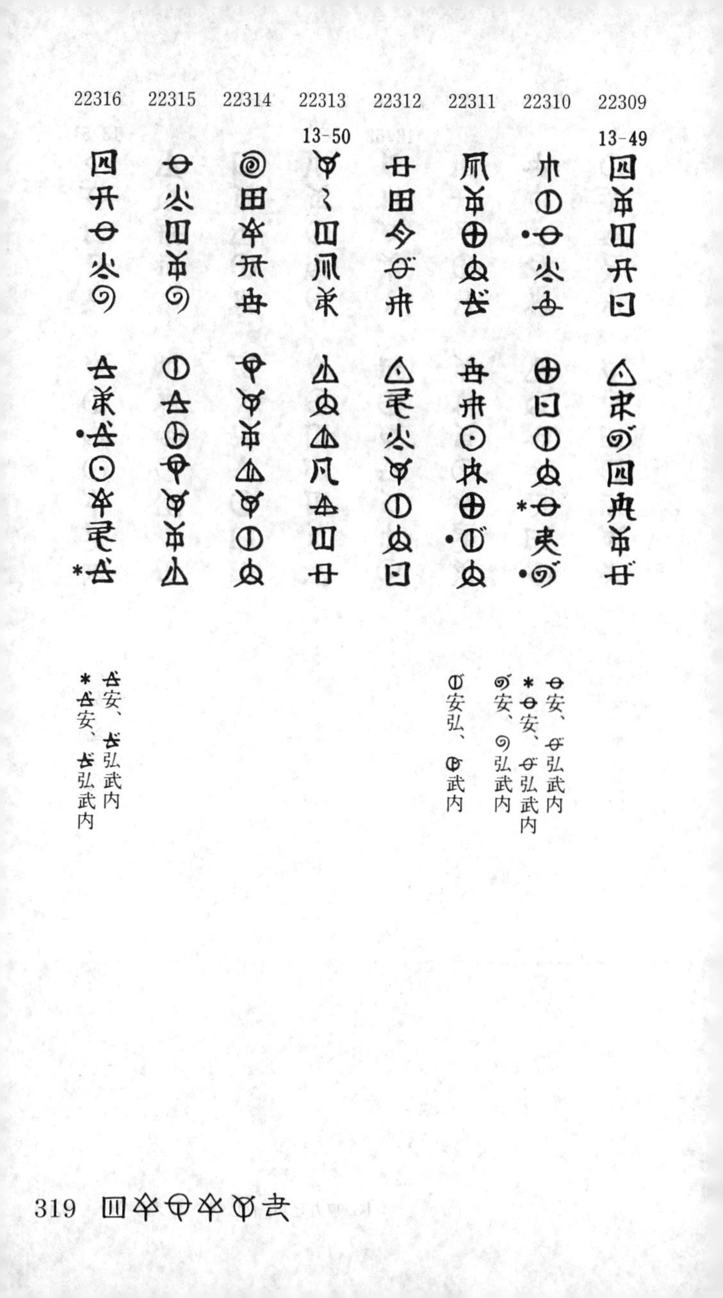

22309 13-49

22310

22311

22312

22313 13-50

22314

22315

22316

安、弘武内
安、弘武内
安、弘武内
安弘、武内

安、弘武内
安、弘武内

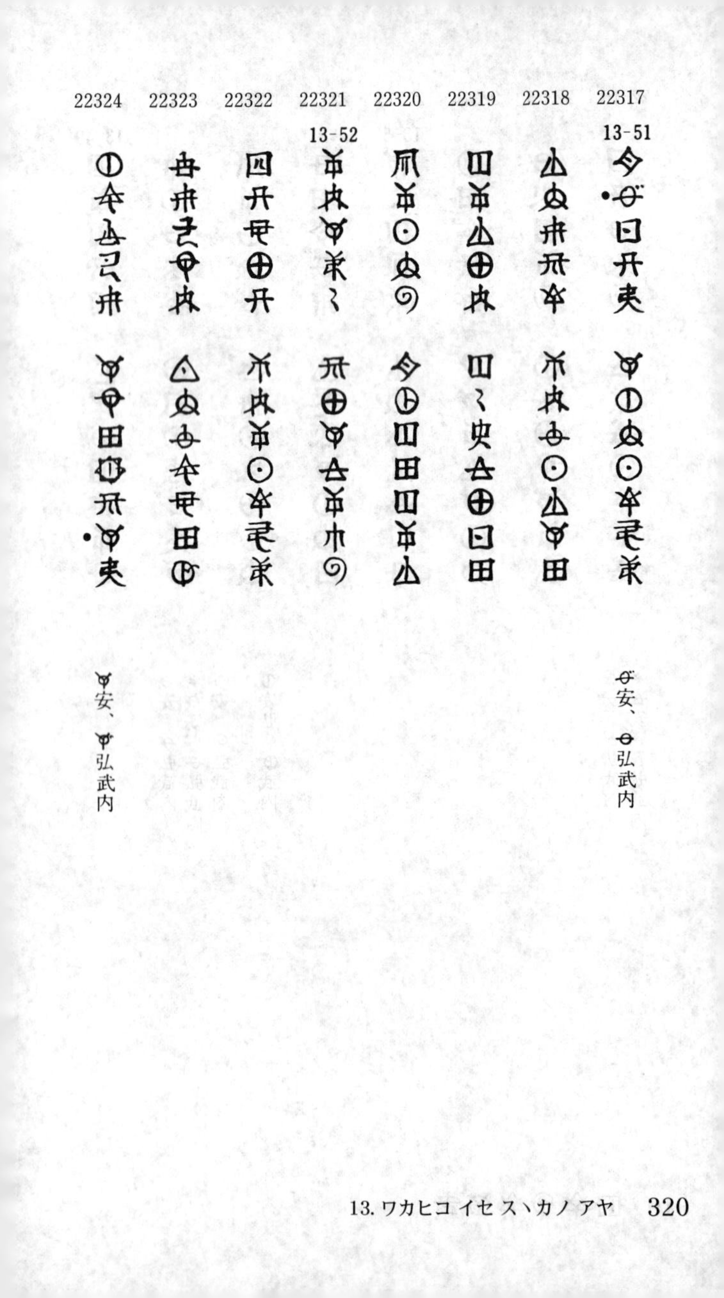

22317 13-51

安、

弘 武内

22318

22319

22320

22321 13-52

22322

22323

22324

安、

弘 武内

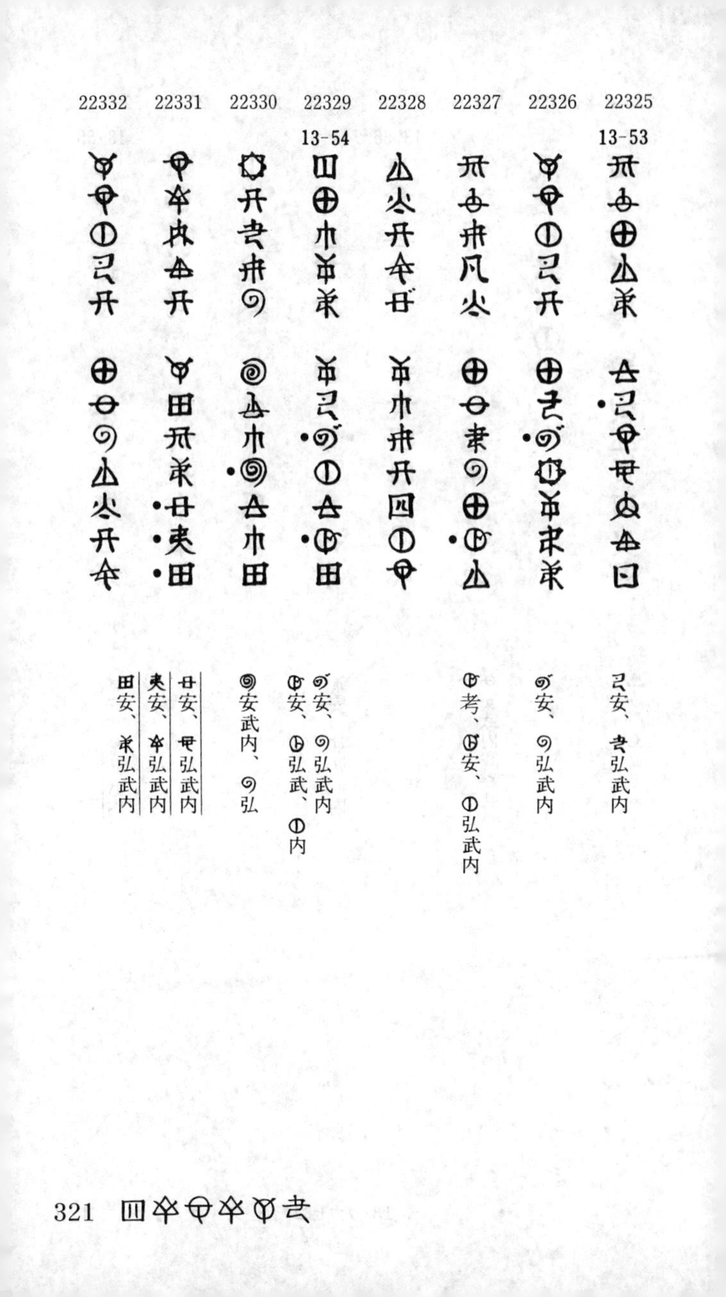

22325
13-53
[illegible]安、[illegible]弘武内

22326
[illegible]安、[illegible]弘武内

22327
[illegible]考、[illegible]安、[illegible]弘武内

22328

22329
13-54
[illegible]安、[illegible]弘武内
[illegible]安、[illegible]弘武、[illegible]内

22330
[illegible]安武内、[illegible]弘

22331
[illegible]安、[illegible]弘武内
[illegible]安、[illegible]弘武内

22332
[illegible]安、[illegible]弘武内

22333 13-55

安、弘武内

22334

22335

22336

安、弘武内

22337 13-56

22338

安武内、弘

22339

22340

安、弘武内

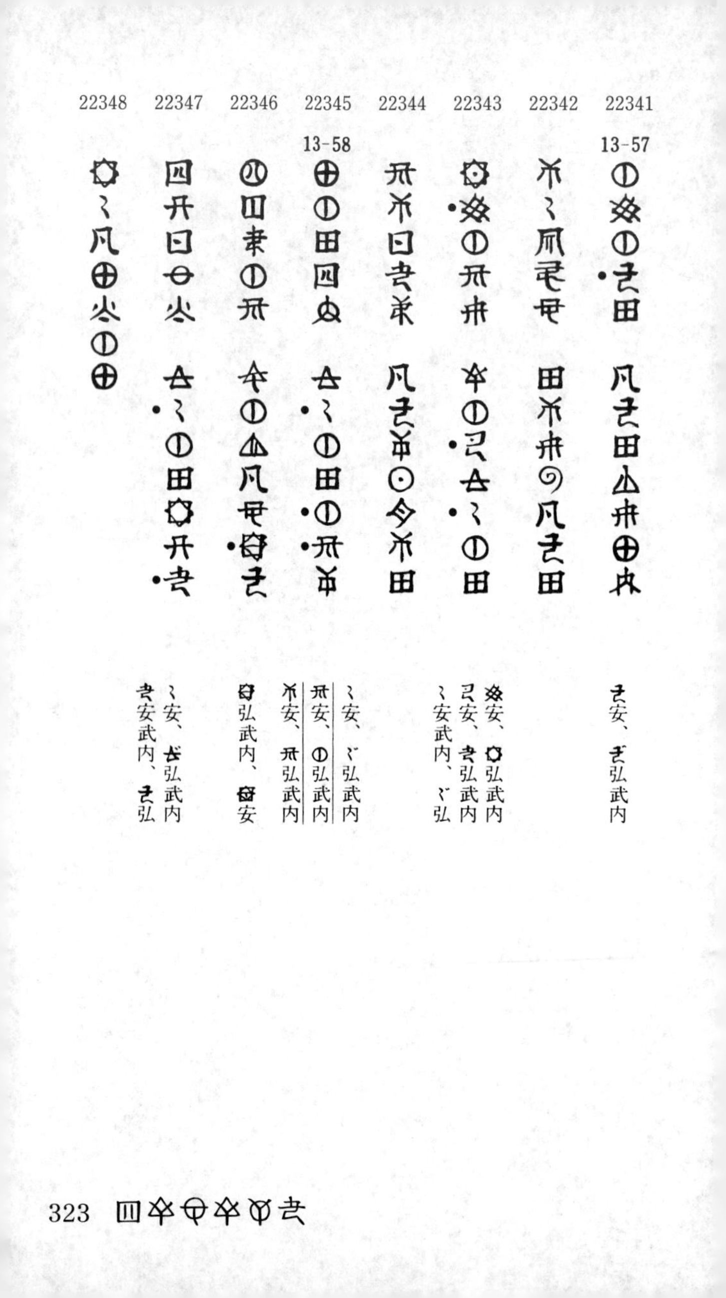

22341 13-57

[illegible]

22342

[illegible]

22343

[illegible]

22344

[illegible]

22345 13-58

[illegible]

22346

[illegible]

22347

[illegible]

22348

[illegible]

[illegible]安、[illegible]弘武内

[illegible]安、[illegible]弘武内
[illegible]安、[illegible]弘武内
[illegible]安武内、[illegible]弘

[illegible]安、[illegible]弘武内
[illegible]安、[illegible]弘武内
[illegible]安、[illegible]弘武内

[illegible]弘武内、[illegible]安

[illegible]安、[illegible]弘武内
[illegible]安武内、[illegible]弘

22349 (14-1)

22350

22351

22352

22353 (14-2)

22354

22355

22356

[illegible]安、[illegible]弘武内

[illegible]安武、[illegible]弘内

[illegible]安弘、[illegible]武内

[illegible]安、[illegible]弘武内

[illegible]安武、[illegible]弘内

[illegible]安、[illegible]弘武内

[illegible]安、[illegible]弘武内

[illegible]安武内、[illegible]弘

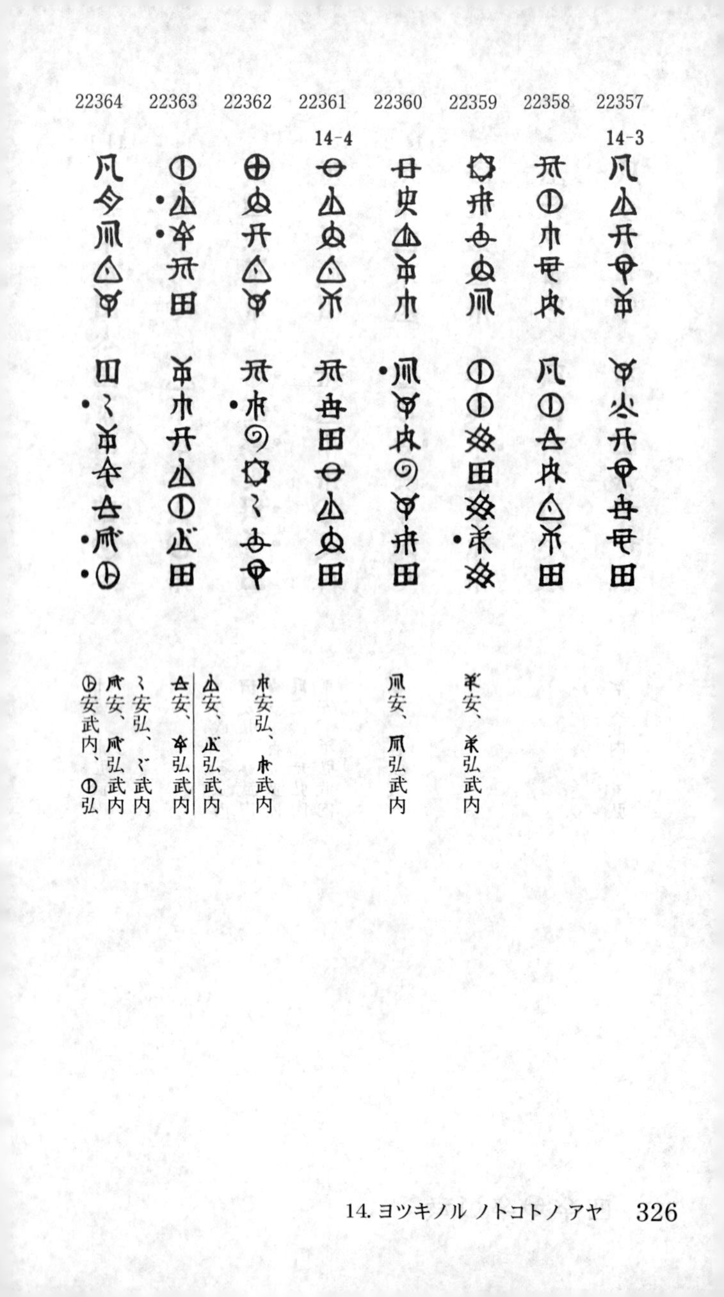

22357

14-3

22358

22359

22360

22361

14-4

22362

22363

22364

[illegible]安、[illegible]弘武内

[illegible]安、[illegible]弘武内

[illegible]安弘、[illegible]武内

[illegible]安、[illegible]弘武内

[illegible]安、[illegible]弘武内

[illegible]安弘、[illegible]武内

[illegible]安、[illegible]弘武内

[illegible]安武内、[illegible]弘

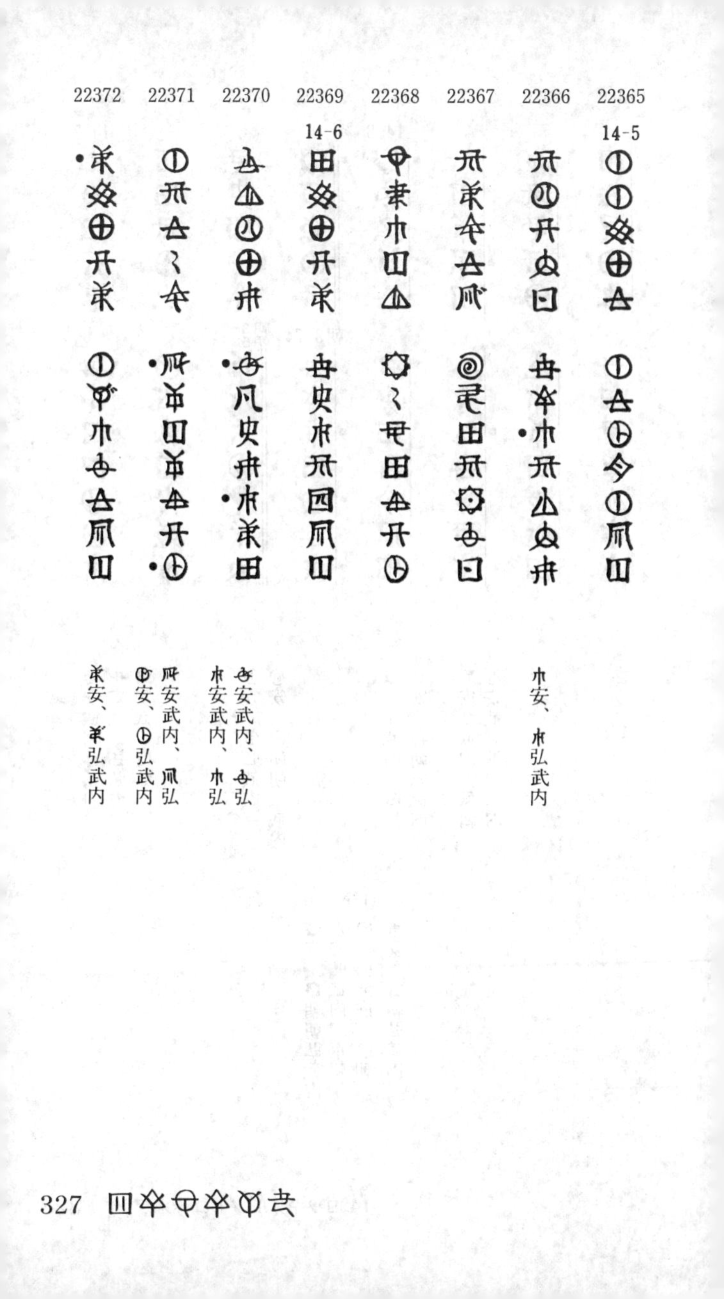

22365 14-5

22366

安、弘武内

22367

22368

22369 14-6

22370

安武内、弘

安武内、弘

22371

安武内、弘

安、弘武内

22372

安、弘武内

22373 14-7

22374

22375 朝3-74 朝5-34

22376 朝3-74

22377 14-8

22378

22379

22380

安武、弘内

安武、弘内

安武、弘内

安、弘武内

安、朝朝弘武内

安弘武内、朝

安、朝弘武内

安弘武内、朝

安武、朝弘内

安弘武内、朝

(4行目)↑

安、朝朝弘武内

安弘武内、朝

安弘武内、朝

安、朝弘武内

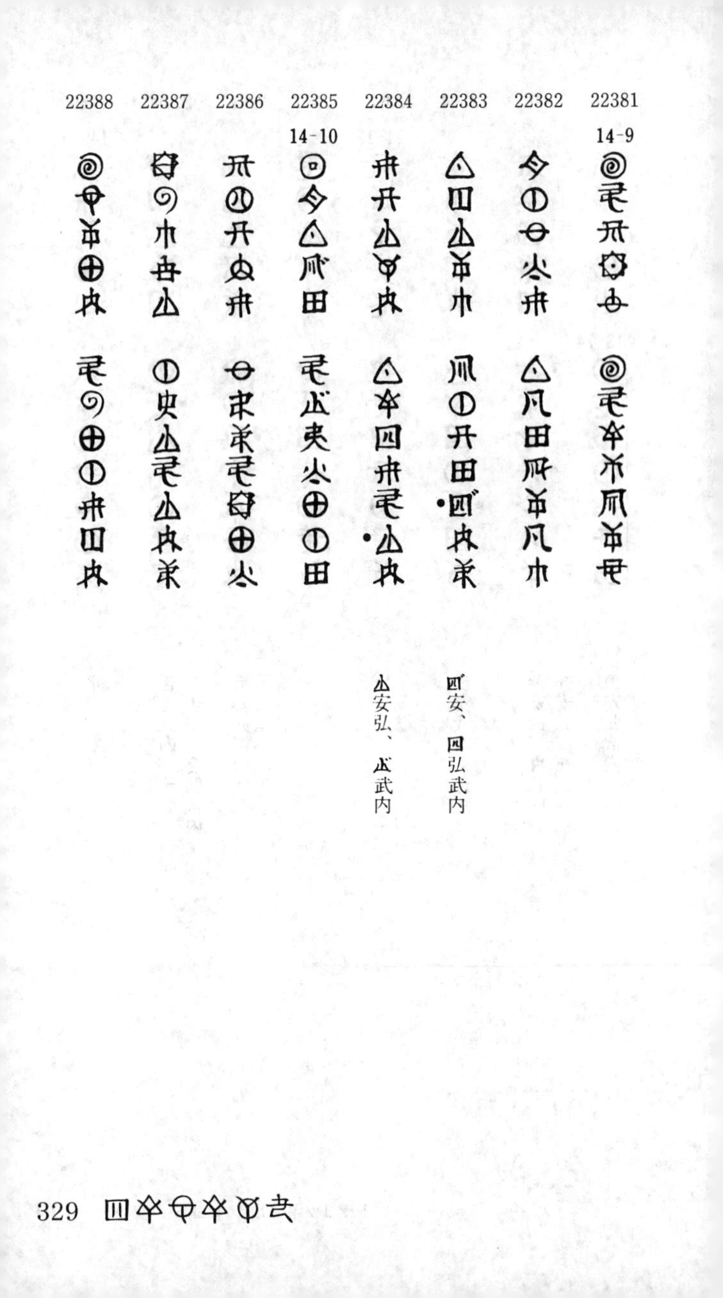

22381

14-9

22382

22383

安、弘武内

22384

安弘、武内

22385

14-10

22386

22387

22388

22389 14-11

22390

22391

22392

22393 14-12

22394

22395

22396 朝3-74

22389: 安、弘武内

22390: 安武内、弘 / *安、弘武内

22391: 安武、弘内

22394: 安武内、弘

22395: 安武、弘内 / 安弘、武内

22396: 安弘武内、朝

22404 22403 22402 22401 22400 22399 22398 22397

14-14 (22401)

14-13 (22397)

22397: [illegible]安武内、[illegible]朝弘
[illegible]安、[illegible]朝弘武内

22398: [illegible]安、[illegible]朝弘武内
[illegible]、朝[illegible](ヲ)に作る

22399: [illegible]安弘武内、[illegible]朝

22401: [illegible]安弘武、[illegible]内
[illegible]安弘、[illegible]武内

22402: [illegible]安武内、[illegible]弘
[illegible]安、[illegible]弘武内

22403: [illegible]安武内、[illegible]弘
[illegible]安弘、[illegible]武内

22404: [illegible]安武、[illegible]弘内

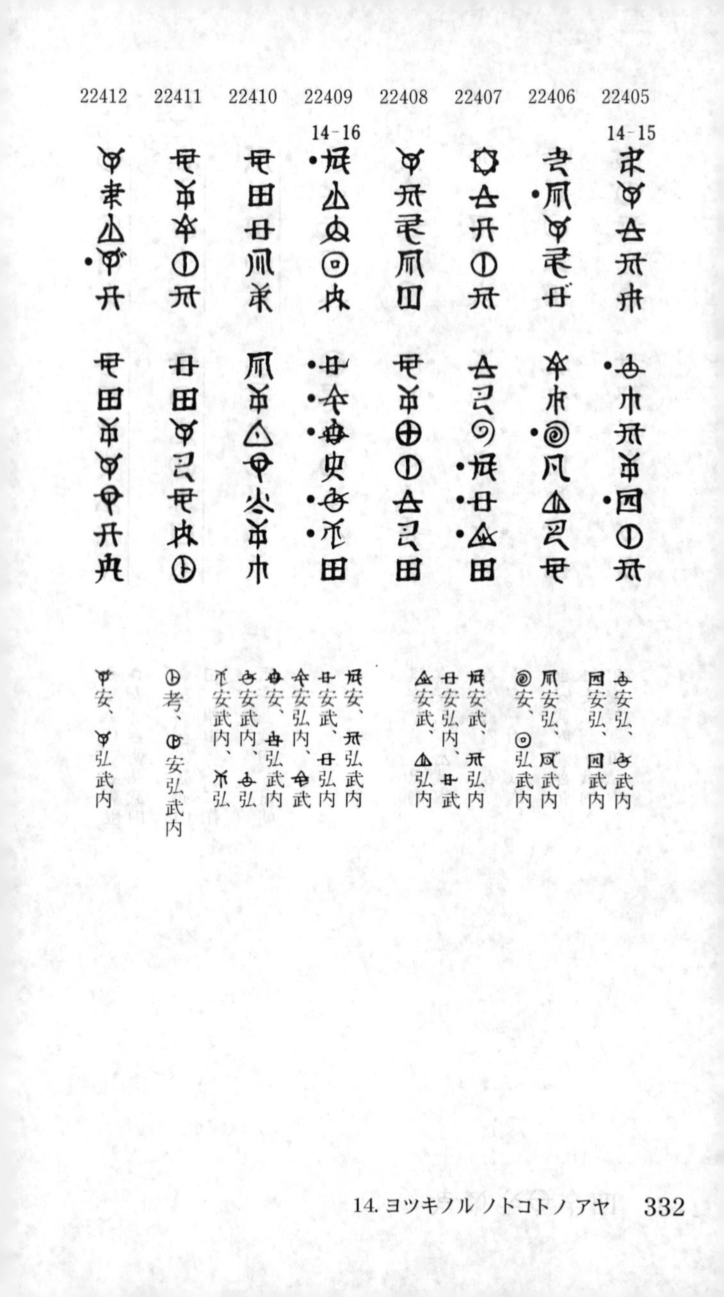

22405 14-15

22406

22407

22408

22409 14-16

22410

22411

22412

安弘、 武内

安弘、 武内

安弘、 武内

安、 弘武内

安武、 弘内

安弘内、 武

安武、 弘内

安、 弘武内

安武、 弘内

安弘内、 武

安、 弘武内

安武内、 弘

安武内、 弘

考、 安弘武内

安、 弘武内

22413
14-17

22414
安武内、弘
安、弘武内

22415

22416
安武内、弘

22417
14-18
安、弘武内

22418
安、弘武内

22419
安内、弘武

22420
考、安弘武内
安、弘武内

22421 14-19

22422

22423

22424

22425 14-20

22426

22427

22428

安、弘武内

安、弘武内

安、弘武内

安、弘武内

安弘、武内

安、弘内

安武、弘内

安武内、弘

↑（5行目）

安弘、武内

安、弘武内

安、弘武内

安弘、武内

↑（8行目）

安武内、弘

安弘内、武

安武内、弘

22429
14-21
安、弘武内

22430
安、弘武内

22431

22432

22433
14-22
安、弘武内

22434
安、弘武内
安、弘武内

22435
安武、弘内
安、弘武内

22436
安武内、弘

22437

14-23

22438

安武内、弘

22439

安、弘武内

安、弘武内

22440

安武内、弘

22441

14-24

安武、弘内

安、弘武内

22442

安弘、武内

22443

22444

22445 14-25

安武、 弘、ムシ内

22446

安、 弘武内

22447

安弘内、 武

安弘、 武内

22448

(4行目) ↑

安武、 弘内

安武、 弘内

＊ 安武内、 弘

安弘内、 武

安武内、 弘

22449 14-26

安武、 弘内

安武、 弘内

安武、 弘内

22450

安、 弘武内

安、 弘武内

22451

安、 弘、 武内

22452

安武内、 弘

22453 (14-27)

〓〓〓〓〓 〓〓〓〓〓〓〓

〓安、〓弘武内

22454

〓〓〓〓〓 〓〓〓〓〓〓〓

〓安弘、〓武内

22455

〓〓〓〓〓 〓〓〓〓〓〓〓

〓安弘、〓武内

〓安、〓弘武内

22456

〓〓〓〓〓 〓〓〓〓〓〓〓

22457 (14-28)

〓〓〓〓〓 〓〓〓〓〓〓〓

〓安武内、〓弘

〓安、〓弘武内

〓安、〓弘武内

22458

〓〓〓〓〓 〓〓〓〓〓〓〓

〓安、〓弘武内

〓〓〓〓〓安、〓〓〓〓〓〓弘武内

22459

〓〓〓〓〓 〓〓〓〓〓〓〓

〓安弘、〓武内

22460

〓〓〓〓〓 〓〓〓〓〓〓〓

〓安弘、〓武内

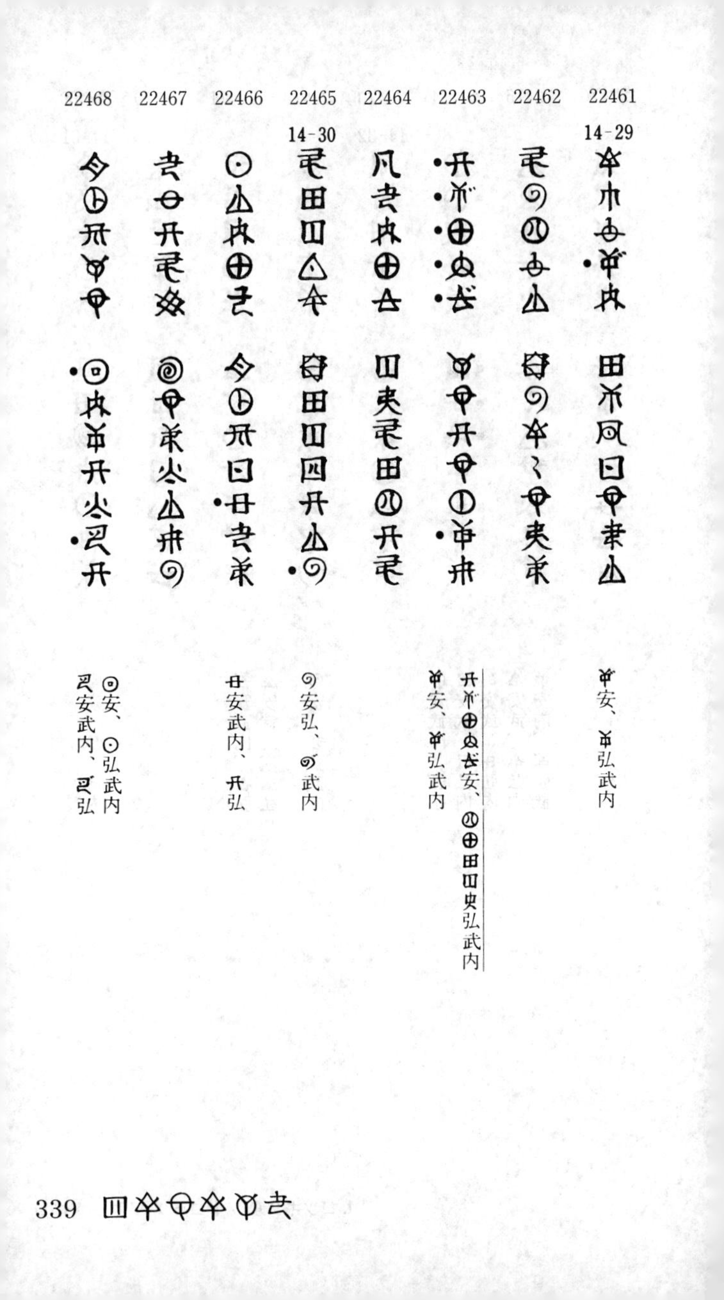

22461 14-29

安、弘武内

22462

22463

安、弘武内

安、弘武内

22464

22465 14-30

安弘、武内

22466

安武内、弘

22467

22468

安、弘武内

安武内、弘

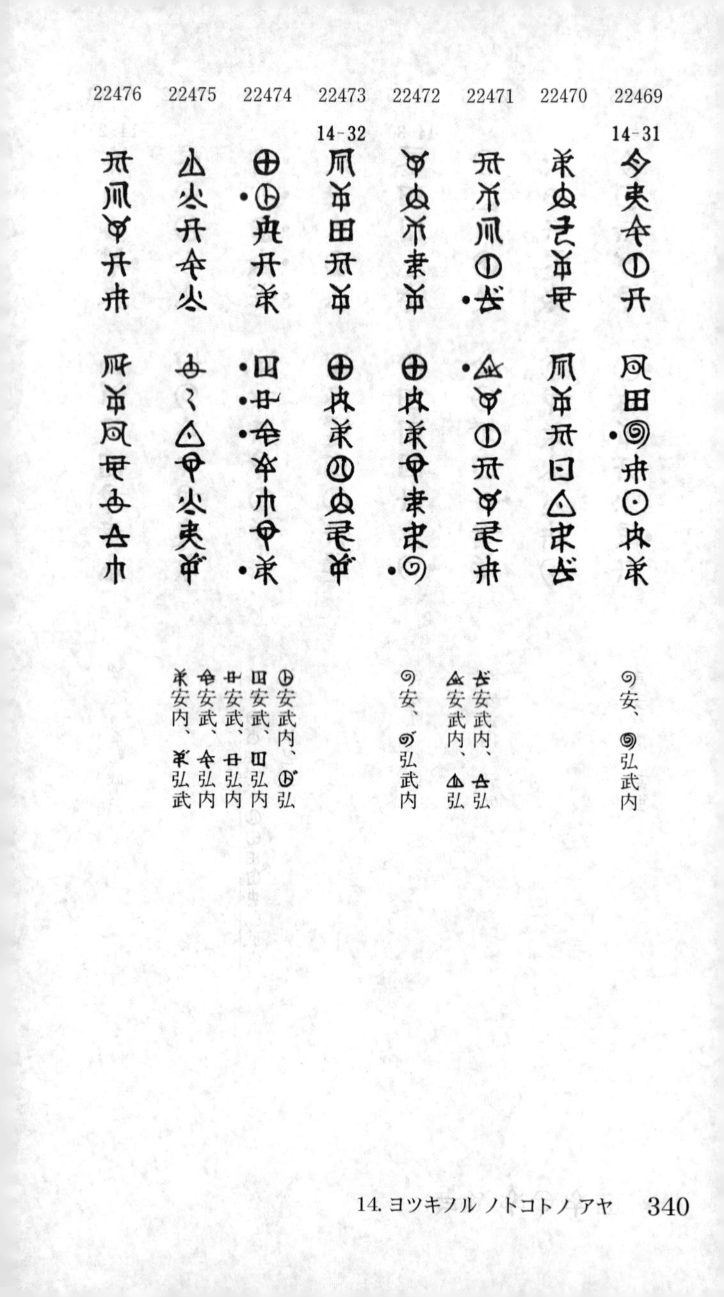

22469 14-31

安、弘武内

22470

22471

安武内、弘

安武内、弘

22472

安、弘武内

22473 14-32

22474

安武内、弘

安武、弘内

22475

安武、弘内

安内、弘武

22476

22477

14-33

22478

安弘、武内

22479

22480

安武内、弘

22481

14-34

朝5-34

22482

安弘武内、朝

安弘武内、朝

22483

安弘武内、朝

安武内、朝弘

22484

安武、朝弘内

安弘武内、朝

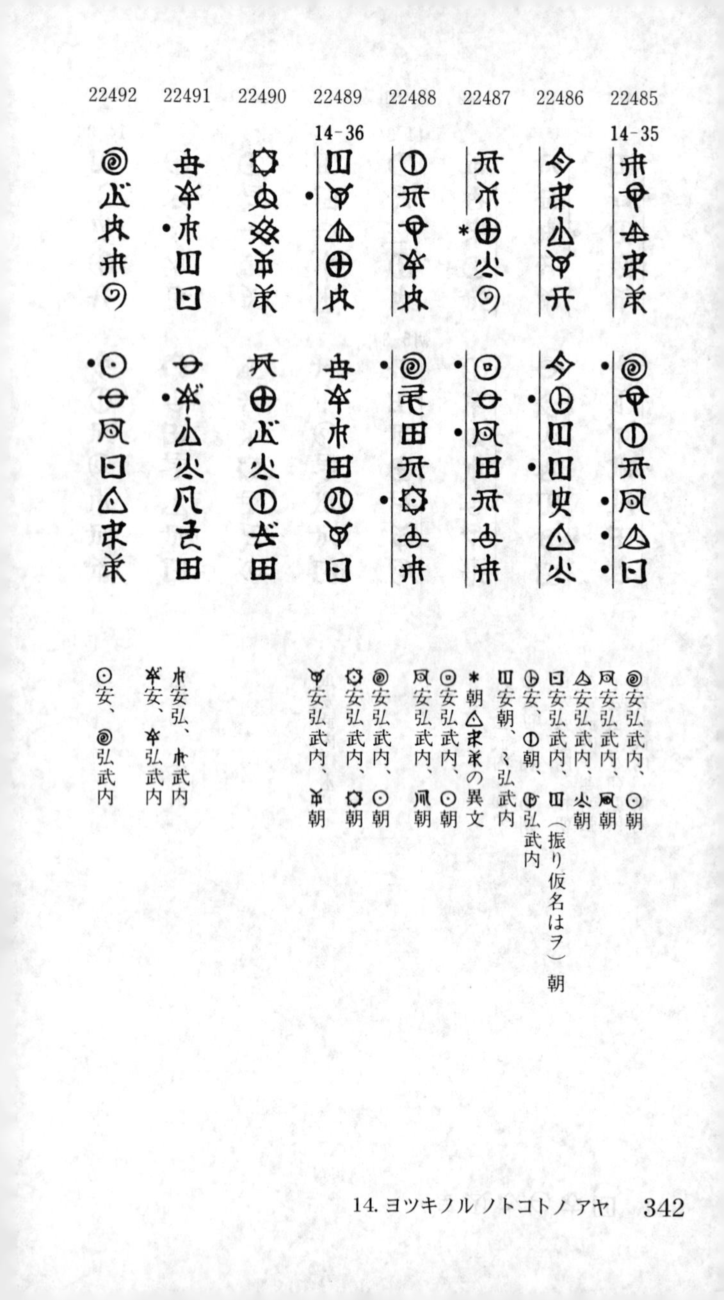

22485 14-35
〓〓〓〓〓
〓〓〓〓〓〓〓

22486
〓〓〓〓〓
〓〓〓〓〓〓〓

22487
〓〓＊〓〓〓
〓〓〓〓〓〓〓

22488
〓〓〓〓〓
〓〓〓〓〓〓〓

22489 14-36
〓〓〓〓〓
〓〓〓〓〓〓〓

22490
〓〓〓〓〓
〓〓〓〓〓〓〓

22491
〓〓〓〓〓
〓〓〓〓〓〓〓

22492
〓〓〓〓〓
〓〓〓〓〓〓〓

〓安弘武内、〓朝
〓安弘武内、〓朝
〓安弘武内、〓朝
〓安弘武内、〓（振り仮名はヲ）朝
〓安、〓朝、〓弘武内
〓安朝、〓弘武内
＊朝〓〓〓の異文
〓安弘武内、〓朝
〓安弘武内、〓朝
〓安弘武内、〓朝
〓安弘武内、〓朝
〓安弘武内、〓朝

〓安弘、〓武内
〓安、〓弘武内
〓安、〓弘武内

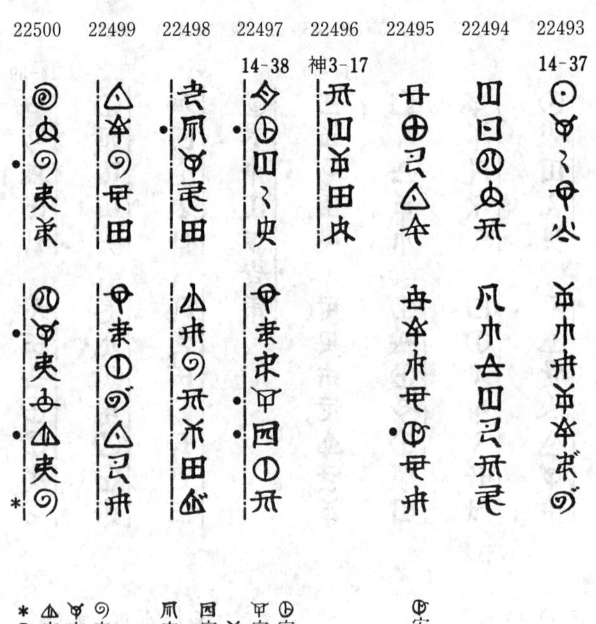

〓安、〓弘武内

〓安武内、〓弘神
〓安武内、〓弘、
〓区別セズ・神
〓安弘武内、〓神

〓安弘、〓武内、〓神

〓安弘神、〓武内
〓安弘武内、〓神
〓安弘、〓武内神
*〓安、〓弘武内神

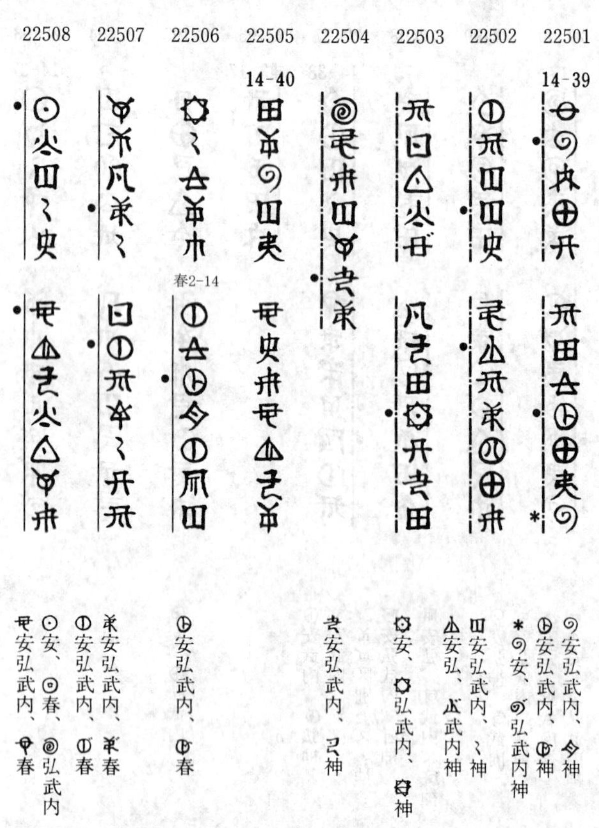

安弘武内、神

安弘武内、神

*安、弘武内神

安弘武内、神

安弘、武内神

安、弘武内、神

安弘武内、神

安弘武内、春

春草二-16

安弘武内、春

安弘武内、春

安、春、弘武内

安弘武内、春

22509 神6-42 14-41

22510

22511

22512

22513 14-42

22514

22515

22516

安春神、弘武内

安春、弘武内神

安弘武内神、春

安弘武内神、春

安弘武内春、神

安弘神、春、武内

安弘、武内

安、弘武内

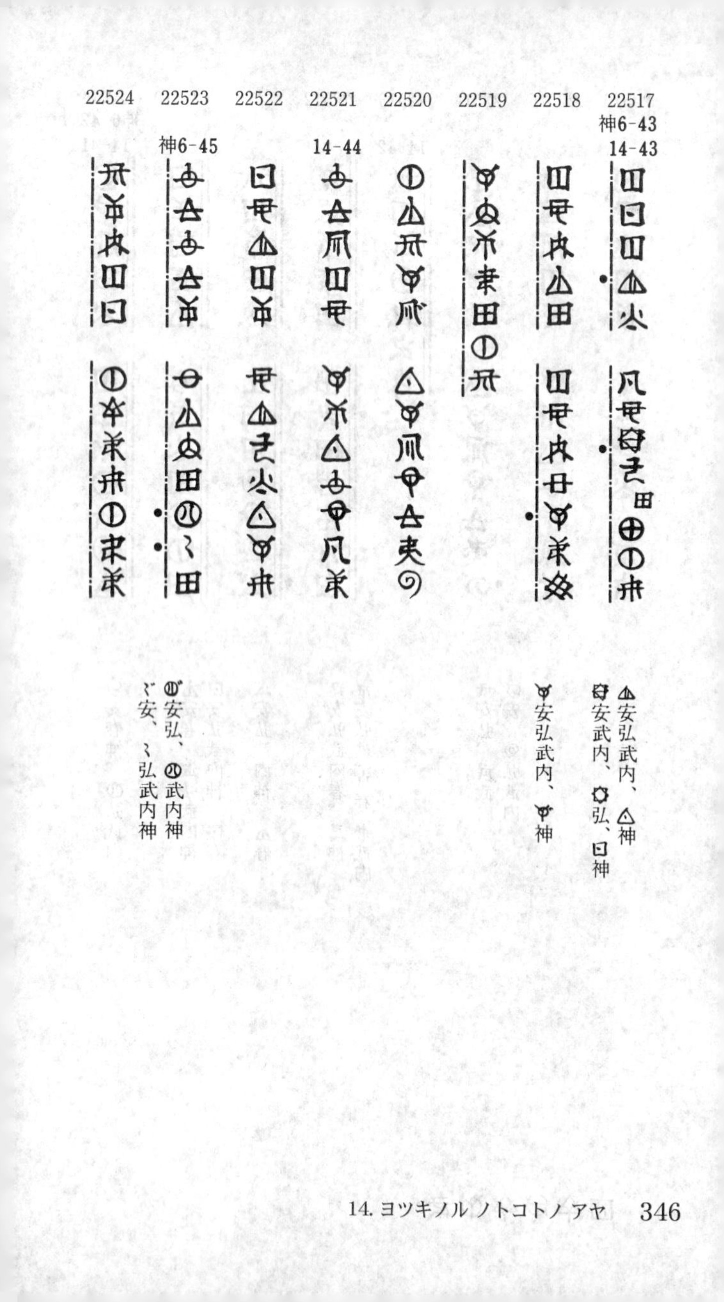

22517 神6-43 14-43

22518

22519

22520

22521 14-44

22522

22523 神6-45

22524

安弘武内、神
安武内、弘、神

安弘武内、神

安弘、武内神
安、弘武内神

22532　22531　22530　22529　22528　22527　22526　22525

14-46　春2-14　14-45

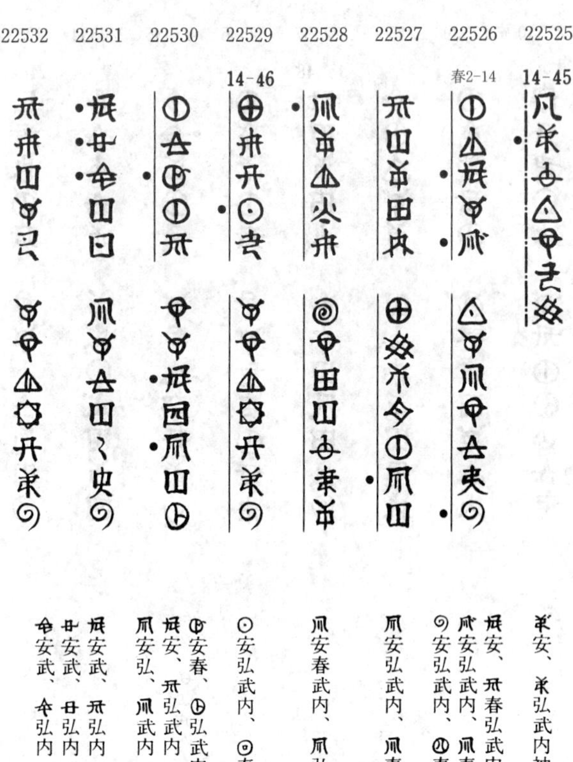

〼安、〼弘武内神

〼安、〼春弘武内

爪安弘武内、爪春

の安弘武内、の春

爪安弘武内、爪春

爪安春武内、爪弘

⊙安弘武内、回春

⊕安春、⊕弘武内

〼安、〼弘武内

爪安弘、爪武内

〼安武、〼弘内

毌安武、毌弘内

令安武、令弘内

春草二－16

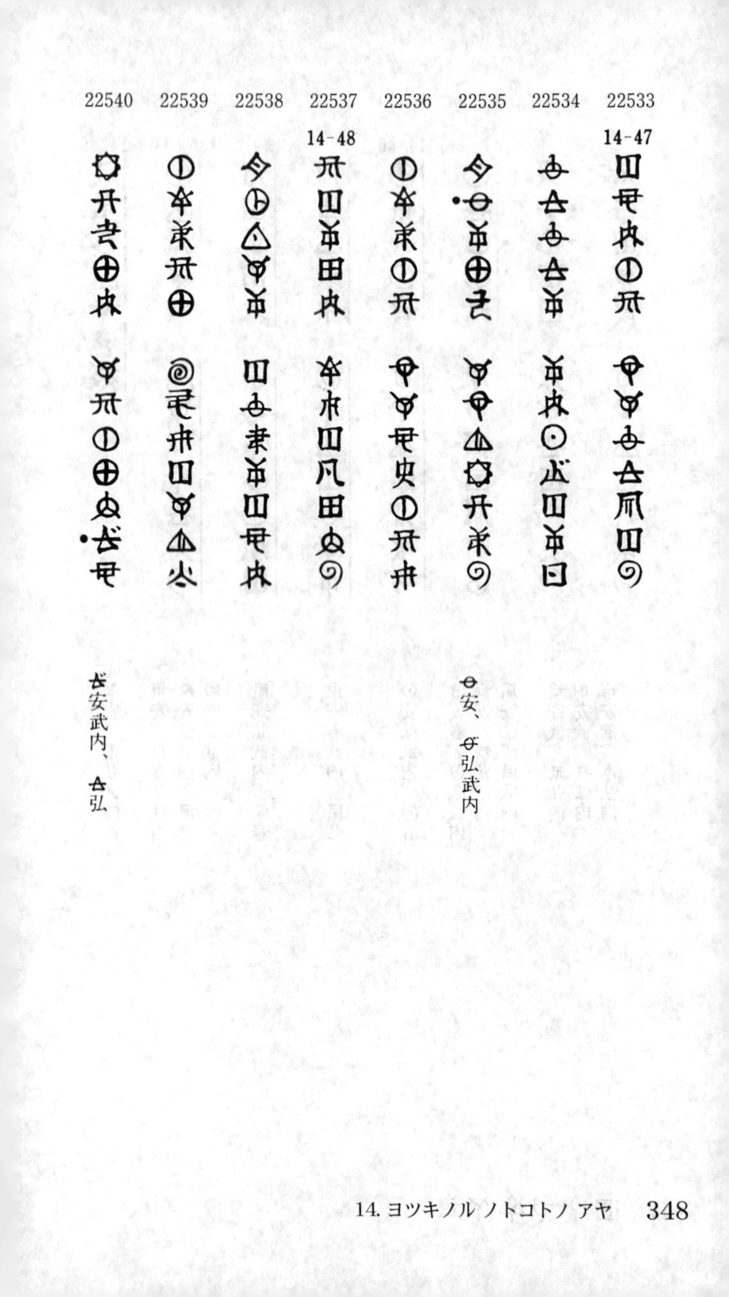

22533
14-47

22534

22535

安、弘武内

22536

22537
14-48

22538

22539

22540

安武内、弘

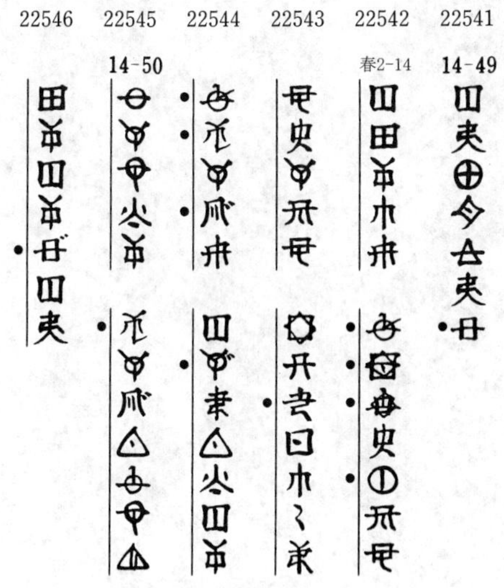

〓安弘、〓武内

〓安、〓春弘武内

〓安弘武内、〓春

〓安、〓春弘武内

〓安弘武内、〓春

〓安弘武内、〓春

〓安武、〓春弘内

〓安弘武内、〓春

〓安弘武内、〓春

〓安、〓春弘武内

〓安、〓春弘武内

〓安弘武内、〓春

春草二-16

22554	22553	22552	22551	22550	22549	22548	22547
			15-2				15-1

〓安、〓弘武内

〓安、〓弘武内

〓安、〓弘武内

〓安武内、〓弘

〓安武内、〓弘

〓安、〓弘武内

〓安、〓弘武内

〓安、〓弘武内

〓安、〓弘武内

22555
15-3

22556
安、弘武内

22557

22558

22559
15-4
安弘、武内

22560
安、弘武内

22561

22562
安、弘武内

22563 (15-5)

安弘、武内

22564

安武内、弘

安、弘武内

22565

22566

安武内、弘

安武、弘内

22567 (15-6)

安、弘武内

安弘、武内

安武内、弘

22568

安武内、弘

22569

安、弘武内

安、弘武内

22570

安、弘武内

安、弘武内

22571
15-7

22572

22573
安、弘、武、内

22574
安、弘武内

22575
15-8

22576

22577
安、弘武内

22578

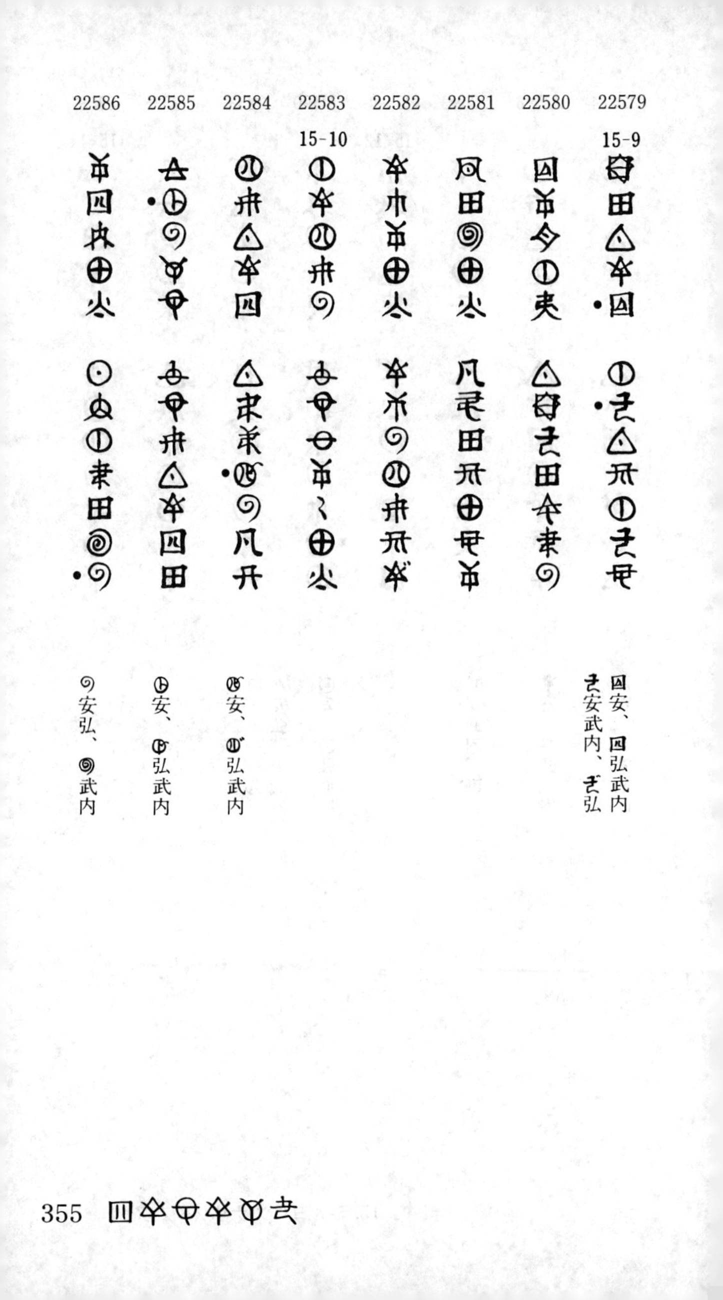

22579 15-9

安、弘武内

安武内、弘

22580

22581

22582

22583 15-10

22584

安、弘武内

22585

安、弘武内

22586

安弘、武内

22587 15-11

22588

22589

ヲシテ異本注：安武内、弘 ／ 安弘、武内

22590

ヲシテ異本注：安、弘武内

22591 15-12

22592

ヲシテ異本注：安武内、弘

22593

ヲシテ異本注：安、弘武内

22594

ヲシテ異本注：安、弘、武内

22595 15 13

22596

22597

22598

22599 15-14

22600

22601

22602

安、弘武内

考、安、弘武内

安武内、弘

安、弘武内

安武内、弘

安武、弘内

安武、弘内

安弘、武内

安、弘武内

安、弘武内

安、弘武内

22603 15-15

22604

22605

22606

22607 15-16

22608

22609

22610

安武、弘内

安、弘武内

安、弘武内

安武内、弘

安武内、弘

安、弘武内

安、弘武内

安武内、弘

安武、弘内

安、弘武内

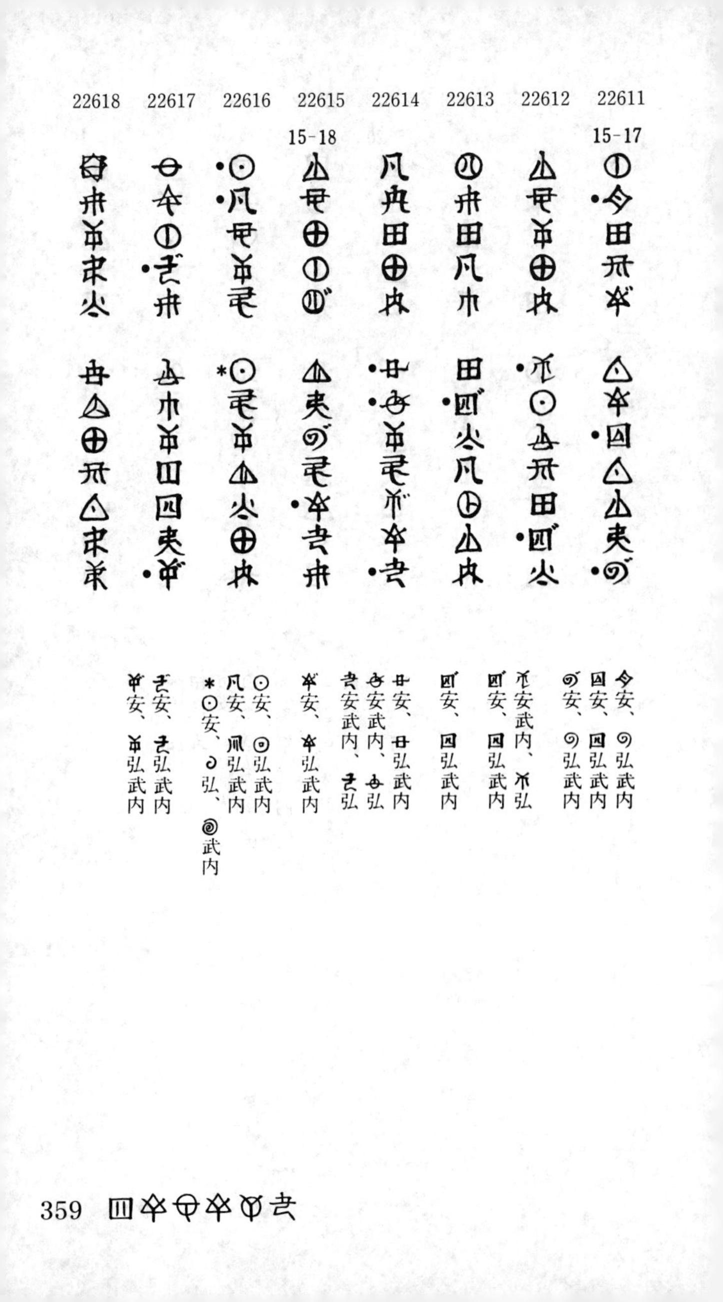

22611 22612 22613 22614 22615 22616 22617 22618

15-17

15-18

安、弘武内
安、弘武内
安、弘武内
安武内、弘
安、弘武内
安、弘武内
安、弘武内
安武内、弘
安武内、弘
安、弘武内
安、弘武内
安、弘武内
*安、弘、武内
安、弘武内
安、弘武内

22619 15-19

22620

22621

22622

22623 15-20

22624

22625

22626

[ヲシテ文字]安、[ヲシテ文字]弘武内

[ヲシテ文字]安、[ヲシテ文字]弘武内

[ヲシテ文字]安、[ヲシテ文字]弘武内

[ヲシテ文字]安、[ヲシテ文字]弘、[ヲシテ文字]武内

[ヲシテ文字]安、[ヲシテ文字]弘武内

[ヲシテ文字]安武内、[ヲシテ文字]弘

[ヲシテ文字]安、[ヲシテ文字]弘武内

[ヲシテ文字]安、[ヲシテ文字]弘武内

22634 22633 22632 22631 22630 22629 22628 22627

22631: 15-22

22627: 15-21

22627: 安弘、武内

22629: 安、弘武内

22633: 安武、弘内

22633: 安弘、武内

22633: 安弘武、内

22634: 安、弘武内

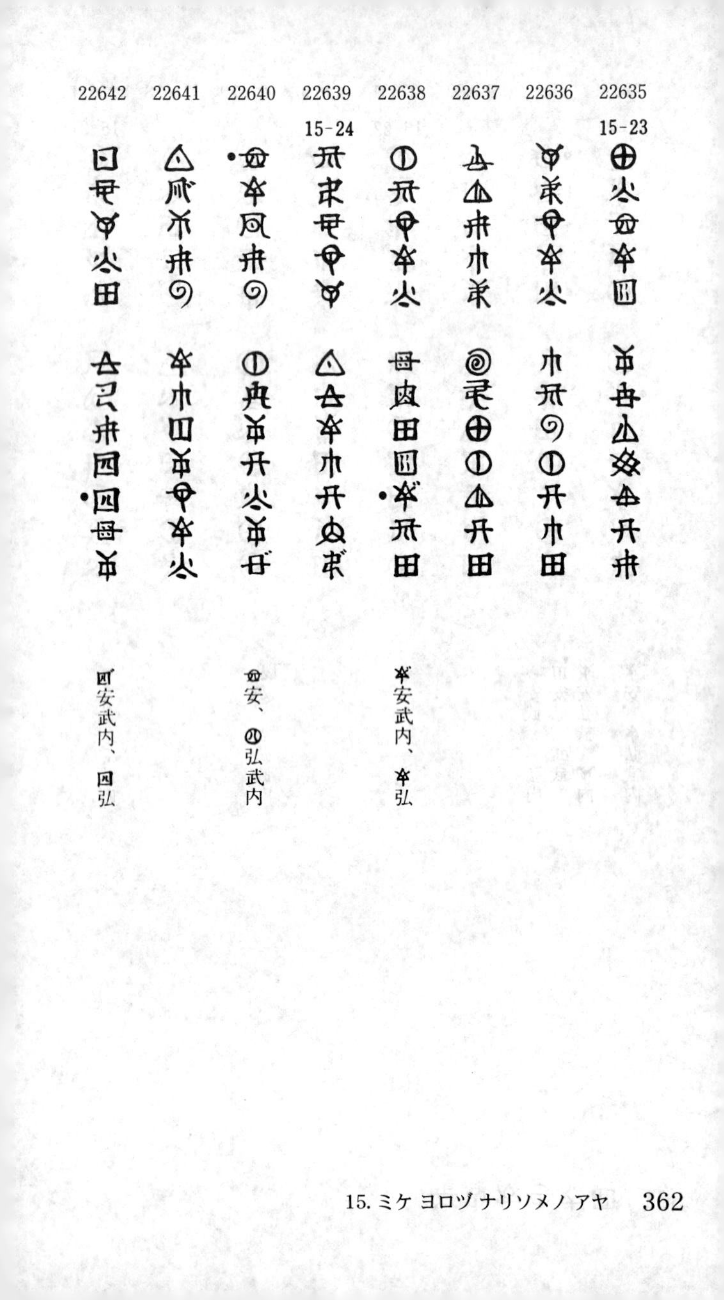

22635

15-23

22636

22637

22638

22639

15-24

22640

22641

22642

安武内、弘

安、弘武内

安武内、弘

22643
15-25

22644

22645

22646

22647
15-26

22648

22649

22650

〔〕安弘、〔〕武内

〔〕安、〔〕弘武内

〔〕安弘、〔〕武内

〔〕安、〔〕弘武内

〔〕安弘、〔〕武内

22651 15-27

安、弘、武内

22652

安武内、弘

安弘、武内

22653

安弘、武内

22654

安弘、武内

22655 15-28

安、弘武内

22656

安武内、弘

安弘、武内

22657

22658

安、弘武内

安、弘武内

安弘、武内

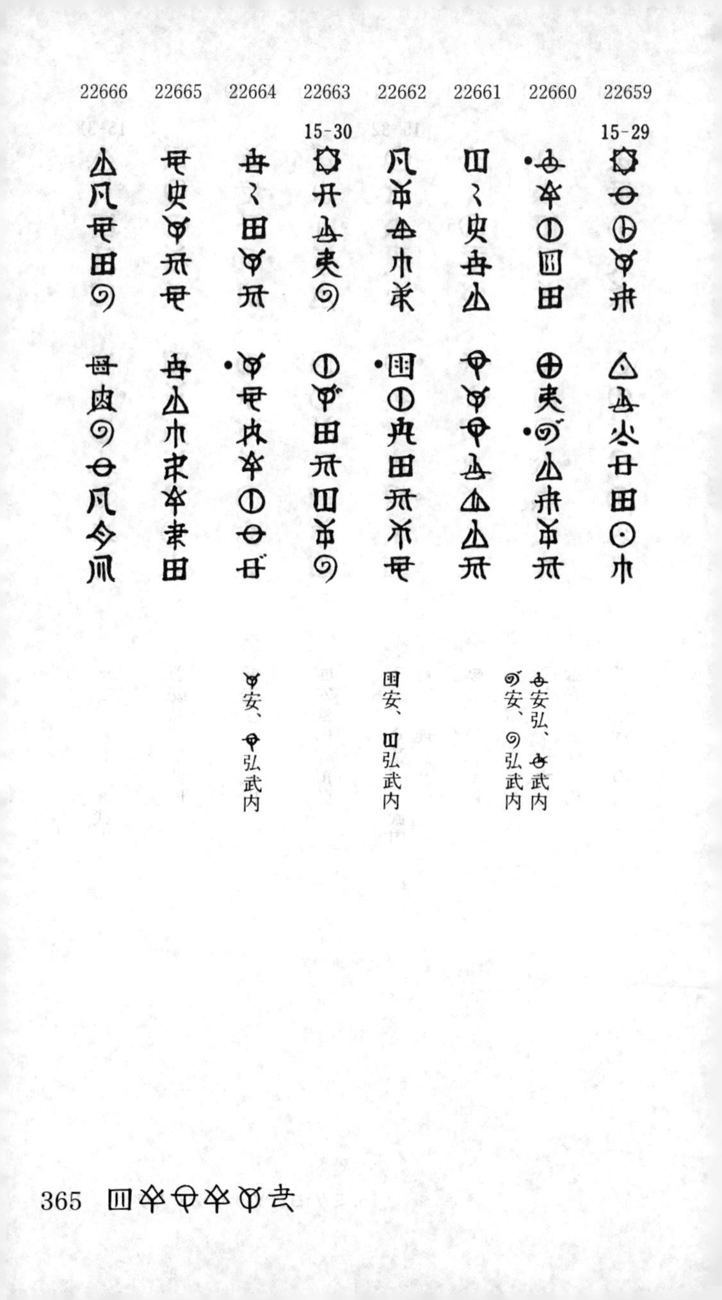

22659

15-29

22660

安弘、武内
安、弘武内

22661

22662

安、弘武内

22663

15-30

22664

安、弘武内

22665

22666

22667 15-31

安、弘、武内

22668

安弘、武内

22669

安弘、武内

22670

安武内、弘

22671 15-32

安、弘、武内

安、弘武内

22672

安、弘武内

22673

安、弘武内

安、弘武内

22674

安弘武、内

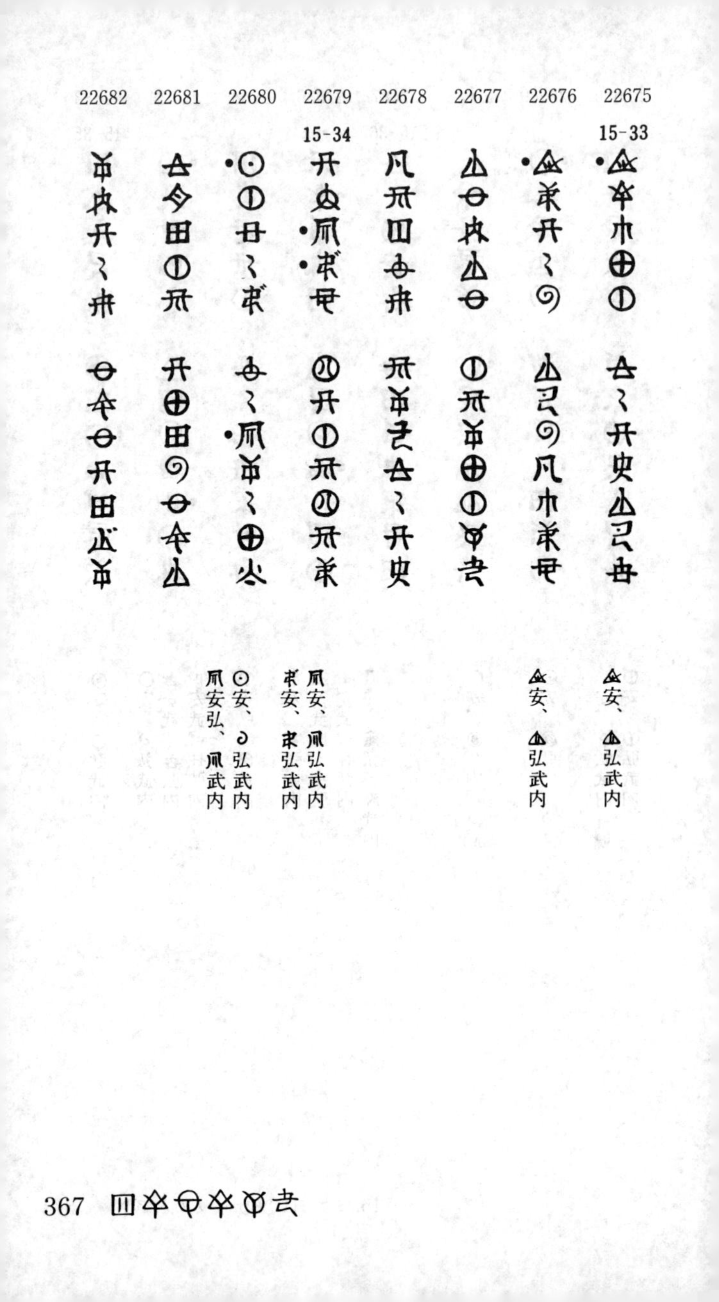

22675

15-33

安、 弘武内

22676

安、 弘武内

22677

22678

22679

15-34

安、 弘武内

安、 弘武内

22680

安、 弘武内

安弘、 武内

22681

22682

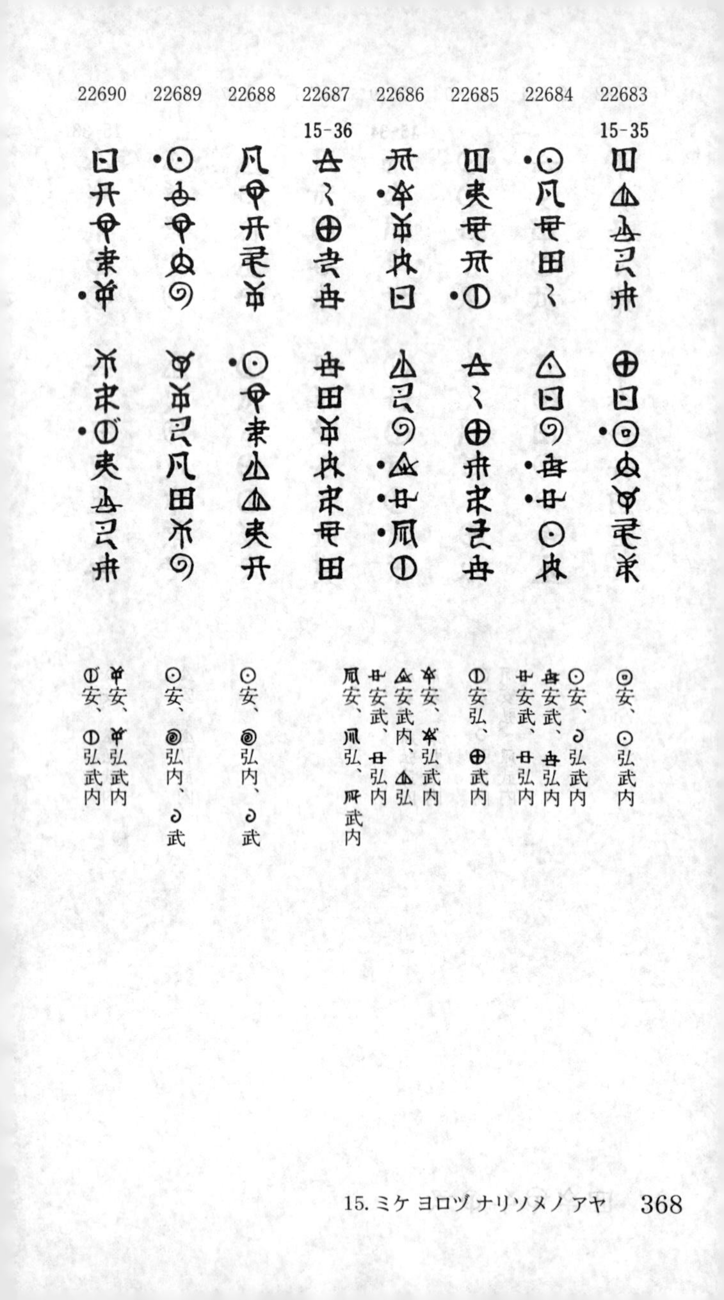

22683 15-35

安、弘武内

22684

安、弘武内

安武、弘内

安武、弘内

22685

安弘、武内

22686

安、弘武内

安武内、弘

安武、弘内

安、弘、武内

22687 15-36

22688

安、弘内、武

22689

安、弘内、武

22690

安、弘武内

安、弘武内

22691 15-37

安、弘武内

22692

22693

22694

安、弘武、内

22695 15-38

22696

安、弘武内

22697

安弘、武内

安、弘武内

22698

安、弘武内

安弘、武内

安弘、武内

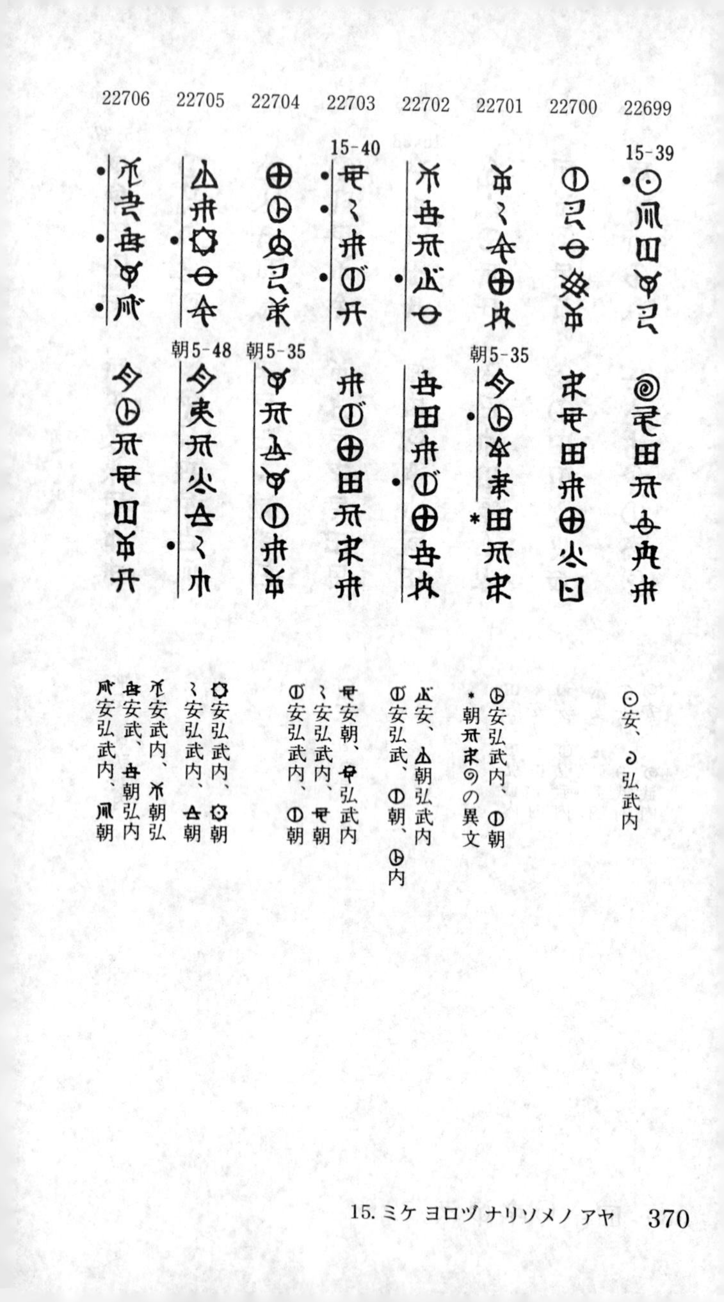

22699 15-39

⊙安、弘武内

22700

22701 朝5-35

安弘武内、朝

*朝の異文

22702

安、朝弘武内

安弘武、朝、内

22703 15-40

安朝、弘武内

安弘武内、朝

安弘武内、朝

22704 朝5-35

22705 朝5-48

安弘武内、朝

安弘武内、朝

22706

安武内、朝弘

安武、朝弘内

安弘武内、朝

22707 朝5-48 15-41

22708

22709

22710

22711 15-42

22712

22713

22714

[glyph]安弘武内、[glyph]朝

[glyph]安、[glyph]朝弘武内

[glyph]安弘武内、[glyph]朝

[glyph]安弘武内、[glyph]朝

[glyph]安弘武内、[glyph]朝

[glyph]安弘武内、[glyph]朝

[glyph]安弘武内、[glyph]朝

[glyph]安武、[glyph]朝弘内

[glyph]安弘武内、[glyph]朝

[glyph]安、[glyph]朝弘武内

[glyph]安朝弘、[glyph]武内

(1行目)↑

[glyph]安武、[glyph]朝弘内

[glyph]安武、[glyph]朝弘内

[glyph]安朝弘、[glyph]武内

[glyph]安弘武内、[glyph]朝

[glyph]安、[glyph]朝弘武内

[glyph]安武内、[glyph]朝弘

15-43

22715

22716

〜安弘武内、朝

22717

22718

〜安弘武内、朝

15-44

22719

安朝、弘武内

22720

安朝、弘武内

安弘武内、朝

22721

安、朝弘武内

22722

安朝、弘武内

〓安弘武内、〓朝

〓安弘武内、〓朝

〓安弘武内、〓朝

〓安武、〓朝弘内

*〓安弘武内、〓朝

〓安弘武内、〓朝

〓安武内、〓朝弘

〓安弘武内、〓朝

〓安、〓朝弘武内

〓安、〓朝、〓弘武内

〓安、〓朝弘武内

〓安弘武内、〓朝

〓安弘武内、〓朝

↑（6行目）

↑（8行目）

〓安弘武内、〓朝

〓安弘武内、〓朝

*〓安弘武内、〓朝

〓安朝弘、〓武内

〓安弘武内、〓朝

**〓安弘武内、〓朝

〓安、〓朝弘武内

〓安弘武内、〓朝

〓安弘武内、〓朝

*〓安弘武内、〓朝

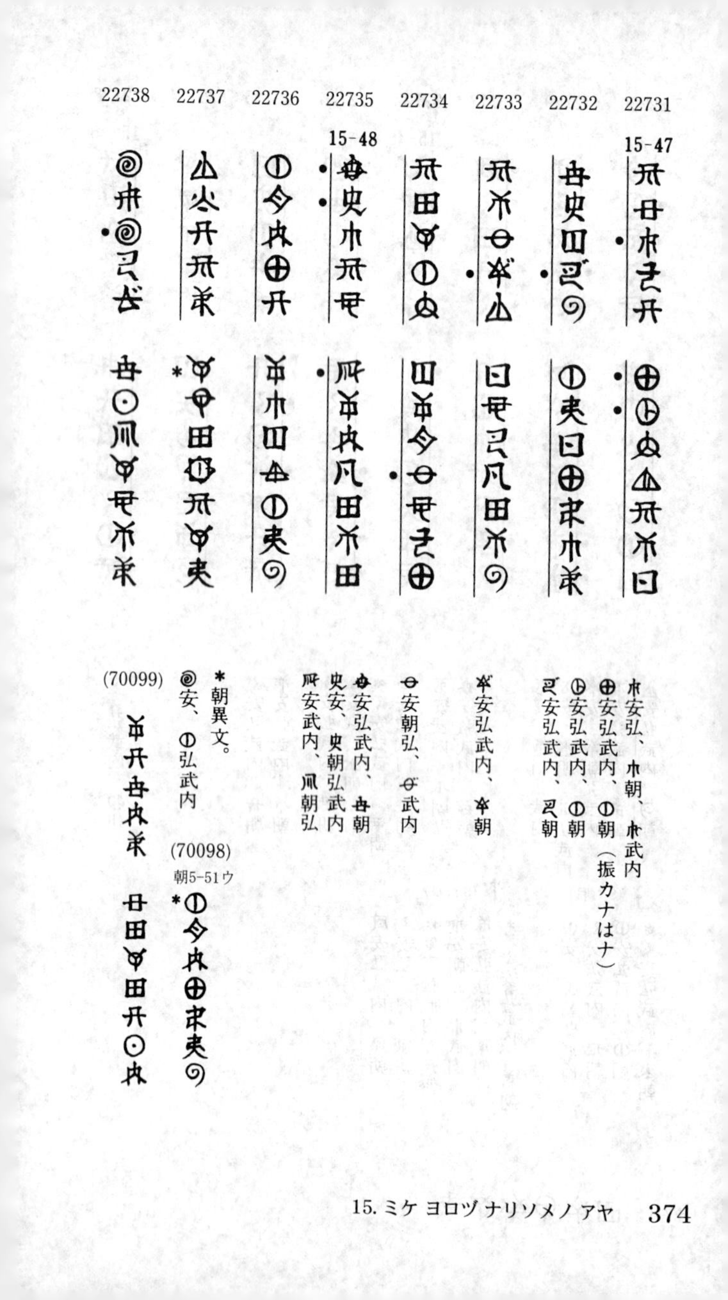

22731 15-47

22732

22733

22734

22735 15-48

22736

22737

22738

安弘、朝、武内

安弘武内、朝（振カナはナ）

安弘武内、朝

安弘武内、朝

安朝弘、武内

安弘武内、朝

安、朝弘武内

安武内、朝弘

＊朝異文。

安、弘武内

(70098)

朝5-51ウ

(70099)

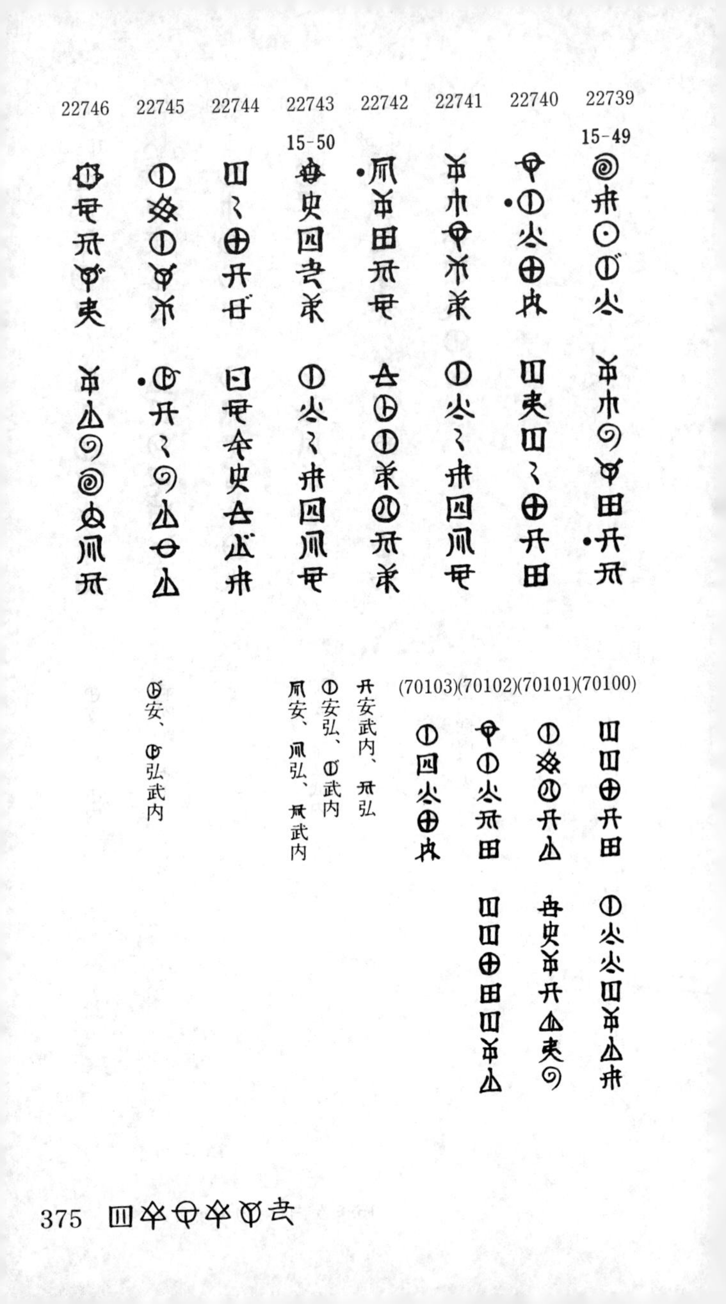

22739 15-49

22740

22741

22742

22743 15-50

22744

22745

22746

(70100)(70101)(70102)(70103)

安武内、弘

安弘、武内

安、弘、武内

安、弘武内

22747

15-51

安弘武、内

22748

安弘、武内

22749

22750

安、弘武内

22751

15-52

22752

安武内、弘

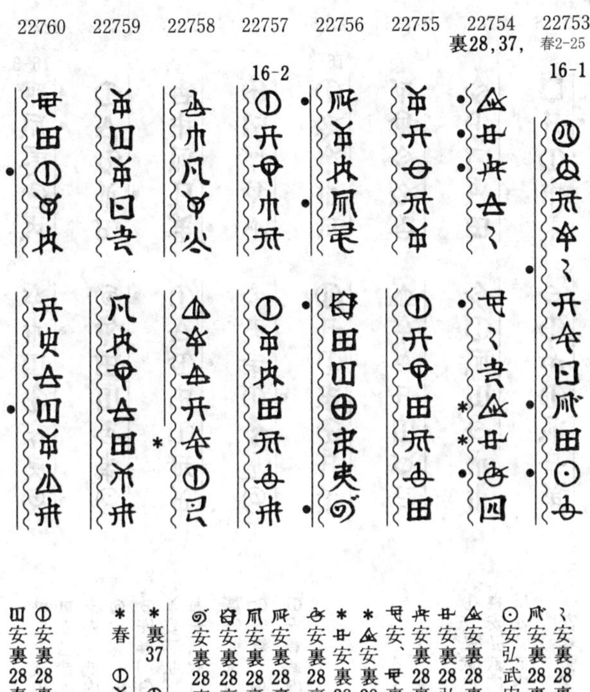

〓安裏28裏37弘武内、〓春　春草二―30
〓安裏28裏37弘武内、〓春
⊙安弘武内、〓裏28裏37春
〓安裏28裏37武、〓弘内
〓安裏28弘武、〓裏37内
〓安裏28裏37武、〓弘内
〓安、〓裏28裏37弘武内
*〓安裏28裏37武内、〓弘
*〓安裏28武、〓裏37弘内
〓安裏28裏37武、〓弘内
〓安裏28裏37春刊武内、〓弘、〓春草
〓安裏28裏37弘武内、〓春
〓安裏28裏37、〓春、〓弘武内
〓安裏28裏37弘武内、〓春
*裏37　〓
*春

〓安裏28裏37弘武内、〓春
〓安裏28春弘武内、〓裏37

16-3

22761 〓

22762 〓

22763 〓

22764 〓

16-4

22765 〓

22766 〓

22767 〓

22768 〓

〓安春武内、〓弘

〓安弘武内、〓春

〓安弘武内、〓春

〓安春、〓弘武内

〓安春、〓弘武内

〓安春弘、〓武内

〓安弘武内、〓春

〓安弘武内、〓春

〓安春、〓弘武内

〓安春武内、〓弘

〓安弘武内、〓春

〓安弘武内、〓春

〓安弘武内、〓春

〓安春弘、〓武内

22776 22775 22774 22773 22772 22771 22770 22769

22769 16-5

[illegible]安弘武内、[illegible]春

[illegible]安弘武内、[illegible]春

22770

[illegible]安弘武内、[illegible]春

22771

[illegible]安弘武内、[illegible]春

22772

[illegible]安弘武内、[illegible]春

22773 16-6

22774

22775 春2-26

[illegible]安春、[illegible]弘武内

春草二-31

22776

[illegible]安春弘、[illegible]武内

[illegible]安春、[illegible]弘武内

ゞ安、〜裏44弘武内、春

安内、裏44弘武、春

安裏44武内、春弘

安裏弘武内、春

安弘武内、凡春、か凡か判別不能　裏44

安裏弘武内、春

安春弘武内、裏44

安裏44弘武内、春

安弘武内、裏44春

安裏44弘武内、春

22785 裏32 16-9

[illegible]

[illegible]安裏弘武内、[illegible]春

22786

[illegible]

[illegible]安裏32弘、[illegible]武内

22787

[illegible]

22788

[illegible]

[illegible]安弘武内、[illegible]裏32

[illegible]安裏32武内、[illegible]弘

22789 16-10

[illegible]

[illegible]安裏32弘、[illegible]武内

22790

[illegible]

[illegible]安、[illegible]裏32弘武内

[illegible]安裏32、[illegible]弘武内

22791

[illegible]

22792

[illegible]

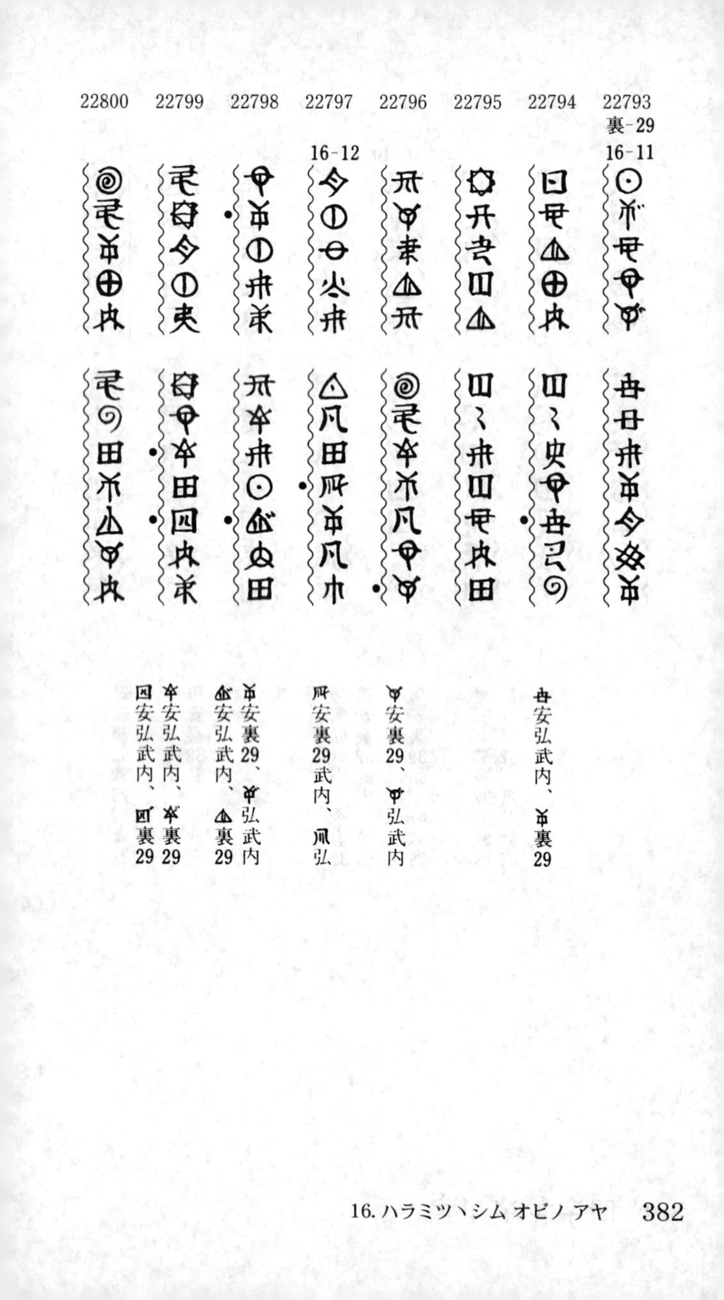

22793 裏-29 16-11

22794

22795

22796

22797 16-12

22798

22799

22800

〓安弘武内、〓裏29

〓安裏29、〓弘武内

〓安裏29武内、〓弘

〓安裏29、〓弘武内

〓安弘武内、〓裏29

〓安弘武内、〓裏29

〓安弘武内、〓裏29

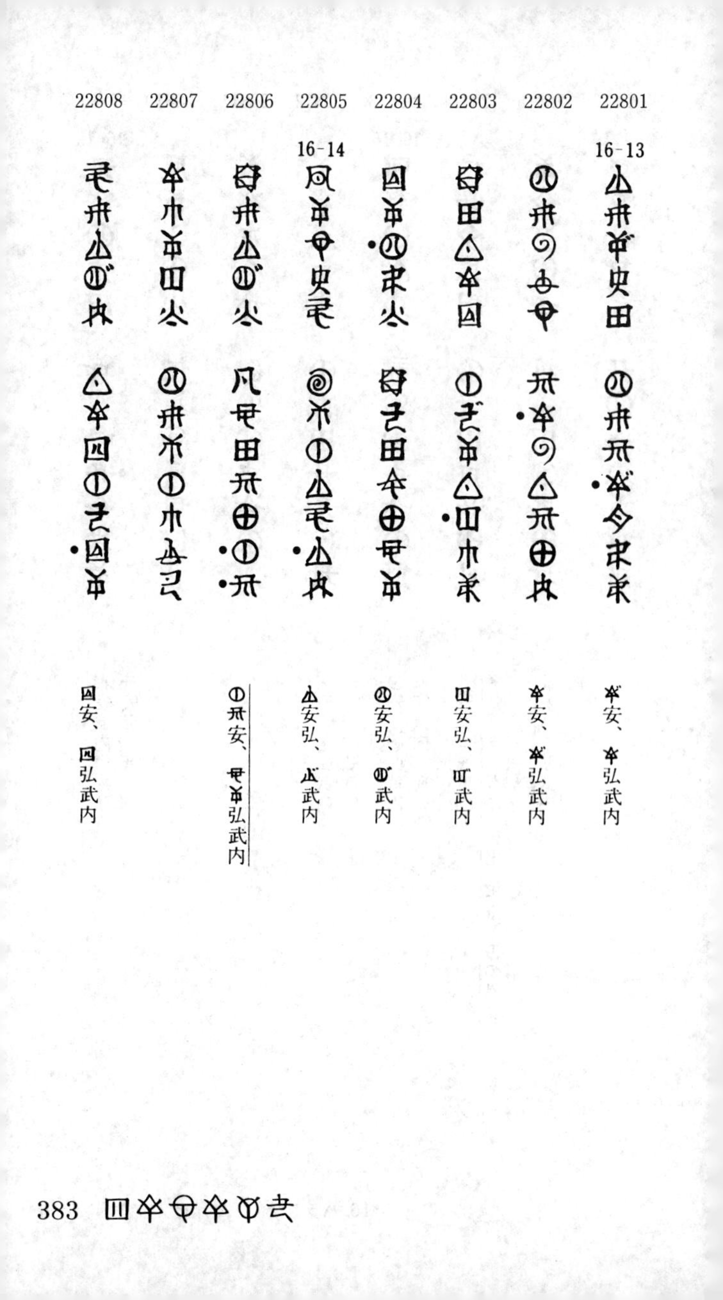

22801 16-13

安、弘武内

22802

安、弘武内

22803

安弘、武内

22804

安弘、武内

22805 16-14

安弘、武内

22806

安、弘武内

22807

22808

安、弘武内

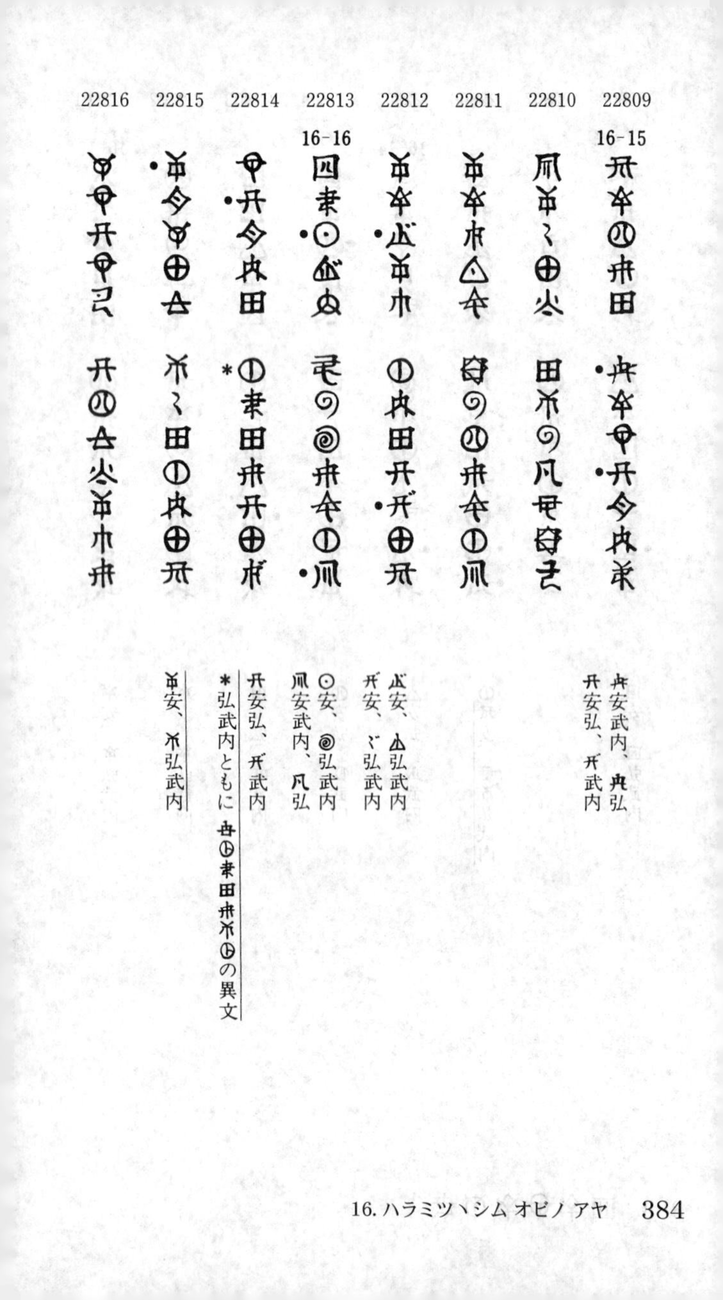

16-15

22809 [illegible]

22810 [illegible]

22811 [illegible]

22812 [illegible]

16-16

22813 [illegible]

22814 [illegible]

22815 [illegible]

22816 [illegible]

[illegible]安武内、[illegible]弘
[illegible]安弘、[illegible]武内

[illegible]安、[illegible]弘武内
[illegible]安、[illegible]弘武内

[illegible]安、[illegible]弘武内
[illegible]安武内、[illegible]弘

[illegible]安弘、[illegible]武内
*弘武内ともに [illegible]の異文

[illegible]安、[illegible]弘武内

22824	22823	22822	22821	22820	22819	22818	22817
			16-18				16-17

安弘武、内
安武内、弘
安、弘武内
*安武内、弘
安武内、弘
**安武、弘内
安弘内、武

安、弘武内
安弘、武内
安弘、武内
安弘武、内
安武、弘内
安武、弘内

↑(5行目)

安武内、弘
安弘内、武
安武、弘内
安武内、弘
*安武内、弘
**安武内、弘

↑(8行目)

安、弘武内
安武内、弘
安武、弘内
安、弘武内
安武、弘内
安武内、弘

22825 16-19

22826

22827

22828

22829 16-20

22830

22831

22832

安武、弘内
安武、弘内
安武、弘内
安武、弘内
*安武、弘内

安武、弘内
安武、弘内
安武、弘内
*安武、弘内
安武、弘内
安武、弘内
*安武内、弘
*安武、弘内

安、弘武内
*弘武内ともに の異文。
安武、弘内
安、弘武内

↑(3行目)
安武、弘内
安武、弘内
安武、弘内
安武、弘内
*安武、弘内
*安武、弘内

↑(5行目)
安武、弘内
安武、弘内
安武、弘内

(6行目)↑
安弘内、武
安武、弘内
安弘内、武

〓安武、〓裏33、〓弘内
〓安裏33弘武、〓内
〓安裏33武、〓弘内
*〓安武、〓裏33、〓弘内
〓安弘内、〓裏33武
〓安弘内、〓裏33武
〓安弘武内、〓裏33

↑（2行目）

〓安弘武内、〓裏33
〓安武内、〓裏33弘
〓安弘武内、〓裏33
〓安裏33武、〓弘内
〓安裏33武、〓弘内
〓安裏33武、〓弘内
〓安、〓裏33弘武内
〓安弘武内、〓裏33

〓安裏武、〓弘内
〓安弘内、〓裏33武
〓安裏33武、〓弘内
〓安裏33武内、〓弘

↑（8行目）

〓安裏33弘、〓武内
〓安裏33武、〓弘内
〓安裏33武、〓弘内
〓安裏33、〓弘武内

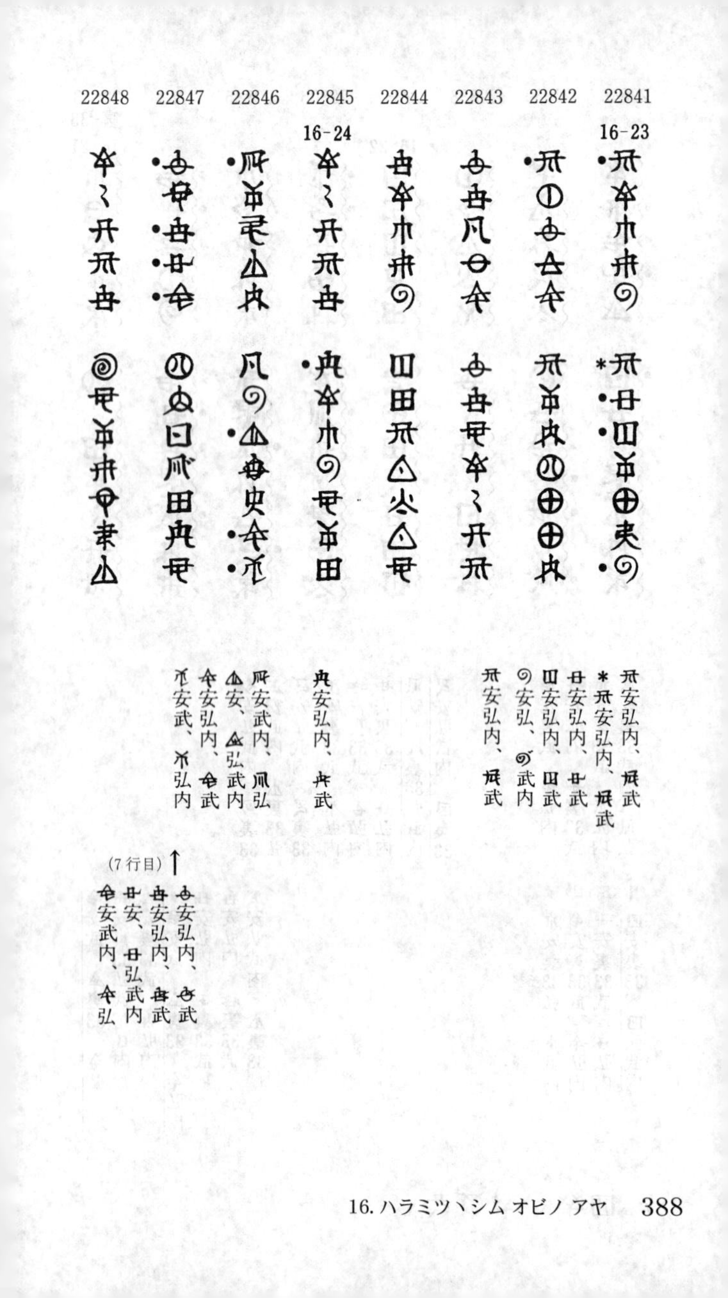

22848 22847 22846 22845 22844 22843 22842 22841

16-24 / 16-23

安弘内、武
*安弘内、武
安弘内、武
安弘内、武
安弘、武内
安弘内、武

安弘内、武

安武内、弘
安、弘武内
安弘内、武
安武、弘内

(7行目)↑
安弘内、武
安弘内、武
安、弘武内
安武内、弘

22849 16-25

⊙安、◎弘武内

田安、の弘武内

四安弘、四武内

22850

[Khitan]安武、[Khitan]弘内

[Khitan]安弘、[Khitan]武内

22851

[Khitan]安弘、[Khitan]武内

22852

[Khitan]安弘内、[Khitan]武

の安弘、の武内

22853 16-26

22854

⊕安弘、[Khitan]武内

22855

[Khitan]安武、[Khitan]弘内

22856

22857 16-27

22858

22859

22860

22861 16-28

22862

22863

22864

[Woshite glyph]安武、[Woshite glyph]弘内

[Woshite glyph]安武、[Woshite glyph]弘内

[Woshite glyph]安、[Woshite glyph]弘武、[Woshite glyph]内

[Woshite glyph]安、[Woshite glyph]弘武内

[Woshite glyph]安、[Woshite glyph]弘武内

[Woshite glyph]安、[Woshite glyph]弘武内

※16箇所48文字は、安のみにあって、弘武内ヌケ。

22865
16-29

22866

22867

22868

安武、弘内
安、弘武内

22869
16-30

安武、弘内

22870

安武、弘内

22871

22872

22873

16-31

安武内、弘

22874

安弘、武内

22875

22876

安弘、武内

安弘、武内

22877

16-32

安武内、弘

安、弘武内

22878

安武内、弘

22879

安弘、武内

22880

安武内、弘

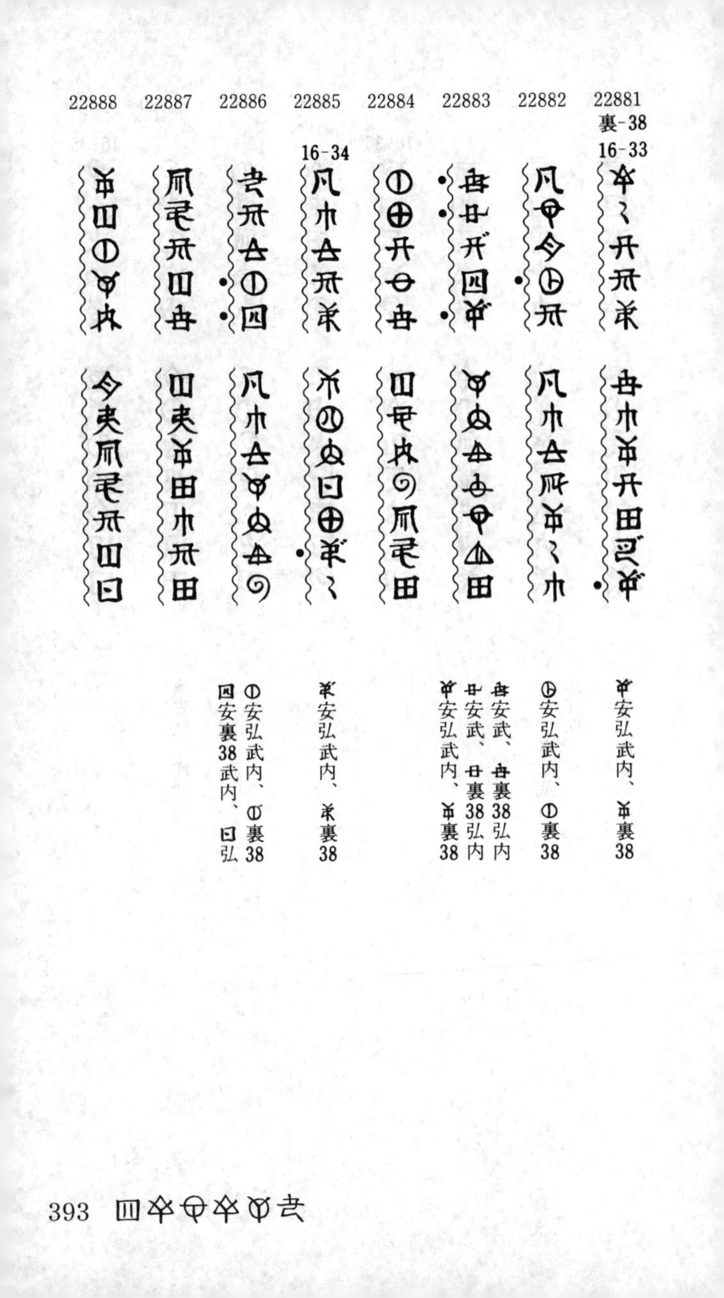

22881 裏-38 16-33

〓〓〓〓〓 〓〓〓〓〓〓〓・〓

〓安弘武内、〓裏38

22882

〓〓〓・〓〓 〓〓〓〓〓〓〓〓

〓安弘武内、〓裏38

22883

・〓・〓〓〓・〓 〓〓〓〓〓〓〓

〓安武、〓裏38弘内
〓安武、〓裏38弘内
〓安弘武内、〓裏38

22884

〓〓〓〓〓 〓〓〓〓〓〓〓

22885 16-34

〓〓〓〓〓 〓〓〓〓〓・〓〓

〓安弘武内、〓裏38

22886

〓〓〓・〓・〓 〓〓〓〓〓〓〓

〓安弘武内、〓裏38
〓安裏38武内、〓弘

22887

〓〓〓〓〓 〓〓〓〓〓〓〓

22888

〓〓〓〓〓 〓〓〓〓〓〓〓

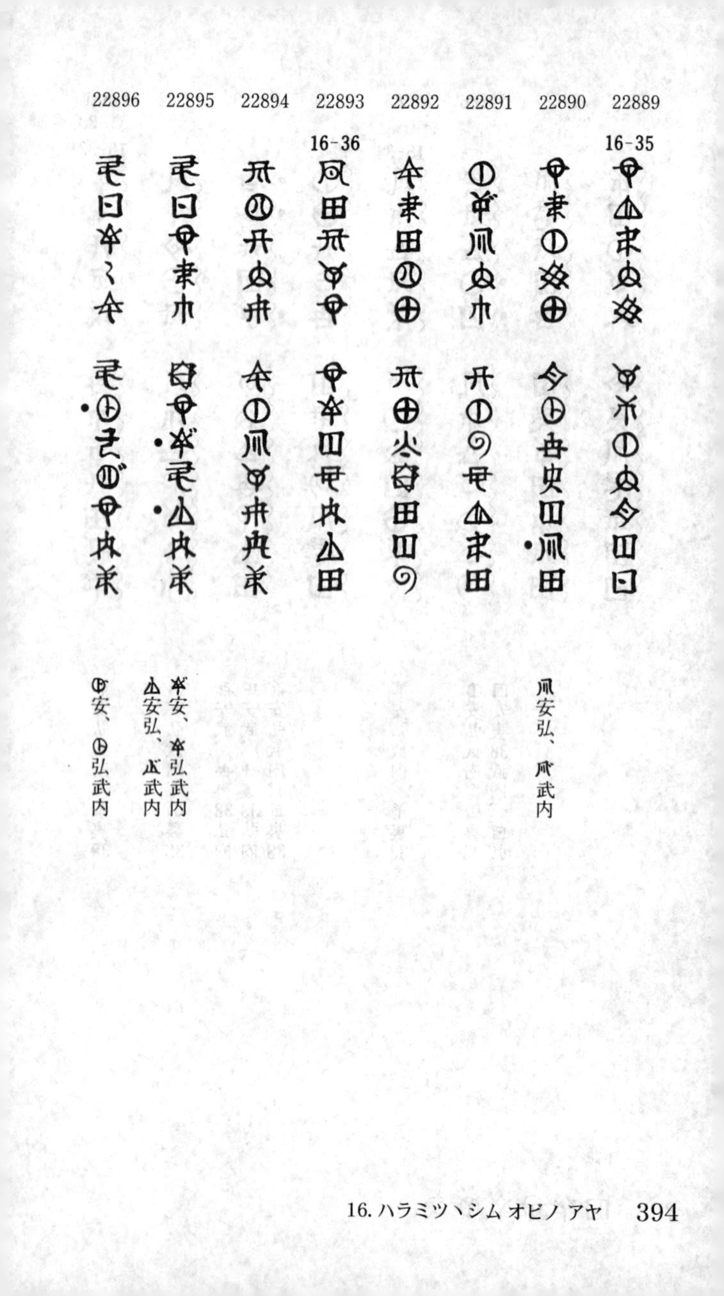

22889
16-35

22890

[Woshite]安弘、[Woshite]武内

22891

22892

22893
16-36

22894

22895

[Woshite]安、[Woshite]弘武内
[Woshite]安弘、[Woshite]武内

22896

[Woshite]安、[Woshite]弘武内

22897 裏2・8・26・27
16-37
〓・〓〓〓〓
*〓〓〓〓〓〓〓

22898
〓〓〓・〓〓
〓〓〓〓〓〓〓

22899
〓〓〓〓〓
〓〓〓〓〓〓〓

22900
〓〓〓〓〓
〓〓〓〓〓・〓〓

22901
16-38
〓〓〓・〓〓
〓〓〓〓〓〓〓

22902
〓・〓〓〓〓
〓〓・〓〓・〓〓〓

22903
〓〓〓〓〓
〓〓〓*○〓〓〓

22904
*〓〓〓〓〓
〓〓〓〓・〓〓〓

〓安裏8 26 27弘武内、〓裏2
*裏2 8 26 27ともに、〓〓〓〓〓〓〓の異文。

〓安裏2 8弘武内、〓裏26 27

安本不鮮明、〓裏2 26 27、〓裏8、〓弘武内

〓安裏26 27弘武内、〓裏2 8

〓安裏8 26 27、〓裏2弘武内
〓安裏8 26 27弘武内、〓裏2
〓安裏26 27弘武、〓裏2 8内

*裏2 27 〓〓〓〓〓の異文、裏8 〓〓〓〓〓の異文。
○裏26 〓と記されてこのあと16文字空白。

*裏2 8 27ともに、〓〓〓〓〓の異文。
〓安裏2、〓裏8 27弘武内

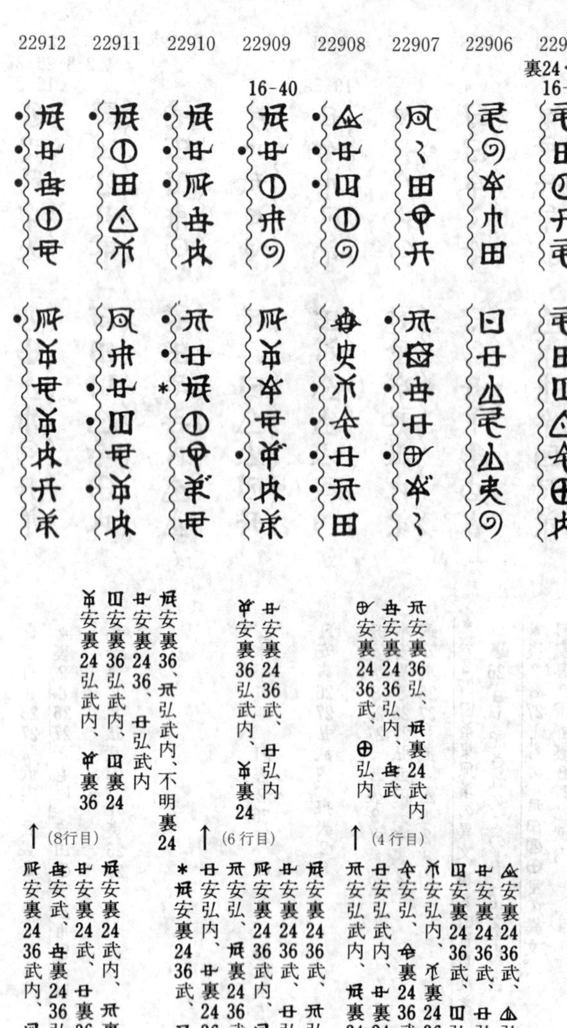

22913 16-41

22914

22915

22916

22917 16-42

22918

22919

22920

安、弘武内
安武、弘内
安武内、弘

安弘内、武

安武内、弘
安弘、武内
安武内、弘
安、弘武内
安武、弘内
安武内、弘

安弘、武内

安武、弘内
安武、弘内

↑（2行目）

安武内、弘
安武、弘内
安武内、弘
安、弘武内
安、〻弘武内

22921 裏-25 16-43

[illegible]

22922

[illegible]

22923

[illegible]

22924

[illegible]

22925 16-44

[illegible]

22926

[illegible]

22927

[illegible]

22928

[illegible]

[illegible]安裏25武、[illegible]弘内
[illegible]安武、[illegible]裏25弘内
[illegible]安裏25弘内、[illegible]武

*裏25 [illegible]の異文。
[illegible]安弘武内、[illegible]裏25
[illegible]安弘内、[illegible]裏25武
[illegible]安弘内、[illegible]裏25武
[illegible]安裏25武内、[illegible]弘
[illegible]安武内、[illegible]裏25弘
[illegible]安裏、[illegible]弘武内
[illegible]安裏25弘内、[illegible]武

22929 16-45

22930

22931

22932

22933 16-46

22934

22935

22936

安、弘武内

安弘、武内

安、弘武内

22937 16-47

[illegible]安弘、[illegible]武内

22938

22939

[illegible]安武内、[illegible]弘

22940

[illegible]安弘、[illegible]武内
[illegible]安、[illegible]弘武内

22941 16-48

[illegible]安、[illegible]弘武内
[illegible]安武内、[illegible]弘

22942

[illegible]安、[illegible]弘武内

22943

[illegible]安弘、[illegible]武内

22944

[illegible]安、[illegible]弘武内

22945 16-49

〓〓〓〓〓 〓〓〓〓〓〓〓

〓安、〓弘武内

22946

〓〓〓〓〓 〓〓〓〓〓〓〓

〓安弘、〓武内

22947

〓〓〓〓〓 〓〓〓〓〓〓〓

22948

〓〓〓〓〓 〓〓〓〓〓〓〓

〓安、〓弘、〓武内

〓安、〓弘、〓武内

22949 16-50

〓〓〓〓〓 〓〓〓〓〓〓〓

〓安、〓弘武内

22950

〓〓〓〓〓 〓〓〓〓〓〓〓

〓安武、〓弘内

〓安、〓弘武内

〓安武内、〓弘

〓安弘武、〓内

22951

〓〓〓〓〓 〓〓〓〓〓〓〓

22952

〓〓〓〓〓 〓〓〓〓〓〓〓

〓安弘、〓武内

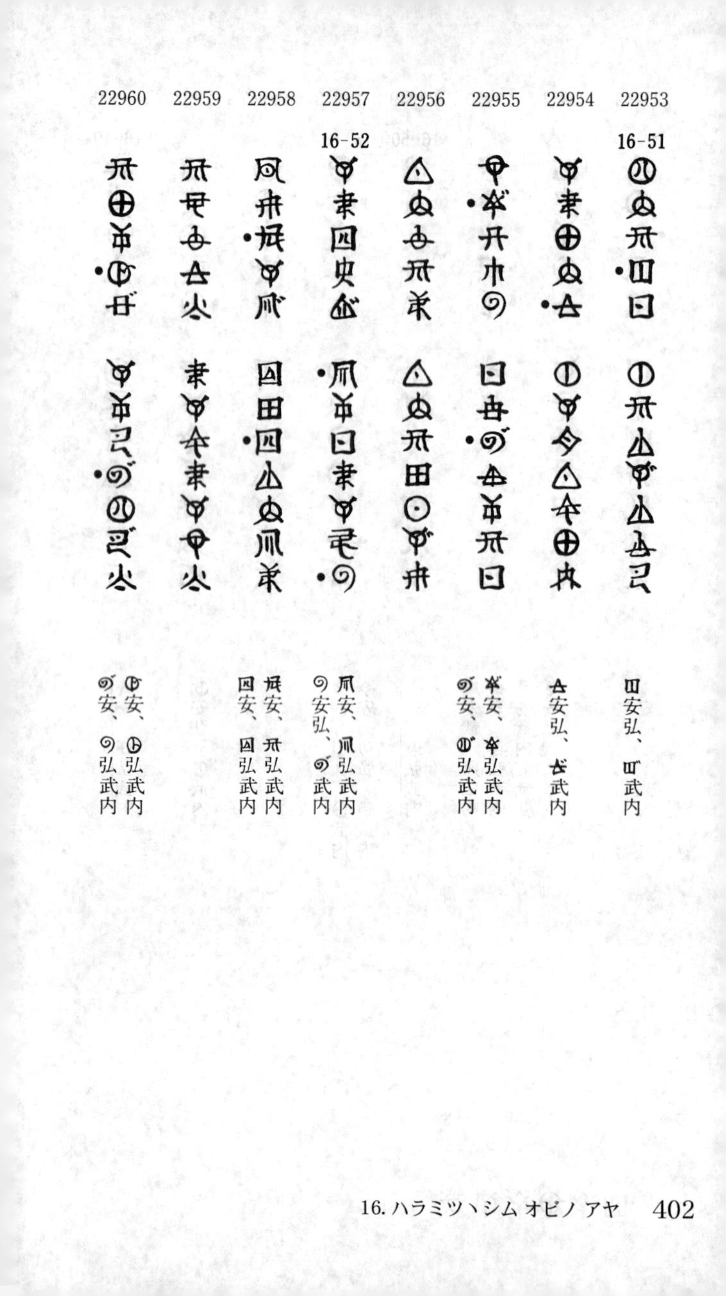

22953	22954	22955	22956	22957	22958	22959	22960
16-51				16-52			
安弘、武内	安弘、武内	安、弘武内 安、弘武内		安、弘武内 安弘、武内	安、弘武内 安、弘武内		安、弘武内 安、弘武内

22961 16-53

[illegible]

（[illegible]安武内、[illegible]弘）

22962

[illegible]

22963

[illegible]

（[illegible]安弘武、[illegible]内）

22964

[illegible]

22965 16-54

[illegible]

22966

[illegible]

22967

[illegible]

（[illegible]安、[illegible]弘武内 [illegible]安弘武、[illegible]内）

22968

[illegible]

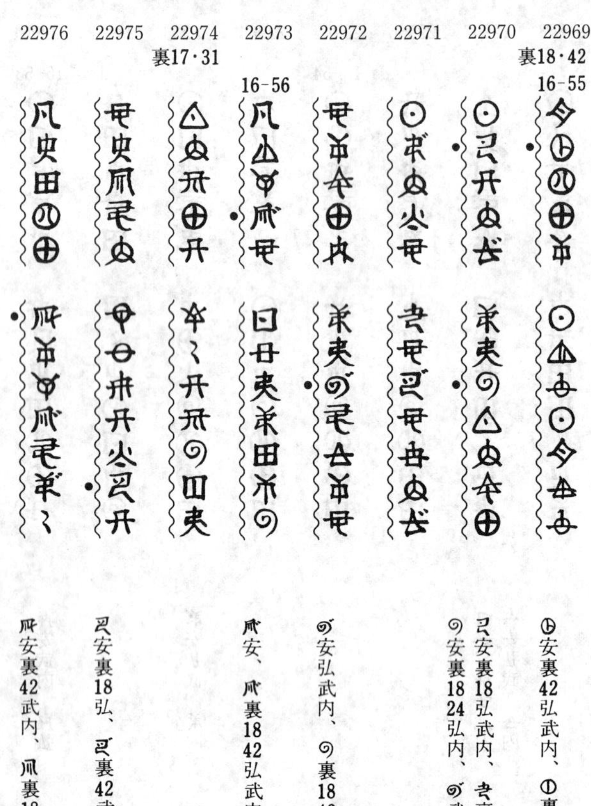

安裏42弘武内、裏18

安裏18弘武内、裏42

安裏18 24弘内、武

安弘武内、裏18 42

安、裏18 42弘武内

安裏18弘、裏42武内

安裏42武内、裏18弘

安裏17 31弘、武内
安弘武内、裏17 31

安弘武内、裏17 31

安裏17 31弘、武内

考、安、裏17、裏31弘武内
安弘武内、裏17 31

安裏17武内、裏31弘

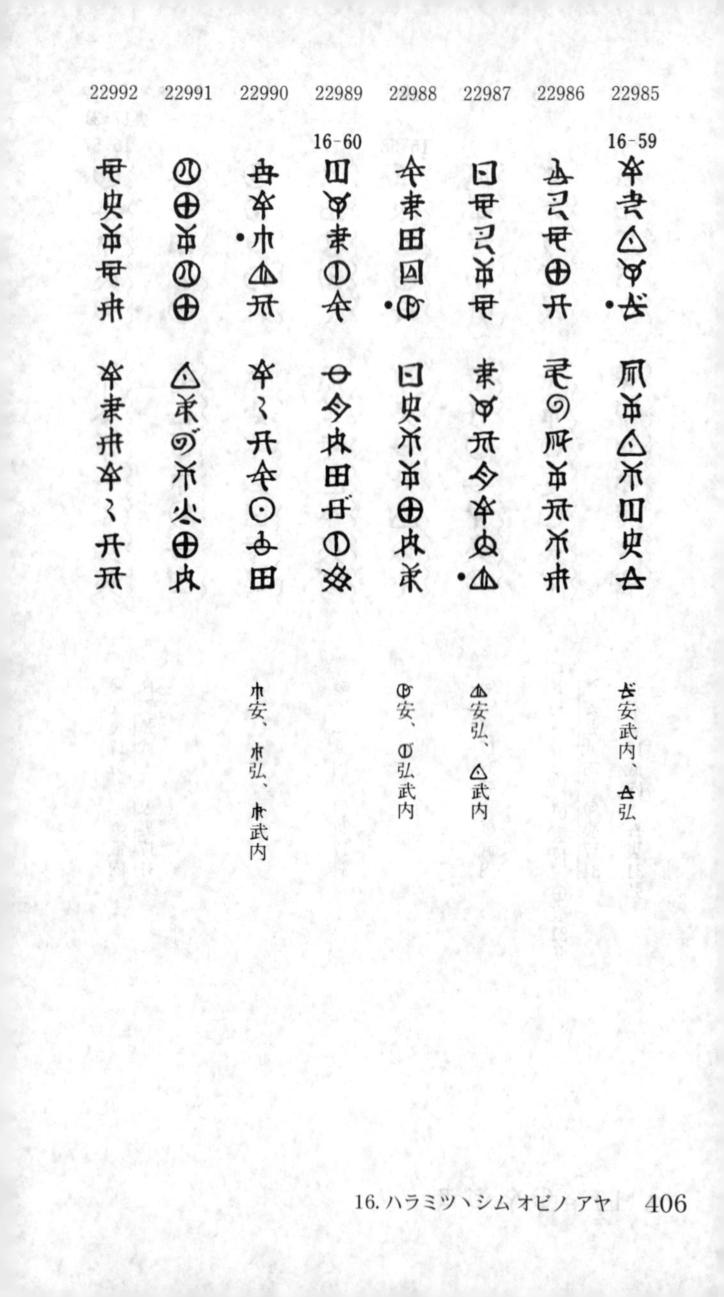

22985

16-59

安武内、弘

22986

22987

安弘、武内

22988

安、弘武内

22989

16-60

22990

安、弘、武内

22991

22992

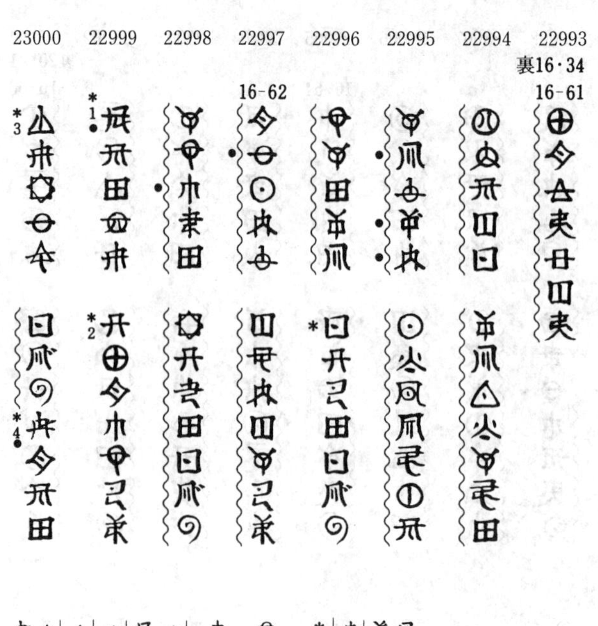

〓安、〓裏16 34弘武内

〓安、〓裏16 34弘武内

〓安弘武内、〓裏16 34

＊裏16 34ともに〓〓〓〓〓〓〓の異文。

〓安、〓裏16 34弘武内

〓安裏16 34弘、〓武内

＊1 裏16 34ともに〓〓〓〓〓の異文。

〓安武内、〓弘

＊2 裏16 34ともに、〓〓〓〓〓〓〓の異文。

＊3 裏16 34ともに、〓〓〓〓〓の異文。

＊4 裏16 34ともに、〓〓〓〓の異文。

〓安武内、〓弘

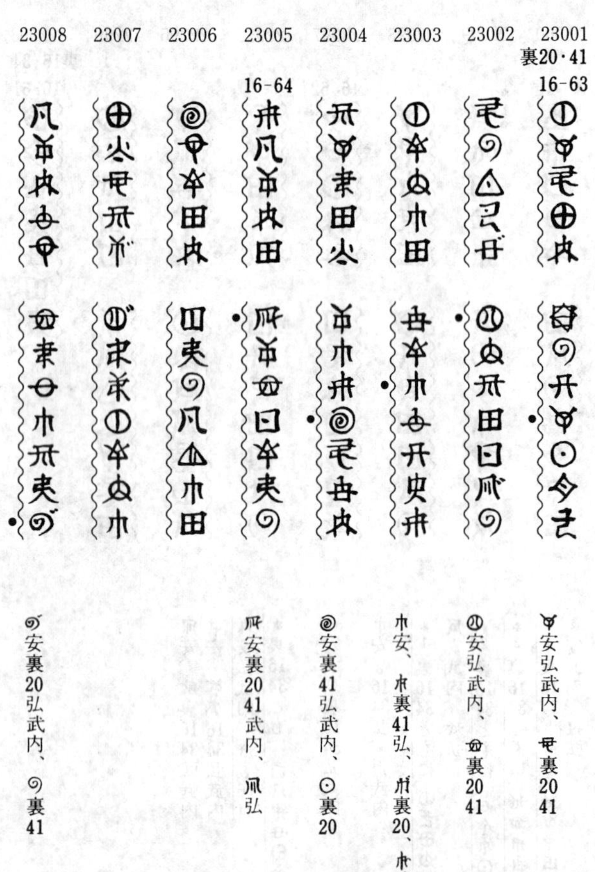
23008
23007
23006
23005
23004
23003
23002
23001
裏20・41
16-64
16-63

23016 23015 23014 23013 23012 23011 23010 23009

16-66 (23013) 16-65 (23009)

〓安弘、〓武内
〓安弘内、〓武
〓安弘、〓武内
〓安、〓弘武内
〓安弘、〓武内
〓安弘内、〓武
〓安武内、〓弘
〓安弘、〓武内
〓安弘内、〓武
〓安弘、〓武内
〓安弘、〓武内
〓安弘、〓弘内
〓安武、〓弘内
〓安、〓弘武内

23017 16-67

〓安武内、〓弘

田安、〓弘、〓武内

23018

〓安武、〓弘内

〓安武、〓弘内

〓安武内、〓弘

23019

〓安、〓弘武内

23020

〓安弘、〓武内

〓安、〓弘武内

23021 16-68

〓安弘、〓武内

〓安弘内、〓武

〓安弘内、〓武

23022

〓安、〓弘武内

23023

〓安弘、〓武内

〓安、〓弘武内

〓安弘武、〓内

23024

〓安、〓弘武内

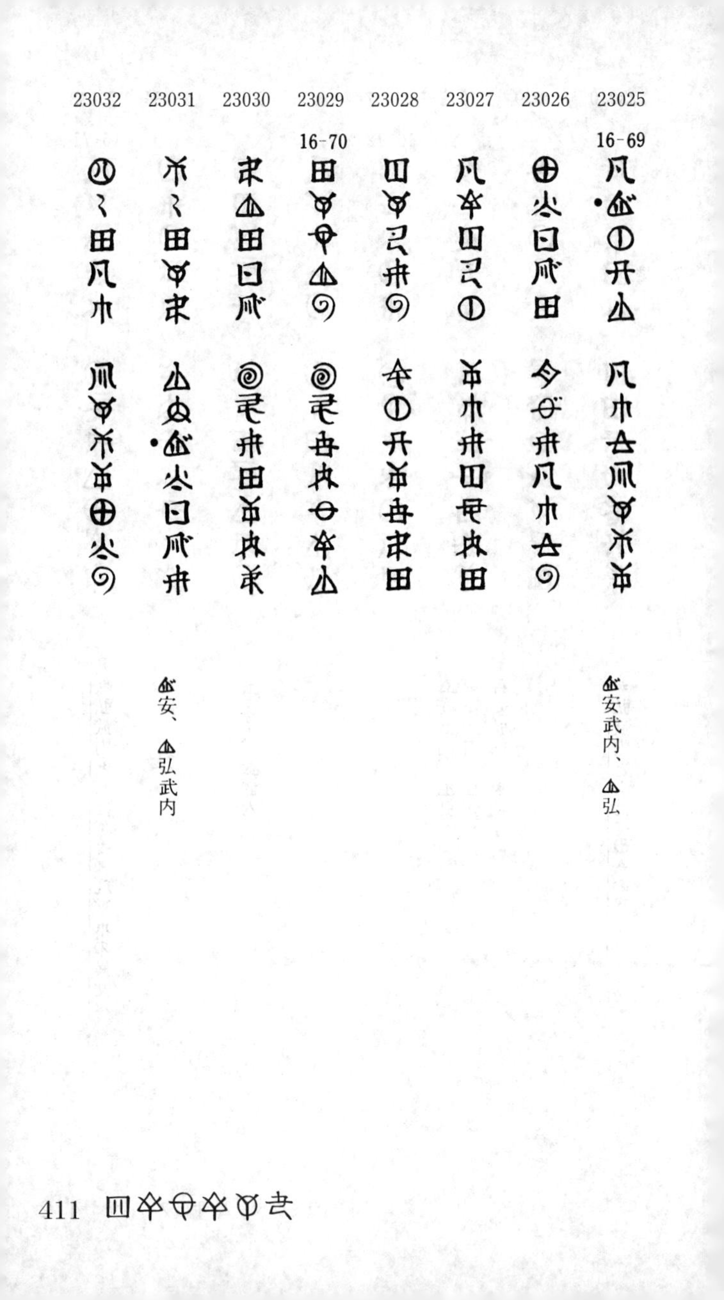

23025 16-69

安武内、弘

23026

23027

23028

23029 16-70

23030

23031

安、弘武内

23032

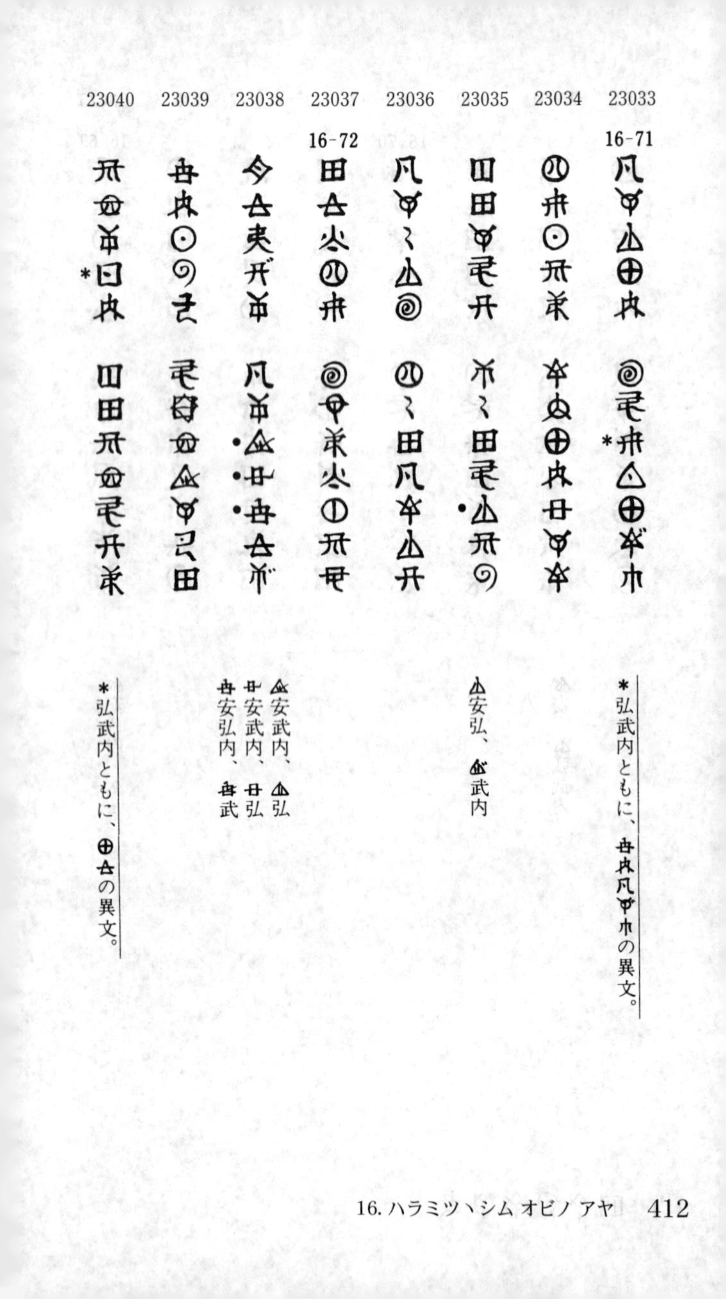

23033

16-71

*弘武内ともに、の異文。

23034

23035

安弘、武内

23036

23037

16-72

23038

安武内、弘

安武内、弘

安弘内、武

23039

23040

*弘武内ともに、の異文。

23041

16-73

〓〓〓〓〓

〓〓〓〓〓〓〓〓

23042

〓〓〓〓〓

〓〓〓〓〓〓〓

23043

〓〓〓〓〓

〓〓〓〓〓〓・〓

〓安、〓弘武内

23044

〓〓〓〓〓

〓〓〓〓〓・〓〓

〓安弘、〓武内

23045

16-74

〓〓〓〓〓

〓〓〓・〓・〓〓・〓

〓安武内、〓弘

〓安武、〓弘、〓内

〓安、〓弘武内

23046

〓〓〓〓〓

〓〓〓〓〓〓〓

23047

〓〓〓〓〓

〓〓〓〓〓・〓〓

〓安、〓弘武内

23048

〓・〓〓・〓〓

〓〓〓〓〓〓〓

〓安、〓弘、〓武、〓内

〓安、〓弘武内

23049 16-75

〓安弘、〓武内
〓安、〓弘武内

23050

〓安、〓弘武内

23051

〓安武内、〓弘

23052

23053 16-76

23054

〓安武内、〓弘
〓安武、〓弘内

23055

〓安、〓弘武内
〓安弘、〓武内

23056

〓安弘、〓武内
〓安武内、〓弘

23057 裏21・40 16-77
〓〓〓〓〓 〓〓〓〓〓〓〓〓

23058
〓〓〓〓〓 〓〓〓〓〓〓〓〓

23059
〓〓〓〓〓 〓〓〓〓〓〓〓〓

23060
〓〓〓〓〓 〓〓〓〓〓〓〓〓

23061 16-78
〓〓〓〓〓 〓〓〓〓〓〓〓〓

23062
〓〓〓〓〓 〓〓〓〓〓〓〓〓

23063
〓〓〓〓〓 〓〓〓〓〓〓〓〓

23064
〓〓〓〓〓 〓〓〓〓〓〓〓〓

〓安裏40弘武、〓裏21、〓内

〓安裏40弘武内、〓裏21

〓安裏40、〓裏21弘武内
〓安、〓裏21 40弘、〓武内
〓安弘武内、〓裏21 40

〓安弘武内、〓裏21 40

〓安裏40弘武内、〓裏21

〓安裏21 40弘、〓武内

〓安裏21 40弘武、〓内

〓安裏40弘武内、〓裏21

23065 16-79 春1-6

23066

23067

23068

23069 16-80

23070

23071

23072

安武、弘内
⊙安弘武内、弘
⊙安弘武内、◎春
⊙安弘武内、◎春
安弘武内、春
安弘武内、春
安春、弘武内
安武内、春弘
安武、春弘内
安弘武内、春
安、春弘武内
安春、弘武内
安弘武内、春
安弘武内、春
安弘武内、春
安弘、春、武内
安春弘、武内

春草一-6

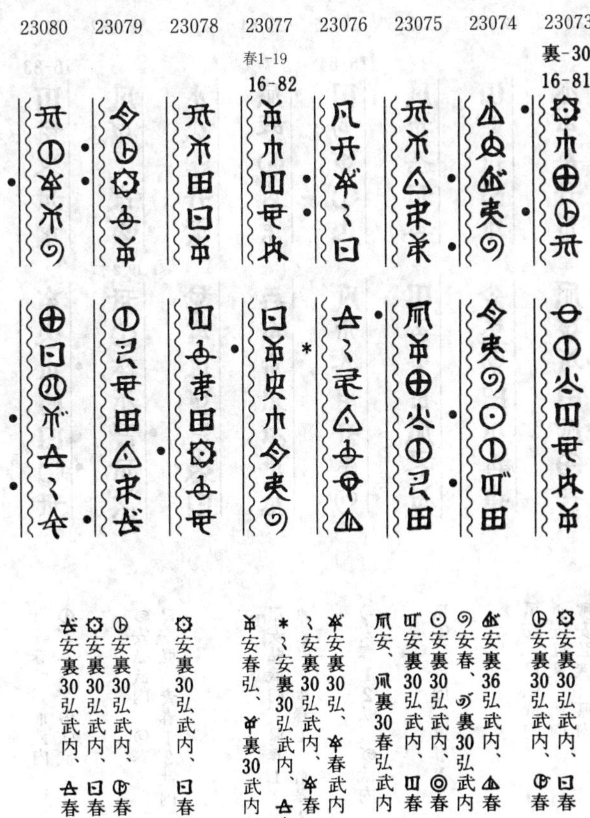

〓安裏30弘武内、〓春
〓安裏30弘武内、〓春

〓安裏36弘武内、〓春
〓安春、〓裏30弘武内

〓安裏30弘武内、〓春
〓安裏30弘武内、〓春
〓安、〓裏30春弘武内

〓安裏30弘、〓春武内
〓安裏30弘武内、〓春
*〓安裏30弘武内、〓春

〓安春弘、〓裏30武内
春草一-13

〓安裏30弘武内、〓春

〓安裏30弘武内、〓春
〓安裏30弘武内、〓春
〓安裏30弘武内、〓春

↑(8行目)
〓安春弘武内、〓裏30
〓安裏30弘武内、〓春
〓安裏30弘武内、〓春

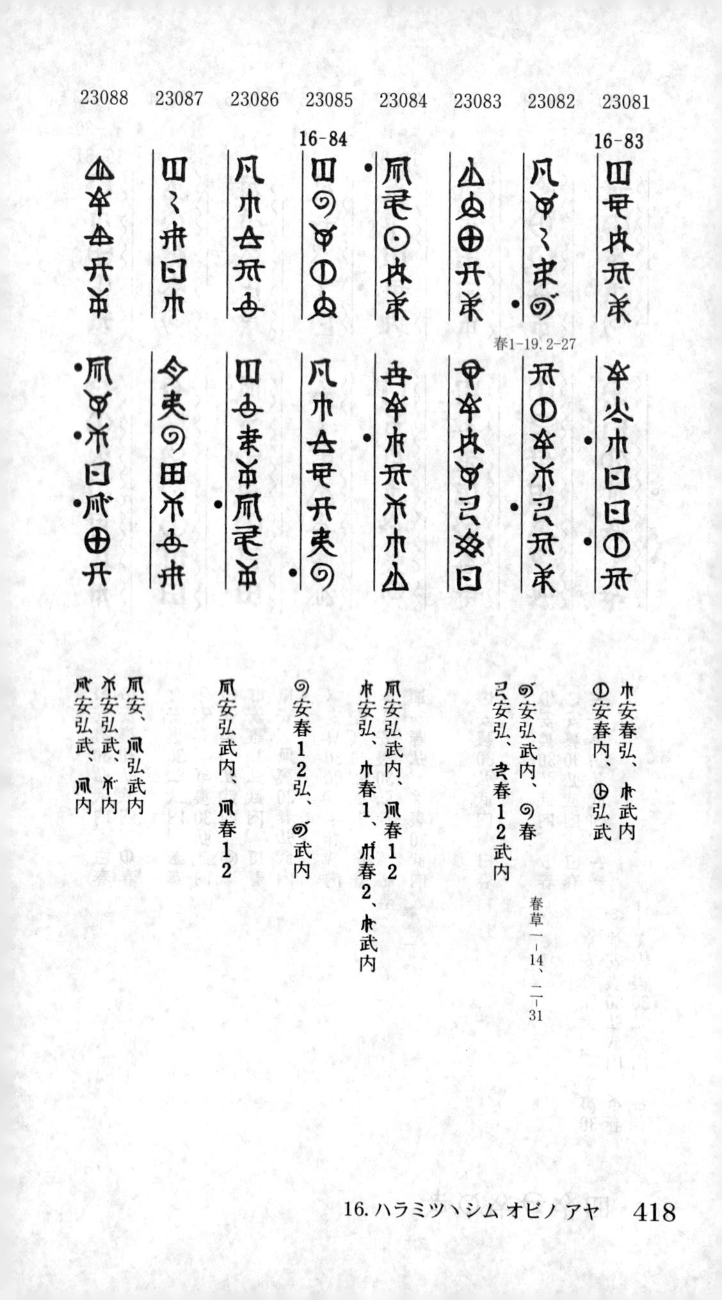

23081 16-83

安春弘、武内

安春内、弘武

23082

春1-19.2-27

安弘武内、春

安弘、春12武内

春草一-14、二-31

23083

23084

安弘武内、春12

安弘、春1、春2、武内

23085 16-84

安春12弘、武内

23086

安弘武内、春12

23087

23088

安、弘武内

安弘武、内

安弘武、内

23089 裏23・39 16-85

安裏39弘武内、裏23

23090

23091

23092

23093 16-86

安裏23弘武内、裏39

23094

安裏23 39弘武、内

23095

23096

安、裏23 39弘武内

安弘武内、裏23 39

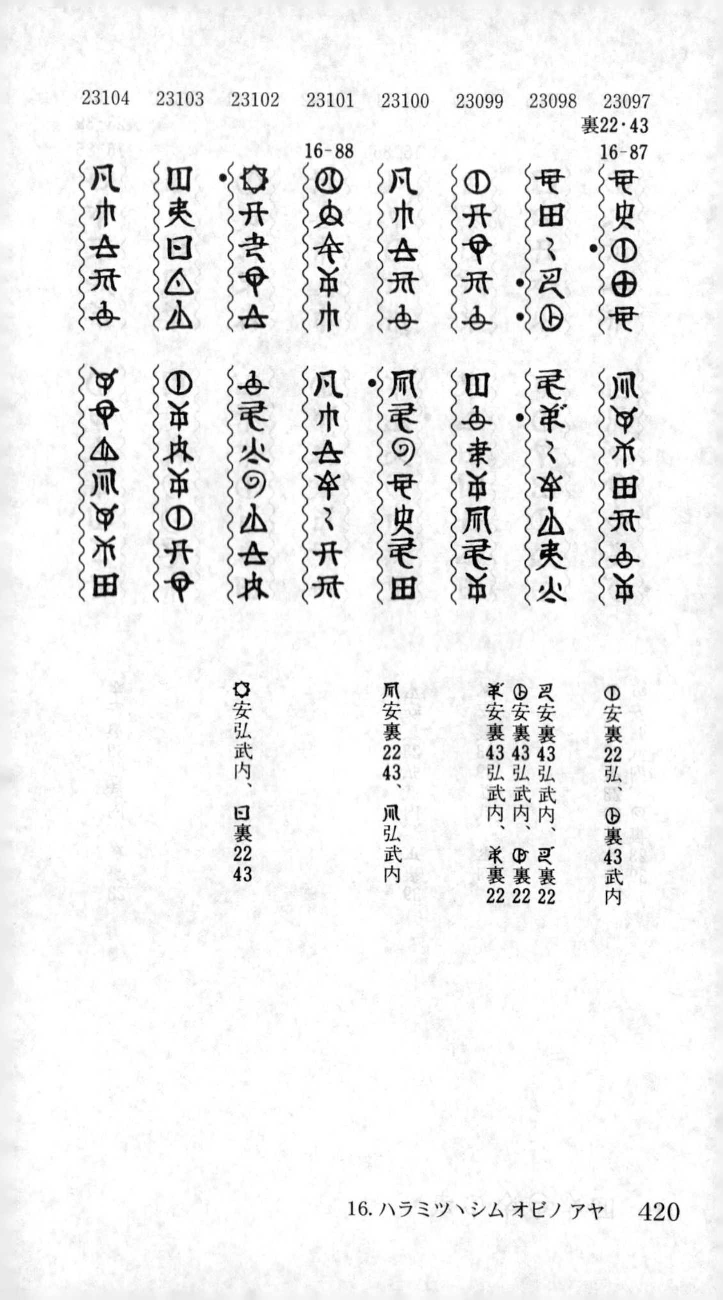

23097 裏22・43 16-87

23098

23099

23100

23101 16-88

23102

23103

23104

安裏22弘、 裏43武内

安裏43弘武内、 裏22

安裏43弘武内、 裏22

安裏43弘武内、 裏22

安裏22 43、 弘武内

安弘武内、 裏22 43

23105

16-89

安武内、弘
安、弘武内

23106

安弘、武内
安弘、武内

23107

23108

安、弘、武内
*安、弘武内

23109

16-90

安武、弘内
安武内、弘

23110

安弘、武内

23111

安、弘武内
安武内、弘
安弘、武内

23112

安武、弘内
安、弘武内

23113

16-91

安、弘武内

23114

23115

春2-27

23116

安春、弘武内

安春、弘武内

23117

16-92

23118

23119

安弘武内、春

23120

春草二-31

23121 16-93

23122

23123

23124

23125 16-94

23126

23127

23128

[illegible]安弘武内、[illegible]春

[illegible]安、[illegible]春弘武内
[illegible]安武内、[illegible]春弘

[illegible]安弘武内、[illegible]春

[illegible]安春、[illegible]弘武内
[illegible]安、[illegible]春、[illegible]弘武内
[illegible]安、[illegible]春弘武内
[illegible]安弘武内、[illegible]春

[illegible]安春弘、[illegible]武内
[illegible]安春、[illegible]弘武内

[illegible]安春、[illegible]弘武内

[illegible]安弘武内、[illegible]春
[illegible]安弘武内、[illegible]春

(5行目)↑
[illegible]安武内、[illegible]春弘
[illegible]安弘武内、[illegible]春
[illegible]安弘武内、[illegible]春

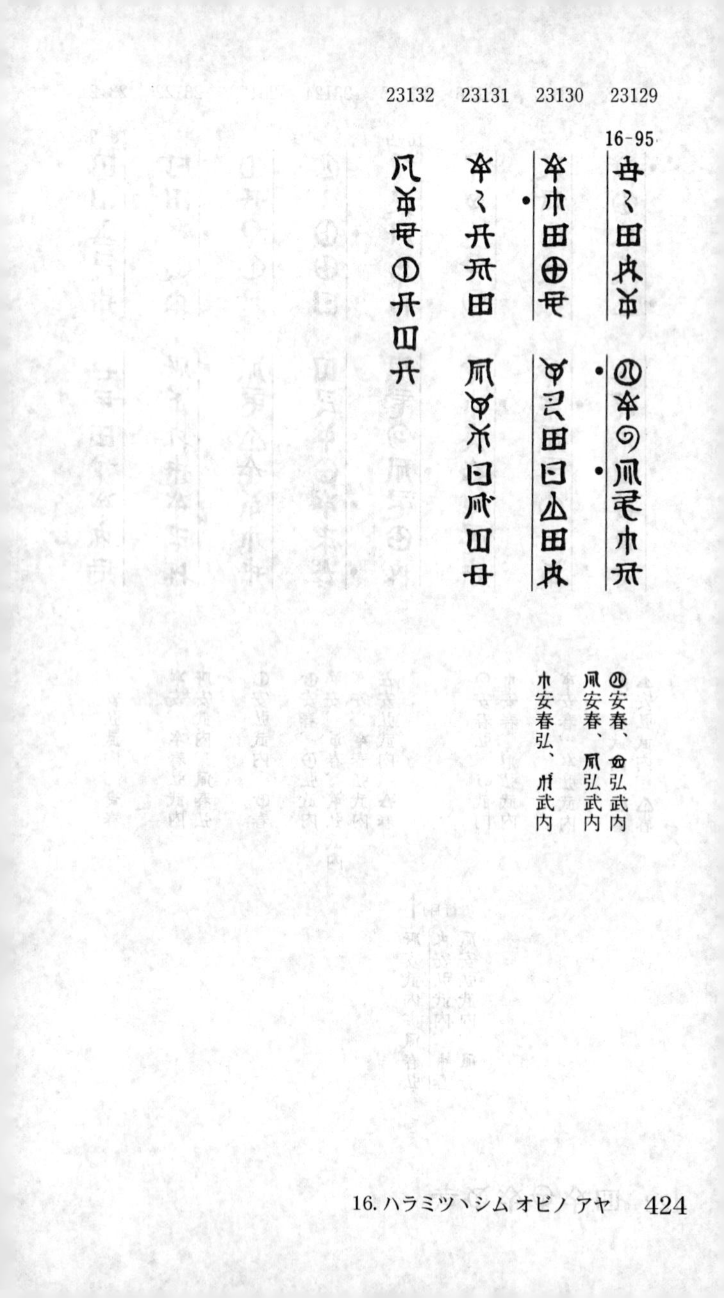

23129 16-95

23130

23131

23132

安春、弘武内

安春、弘武内

安春弘、武内

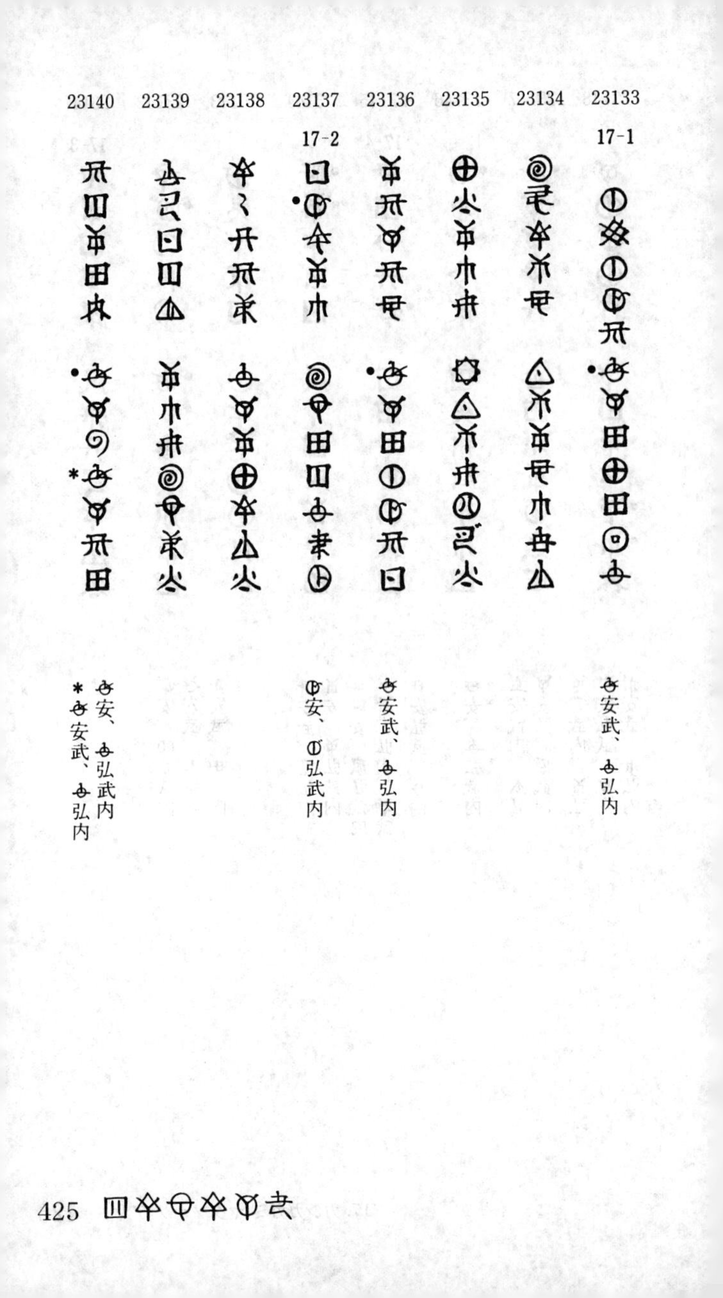

23133

17-1

安武、弘内

23134

23135

23136

安武、弘内

23137

17-2

安、弘武内

23138

23139

23140

安、弘武内

＊安武、弘内

23141

17-3

23142

23143

23144

23145

17-4

23146

23147

23148

安、弘武内

安武、弘内

安武、弘内

安武、弘内

安、弘武内

＊安、弘武内

＊安弘内、武

安弘武、内

安、弘武内

安武内、弘

安弘、武内

安武内、弘

安弘武、内

安武、弘内

23149

17-5

23150

23151

23152

23153

17-6

23154

23155

23156

安武、弘内

安、弘武内

安武内、弘

安弘、武内

安、弘武内

安、弘武内

安、弘弘武内

安、弘武内

安、弘武内

安武内、弘

安弘内、武

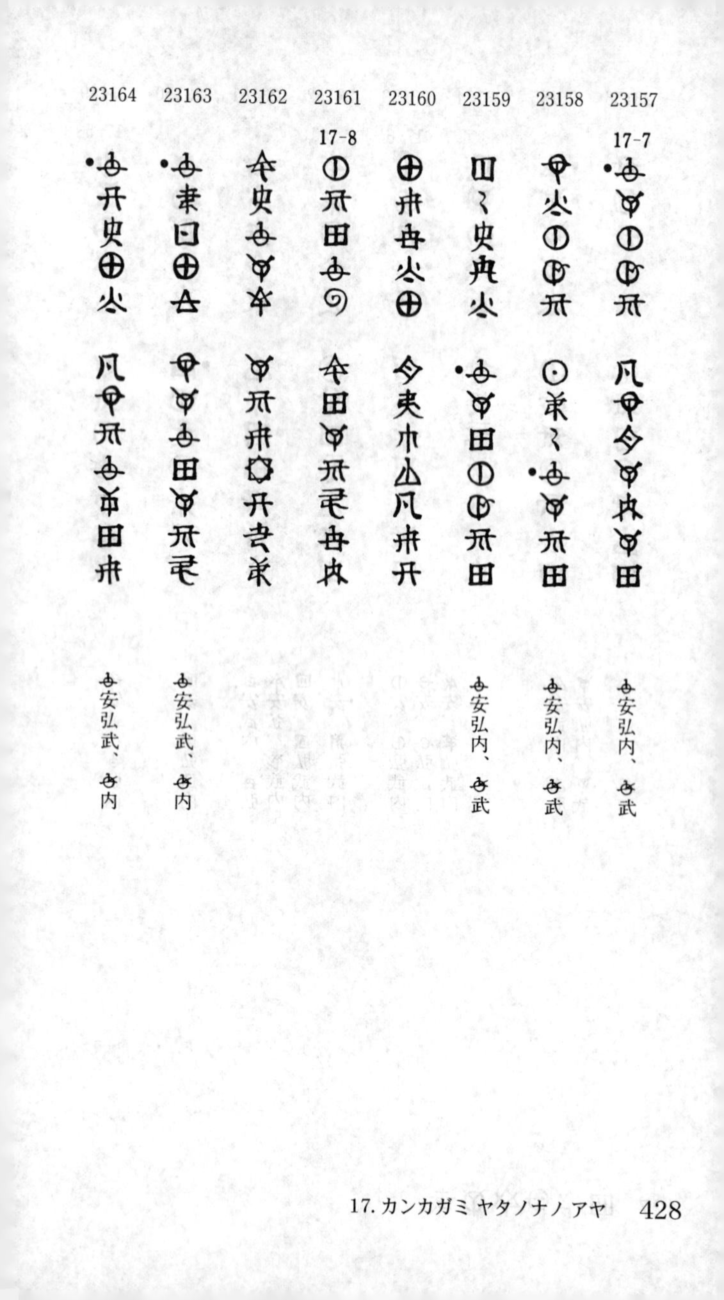

23157 17-7

安弘内、武

23158

安弘内、武

23159

安弘内、武

23160

23161 17-8

23162

23163

安弘武、内

23164

安弘武、内

23165 17-9

23166

23167

23168

23169 17-10

23170

23171

23172

（23165）安、弘武内 ＊安、弘武内 考、安弘武内

（23166）安、弘武内 安、弘武内 安、弘武内

（23168）安、弘武内

（23170）安、弘武内

（23171）安、弘武内 安弘、武内

（23172）安武内、弘 安、弘武内

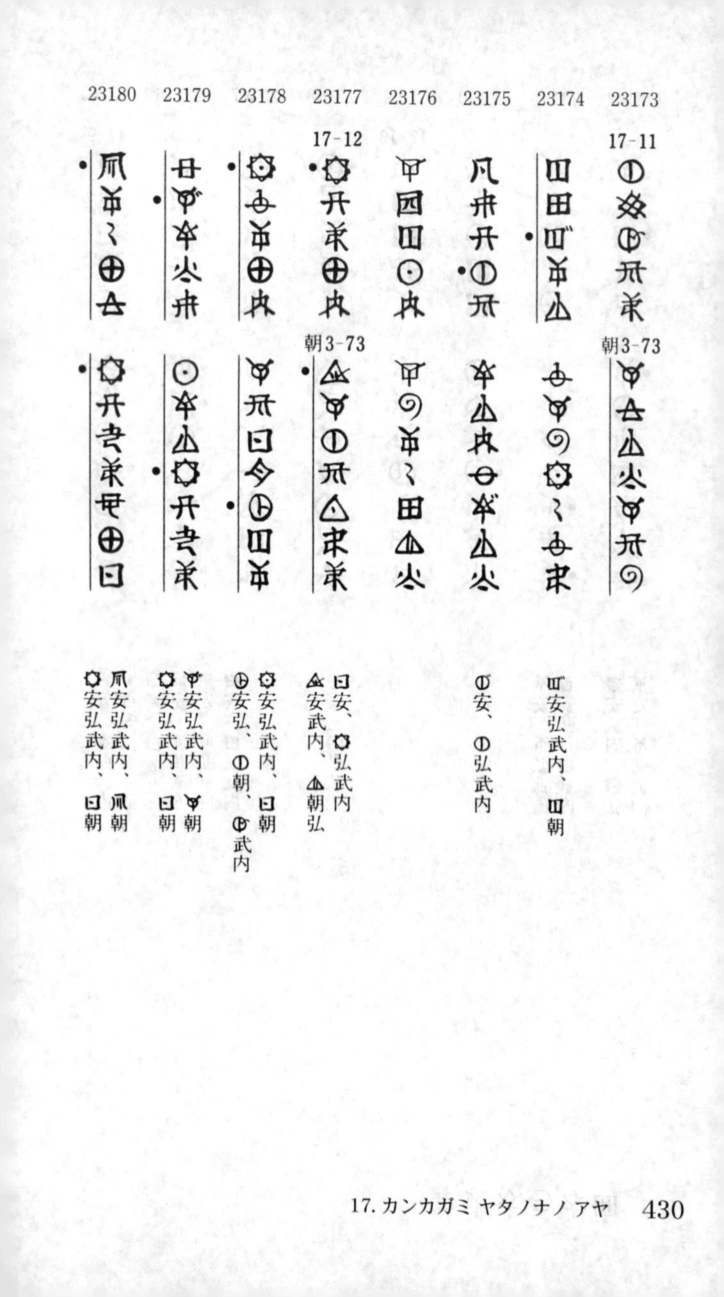

23173 17-11 朝3-73

23174

23175

23176

23177 17-12 朝3-73

23178

23179

23180

23174: 安弘武内、朝

23175: 安、弘武内

23177: 安、弘武内 / 安武内、朝弘

23178: 安弘武内、朝 / 安弘、朝、武内

23179: 安弘武内、朝 / 安弘武内、朝

23180: 安弘武内、朝 / 安弘武内、朝

23181 17-13 / 23182 / 23183 / 23184 / 23185 17-14 / 23186 / 23187 / 23188

〓安弘武内、〓朝

〓安、〓朝、〓弘武内

〓安、〓朝、〓弘武内

〓安弘武内、〓朝

〓安弘武内、〓朝

〓安朝、〓弘武内

〓安弘武内、〓朝

〓安弘武内、〓朝

〓安弘武内、〓朝

〓安、〓朝、〓弘武内

〓安弘武内、〓朝

〓安、〓朝弘武内

〓安弘武内、〓朝

〓安朝、〓弘武内

↑（8行目）

〓安弘武内、〓朝

〓安、〓朝弘武内

〓安朝、〓弘武内

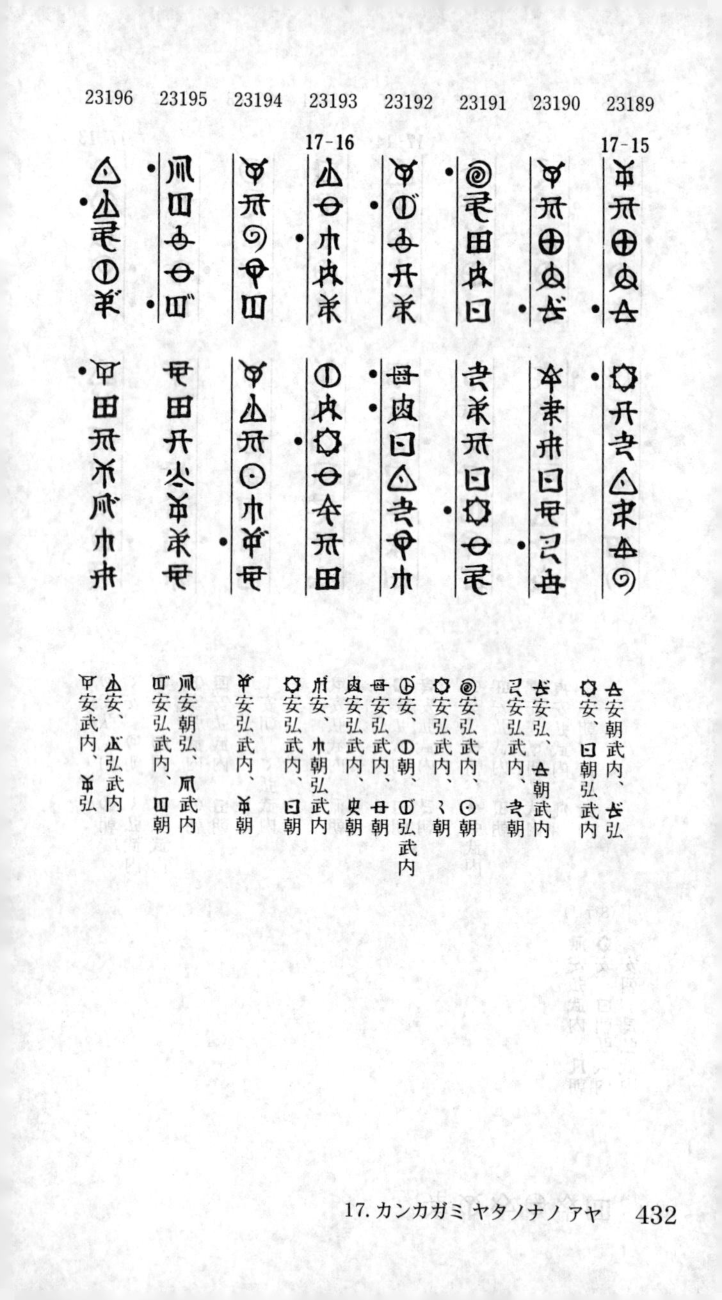

23189 17-15

23190

23191

23192

23193 17-16

23194

23195

23196

安朝武内、弘
安、朝弘武内
安弘、朝武内
安弘武内、朝
安弘武内、朝
安弘武内、朝
安、朝、弘武内
安弘武内、朝
安弘武内、朝
安、朝弘武内
安弘武内、朝
安弘武内、朝
安朝弘、武内
安弘武内、朝
安、弘武内
安武内、弘

23197 17-17

23198

23199

安、弘武内

23200

23201 17-18

安弘武、内

23202

23203

23204

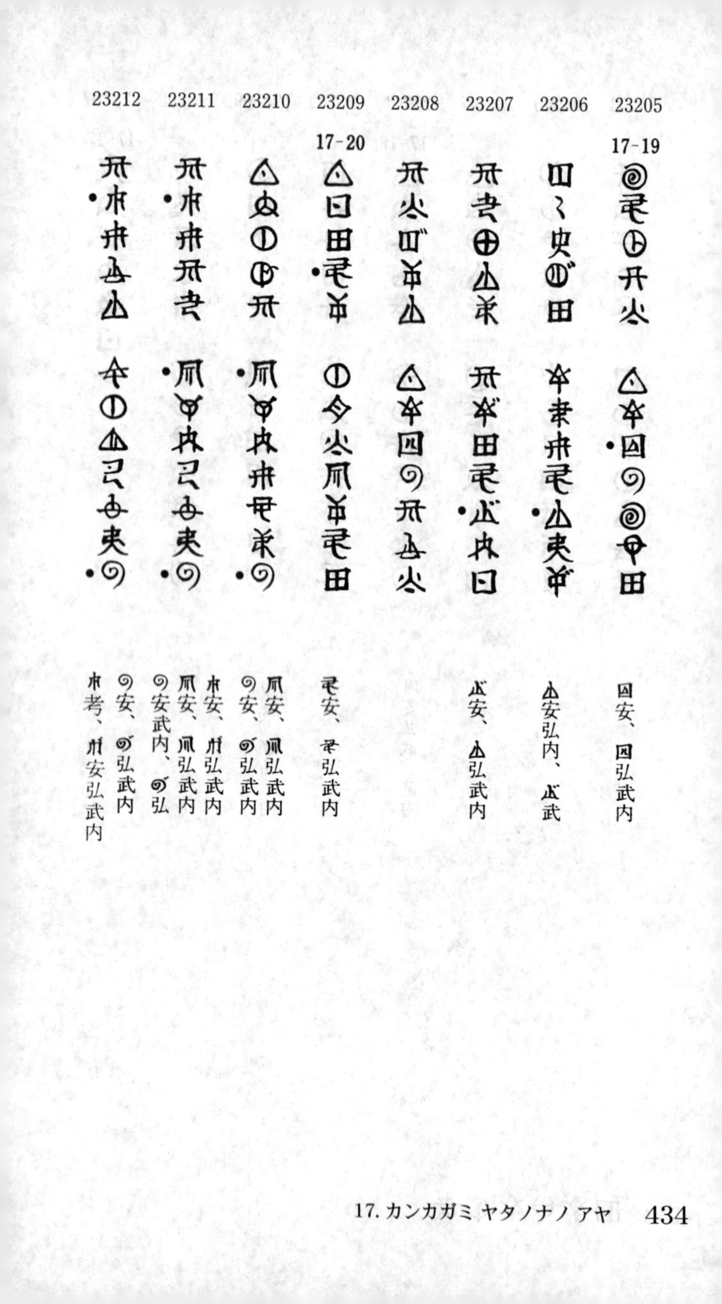

23212	23211	23210	23209	23208	23207	23206	23205
			17-20				17-19

23205: 安、弘武内

23206: 安弘内、武

23207: 安、弘武内

23209: 安、弘武内

23210: 安、弘武内 / 安、弘武内

23211: 安、弘武内 / 安、弘武内 / 安武内、弘

23212: 安、弘武内 / 考、安弘武内

23220 23219 23218 23217 23216 23215 23214 23213

17-22 (23217)

17-21 (23213)

23215: ⊙安、◦弘、◎武内

23219 / 23220:

安武、弘内

安武、弘内

安武内、弘

安武、弘内

安弘内、武

安武、弘内

安武内、弘

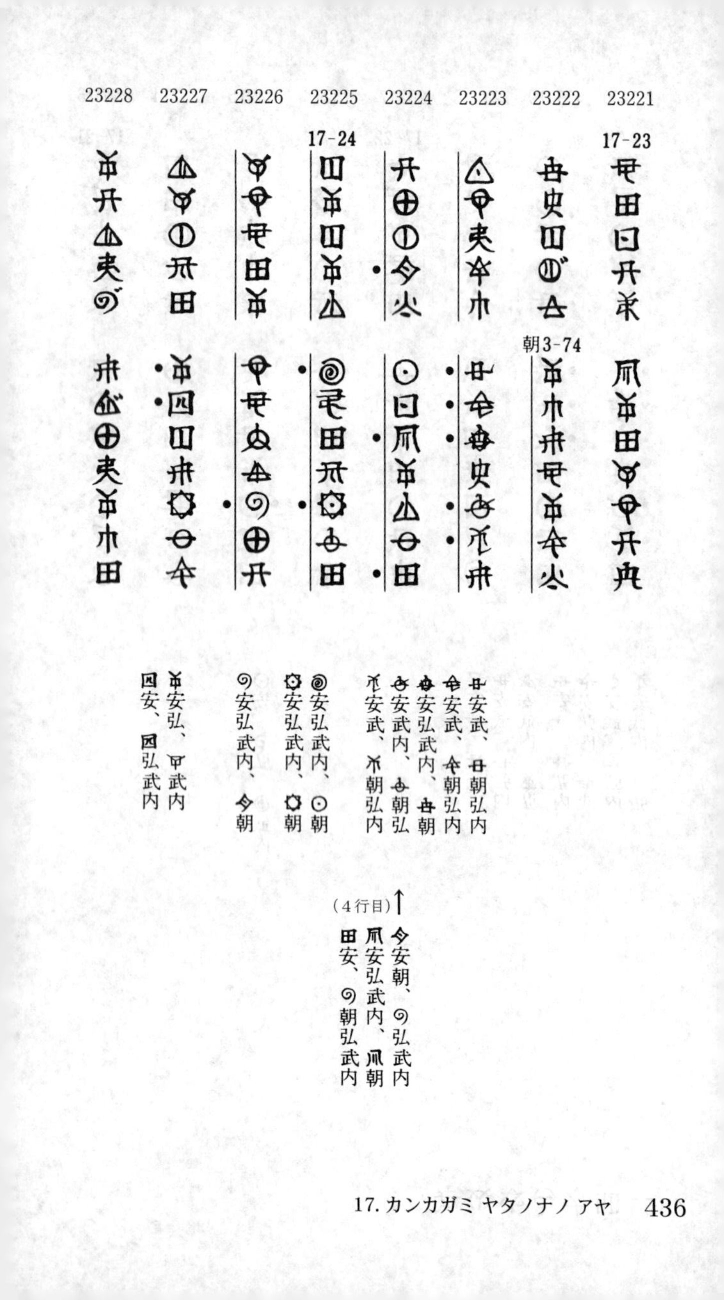

23221 17-23

23222 朝3-74

23223

23224

23225 17-24

23226

23227

23228

安武、朝弘内
安武、朝弘内
安弘武内、朝
安武内、朝弘
安武、朝弘内
安弘武内、朝
安弘武内、朝
安弘武内、朝
安弘、武内
安、弘武内

（4行目）↑
安朝、弘武内
安弘武内、朝
安、朝弘武内

23229

17-25

23230

安、弘武内

23231

23232

23233

17-26

安、弘武内

23234

安、弘武内

23235

安、弘、武内

安、弘武内

23236

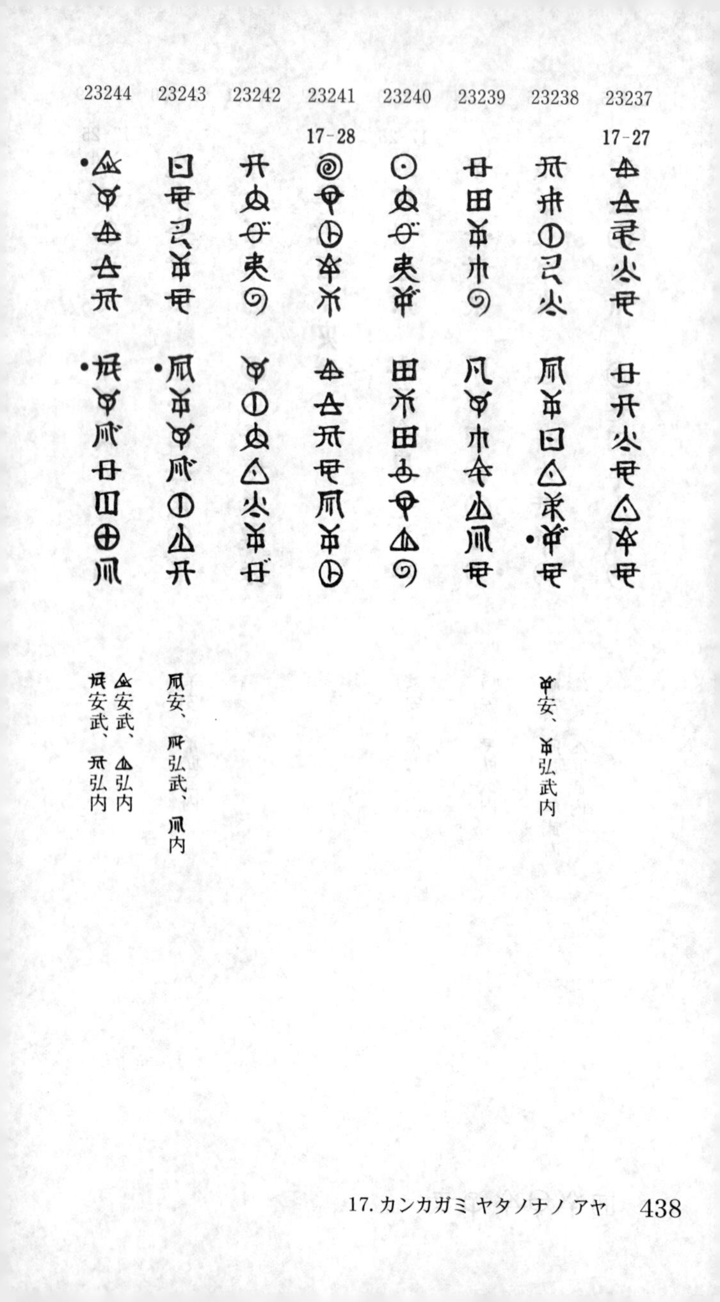

17-27

23237

23238

安、弘武内

23239

23240

17-28

23241

23242

23243

安、弘武、内

23244

安武、弘内

安武、弘内

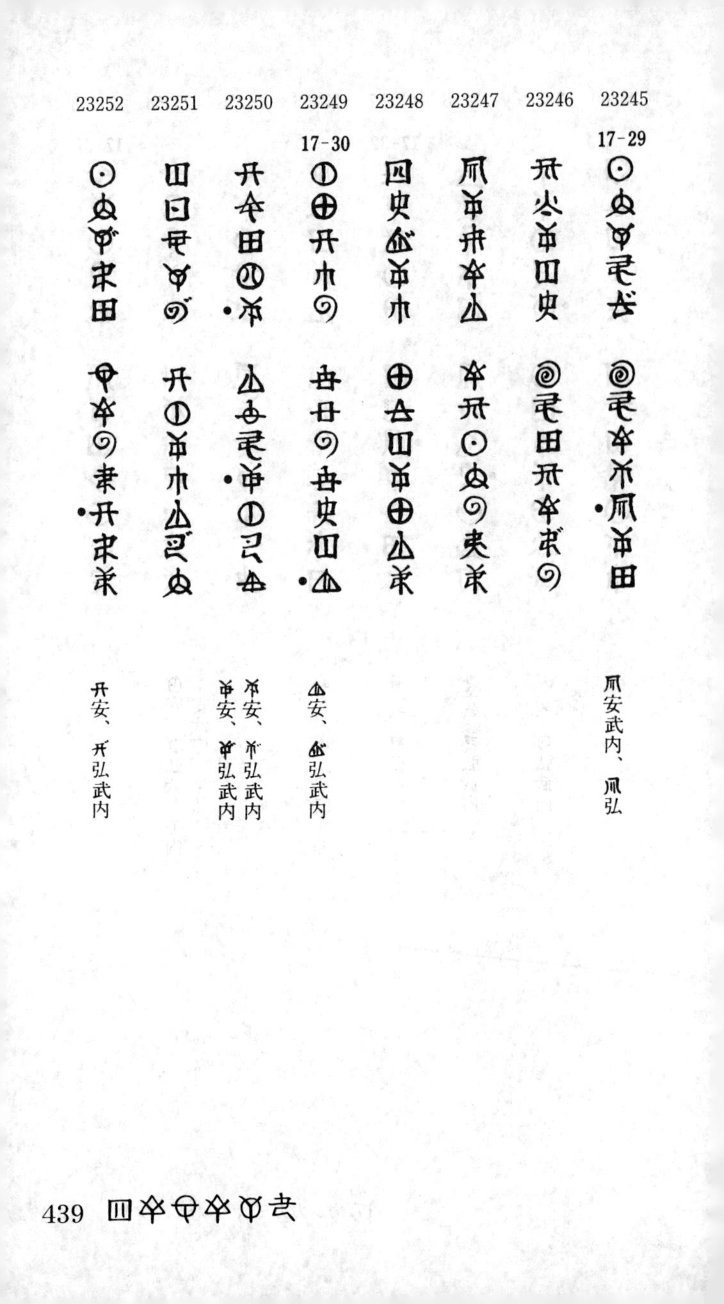

23245

17-29

安武内、弘

23246

23247

23248

23249

17-30

安、弘武内

23250

安、弘武内

安、弘武内

23251

23252

安、弘武内

23253 17-31

23254

[illegible]安、[illegible]弘武、[illegible]内
[illegible]安武内、[illegible]弘

23255

23256

[illegible]安、[illegible]弘武内

23257 17-32

[illegible]安、[illegible]弘武内

23258

[illegible]安、[illegible]弘武内

23259

[illegible]安、[illegible]弘武内

23260

23261 17-33

安武内、弘
安、弘武内

23262

安、弘、武内

23263

安、弘武内

23264

安、弘武内

23265 17-34

23266

23267

23268

安、弘武内
安武内、弘

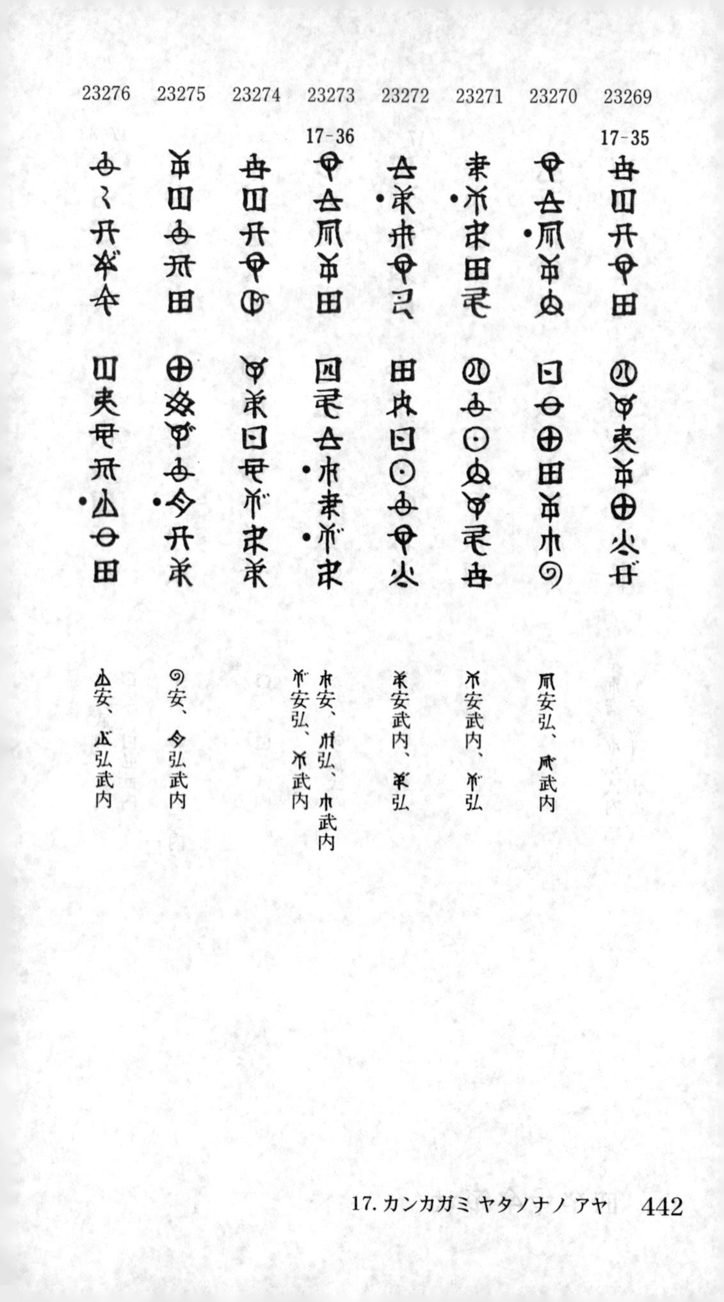

23269
17-35

23270

23271

23272

23273
17-36

23274

23275

23276

安弘、武内

安武内、弘

安武内、弘

安、弘、武内
安弘、武内

安、弘武内

安、弘武内

23284	23283	23282	23281	23280	23279	23278	23277
			17-38				17-37

23278: 安弘武、内 / 安、弘武内

23280: 安、弘武内

23281: 安、弘武内

23282: 安、弘武内 / 安、弘武内

23283: 安、弘武内

23285 17-39

[illegible]

[illegible]安、[illegible]弘武内
[illegible]考、[illegible]安、[illegible]弘武内

23286

[illegible]

[illegible]安武内、[illegible]弘
[illegible]安、[illegible]弘武内
[illegible]安、[illegible]弘武内

23287

[illegible]

[illegible]安、[illegible]弘武内

23288

[illegible]

[illegible]安、[illegible]弘武内

23289 17-40

[illegible]

[illegible]安弘、[illegible]武内
[illegible]安、[illegible]弘武内

23290

[illegible]

[illegible]安、[illegible]弘武内

23291

[illegible]

[illegible]安武内、[illegible]弘

23292

[illegible]

[illegible]安、[illegible]弘武内
[illegible]安、[illegible]弘武内

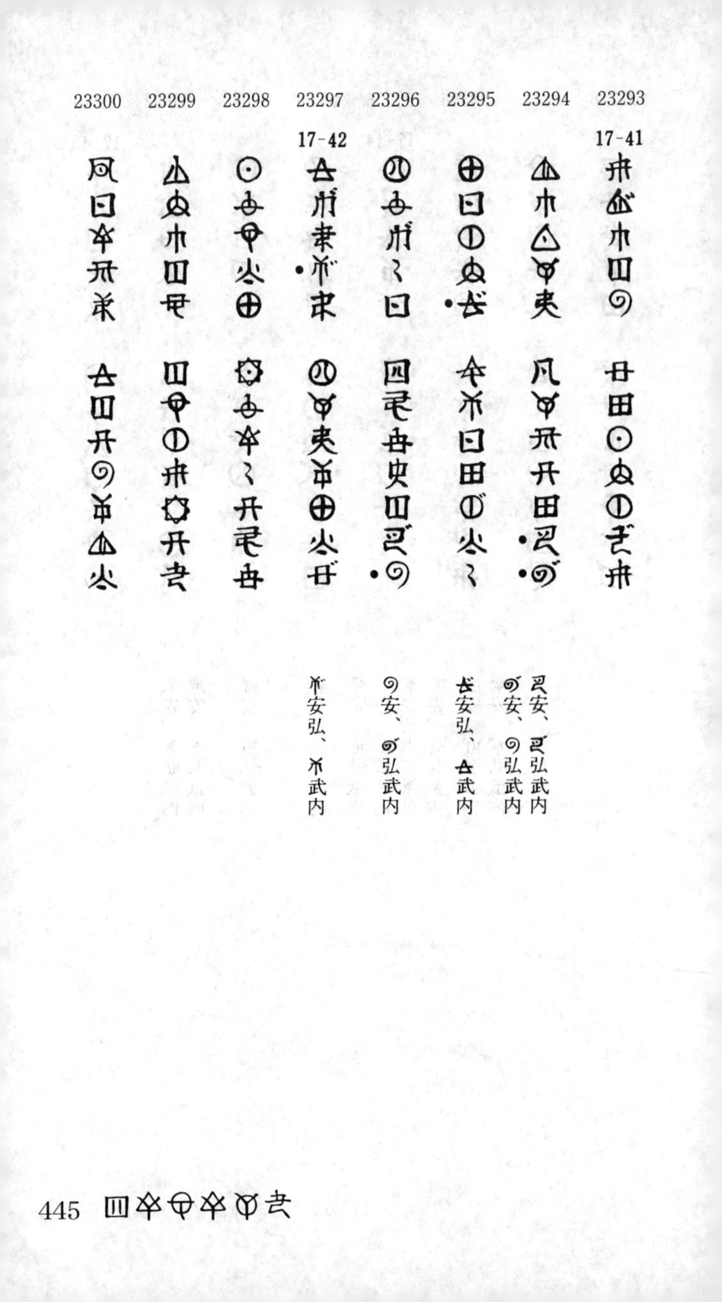

23293

17-41

23294

安、弘武内

安、弘武内

23295

安弘、武内

23296

安、弘武内

23297

17-42

安弘、武内

23298

23299

23300

23301 17-43

〓〓〓〓〓 〓〓〓〓〓〓〓

23302

〓〓〓〓〓 〓〓〓〓〓〓〓

23303

〓〓〓〓〓 〓〓〓〓〓〓〓

23304

〓〓〓〓〓 〓〓〓〓〓〓〓

23305 17-44

〓〓〓〓〓 〓〓〓〓〓〓〓

23306

〓〓〓〓〓 〓〓〓〓〓〓〓

23307

〓〓〓〓〓 〓〓〓〓〓〓〓

23308

〓〓〓〓〓 〓〓〓〓〓〓〓

〓安、〓弘武内

〓安、〓弘武内

〓安、〓弘武内

〓安弘武、〓内

〓安、〓弘武内

〓安、〓弘武内

〓安武内、〓弘

〓安、〓弘武内

〓安、〓弘武内

〓安、〓弘武内

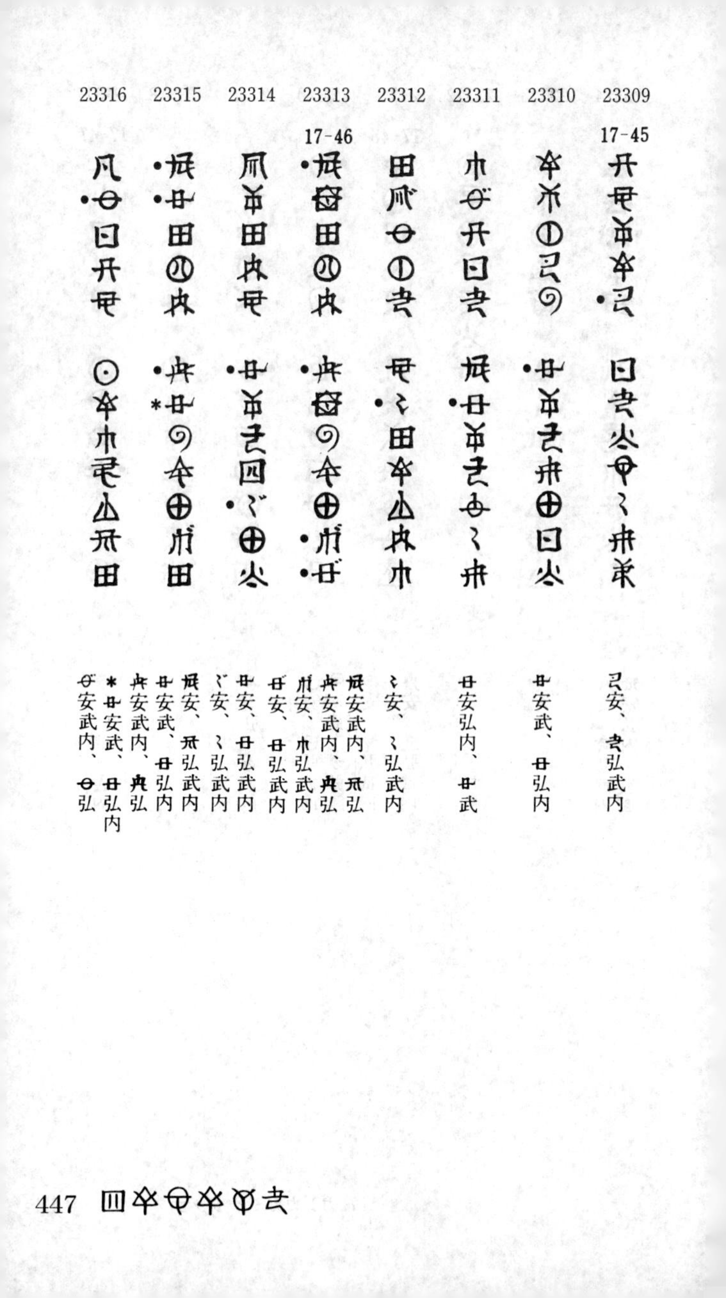

23309 17-45 [illegible]

23310 [illegible]

23311 [illegible]

23312 [illegible]

23313 17-46 [illegible]

23314 [illegible]

23315 [illegible]

23316 [illegible]

[illegible]安、[illegible]弘武内

[illegible]安武、[illegible]弘内

[illegible]安弘内、[illegible]武

[illegible]安、[illegible]弘武内

[illegible]安武内、[illegible]弘

[illegible]安武内、[illegible]弘

[illegible]安、[illegible]弘武内

[illegible]安、[illegible]弘武内

[illegible]安、[illegible]弘武内

[illegible]安、[illegible]弘武内

[illegible]安、[illegible]弘武内

[illegible]安武、[illegible]弘内

[illegible]安武内、[illegible]弘

*[illegible]安武、[illegible]弘内

[illegible]安武内、[illegible]弘

23317　17-47

■安弘武、■内

23318

23319

■安弘、■武内

23320

■安、■弘武内
■安武内■弘

23321　17-48

■安、■弘武内
■安、■弘武内

23322

23323

23324

■安、■弘武内
■安弘内、■武

23325
17-49

23326
安、弘武内

23327
安、弘武内

23328

23329
17-50

23330

23331

23332
安、弘武内
安、弘武内

23333 17-51

23334

安弘、武内

23335

23336

安、弘武内

23337 17-52

23338

23339

安、弘武内

安、弘武内

23340

23348

23347

23346

23345 17-54

23344

23343

23342

23341 17-53

23343: [illegible]安、[illegible]弘武内

23344: [illegible]安弘、[illegible]武内

23344: [illegible]安武、[illegible]弘内

23344: [illegible]安、[illegible]弘武内

23348: [illegible]安、[illegible]弘武内

23349 17-55

23350
[Woshite]安、[Woshite]弘武内
[Woshite]安、[Woshite]弘武内

23351
[Woshite]安武内、[Woshite]弘

23352
[Woshite]安、[Woshite]弘武内

23353 17-56

23354

23355
[Woshite]考、[Woshite]安弘武内

23356

23357 (17-57)

安弘、武内

23358

安、弘武内

安武内、弘

23359

安弘、武内

安弘、武内

23360

安弘内、武

23361 (17-58)

安弘武、内

23362

安弘武、内

23363

安、弘武内

安弘、武内

23364

23365 17-59

23366

23367

23368

23369 17-60

23370

23371

23372

安弘、武内
安弘武、内

安、弘武内

安弘内、武

安、弘武内
安、弘武内

安武内、弘
安武、弘内
安、弘武内

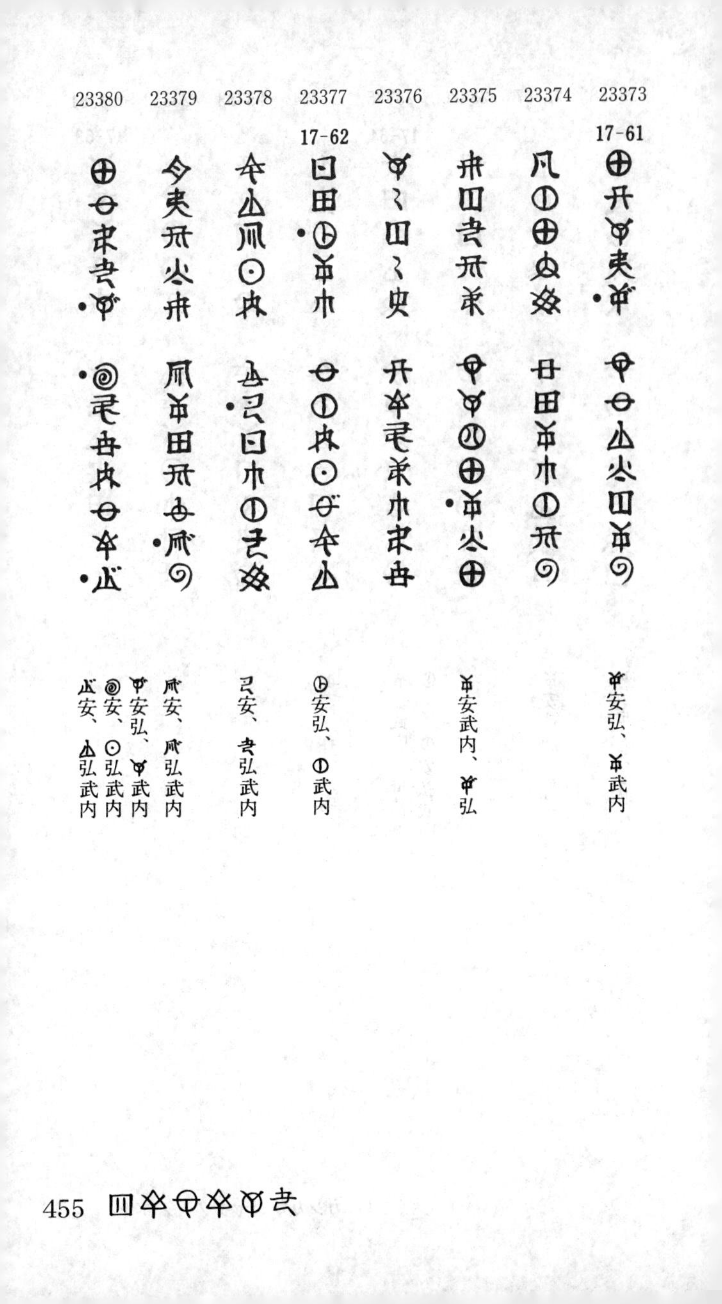

23373 17-61

安弘、武内

23374

23375

安武内、弘

23376

23377 17-62

安弘、武内

23378

安、弘武内

23379

安、弘武内

23380

安弘、武内

安、弘武内

安、弘武内

23381
17-63
〓〓〓〓〓 〓〓〓〓〓〓〓

23382
〓〓〓〓〓 〓〓〓〓〓〓〓

23383
〓〓〓〓〓 〓〓〓〓〓〓〓

23384
〓〓〓〓〓 〓〓〓〓〓〓〓

〓安、〓弘武内

23385
17-64
〓〓〓〓〓 〓〓〓〓〓〓〓

〓安武内、〓弘
〓考、〓安弘武内

23386
〓〓〓〓〓 〓〓〓〓〓〓〓

23387
〓〓〓〓〓 〓〓〓〓〓〓〓

〓安武内、〓弘

23388
〓〓〓〓〓 〓〓〓〓〓〓〓

〓安弘、〓武内

23389

17-65

23390

23391

23392

23393

17-66

23394

23395

23396

安、弘武内

安、弘武内

安、弘武内

23397
17-67
〓〓〓〓〓
〓〓〓〓〓〓〓
〓安、〓弘武内
〓安内、〓弘武

23398
〓〓〓〓〓
〓〓〓〓〓〓〓
〓安、〓弘武内

23399
〓〓〓〓〓
〓〓〓〓〓〓〓
〓安、〓弘武内

23400
〓〓〓〓〓
〓〓〓〓〓〓〓
〓安、〓弘武内

23401
17-68
〓〓〓〓〓
〓〓〓〓〓〓〓
〓安、〓弘武内

23402
〓〓〓〓〓
〓〓〓〓〓〓〓

23403
〓〓〓〓〓
〓〓〓〓〓〓〓
〓安、〓弘武内

23404
〓〓〓〓〓
〓〓〓〓〓〓〓
〓安武内、〓弘

23405

17-69

〓〓〓〓〓

〓〓〓〓〓〓〓

23406

〓〓〓〓〓

〓〓〓・〓〓〓〓

〓安武内、〓弘

23407

〓〓〓〓〓

〓〓〓〓〓・〓〓

〓安武内、〓弘

23408

〓〓〓〓〓

〓〓〓〓〓〓〓

23409

17-70

〓〓〓〓〓

〓〓〓〓・〓〓〓

〓安、〓弘武内

23410

〓〓〓〓〓

〓〓〓〓〓〓〓

23411

〓〓〓〓〓

〓〓〓〓・〓・〓〓

〓安内、〓弘武

〓安弘、〓武内

23412

〓〓〓〓〓

〓〓〓〓〓〓・〓

〓安、〓弘武内

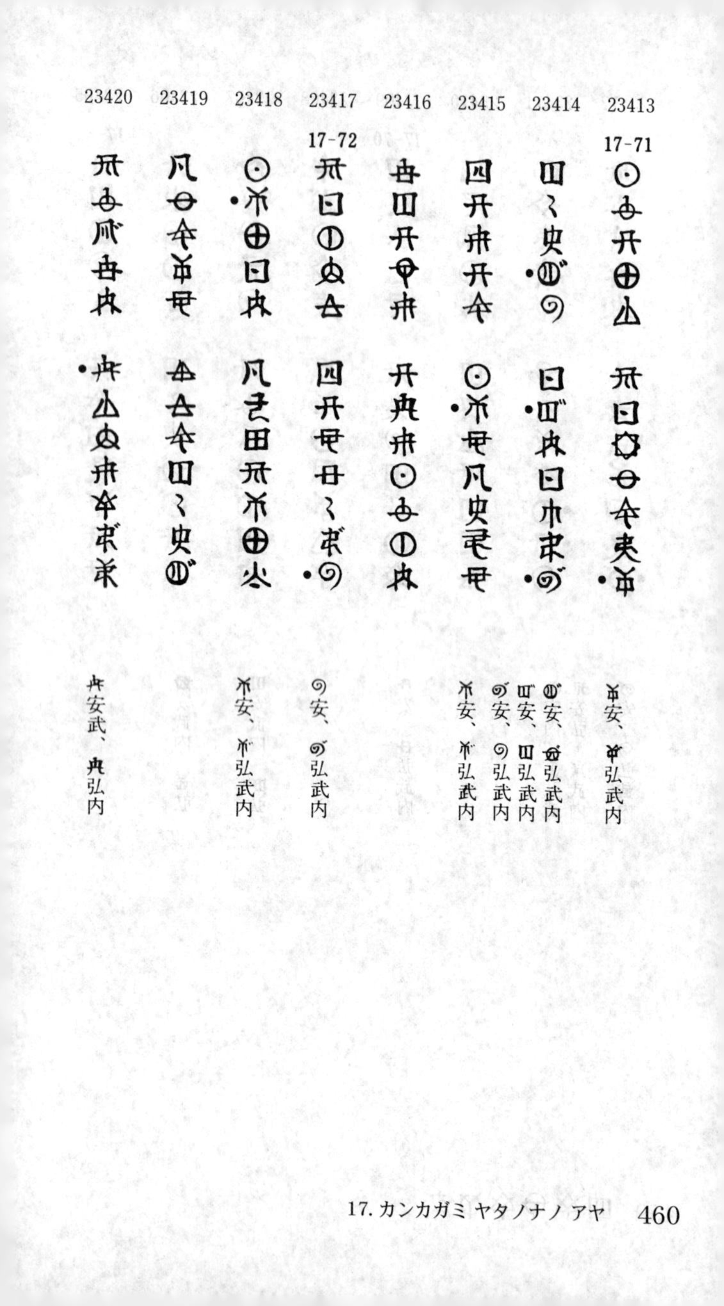

23413
17-71

安、弘武内

23414

安、弘武内

安、弘武内

23415

安、弘弘武内

安、弘武内

23416

23417
17-72

安、弘武内

23418

安、弘武内

23419

23420

安武、弘内

23421 17-73

安、弘武内

23422

安、弘武、内

23423

安弘、武内

安、弘武内

23424

安、弘武内

23425 17-74

23426

23427

23428

安、弘武内

23429 17-75

23430

23431

考、安弘武内

23432

23433 17-76

23434

安、弘武内

23435

安、弘武内

安、弘武内

23436

安武、弘内

安、弘武内

23437

17-77

23438

23439

23440

〓安、〓弘武内

23441

17-78

23442

〓安弘、〓武内

23443

〓安、〓弘武内

23444

〓安弘武、〓内

〓安武内、〓弘

23445 17-79

[illegible]安、[illegible]弘武内

23446

[illegible]安、[illegible]弘武内
[illegible]安、[illegible]弘武内

23447

23448

23449 17-80

[illegible]安、[illegible]弘武内
[illegible]安弘内、[illegible]武

23450

[illegible]安、[illegible]弘武内

23451

23452

23453

17-81

23454

23455

23456

〓安、〓弘武内

23457

17-82

23458

〓安、〓弘武内

23459

23460

〓安、〓弘武内

〓安武、〓弘内

23461
17-83

安弘、
武内

23462

23463

23464

23465
17-84

安武内、
弘

23466

23467

安、
弘武内

23468

安、
弘武内

17-85

23469

23470

23471

23472

安、 弘武内

17-86

23473

23474

安、 弘武内

23475

23476

安、 弘武内

23477
17-87

23478

23479

23480

23481
17-88

23482

23483

23484

（23477）安、弘武内　安弘、武内

（23481）安、弘武内

（23482）安、弘武内

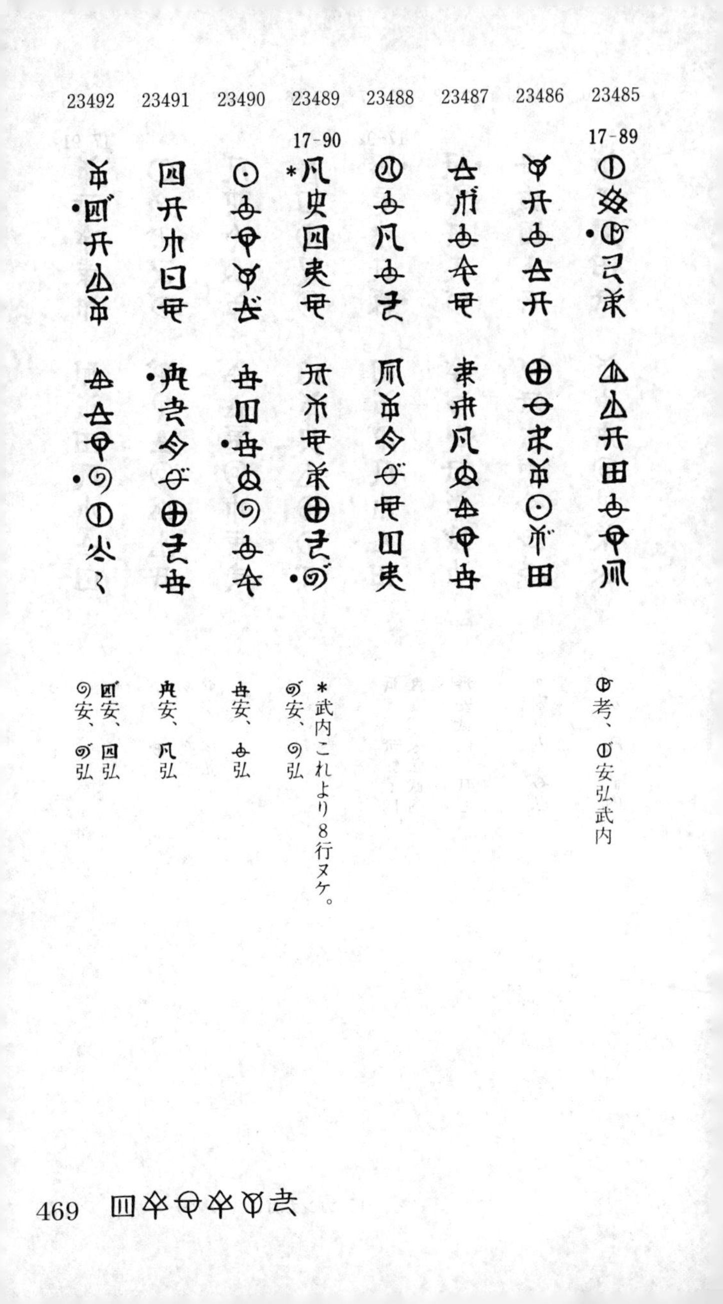

23485 17-89

23486

23487

23488

23489 17-90 *

23490

23491

23492

考、安弘武内

*武内これより8行ヌケ。

安、弘

安、弘

安、弘

安、弘

安、弘

23493

17-91

23494

安、弘

安、弘

安、弘

23495

23496

23497

17-92

安、弘武内

安、弘武内

23498

安武内、弘

23499

安武内、弘

23500

安、弘武内

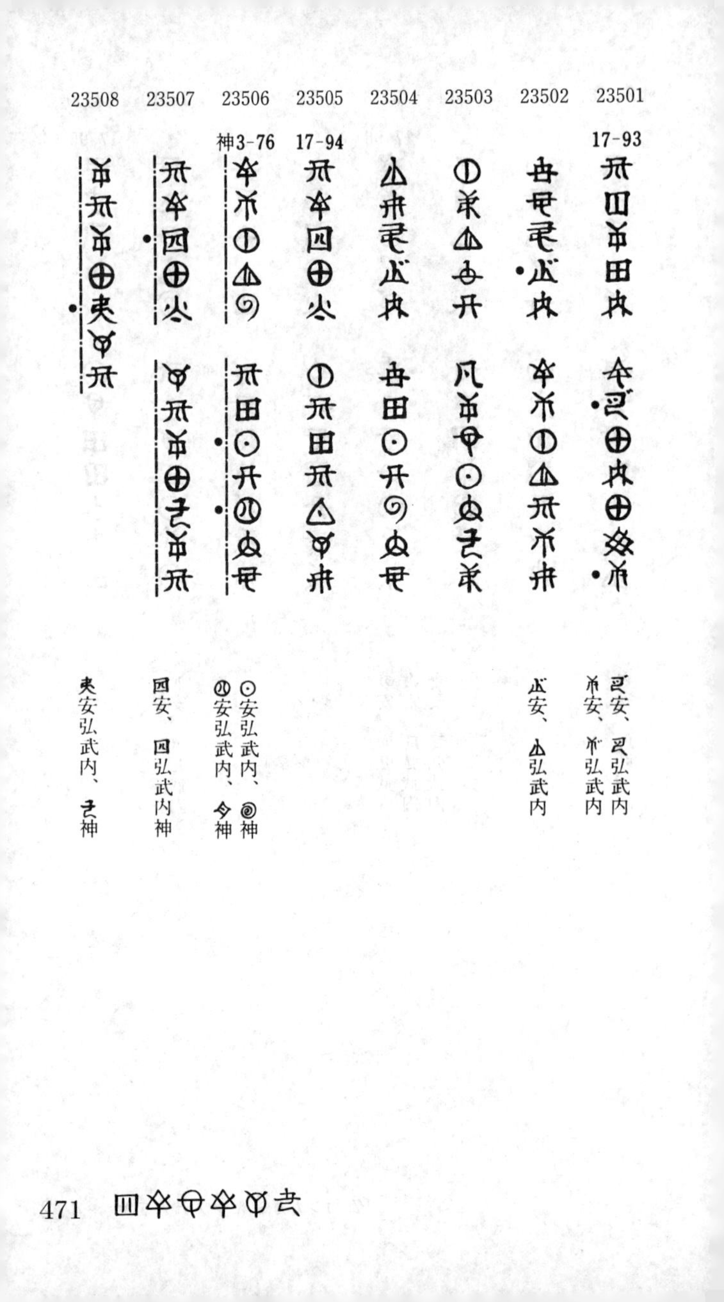

23501 17-93
〓〓〓〓〓 〓・〓〓〓〓〓・〓
〓安、〓弘武内
〓安、〓弘武内

23502
〓〓〓・〓〓 〓〓〓〓〓〓〓
〓安、〓弘武内

23503
〓〓〓〓〓 〓〓〓〓〓〓〓

23504
〓〓〓〓〓 〓〓〓〓〓〓〓

23505 17-94
〓〓〓〓〓 〓〓〓〓〓〓〓

23506 神3-76
〓〓〓〓〓 〓〓・〓〓・〓〓〓
⊙安弘武内、◎神
⑾安弘武内、〓神

23507
〓〓・〓〓〓 〓〓〓〓〓〓〓
〓安、〓弘武内神

23508
〓〓〓〓・〓〓〓
〓安弘武内、〓神

23509 17-95

23510

安、弘武内

23511

23512

23513 17-96

安、弘武内

安、弘武内

安、弘武内

23514

23515

23516

安、弘武内

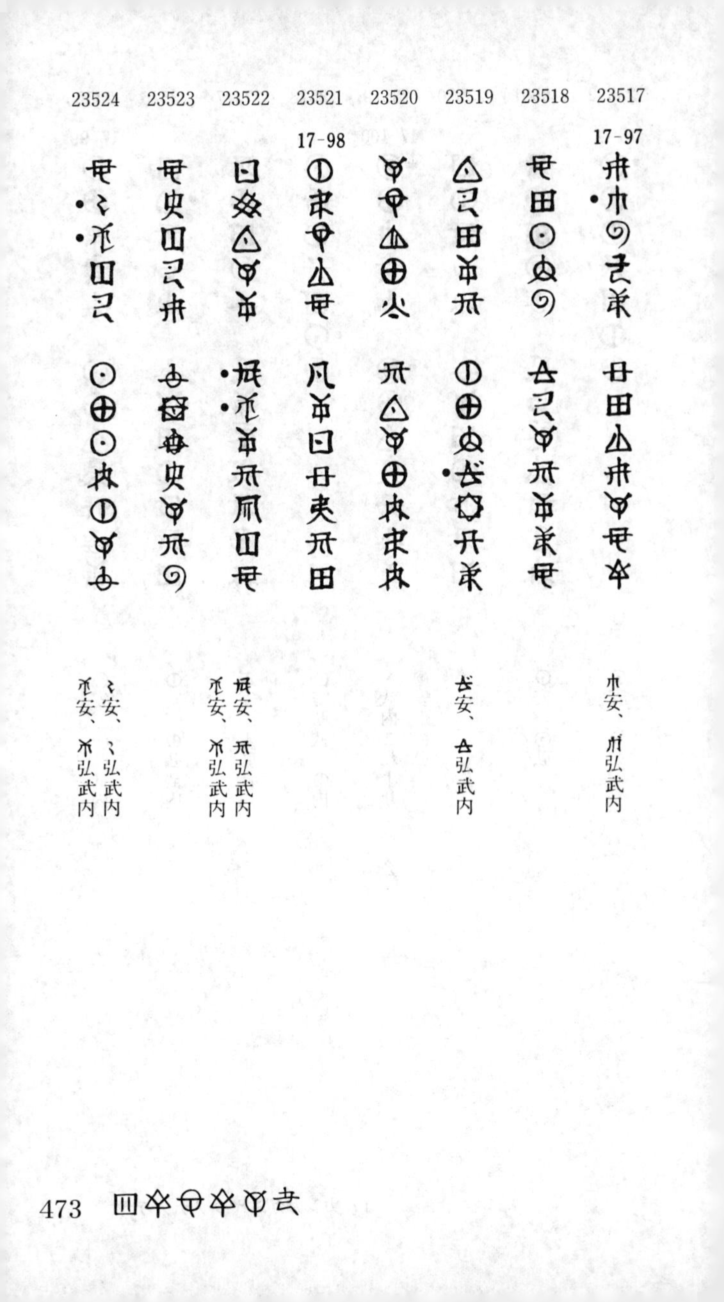

23517 17-97

安、

弘 武内

23518

23519

安、

弘 武内

23520

23521 17-98

23522

安、 安、

弘 武内 弘 武内

23523

23524

安、 安、

弘 武内 弘 武内

23525 17-99

⊙安、回弘武内

23526

◐安、ⓓ弘武内

23527

[illegible]安、[illegible]弘武内

23528

⊙安弘武、◐内

23529 17-100

＊武内これより4行ヌケ。

◎安、回弘

23530

23531

⊙安、回弘

23532

⊙安、[illegible]弘

23533
18-1

23534

安、弘武内

23535

23536

23537
18-2

23538

23539

23540

23541 18-3

23542

23543

23544

23545 18-4

23546

23547

23548

安武内、弘

安、弘武内

安、弘武内

安、弘武内

安、弘武内

安、弘武内

安、弘武内

安、弘武内

安、弘、武内

23549

18-5

安、弘武内

23550

安、弘武内

23551

23552

安、弘武内

安、弘武内

23553

18-6

安、弘武内

23554

安、弘武内

23555

23556

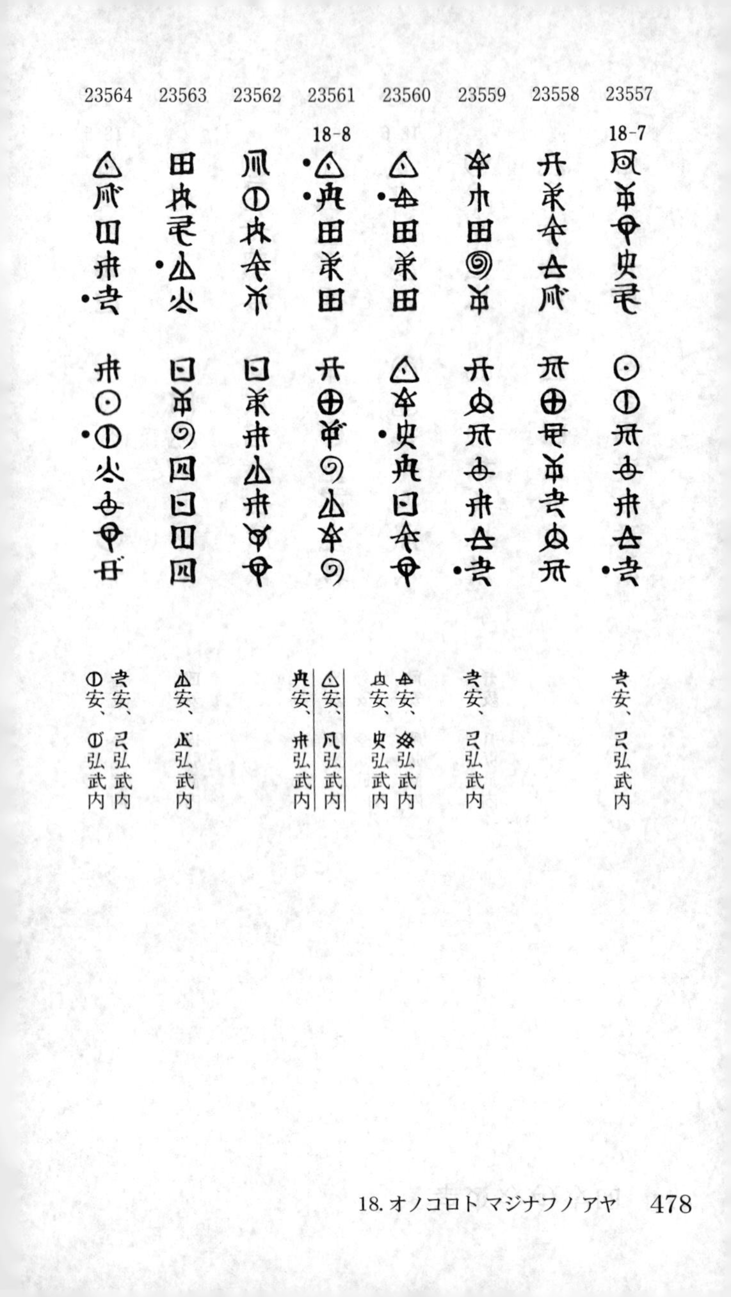

23557 18-7

安、弘 武内

23558

23559

安、弘 武内

23560

安、弘 武内

安、弘 武内

23561 18-8

安、弘 武内

安、弘 武内

23562

23563

安、弘 武内

23564

安、弘 武内

安、弘 武内

23565 18-9

23566

安、弘、武内

安 弘武内

23567

安武、弘内

23568

安、弘武内

23569 18-10

23570

安、弘武内

23571

安、弘武内

23572

23573
18-11

23574

23575

23576

23577
18-12

23578

23579

23580

[illegible]安弘、[illegible]武内

[illegible]安武、[illegible]弘内

[illegible]安、[illegible]弘武内

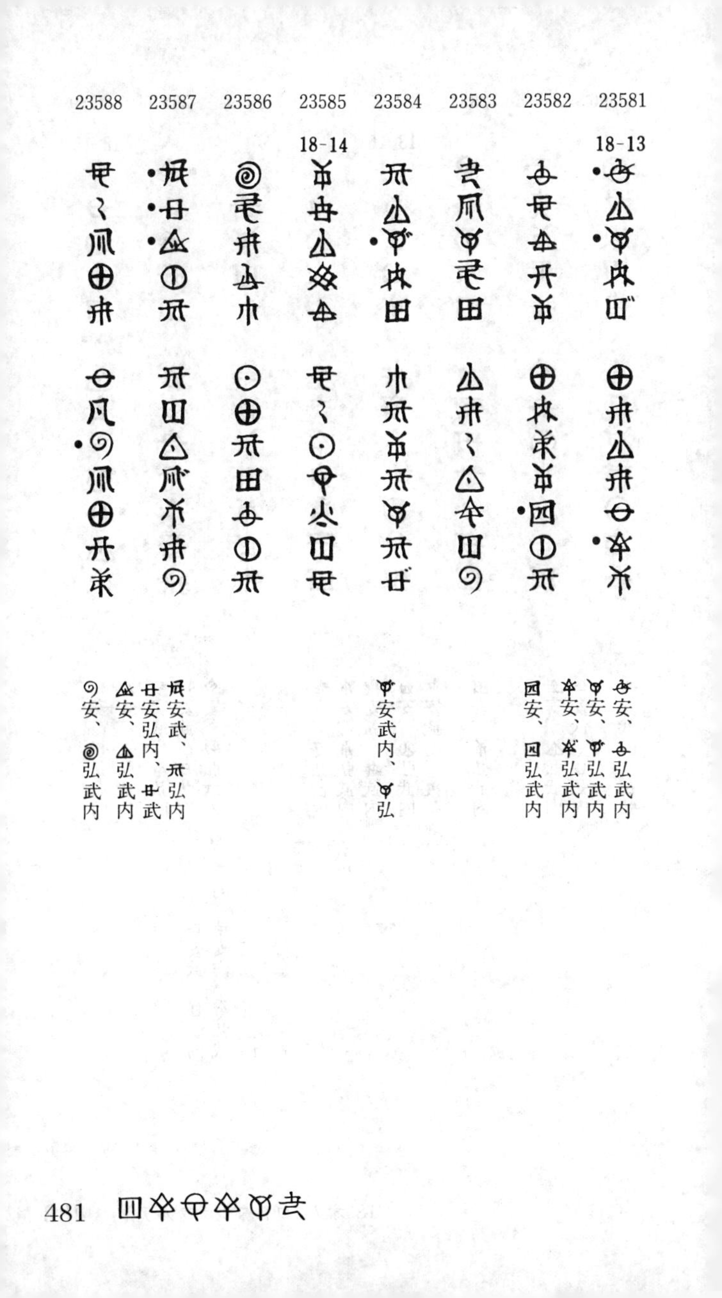

23581

18-13

23582

23583

23584

23585

18-14

23586

23587

23588

安、弘武内

安、弘武内

安、弘武内

安、弘武内

安武内、弘

安武、弘内

安弘内、武

安、弘武内

安、弘武内

23589 23590 23591 23592 23593 23594 23595 23596

18-15

18-16

安、弘武内
安、弘武内
安武、弘内
安武、弘内
安、弘武内

安、弘武内
安、弘武内
安弘、武内
安、弘武内
安武内、弘
安、弘武内
安、弘武内
安武、弘内
安武内、弘

↑（3行目）

安武、弘内
安内、弘武
安弘、武内

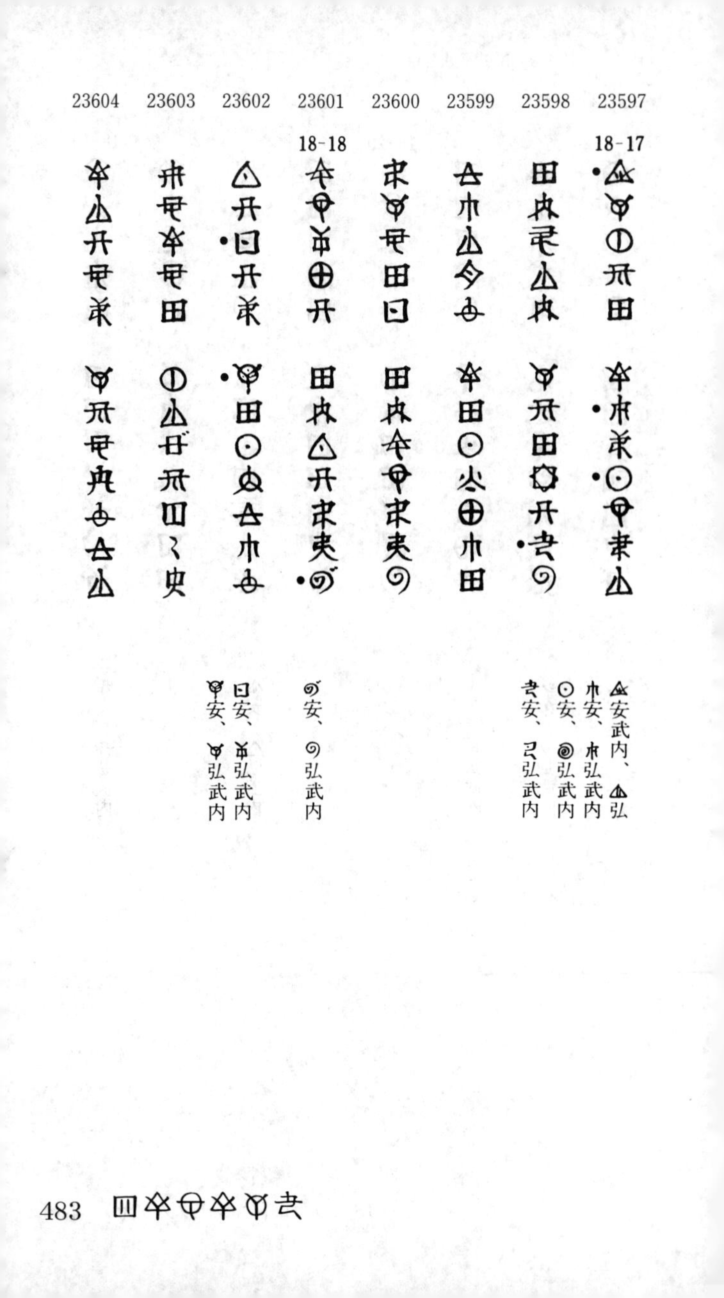

18-17

23597

23598

23599

23600

18-18

23601

23602

23603

23604

安武内、弘

安、弘武内

安、弘武内

安、弘武内

安、弘武内

安、弘武内

安、弘武内

23605 18-19

安、

弘武内

23606

23607

安、

弘武内

23608

23609 18-20

23610

安、

弘武内

23611

安、

弘武内

23612

23613

18-21

安武内、弘

23614

安、弘武内

23615

安、弘武内

23616

23617

18-22

安武内、弘

23618

23619

23620

安武内、弘

23628 23627 23626 23625 23624 23623 23622 23621

18-24 18-23

23627: 安、弘武内

23626: 安、弘武内

23625: 安、弘武内 / 安、弘武内 / ＊安、弘武内

23623: 安、弘武内 / ＊安、弘武内

23629

18-25

安武内、弘

23630

23631

安、弘武内

安弘武、内

安春弘、武内

安、春弘武内

春草一-3

安弘武内、春

安弘武内、春

安、春弘武内

安、春、弘武内

◎安弘武内、⊙春

安弘武内、春

安、春弘武内

凡安弘武内、春

安、春、弘武内

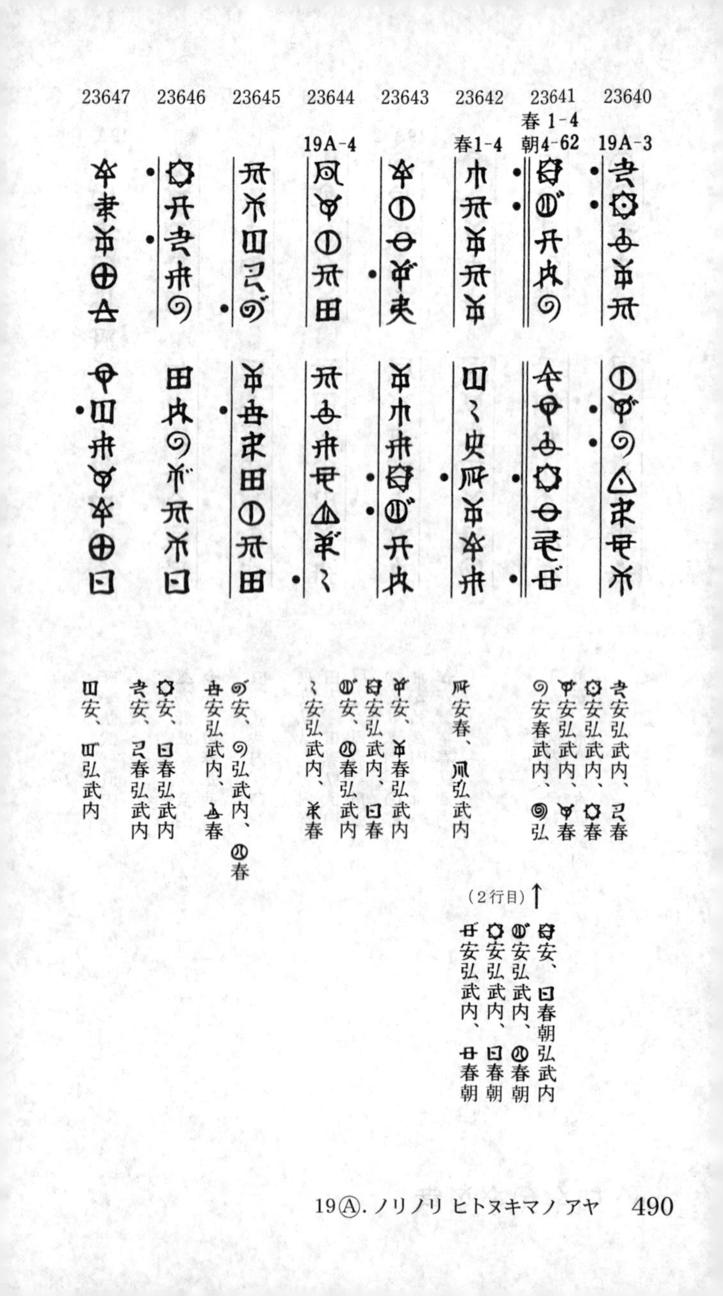

23640	23641	23642	23643	23644	23645	23646	23647
19A-3	春 1-4 朝4-62	春1-4		19A-4			

〓安弘武内、〓春
〓安弘武内、〓春
〓安弘武内、〓春
〓安春武内、〓弘
〓安春、〓弘武内
〓安、〓春弘武内
〓安弘武内、〓春
〓安、〓春弘武内
〓安弘武内、〓春
〓安、〓弘武内、〓春
〓安弘武内、〓春
〓安、〓春弘武内
〓安、〓春弘武内
〓安、〓弘武内

（2行目）↑
〓安、〓春朝弘武内
〓安弘武内、〓春朝
〓安弘武内、〓春朝
〓安弘武内、〓春朝

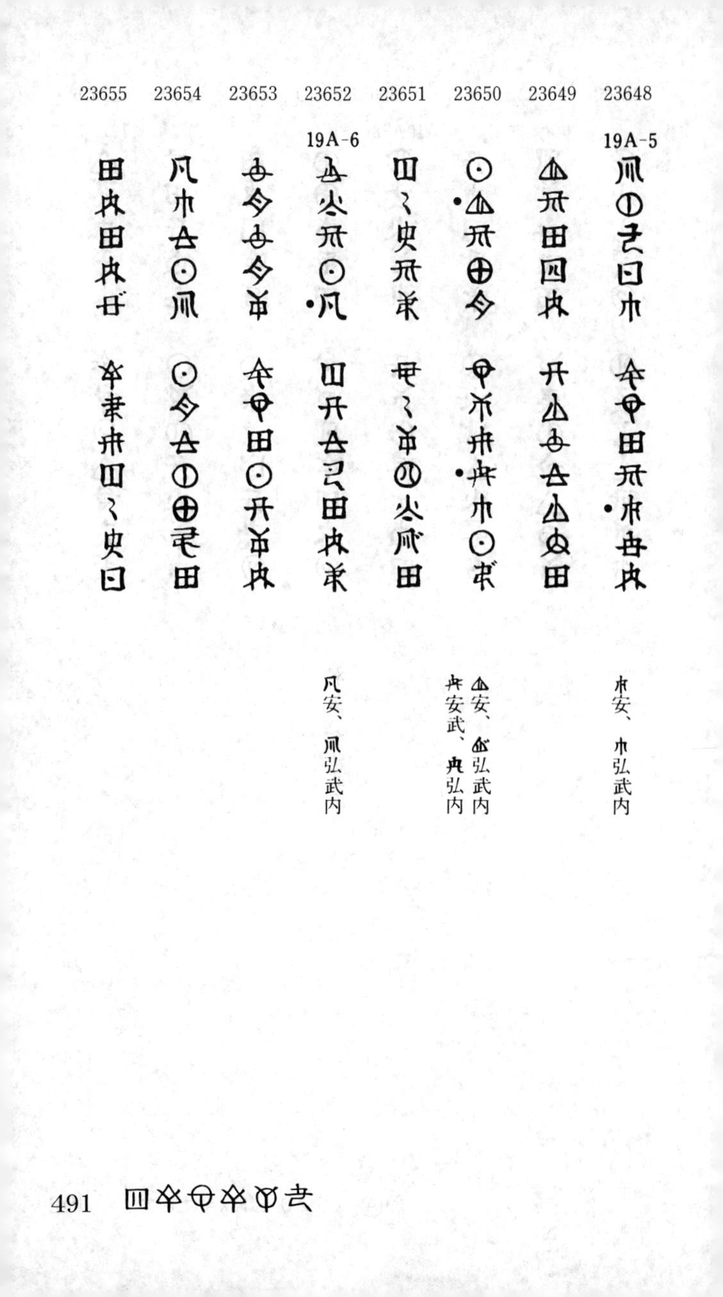

23655 23654 23653 23652 23651 23650 23649 23648

19A-6 (23652)

19A-5 (23648)

23652: 安、弘武内

23650: 安、弘武内 / 安武、弘内

23648: 安、弘武内

23656 19A-7

23657

23658

23659

23660 19A-8

23661

23662

23663

安、弘武内

23664 19A-9
安、弘武内

23665
安、弘武内

23666
安、弘武内

23667
安、弘武内

23668 19A-10
安、弘武内

23669
安、弘武内
安、弘武内

23670
安、弘武内
安、弘武内

23671

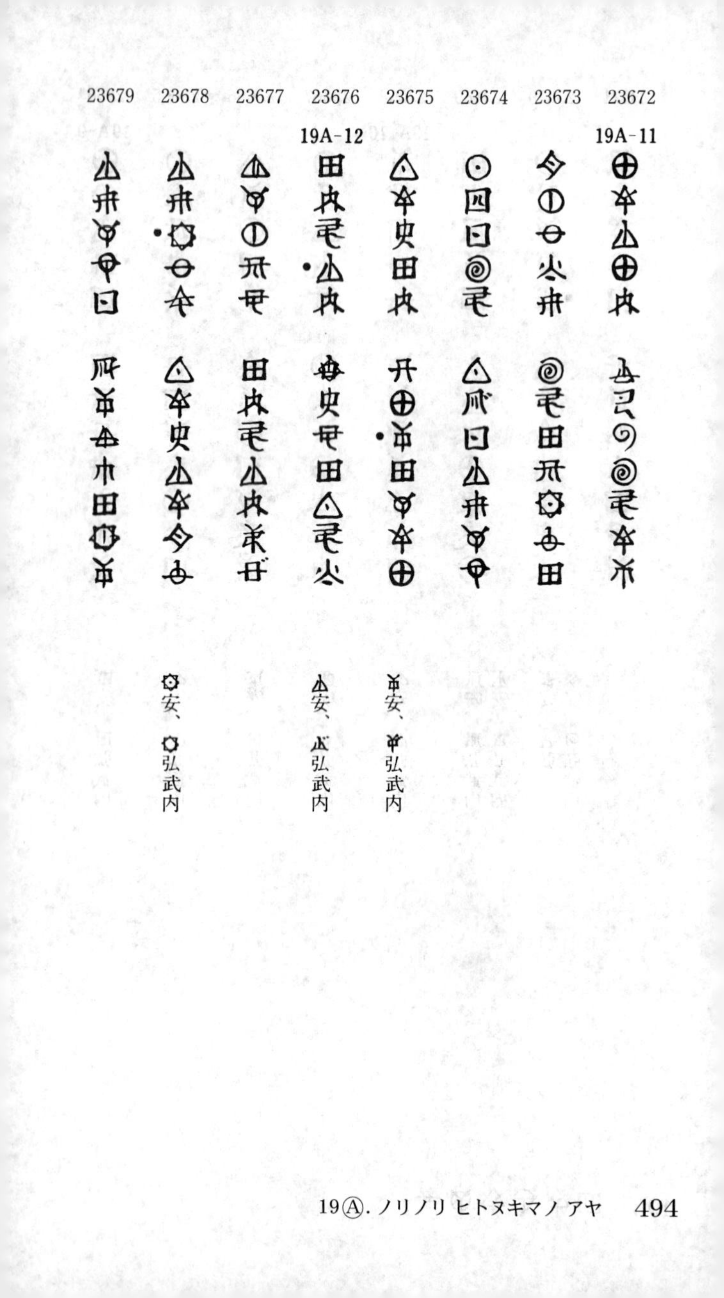

23672	23673	23674	23675	23676	23677	23678	23679
19A-11				19A-12			
			安、弘 武内	安、弘 武内		安、弘 武内	

19A-13

23680

安、弘武内

23681

安、弘武内

23682

安弘武、内

23683

安、弘武内

19A-14

23684

23685

安、弘武内

23686

23687

23688 19A-15

23689

23690

安、弘武内
安武、弘内

23691

23692 19A-16

23693

23694

安弘、武内

23695

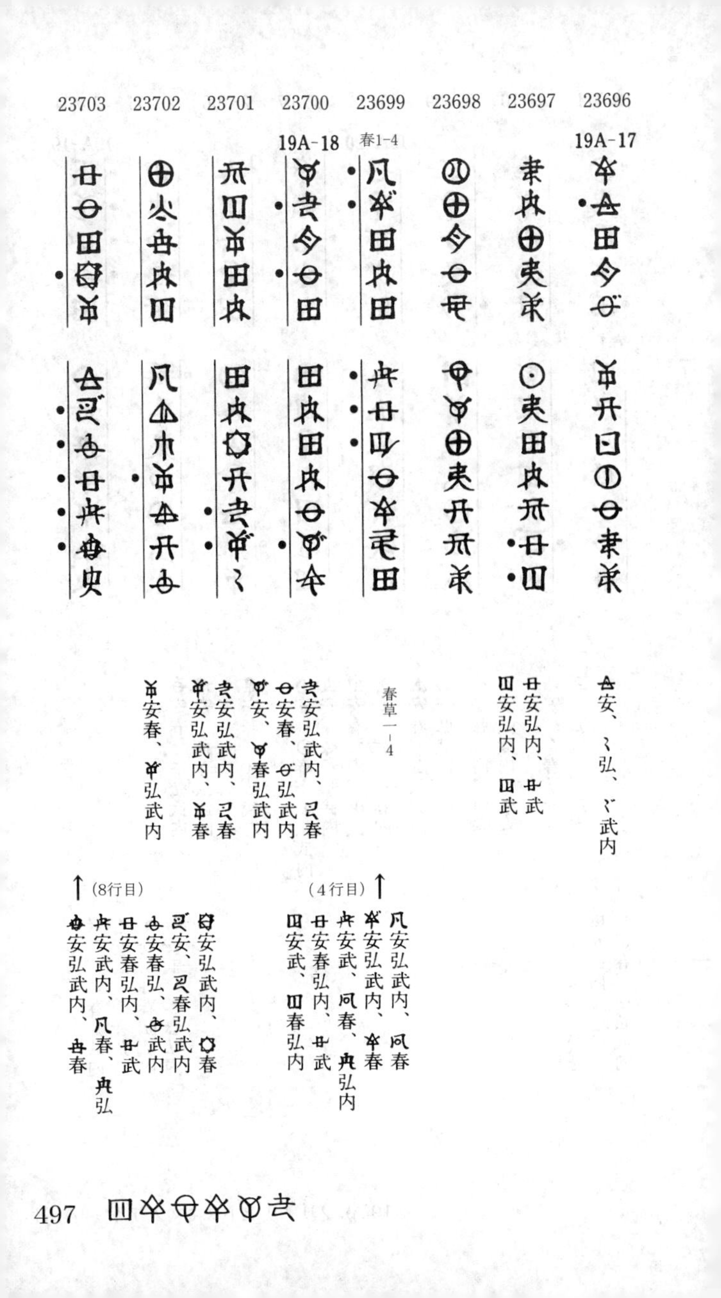

23703 23702 23701 23700 23699 23698 23697 23696

19A-18 春1-4 19A-17

安、 弘、 武内

安弘内、 武
安弘内、 武

春草一-4

安弘武内、 春
安春、 弘武内
安、 春弘武内
安弘武内、 春
安弘武内、 春
安春、 弘武内

（4行目）↑

安弘武内、 春
安弘武内、 春
安武、 春、 弘内
安春弘内、 武
安武、 春弘内

↑（8行目）

安弘武内、 春
安、 春弘武内
安春弘、 武内
安春弘内、 武
安武内、 春、 弘
安弘武内、 春

(1行目)↑
安、春弘武内
安武、春弘内
安、春弘武内
安武、春弘内

安春、弘武内
安、春弘武内
安春、弘武内
安、春、弘武内
安、春弘武内
安春弘内、武
安弘武、春内
安春、弘武内
安弘武内、春
安弘武内、春
安弘武内、春
安、春弘武内
安弘武内、春

↑(8行目)
*春、草本刊本ともヌケ
安武内、弘
安春、弘武内

23712 19A-21

23713

23714

23715

23716 19A-22

23717 朝4-62′

23718 春 1-5、朝4-62

23719

〓安弘武内、〓春
〓安弘武内、〓春
〓安弘武内、〓春

↑（2行目）
〓安武、〓春弘内
〓安春内、〓弘武
〓安内、〓春弘武
〓安、〓春弘武内
〓安弘武内、〓春

〓安、〓春弘武内
〓安弘、〓春、〓武内
〓安弘武内、〓春
〓安弘武内、〓春
〓安春、〓弘武内
〓安弘武内、〓春
〓安、〓春弘武内
〓安春、〓弘武内

↑（6行目）
〓安武内、〓春朝朝、〓弘
〓安弘武内、〓春朝朝
〓安弘武、〓春朝朝、〓内
〓安弘武内、〓春朝朝
〓安春弘武内、〓朝朝

〓安弘武内、〓春朝朝
*〓安弘武内、〓春朝朝
**〓安弘武内、〓春朝朝

19A-23

23720 [ヲシテ文字]

23721 [ヲシテ文字]

23722 [ヲシテ文字]

[ヲシテ]安弘武内、[ヲシテ]春朝朝

[ヲシテ]安朝62′弘武内、[ヲシテ]春朝62

23723 19B-1

〓安、〓弘武内

23724

（２行目）↑
〓安武内、〓弘
〓安弘武、〓内
〓安武、〓弘内
〓安弘内、〓武
〓安内、〓弘武

23725

〓安、〓弘武内

23726

23727 19B-2

〓安、〓弘武内

23728

〓〓弘武内、安本〓〓に作るも、漢訳に月隅大熊人とあることから、〓〓として掲げる。

23729

〓安内、〓弘武
〓安、〓弘武内

23730

23731 19B-3
〓〓〓〓・〓
〓〓・〓〓〓〓〓

23732
〓〓〓〓〓
ミ-136,ト-4
〓〓〓〓〓〓・〓

23733
〓〓〓〓・〓
・〓・〓・〓〓〓〓・〓

23734
・〓〓〓〓・〓
〓・〓〓〓〓〓〓

23735 19B-4
〓〓〓〓・〓
ト-4
〓〓〓〓〓〓〓

23736
〓・〓〓〓〓
〓〓〓・〓〓〓〓

23737
〓・〓〓〓〓
〓〓〓〓〓〓〓

23738
〓〓〓〓・〓
〓〓〓・〓〓〓〓

〓安、〓弘武内
〓安、〓弘武内
〓安ミ弘武内、〓ト（43027、55024）
〓安ミ弘武内、〓ト
＊ミ〓〓〓〓〓の異文。（3行目）↑
〓安弘武内、〓ミト
〓安弘武内、〓ミ、〓ト
〓安ト弘武、〓ミ内
〓安弘武内、〓ミト
〓安ミ、〓ト弘武内
〓安ミ弘武内、〓ト
〓安ト弘武内、〓ミ
〓安、〓ミト弘武内
＊〓安ミ、〓ミト弘武内
〓安ト、〓ミ、〓弘武内
〓安ト弘、〓武内
〓安、〓弘武内
〓安、〓弘武内
〓安弘、〓武内

23746	23745	23744	23743	23742	23741	23740	23739
			19B-6				19B-5

23739: [illegible]安弘内、[illegible]武 ／ [illegible]安、[illegible]弘武内 ／ [illegible]安弘武、[illegible]内

23743: [illegible]安、[illegible]弘武内

23745: [illegible]安、[illegible]弘武内 ／ [illegible]安、[illegible]弘武内

23747 19B-7

23748

23749

23750

23751 19B-8

23752

23753

23754

[illegible]安、[illegible]弘武内
[illegible]安、[illegible]弘武内
[illegible]安内、[illegible]弘武
[illegible]安武、[illegible]弘内
[illegible]安、[illegible]弘武内
[illegible]安、[illegible]弘武内

[illegible]安、[illegible]弘武内
[illegible]安弘、[illegible]武内
[illegible]安、[illegible]弘武内
[illegible]安、[illegible]弘武内

23755
19B-9

23756
[glyph]安、[glyph]弘武内

23757

23758

23759
19B-10
[glyph]安武内、[glyph]弘
[glyph]安、[glyph]弘武内

23760
[glyph]安、[glyph]弘武内

23761

23762

23770　23769　23768　23767　23766　23765　23764　23763

19B-12　19B-11

安、弘武内

安、弘武内

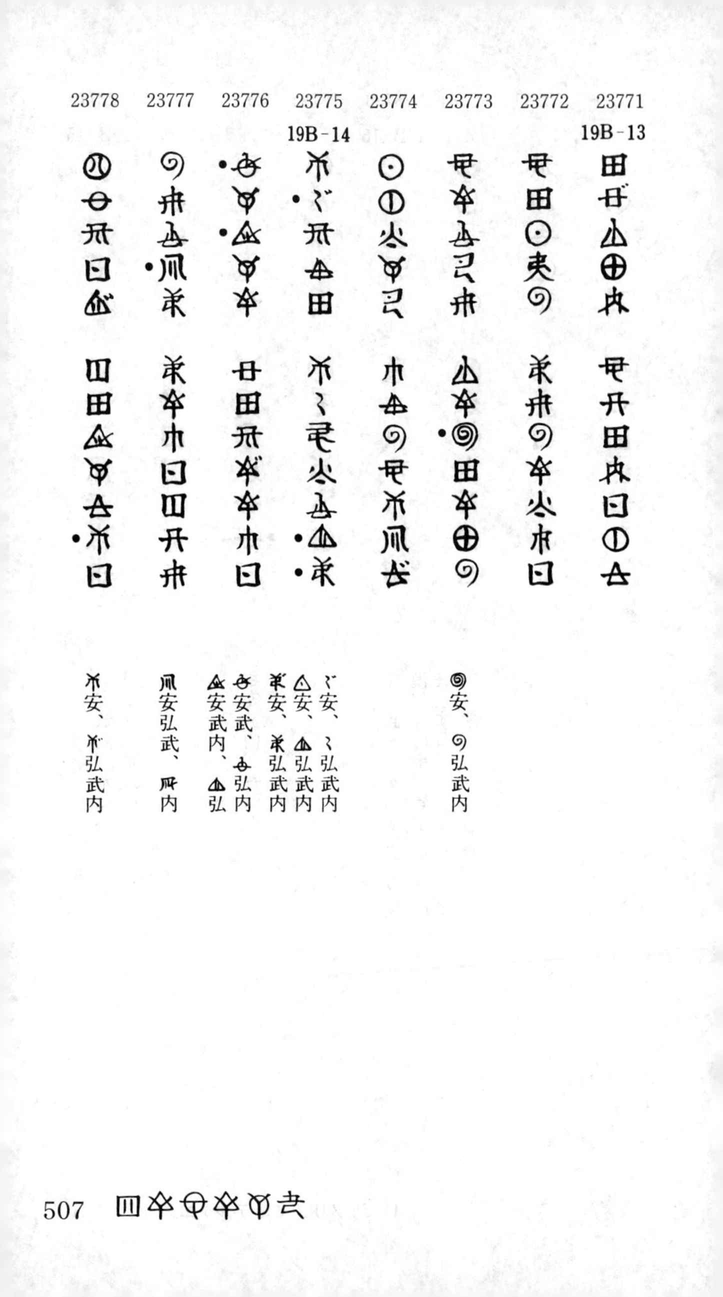

23771	23772	23773	23774	23775	23776	23777	23778
19B-13				19B-14			
		安、弘武内		安、弘武内 安、弘武内 安、弘武内	安武、弘内 安武内、弘	安弘武、内	安、弘武内

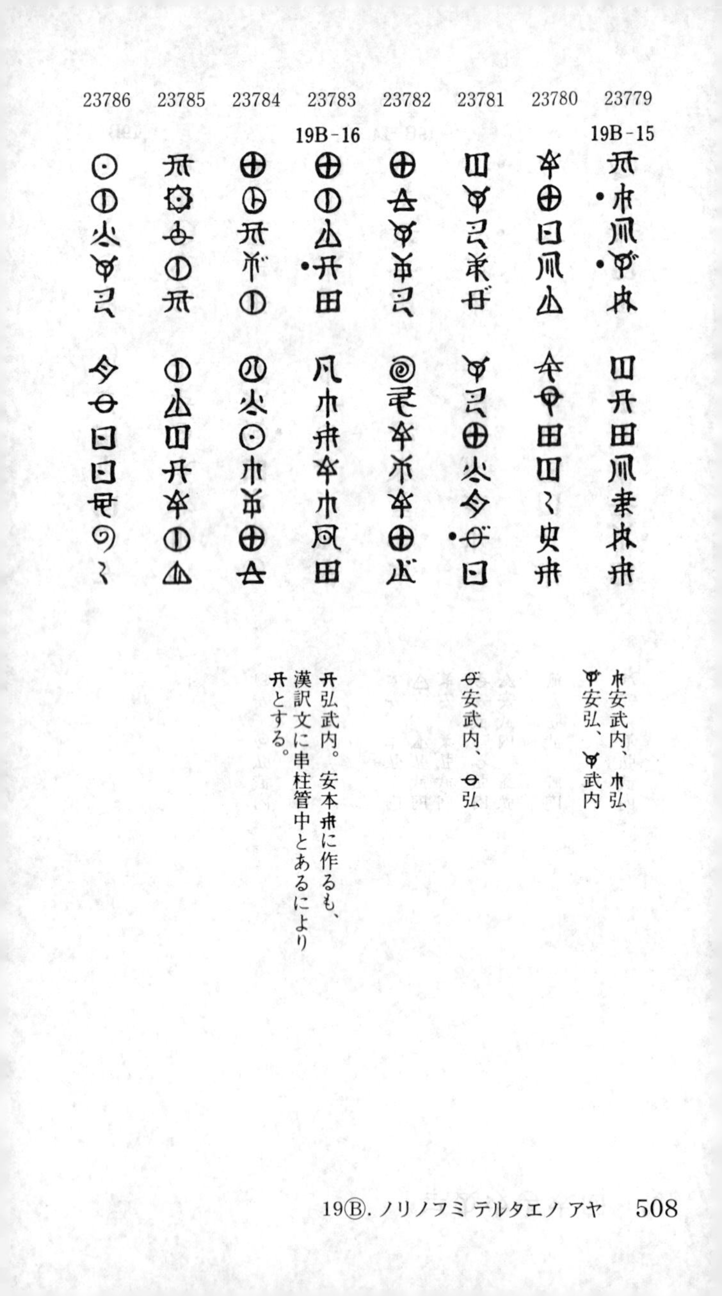

19B-15

23779

23780

23781

23782

19B-16

23783

23784

23785

23786

（23779）安武内、弘
安弘、武内

（23781）安武内、弘

（23783）弘武内。安本に作るも、
漢訳文に串柱管中とあるにより
とする。

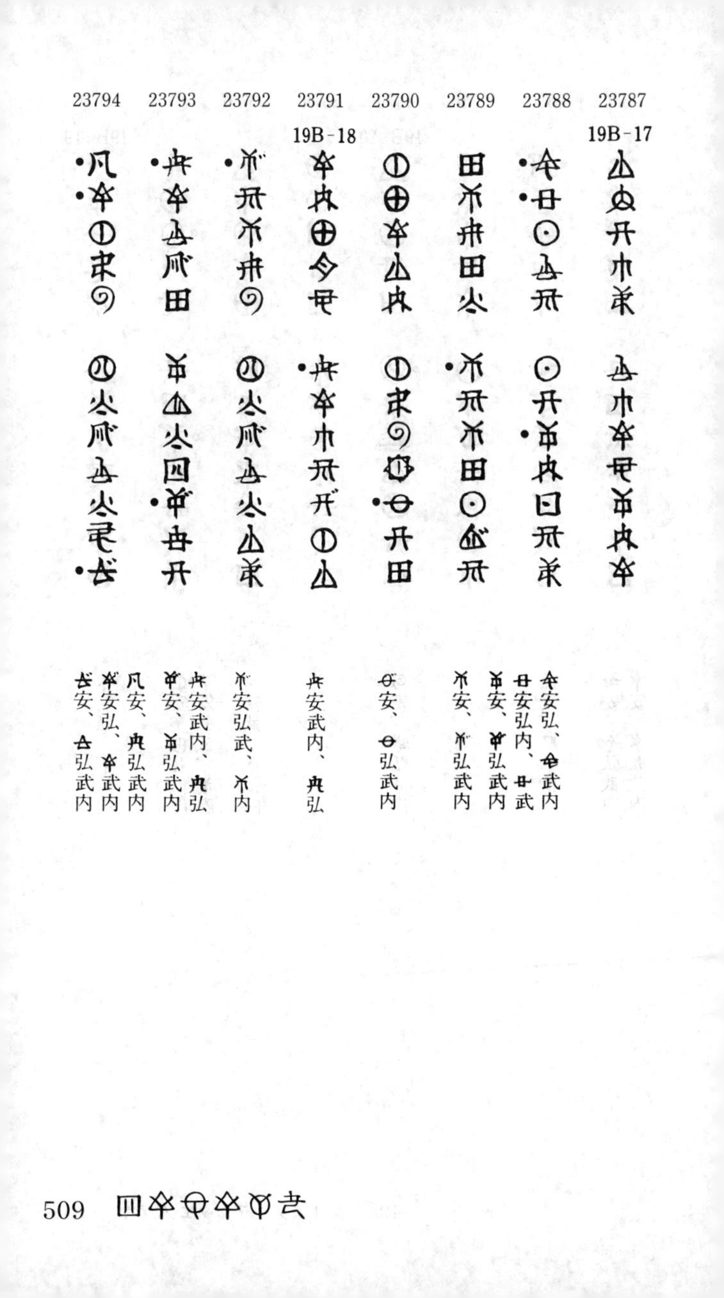

23787
19B-17

23788

安弘、武内
安弘内、武

23789

安、弘武内
安、弘武内

23790

安、弘武内

23791
19B-18

安武内、弘

23792

安弘武、内

23793

安武内、弘
安、弘武内

23794

安、弘武内
安弘、武内
安、弘武内

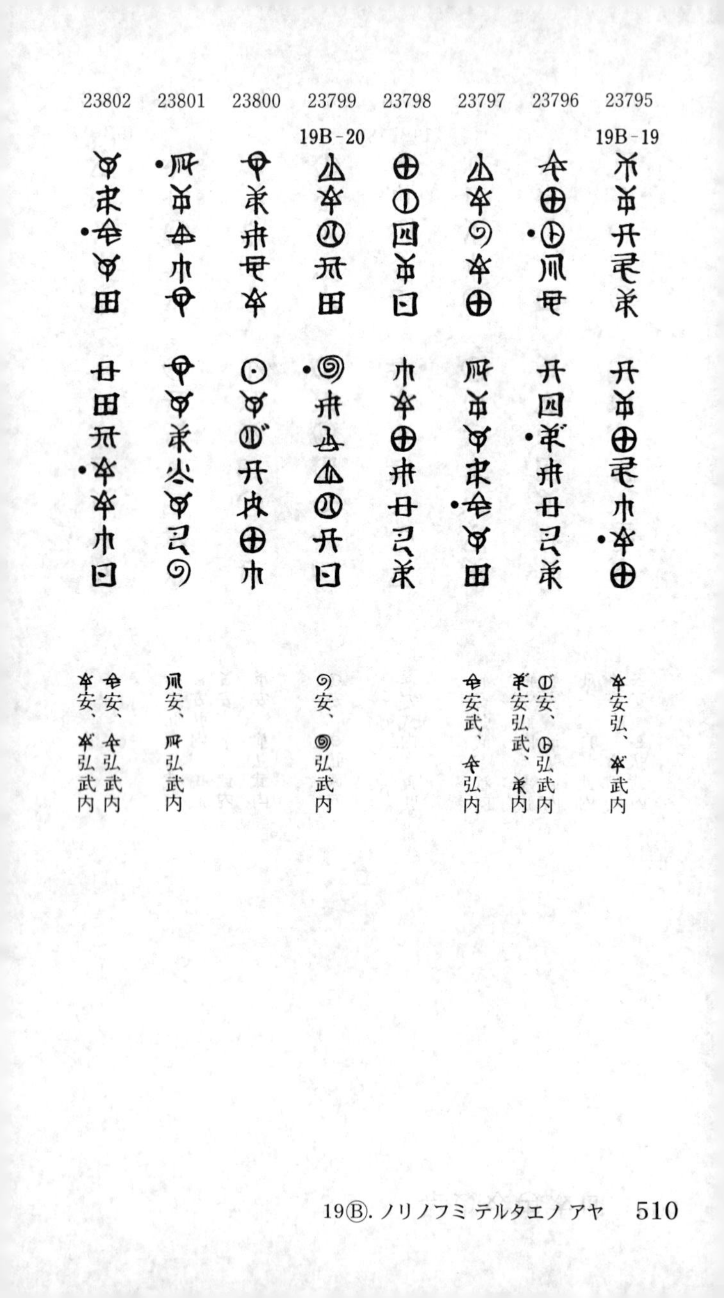

23795
19B-19
安弘、武内

23796
安、弘武内
安弘武、内

23797
安武、弘内

23798

23799
19B-20
安、弘武内

23800

23801
安、弘武内

23802
安、弘武内
安、弘武内

23810 23809 23808 23807 23806 23805 23804 23803

23803 19B-21

安、弘武内

23804

安、弘武内

23805

23806

安弘武、内

安武、弘内

23807 19B-22

安弘武、内

安武、弘内

*安武、弘内

23808

安武内、弘

23809

安弘、武内

23810

23811 19B-23

23812

23813

23814

23815 19B-24

23816

23817

23818

安武、弘内
安武内、弘
＊安武内、弘
安弘武、内
安、弘武内
安、弘武内
安、弘武内
安弘武、内
安弘、武内

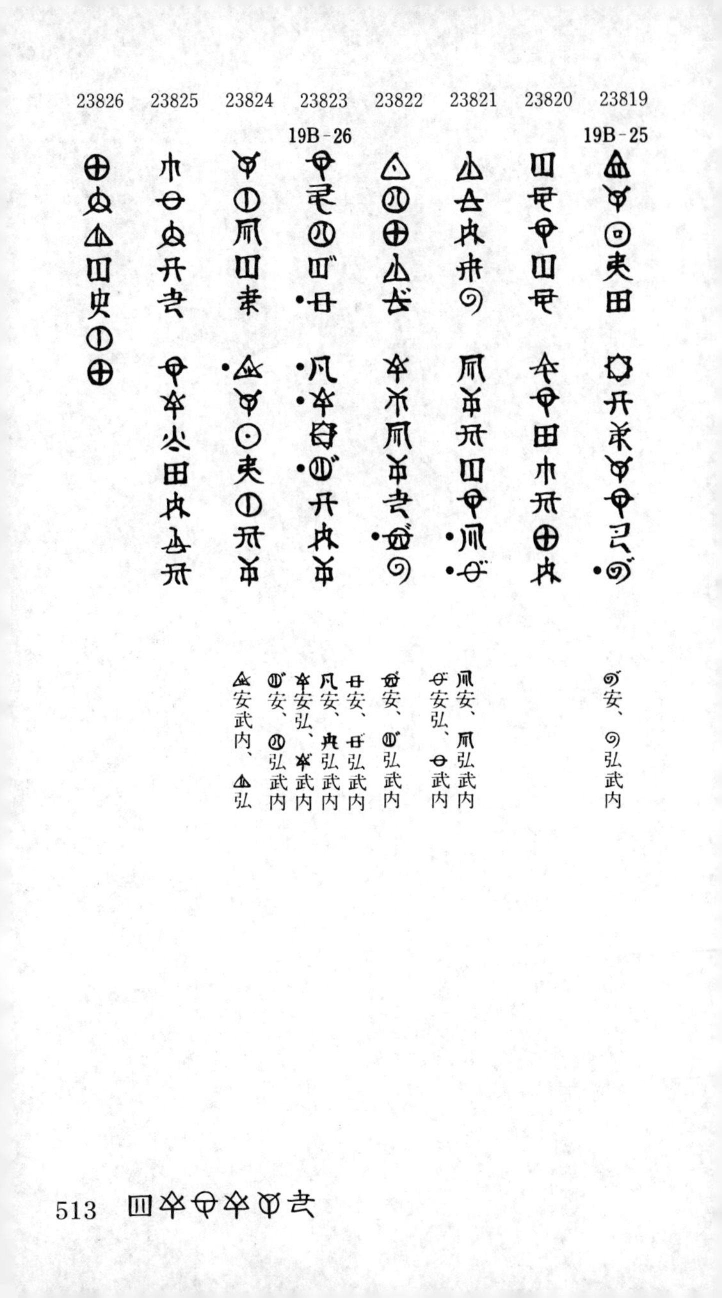

23826	23825	23824	23823	23822	23821	23820	23819
			19B-26				19B-25

23819: 安、弘武内

23821: 安、弘武内

23821: 安弘、武内

23822: 安、弘武内

23823: 安、弘武内

23823: 安、弘武内

23823: 安弘、武内

23823: 安、弘武内

23824: 安武内、弘

23827 20-1

23828

23829

23830

23831 20-2 朝5-19

23832

23833 *

23834

安、弘武内

安、弘武内

安、弘武内

安、弘武内

(2行目)↑

安武内、弘

安、弘武内

安弘武内

安弘内、武

*安武、弘内

安武、弘内

安武、弘内

安弘武内、朝

安弘武内、朝

*朝(ルビはニギハヤヒ)の異文。

安弘武内、朝

安朝、弘武内

安弘武内、朝

23835 20-3

[illegible]

23836

[illegible]

23837

[illegible]

23838

[illegible]

23839 20-4

[illegible]

23840

[illegible]

23841

[illegible]

23842

[illegible]

[illegible]安弘武内、[illegible]朝
[illegible]安朝、[illegible]弘武内

[illegible]安弘武内、[illegible]朝
[illegible]安弘武内、[illegible]朝
[illegible]安弘武内、[illegible]朝
[illegible]安弘武内、[illegible]朝

[illegible]安弘武内、[illegible]朝

[illegible]安弘武内、[illegible]朝
[illegible]安弘武内、[illegible]朝

[illegible]安、[illegible]朝弘武内
[illegible]安弘武内、[illegible]朝

安弘武内、朝明

⊙安朝明、◎弘武内

安弘武内、朝明

安弘武内、朝明

安朝明、弘武内

安弘武内、明

安弘武、明内

安、明弘武内

安明、弘武内

安明、弘武内

23851 20-7
〓〓〓〓〓 〓〓〓〓〓〓〓

23852
〓〓〓〓〓 〓〓〓〓〓〓〓

23853
〓〓〓〓〓 〓〓〓〓〓＊〓〓

23854
〓〓〓〓〓 〓〓〓〓〓〓〓

23855 20-8
〓〓〓〓〓 〓〓〓〓〓〓〓

23856 朝5-20
〓〓〓〓〓 〓〓〓〓〓〓〓

23857
＊〓〓〓〓〓 〓〓〓〓〓〓〓

23858
〓〓〓〓〓 〓〓〓〓〓〓〓

〓安明、〓弘武内
〓安弘武内、〓明
〓安武内、〓明弘
〓安武内、〓明弘
〓安武内、〓明弘
(1行目)↑

〓安武内、〓明弘
〓安武内、〓明弘
〓安武、〓明弘内
〓安武内、〓明弘
〓安武内、〓明弘
〓安弘武内、〓明
〓安、〓明弘武内
〓安、〓明弘武内
〓安、〓明弘武内

〓安、〓弘武内、〓明
＊弘武内のみ〓と〓の間に小さく〓の挿入文字あり。
(3行目)↑

＊朝〓〓〓の異文。
〓安弘武内、〓朝
〓安内、〓弘武
〓安武内、〓弘

23859 20-9

安、弘武内
安武内、弘

23860

安、弘武内
安、弘武内

23861

安、弘武内
安弘内、武

23862

23863 20-10

安、弘武内

23864

安武内、弘

23865

安、弘武内
安弘、武内

23866

安、弘武内

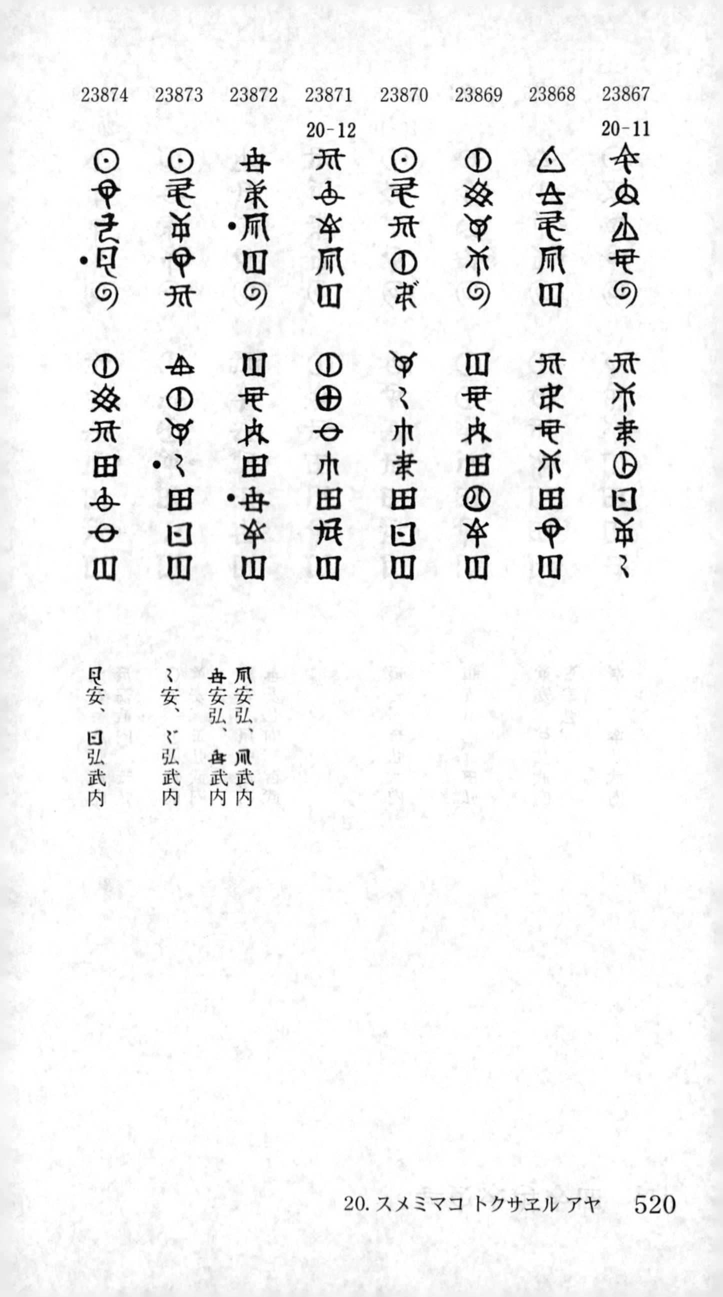

20-11

23867

23868

23869

23870

20-12

23871

23872

23873

23874

安弘、武内

安弘、武内

安、弘武内

安、弘武内

23875 20-13

[illegible]

23876

[illegible]

23877

[illegible]

23878

[illegible]

23879 20-14

[illegible]

23880

[illegible]

23881

[illegible]

23882

[illegible]

[illegible]安、[illegible]弘武内

[illegible]安弘、[illegible]武内

[illegible]安武内、[illegible]弘

[illegible]安弘、[illegible]武内

[illegible]安弘、[illegible]武内

[illegible]安弘、[illegible]武内

[illegible]安、[illegible]弘武内

[illegible]安、[illegible]弘武内

[illegible]安、[illegible]弘武内

[illegible]安武内、[illegible]弘

[illegible]安内、[illegible]弘武

[illegible]安弘、[illegible]武内

*[illegible]安武内、[illegible]弘

23890	23889	23888	23887	23886	23885	23884	23883
朝5-20			20-16				20-15

〓安、〓弘武内
〓安弘、〓武内
〓安、〓弘武内
〓安、〓弘武内
〓安、〓弘武内
〓安武内、〓弘
〓安弘、〓武内
*〓安弘、〓武内
〓安弘、〓武内
〓安武、〓弘内
〓安、〓弘武内

↑（8行目）

〓安弘武、〓朝内
〓安武、〓朝弘内
〓安、〓朝弘武内
〓安弘武内、〓朝
〓安弘武内、〓朝

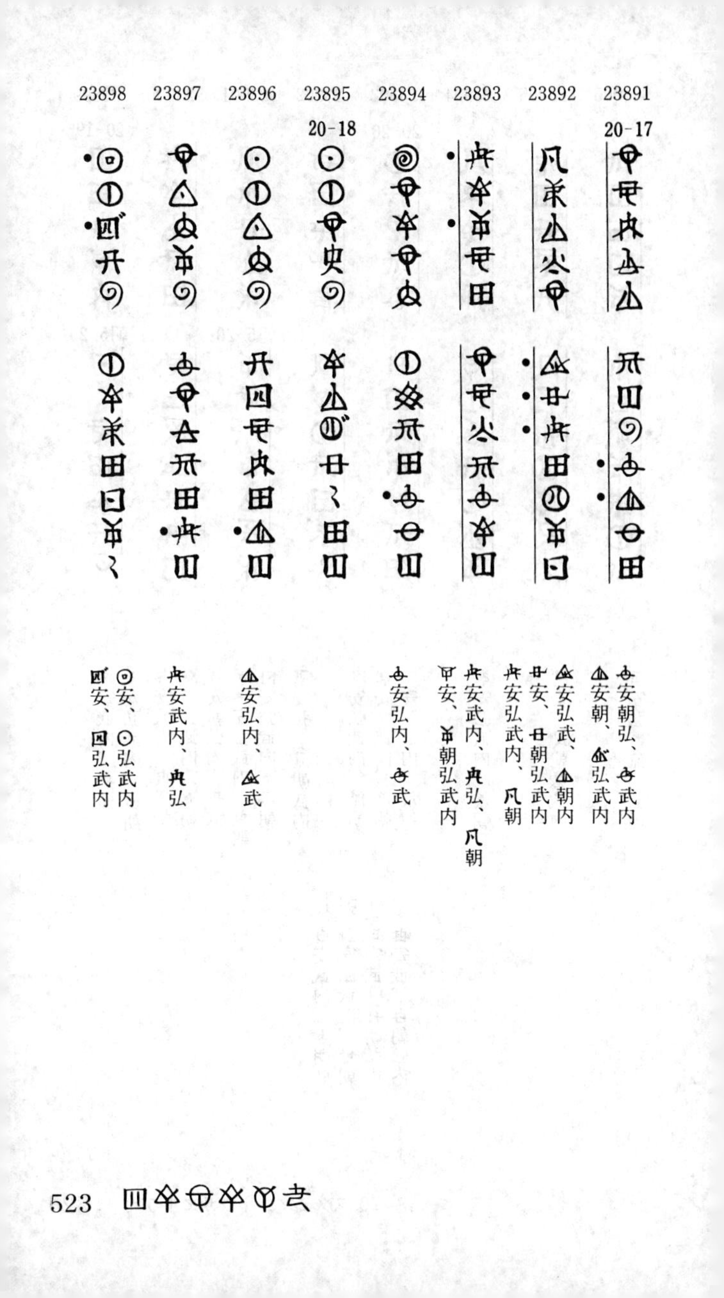

23891	23892	23893	23894	23895	23896	23897	23898
20-17				20-18			
□安朝弘、□武内 □安朝、□弘武内	□安弘武、□朝内 □安、□朝弘武内 □安弘武内、□朝	□安武内、□弘、□朝 □安、□朝弘武内	□安弘内、□武		□安弘内、□武	□安武内、□弘	□安、□弘武内 □安、□弘武内

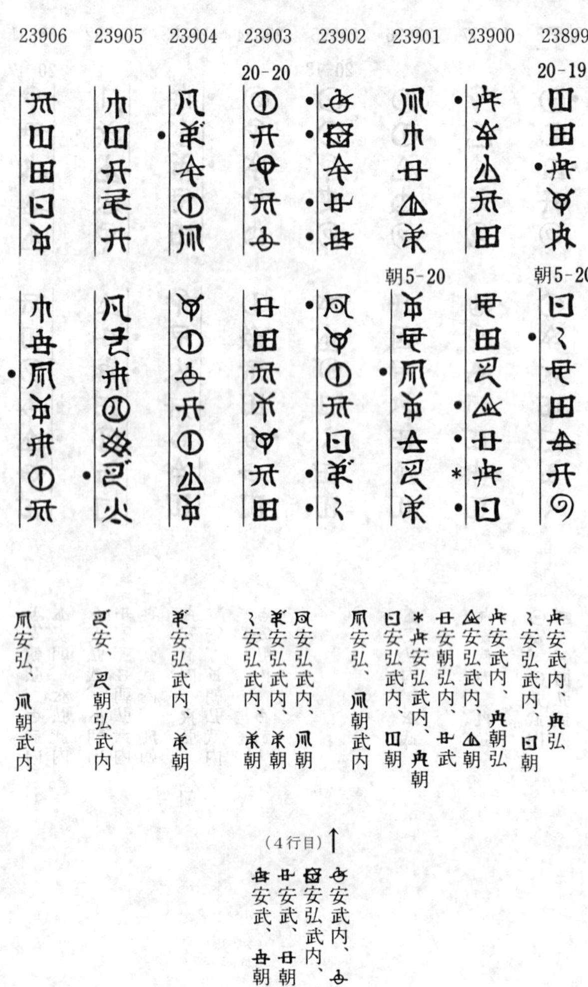
23906
23905
23904
23903
23902
23901
23900
23899
20-20
20-19
朝5-20
朝5-20
(4行目)

20-21

23907 [illegible]

23908 [illegible]

23909 [illegible]

〻安弘武内、[illegible]朝

23910 [illegible]

[illegible]安弘武内、[illegible]朝

20-22

23911 [illegible]

23912 [illegible]

23913 * [illegible]

*朝[illegible]の異文。

23914 [illegible] *

*朝[illegible]の異文。

23915 20-23
[illegible]
朝5-21 神7-79
[illegible]

23916
[illegible]
朝5-21
[illegible]

23917
[illegible]
[illegible]

23918
[illegible]
[illegible]

23919 20-24
[illegible]
[illegible]

23920
[illegible]
[illegible]

23921
[illegible]
[illegible]

23922
[illegible]
[illegible]

[illegible]安朝武内神、[illegible]弘

[illegible]安朝、[illegible]弘武内神

[illegible]安朝、[illegible]弘武内

[illegible]安弘武内、[illegible]朝

[illegible]安朝、[illegible]弘武内

[illegible]安弘武内、[illegible]朝

[illegible]安弘武内、[illegible]朝

[illegible]安武、[illegible]朝弘内

[illegible]安弘武内、[illegible]朝

23923 20-25

23924

安弘武内、朝

23925

23926

23927 20-26

23928

23929

安、弘武内

23930 朝5-22

23931 裏-1-3、朝5-22 20-27

23932

23933

23934

23935

23936 裏-1-1、朝5-22 20-28

23937

23938

安裏、朝弘、武内

安朝弘武内、裏

安弘武内、朝裏

安弘武内、朝、裏

安武内、朝裏弘

安裏弘武内、朝

安弘武内、朝、裏

安朝弘、裏、武内

安裏弘武内、朝

安弘武内、朝裏

安朝裏、弘武内

安裏弘武内、朝

安裏弘武内、朝

安弘武内、朝、裏

Entry	Reference	Note
23939	朝5-22 20-29	
23940		
23941		
23942		安、弘武内
23943	朝5-24 20-30	安弘武内、朝 / 安弘武内、朝
23944		
23945		安、朝弘武内 / 安弘武内、朝
23946		安弘武内、朝

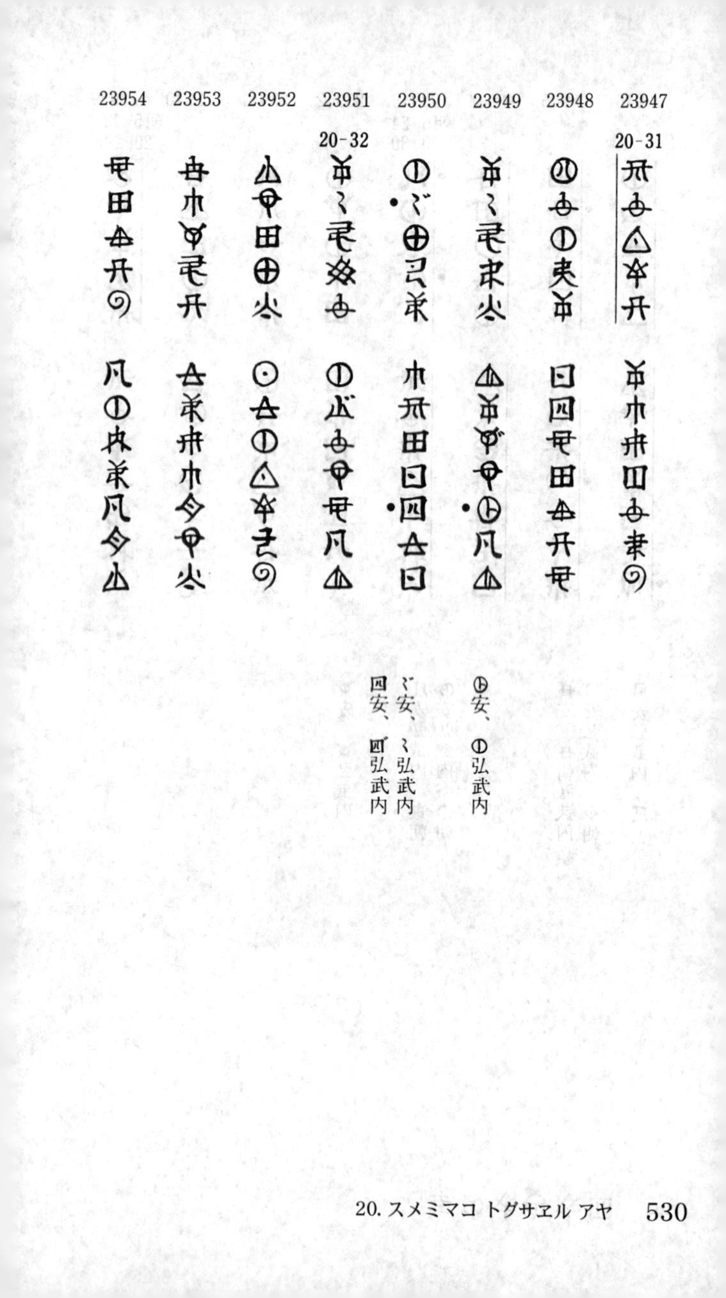

20-31

23947

23948

23949

23950

20-32

23951

23952

23953

23954

安、弘武内

安、弘武内

安、弘武内

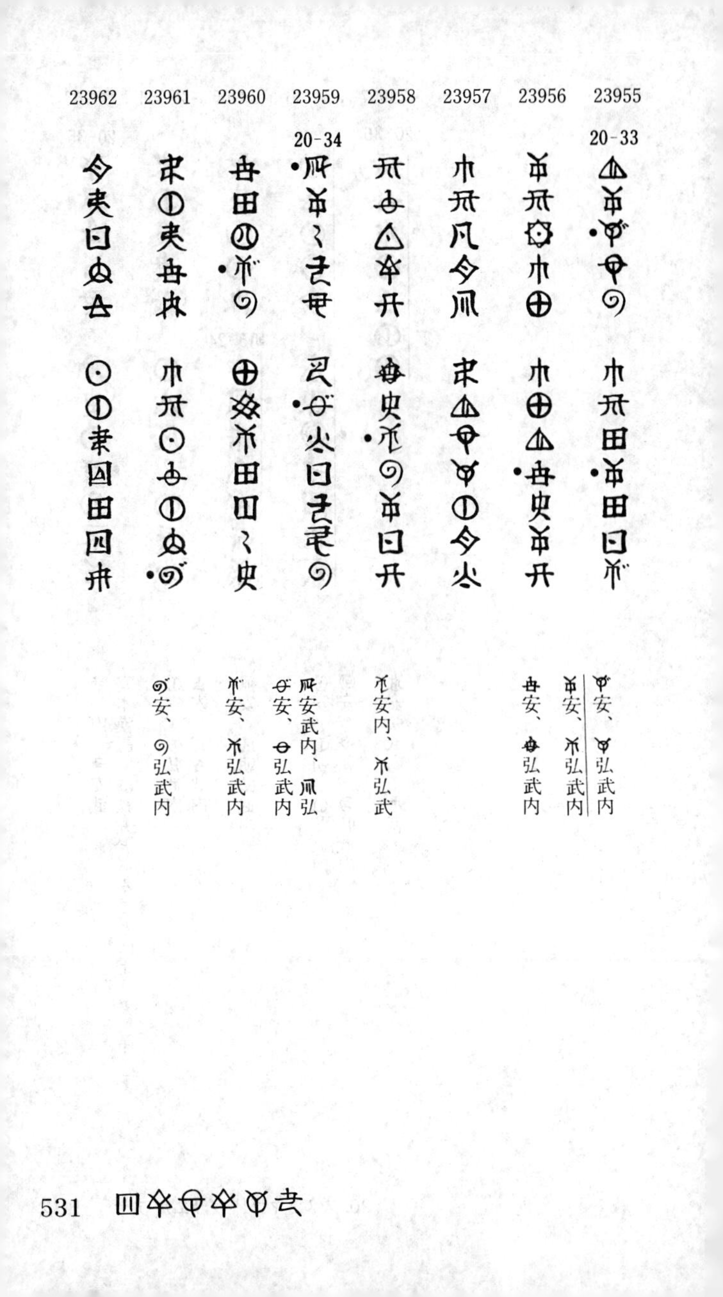

23962 23961 23960 23959 23958 23957 23956 23955

20-34 (23959) 20-33 (23955)

23955: 〓安、〓弘武内
23956: 〓安、〓弘武内
23956: 〓安、〓弘武内
23958: 〓安内、〓弘武
23959: 〓安武内、〓弘
23959: 〓安、〓弘武内
23960: 〓安、〓弘武内
23961: 〓安、〓弘武内

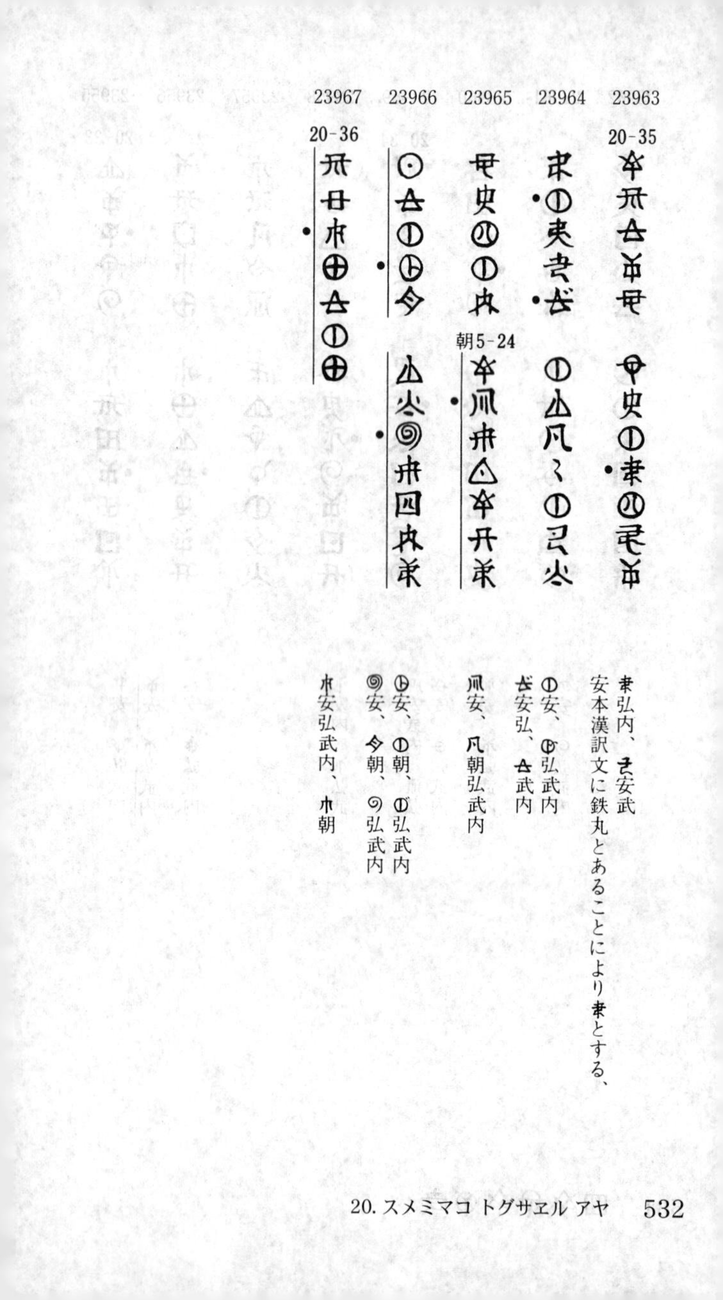

23963

20-35

[ヲシテ]弘内、[ヲシテ]安武
安本漢訳文に鉄丸とあることにより[ヲシテ]とする、

23964

[ヲシテ]安、[ヲシテ]弘武内
[ヲシテ]安弘、[ヲシテ]武内

23965

朝5-24

[ヲシテ]安、[ヲシテ]朝弘武内

23966

[ヲシテ]安、[ヲシテ]朝、[ヲシテ]弘武内
[ヲシテ]安、[ヲシテ]朝、[ヲシテ]弘武内

23967

20-36

[ヲシテ]安弘武内、[ヲシテ]朝

23968

21-1

安弘武、内

23969

安武内、弘

安弘内、武

安武内、弘

安弘内、武

23970

安武、弘内

23971

安武、弘内

23972

21-2

安弘、武内

安武内、弘

23973

安弘、武内

23974

安、弘武内

23975

21-3

23976

[illegible]

[illegible]安弘、[illegible]武内

[illegible]安弘武、[illegible]内

23977

[illegible]

[illegible]安、[illegible]弘武内

23978

[illegible]

[illegible]安、[illegible]弘武内

23979

[illegible]

21-4

23980

[illegible]

[illegible]安、[illegible]弘武内

23981

[illegible]

23982

[illegible]

[illegible]安武内、[illegible]弘

[illegible]安、[illegible]弘武内

23983

[illegible]

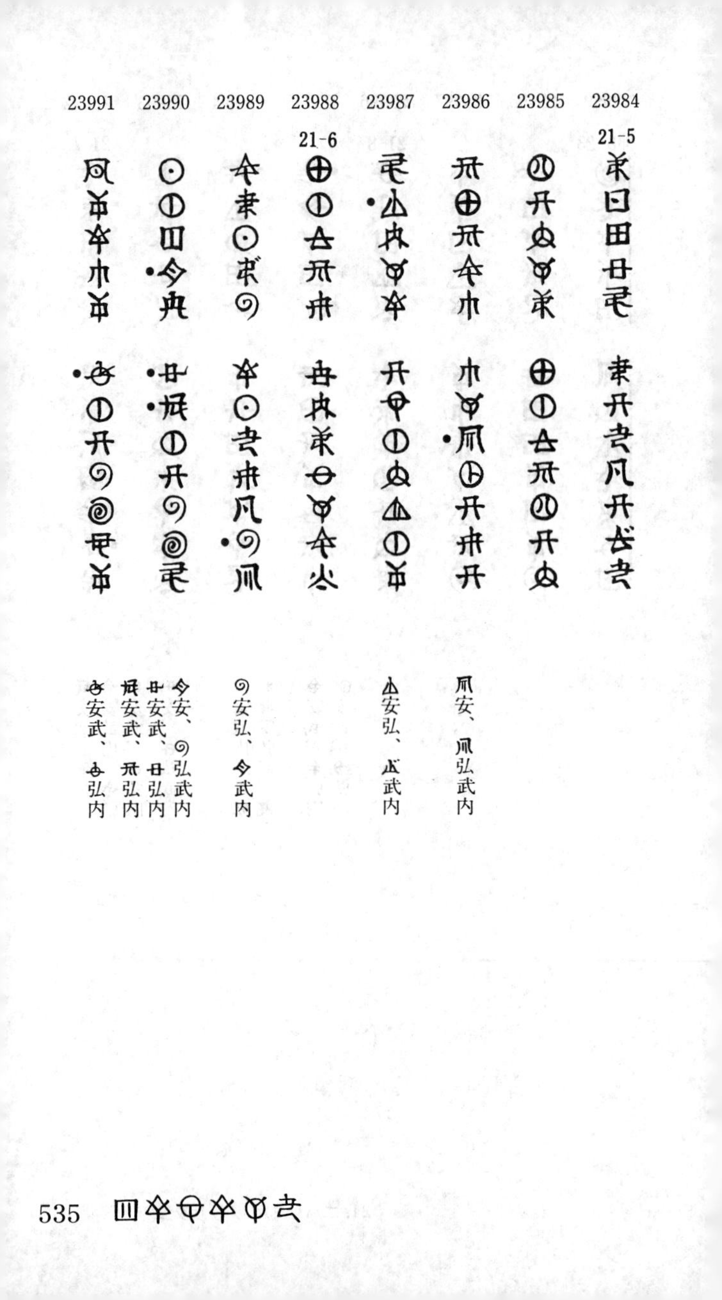

23991 23990 23989 23988 23987 23986 23985 23984

21-6 21-5

23986: 安、弘武内

23987: 安弘、武内

23989: 安弘、武内

23990: 安、弘武内 / 安武、弘内 / 安武、弘内

23991: 安武、弘内

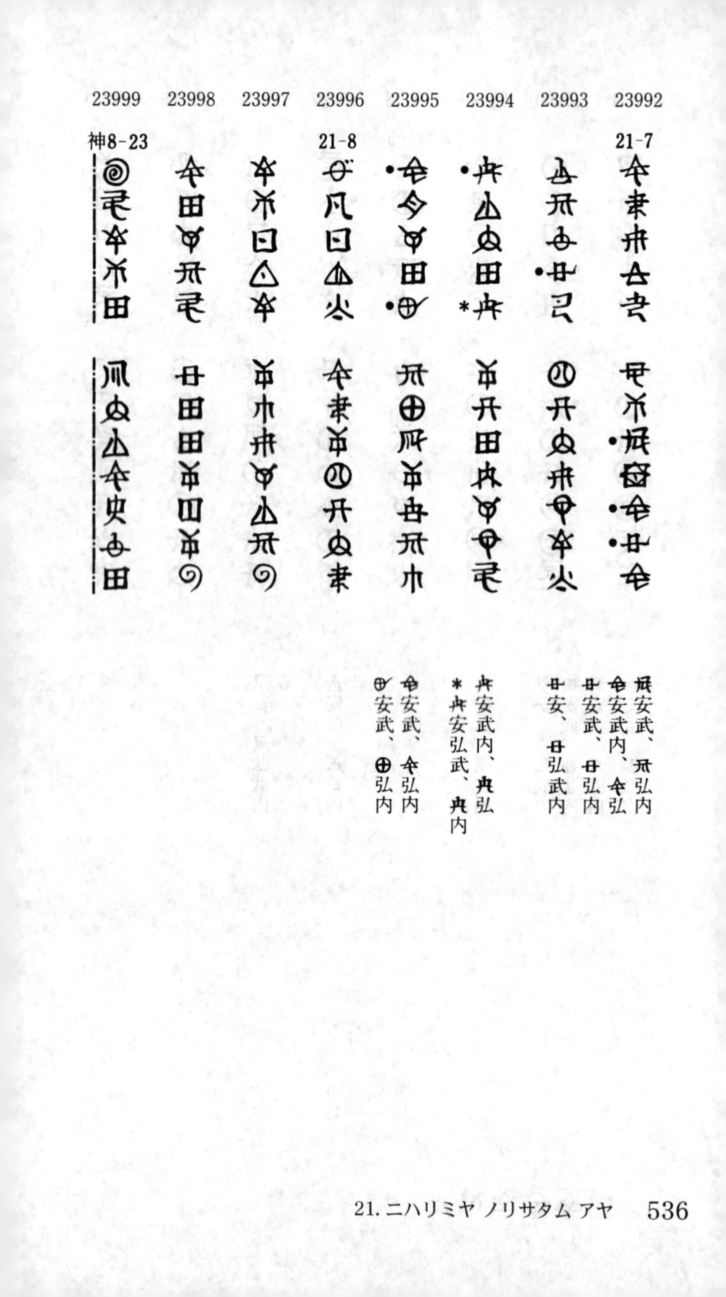

23999	23998	23997	23996	23995	23994	23993	23992
神8-23			21-8				21-7

安武、弘内
安武内、弘
安武、弘内
安、弘武内
安武内、弘
*安弘武、内
安武、弘内
安武、弘内

24000 21-9 [illegible]

24001 [illegible]

24002 ＊[illegible]

24003 [illegible]

24004 21-10 [illegible]

24005 [illegible]

24006 [illegible]

24007 [illegible]

⊙安弘武内、[illegible]神
[illegible]安弘武内、[illegible]神

[illegible]安弘神、[illegible]武内

＊これより3行弘本ナシ。武内本ともに3行の空白あり。

[illegible]安弘、[illegible]武内

[illegible]安弘、[illegible]武内

[illegible]安弘、[illegible]武内
[illegible]安武内、[illegible]弘

24008 21-11

24009

[illegible]安武内、[illegible]弘
[illegible]安弘、[illegible]武内

24010

24011

24012 21-12

[illegible]安弘、[illegible]武内

24013

[illegible]安、[illegible]弘武内
[illegible]安、[illegible]弘武内

24014

[illegible]安、[illegible]弘、[illegible]武内
[illegible]安弘、[illegible]武内

24015

24016
21-13
安弘、武内

24017

24018
安弘、武内

24019

24020
21-14
安、弘武内

24021

24022

24023
安弘武、内
安武内、弘

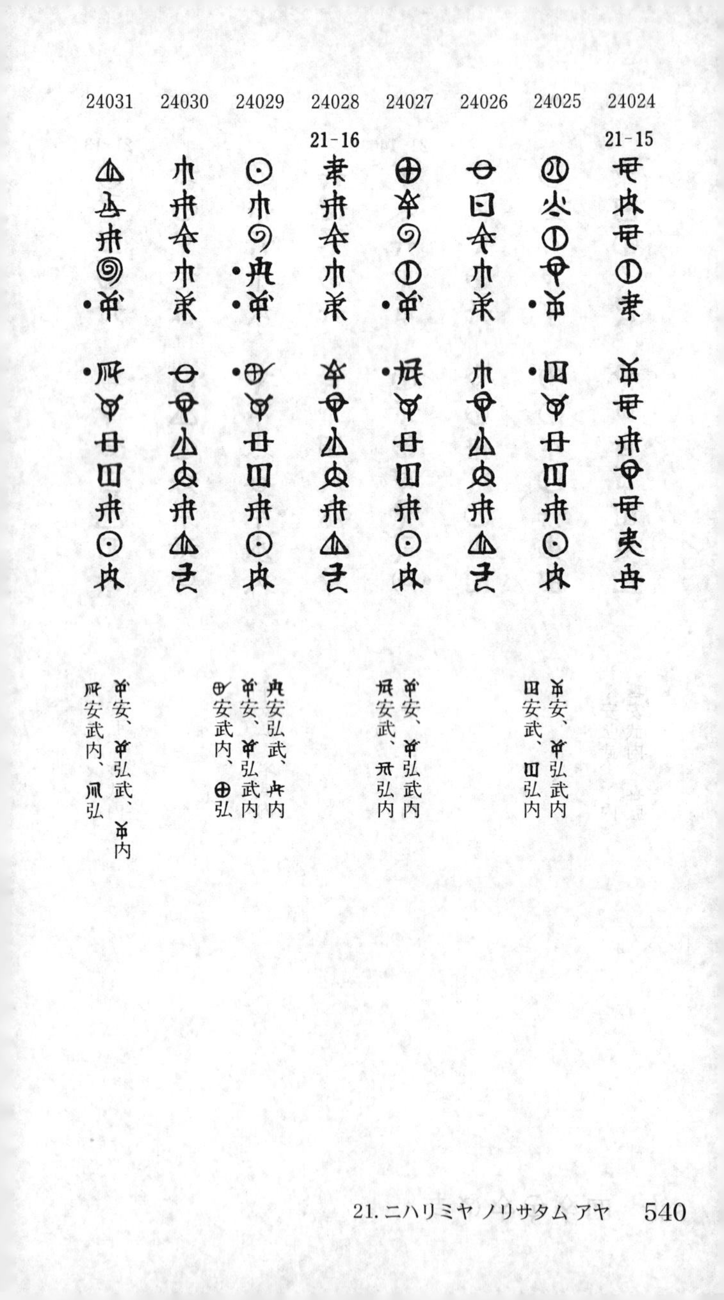

24024
21-15

24025
〓安、〓弘武内
〓安武、〓弘内

24026

24027
〓安、〓弘武内
〓安武、〓弘内

24028
21-16

24029
〓安弘武、〓内
〓安、〓弘武内
〓安武内、〓弘

24030

24031
〓安、〓弘武、〓内
〓安武内、〓弘

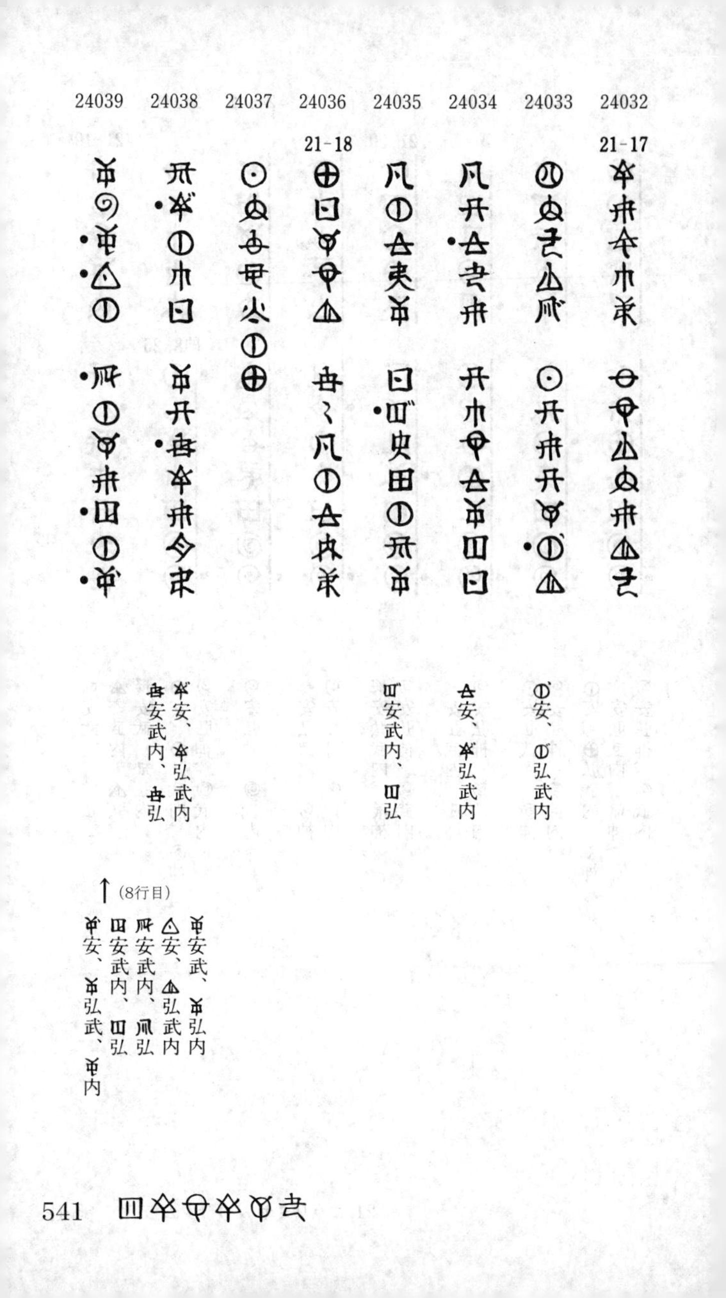

24032 21-17

24033
安、弘武内

24034
安、弘武内

24035
安武内、弘

24036 21-18

24037

24038
安、弘武内
安武内、弘

24039
↑（8行目）
安武、弘内
安、弘武内
安武内、弘
安武内、弘
安、弘武、内

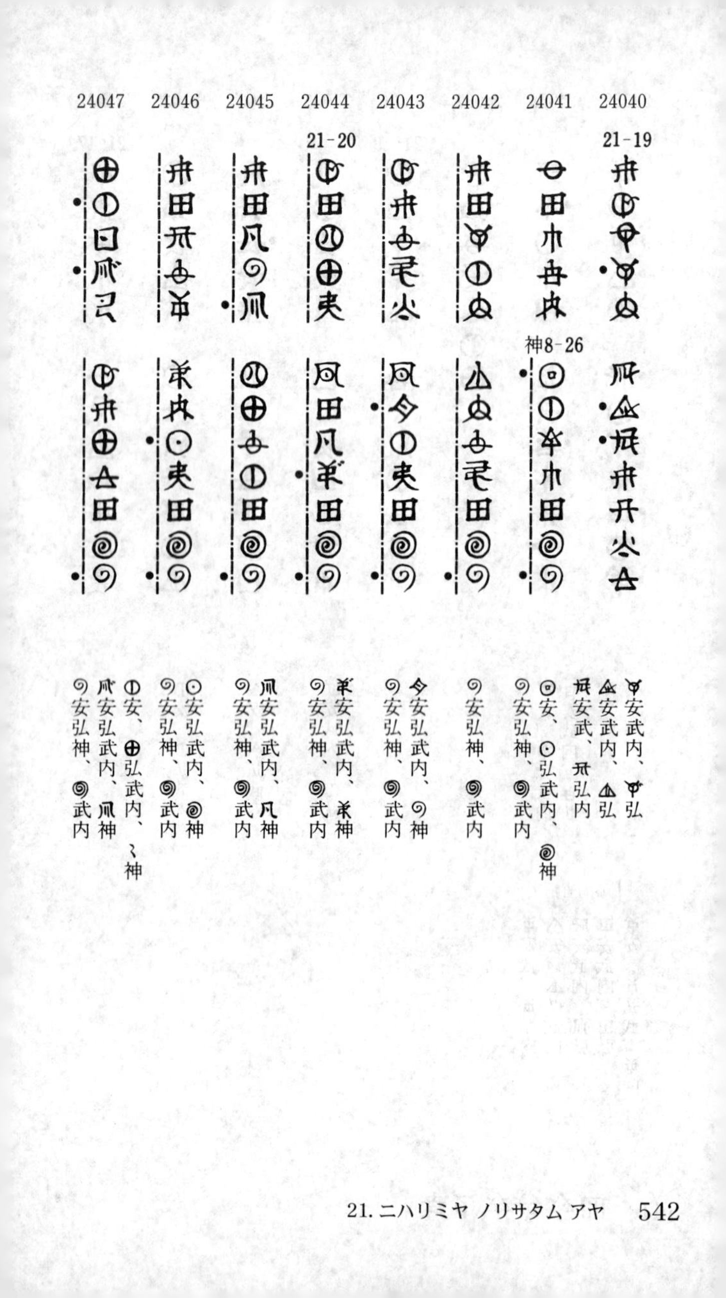

24040 21-19

24041 神8-26

24042

24043

24044 21-20

24045

24046

24047

安武内、弘
安武内、弘
安武、弘内
安、弘武内、神
安弘神、武内
安弘神、武内
安弘武内、神
安弘神、武内
安弘武内、神
安弘神、武内
安弘武内、神
安弘神、武内
安弘武内、神
安弘神、武内
安、弘武内、神
安弘武内、神
安弘神、武内

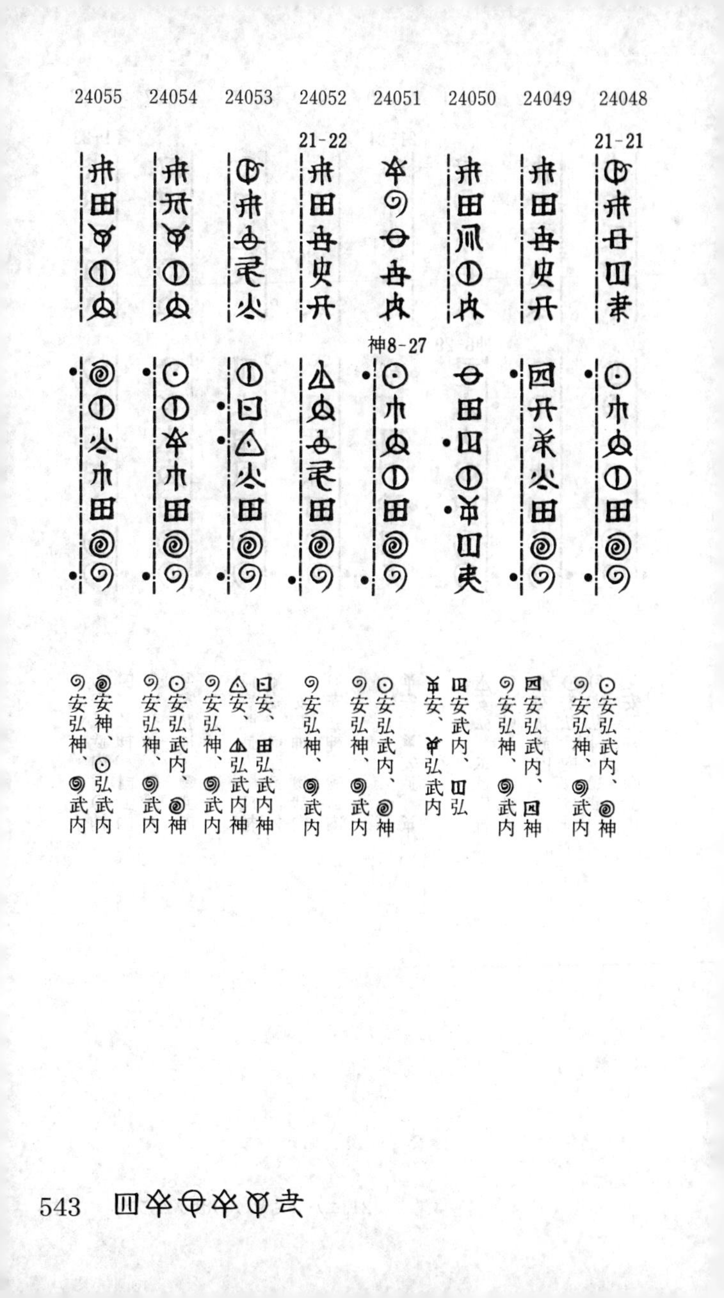

24048 21-21

安弘武内、神
安弘神、武内

24049

安弘武内、神
安弘神、武内

24050

安武内、弘
安、弘武内

24051 神8-27

安弘武内、神
安弘神、武内

24052 21-22

安弘神、武内

24053

安、弘武内神
安、弘武内神
安弘神、武内

24054

安弘武内、神
安弘神、武内

24055

安神、弘武内
安弘神、武内

24056 21-23

24057

24058

24059

24060 21-24

24061 神8-29

24062

24063

⊙安弘武内、◎神
四安弘神、四武内
◎安弘神、◎武内
◎安弘神、◎武内
爪安弘武内、凡神
爪安、风弘武内神
◎安弘神、◎武内
◎安弘神、◎武内
丱安、丱安武、丱内
亼安弘、亼武内神
◎安弘神、◎武内
亼安弘武内、亼神
⊙安弘武内、◎神
◎安弘神、◎武内
◎安弘神、◎武内

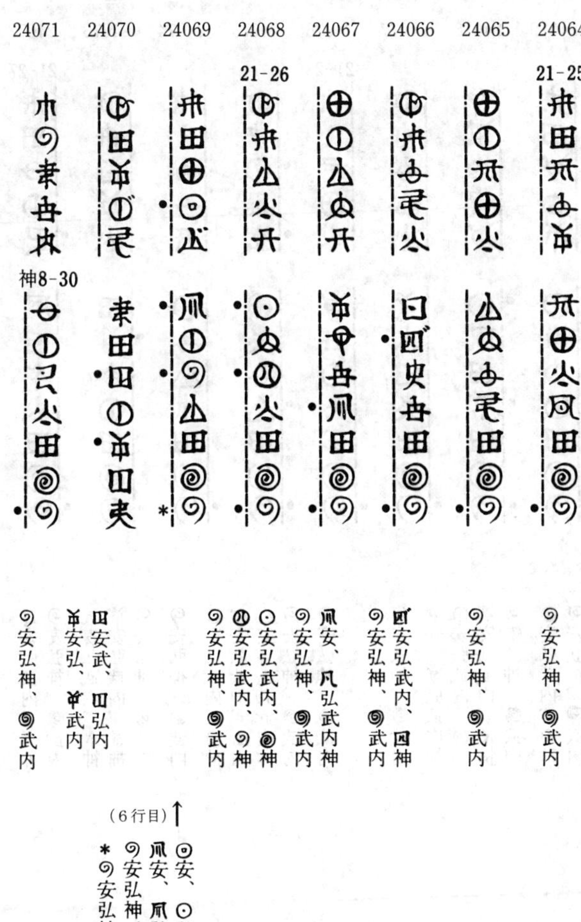

安弘神、武内

安弘神、武内

安弘武内、神

安、弘武内神

安弘神、武内

安弘武内、神

安弘武内、神

安弘神、武内

安武、弘内

安弘、武内

安弘神、武内

（6行目）↑

安、弘武内、神

安、弘武内、神

安弘神、武内

＊安弘神、武内

24072 (21-27)

安弘武内、神

安弘神、武内

24073

安弘武内、神

安弘武内、神

安弘武内、武内

24074

安弘神、武内

24075

安弘武内、神

安弘武神、内

安、弘武内神

安弘神、武内

24076 (21-28)

安弘神、武内

24077

安弘神、武内

24078

安、弘武内神

安弘武内、神

安弘武内、神

安弘神、武内

24079

安弘武内、神

安弘神、武内

24080

21-29

安武、弘内

24081

24082

24083

安武内、弘

安武内、弘

24084

21-30

安、弘武内

24085

安弘、武内

24086

安弘、武内

24087

安、弘武内

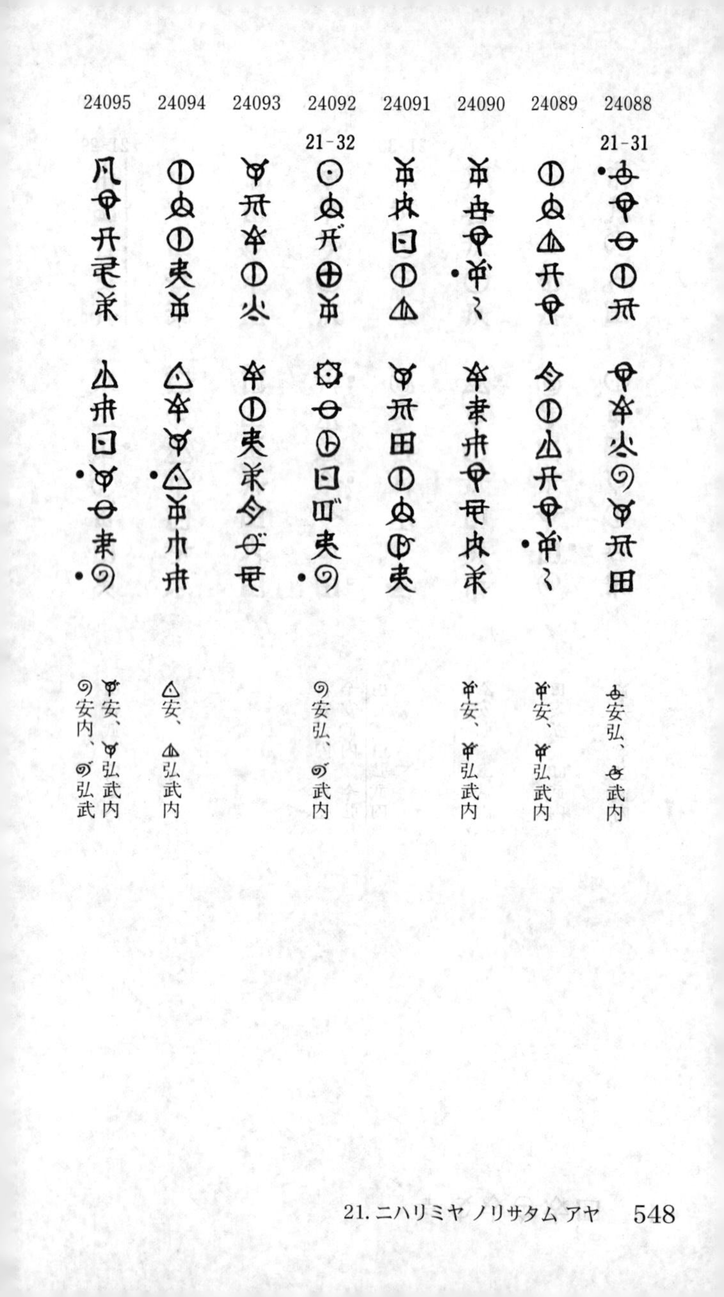

24088 21-31

安弘、武内

24089

安、弘武内

24090

安、弘武内

24091

24092 21-32

安弘、武内

24093

24094

安、弘武内

24095

安、弘武内

安内、弘武

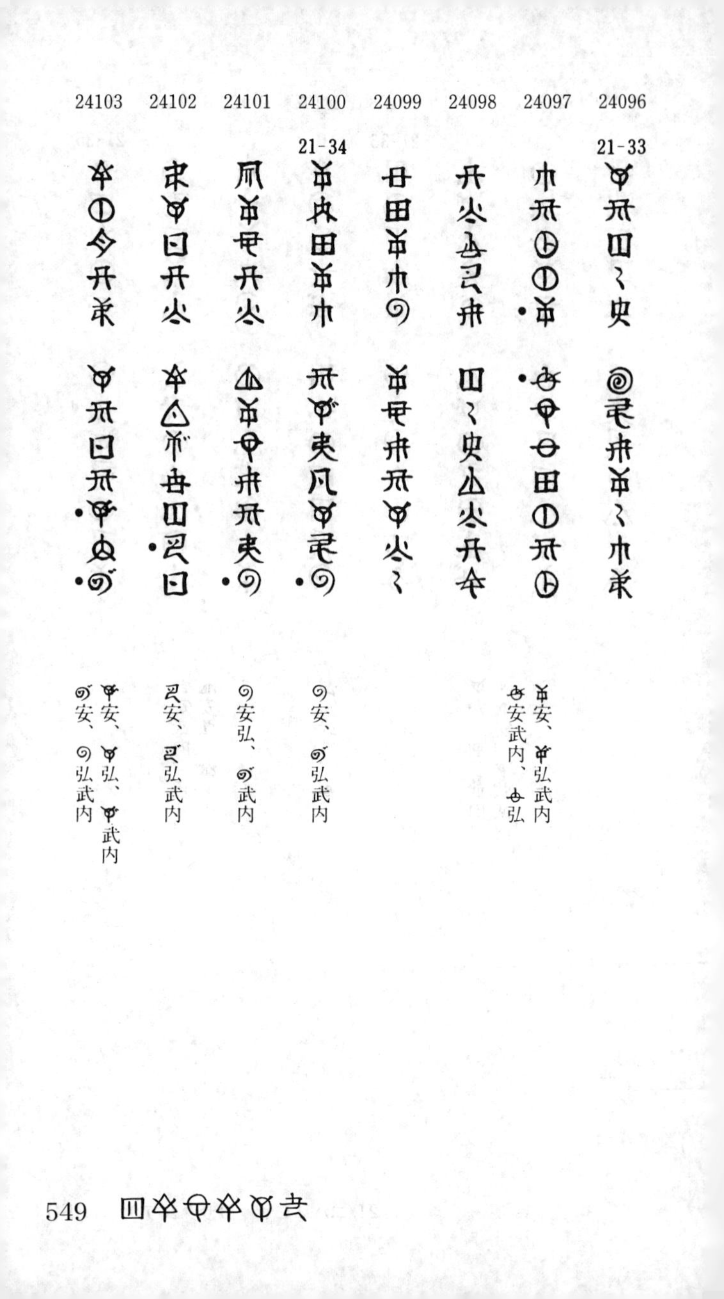

24096
21-33

24097
安、弘武内
安武内、弘

24098

24099

24100
21-34
安、弘武内

24101
安弘、武内

24102
安、弘武内

24103
安、弘、武内
安、弘武内

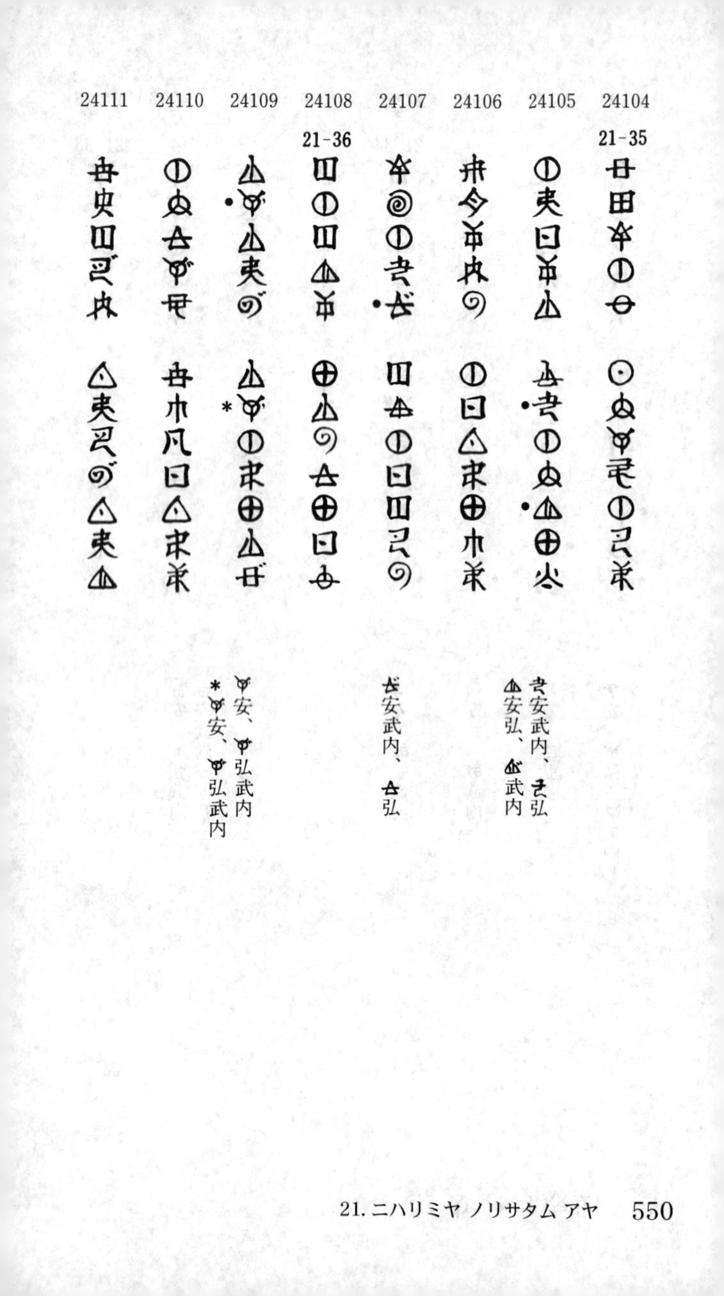

24104
21-35

24105

安武内、弘
安弘、武内

24106

24107

安武内、弘

24108
21-36

24109

安、弘武内
*安、弘武内

24110

24111

24112 21-37

24113

24114

24115

24116 神1-6 21-38

[illegible]安弘武内、[illegible]神
[illegible]安神、[illegible]弘武内

24117

[illegible]安弘武、[illegible]内、[illegible]神

24118

[illegible]安弘武、[illegible]内、[illegible]神
[illegible]安弘武内、[illegible]神

24119

[illegible]安武内、[illegible]弘
[illegible]安武、[illegible]弘内

24120

21-39

安弘内、武

24121

24122

24123

24124

21-40

24125

24126

24127

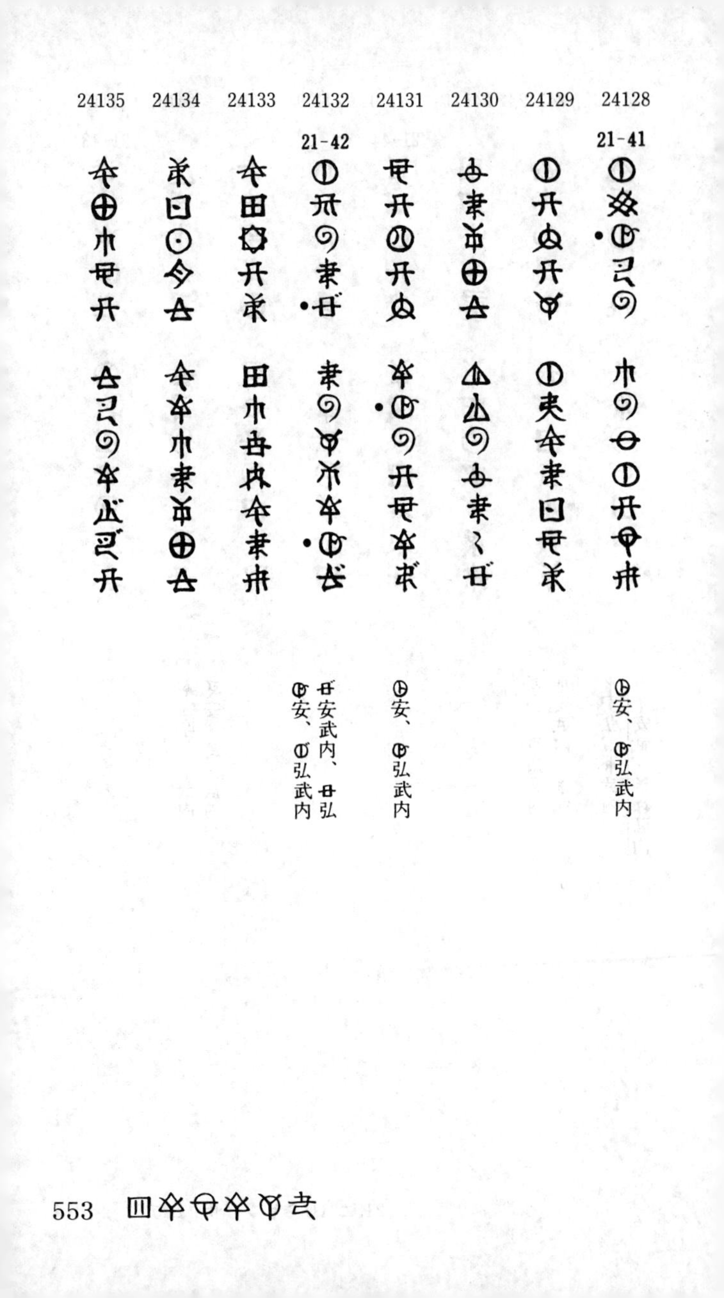

24128

21-41

安、弘武内

24129

24130

24131

安、弘武内

24132

21-42

安武内、弘

安、弘武内

24133

24134

24135

24136

21-43

[illegible]

24137

[illegible]

24138

[illegible]

24139

[illegible]

24140

21-44

[illegible]

24141

[illegible]

24142

[illegible]

24143

[illegible]

[illegible]安弘、[illegible]武内
[illegible]安、[illegible]弘武内

[illegible]安、[illegible]弘武内
[illegible]安武内、[illegible]弘

[illegible]安弘、[illegible]武内
[illegible]安武、[illegible]弘内

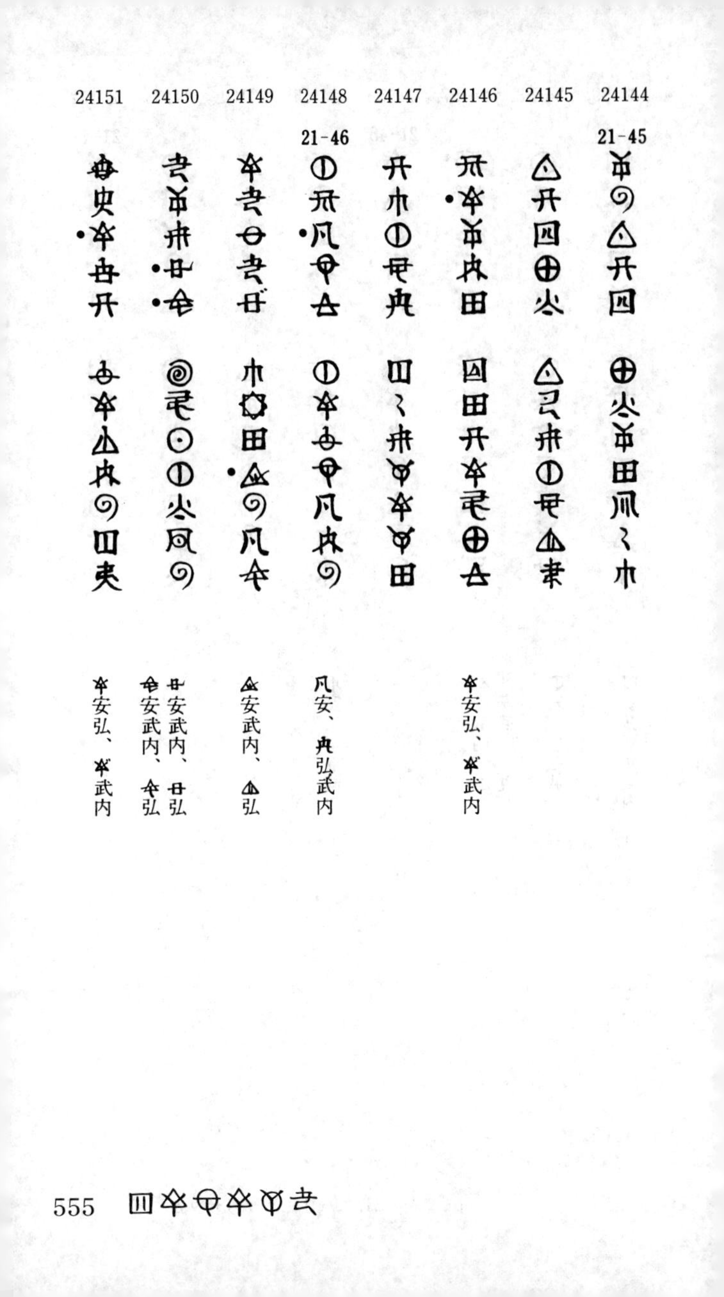

24144 21-45

24145

24146

安弘、武内

24147

24148 21-46

安、弘武内

24149

安武内、弘

24150

安武内、弘

安武内、弘

24151

安弘、武内

24152

21-47

24153

24154

24155

安弘、武内

24156

21-48

24157

安武内、弘

安武内、弘

24158

安、弘武内

24159

安弘、武内

24160 21-49

24161

安弘、 武内

24162

24163

安武内、 弘

24164 21-50

24165

24166

24167

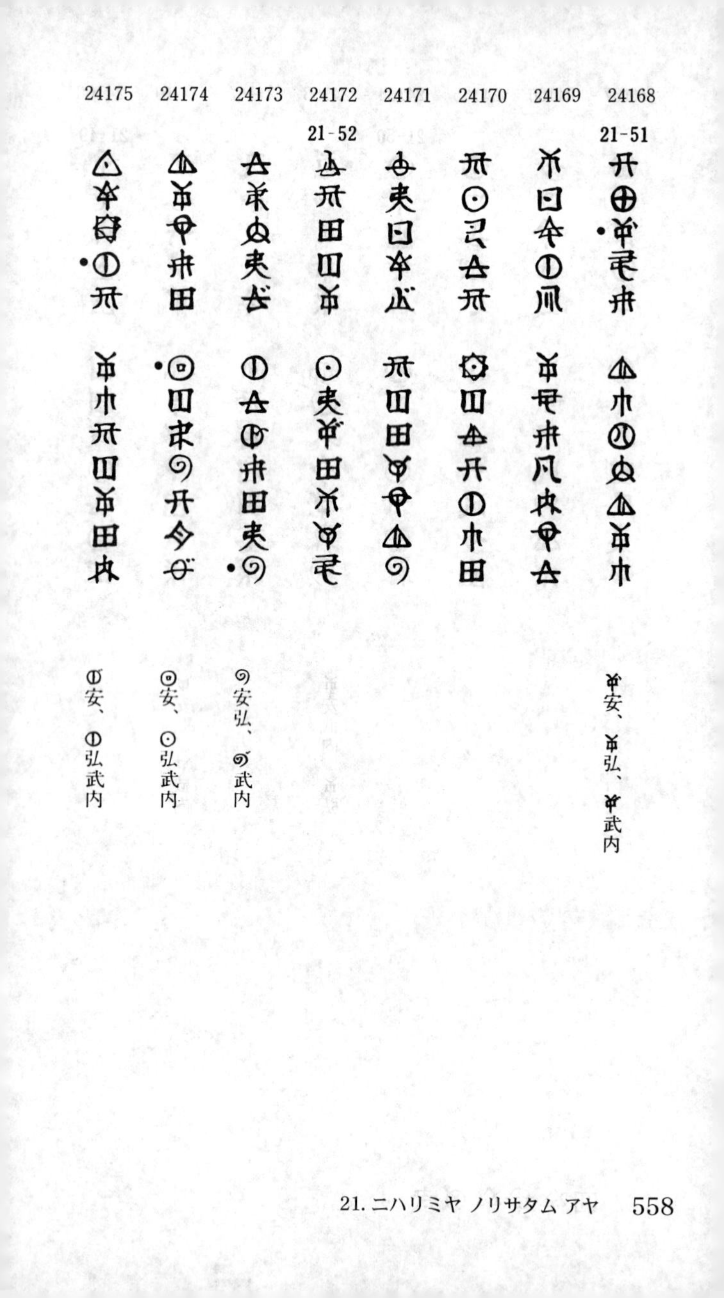

24168

21-51

安、弘、武内

24169

24170

24171

24172

21-52

24173

安弘、武内

24174

安、弘武内

24175

安、弘武内

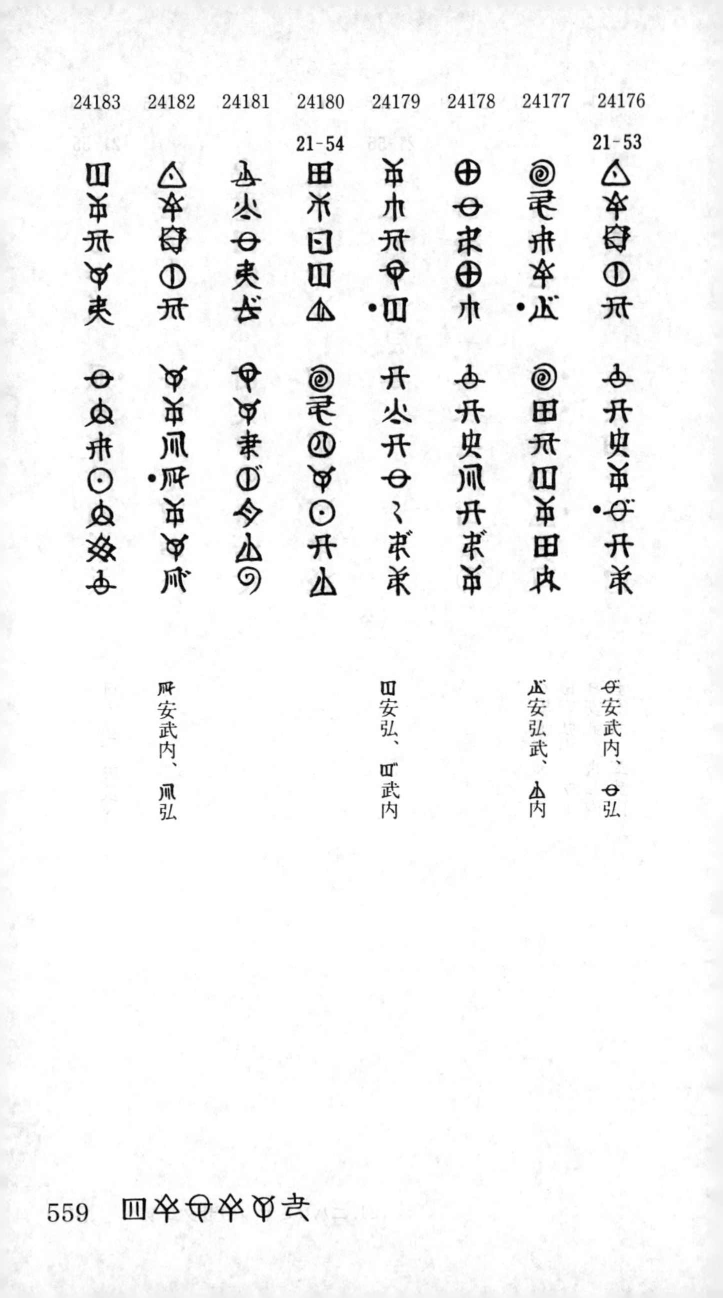

24176 21-53

安武内、弘

24177

安弘武、内

24178

24179

安弘、武内

24180 21-54

24181

24182

安武内、弘

24183

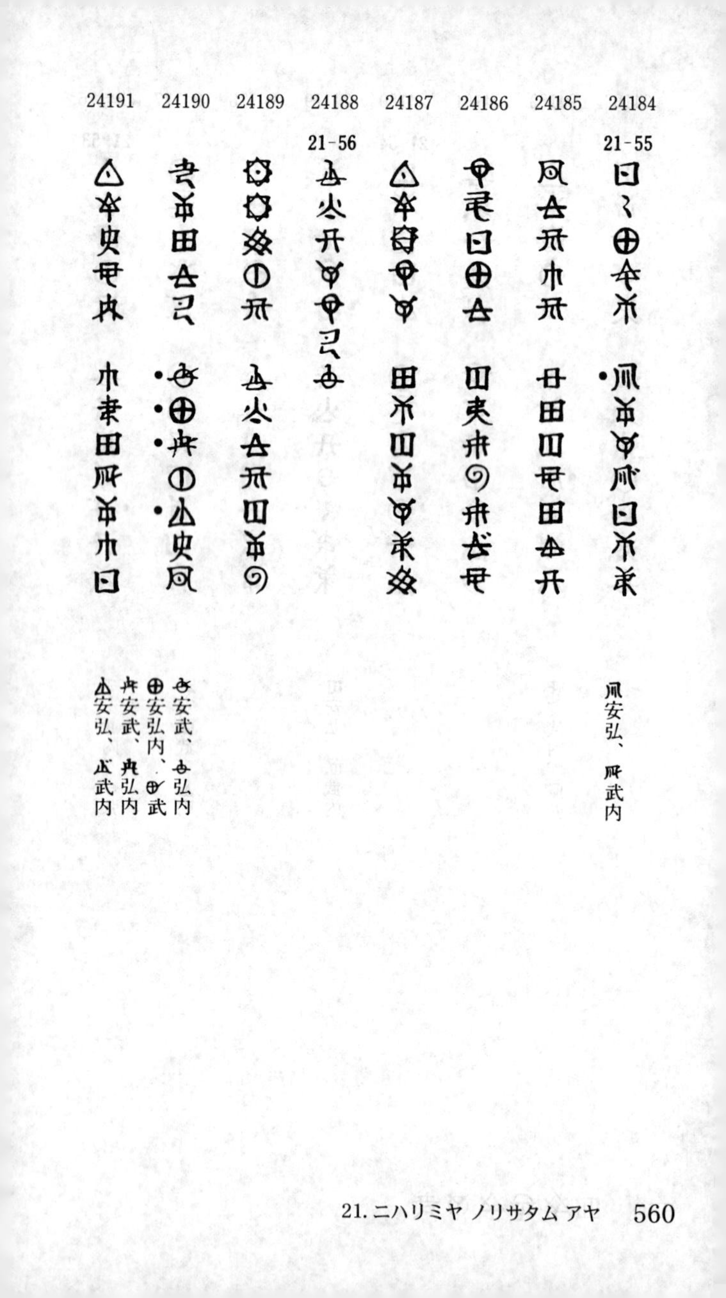

24184

21-55

[ヲシテ]安弘、[ヲシテ]武内

24185

24186

24187

24188

21-56

24189

24190

[ヲシテ]安武、[ヲシテ]弘内

[ヲシテ]安弘内、[ヲシテ]武

[ヲシテ]安武、[ヲシテ]弘内

24191

[ヲシテ]安弘、[ヲシテ]武内

24192 裏-10 21-57

24193

24194

24195

24196 21-58

24197

24198

24199

安弘、裏武内

安裏武内、弘

安裏武内、弘

安裏弘、武内

24200

21-59

[illegible]

24201

[illegible]

24202

[illegible]

24203

[illegible]

24204

21-60

[illegible]

24205

[illegible]

24206

[illegible]

24207

[illegible]

[illegible]安弘、[illegible]武内

[illegible]安弘、[illegible]武内

[illegible]安弘、[illegible]武内

[illegible]安武内、[illegible]弘

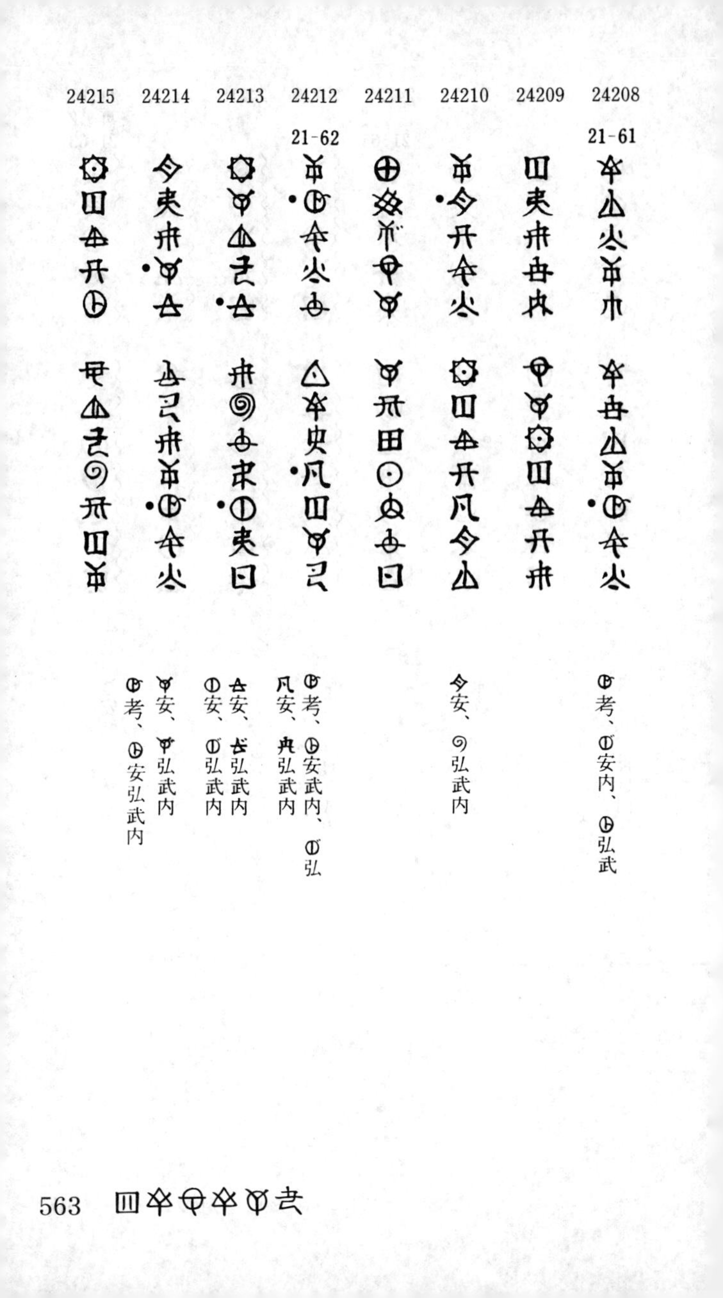

24208
21-61

考、安内、弘武

24209

24210

安、弘武内

24211

24212
21-62

考、安武内、弘

安、弘武内

24213

安、弘武内

安、弘武内

24214

安、弘武内

24215

考、安弘武内

24216 裏-12 21-63　24217　24218　24219　24220 21-64　24221　24222　24223

24216：安弘、裏武内

24218：考、安武内、裏弘

24219：安、裏弘武内

24221：安、弘武内

24223：安弘、武内

24224 21-65 [illegible]

[illegible]安武内、[illegible]弘

24225 [illegible]

[illegible]安、[illegible]弘武内

[illegible]安、[illegible]弘武内

24226 [illegible]

[illegible]安弘、[illegible]武内

24227 [illegible]

[illegible]安武、[illegible]弘、[illegible]内

24228 21-66 [illegible]

24229 [illegible]

[illegible]安、[illegible]弘武内

[illegible]安、[illegible]弘武内

24230 [illegible]

[illegible]安、[illegible]弘武内

24231 [illegible]

[illegible]安弘、[illegible]武内

[illegible]考、[illegible]安弘武内

24232 裏-14 21-67

24233

24234

安裏弘、武内

安裏弘、武内

安弘武内、裏

24235
裏-14
22- 1

24236

24237

24238

24239
裏-15
22- 2

24240

24241

24242

〓安裏、〓弘、〓武内

＊これより安本カタカナにて表記している。底本の表記に、大きな区別があるため、改行の扱いとした。安聡写本の残簡本の裏（22アヤ）も同様。（カタカナ表記では、オとヲ、ハとワについて混用があるため校異としては揚げていない）

〓安、〓武内、ヒ安裏

〓弘武内、ハ安裏

〓〓〓〓〓弘武内、ワタマシニ安裏

〓弘武内、コ安裏

〓弘、〓武内、ヒ安裏

〓弘、〓武内、オ安裏

〓弘、〓武内、ロ安裏

〓弘武内、ノ安、ヲ裏

〓弘、〓武内、ト安裏

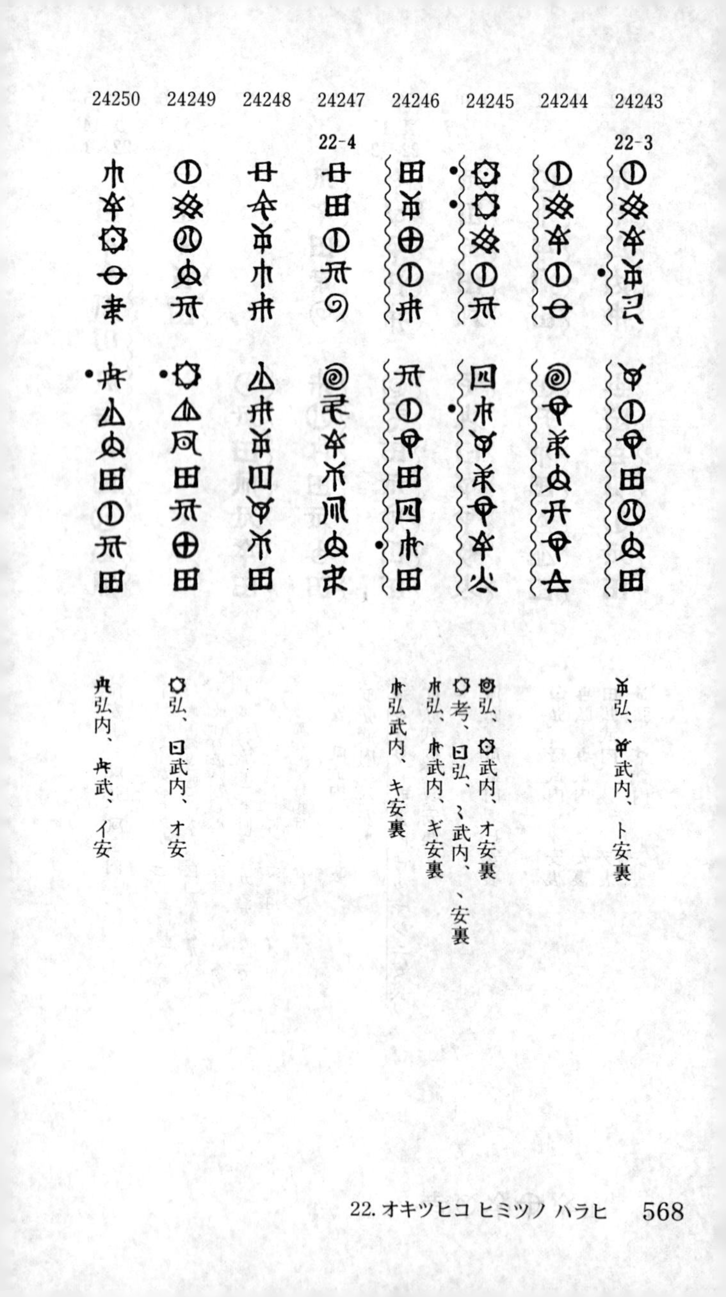

24243

22-3

■弘、■武内、ト安裏

24244

24245

■弘、■武内、オ安裏

■考、■弘、■武内、、安裏

■弘、■武内、ギ安裏

24246

■弘武内、キ安裏

24247

22-4

24248

24249

■弘、■武内、オ安

24250

■弘内、■武、イ安

24251 22-5

[illegible]

[illegible]弘、[illegible]武内、デ安
[illegible]弘内、[illegible]武、ナ安

24252

[illegible]

[illegible]弘、[illegible]武内、コ安

24253

[illegible]

[illegible]弘、[illegible]武内、ヒ安

24254

[illegible]

24255 22-6

[illegible]

[illegible]弘内、[illegible]武、ソ安

24256

[illegible]

[illegible]弘武内、エ安

24257

[illegible]

[illegible]弘武内、ト安

24258

[illegible]

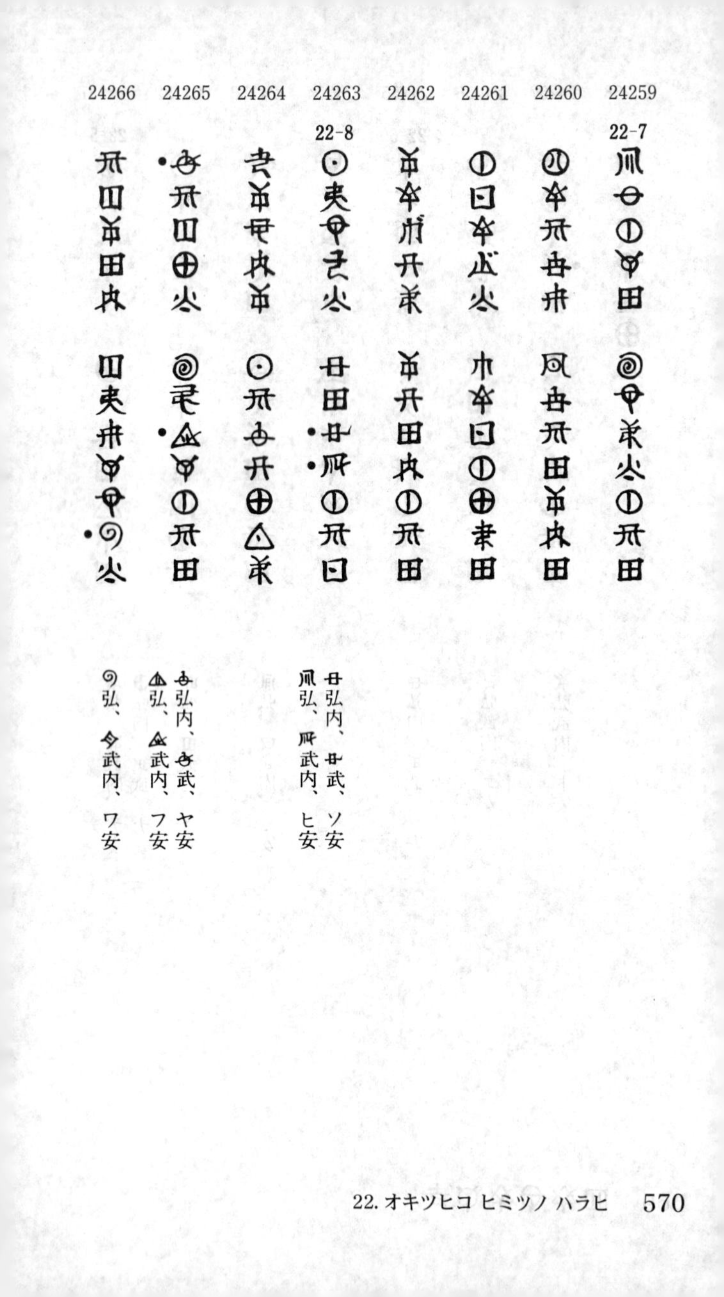

24259 22-7

24260

24261

24262

24263 22-8

24264

24265

24266

弘内、武、ソ安

弘、武内、ヒ安

弘内、武、ヤ安

弘、武内、フ安

弘、武内、ワ安

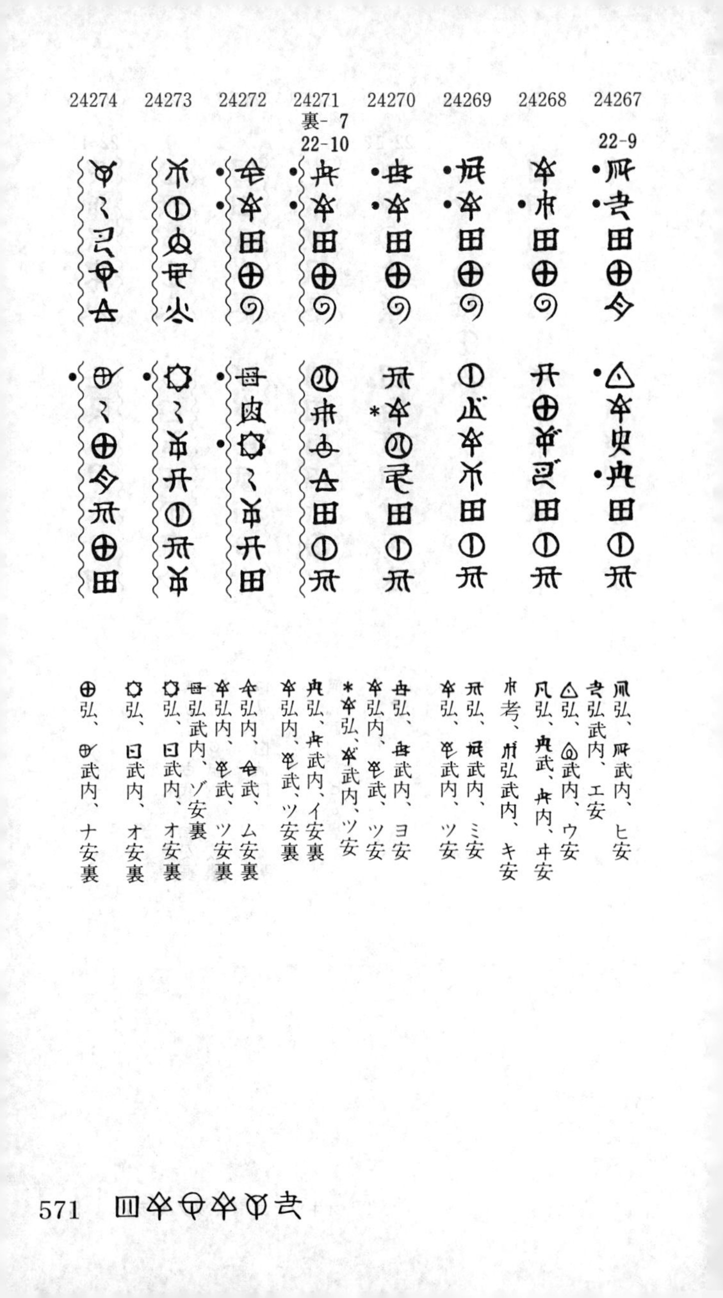

24267 22-9

24268

24269

24270

24271 裏-7 22-10

24272

24273

24274

[illegible]弘、[illegible]武内、ヒ安
[illegible]弘武内、エ安
[illegible]弘、[illegible]武内、ウ安
[illegible]弘、[illegible]武、[illegible]内、ヰ安
[illegible]考、[illegible]弘武内、キ安
[illegible]弘、[illegible]武内、ミ安
[illegible]弘、[illegible]武内、ツ安
[illegible]弘、[illegible]武内、ヨ安
[illegible]弘内、[illegible]武、ツ安
*[illegible]弘、[illegible]武内、ツ安
[illegible]弘、[illegible]武内、イ安裏
[illegible]弘内、[illegible]武、ツ安裏
[illegible]弘内、[illegible]武、ム安裏
[illegible]弘内、[illegible]武、ツ安裏
[illegible]弘武内、ゾ安裏
[illegible]弘、[illegible]武内、オ安裏
[illegible]弘、[illegible]武内、オ安裏
[illegible]弘、[illegible]武内、ナ安裏

22-11

24275

24276

24277

24278

22-12

24279

24280

24281

24282

弘内、武、ヤ安裏

弘、の武内、ワ安裏

弘、武内、ヲ安裏

弘武内、ビ安裏

24283 22-13

〓〓〓〓〓

〓〓〓〓〓〓・〓

〓弘、〓武内、ハ安

24284

〓〓〓〓〓

〓〓〓〓〓〓〓

24285

〓〓〓〓〓

〓〓〓〓〓〓〓

24286

・〓・〓〓〓〓

〓〓〓〓・〓〓〓

〓弘、〓武内、オ安
〓弘武内、コ安
〓弘武内、サ安

24287 22-14

〓〓〓〓〓

・〓〓〓〓〓〓〓

〓弘、〓武内、オ安

24288

〓・〓〓〓〓

〓〓〓〓〓〓〓

〓弘武内、ケ安

24289

〓〓〓〓〓

・〓・〓〓〓〓〓〓

〓弘、〓武内、オ安
〓考、〓弘武内、ゴ安裏

24290

〓〓〓〓〓

・〓・〓〓〓〓〓〓

〓弘、〓武内、コ安
〓弘、〓武内、タ安

24291 22-15

24292

24293

24294

24295 裏-9 22-16

24296

24297

24298

24291: 〓弘内、〓武、ミ安
〓弘武、〓内、タ安

24292: 〓弘武内、ノ安
〓弘、〓武内、ナ安

24293: 〓弘、〓武内、ワ安
〓弘、〓武内、ヒ安
〓弘武、〓内、タ安

24296: 〓弘武内、コ安、ゴ裏
〓弘武内、バ安、ハ裏

24297: 〓弘、〓武内、コ安、ゴ裏

24299 22-17

24300

24301

24302 *

24303 裏-11 22-18

24304

24305

24306

*裏のみマモルベキトゾの異文。

[glyph]弘、[glyph]武内、ヒ安裏

[glyph]弘、[glyph]武内、タ安

[glyph]弘武内、ク安

[glyph]弘武内、フ安

24307 24308 24309 24310 24311 24312 24313 24314

22-19 22-20

弘武内、ハ安

弘、武内、ヒ安

弘、武内、イ安

弘、武内、ム安

弘内、武、ソ安

弘内、武、ヤ安

弘、武内、ナ安

弘、武内、ヰ安

弘、武内、ク安

↑(8行目)

弘、武内、ヰ安

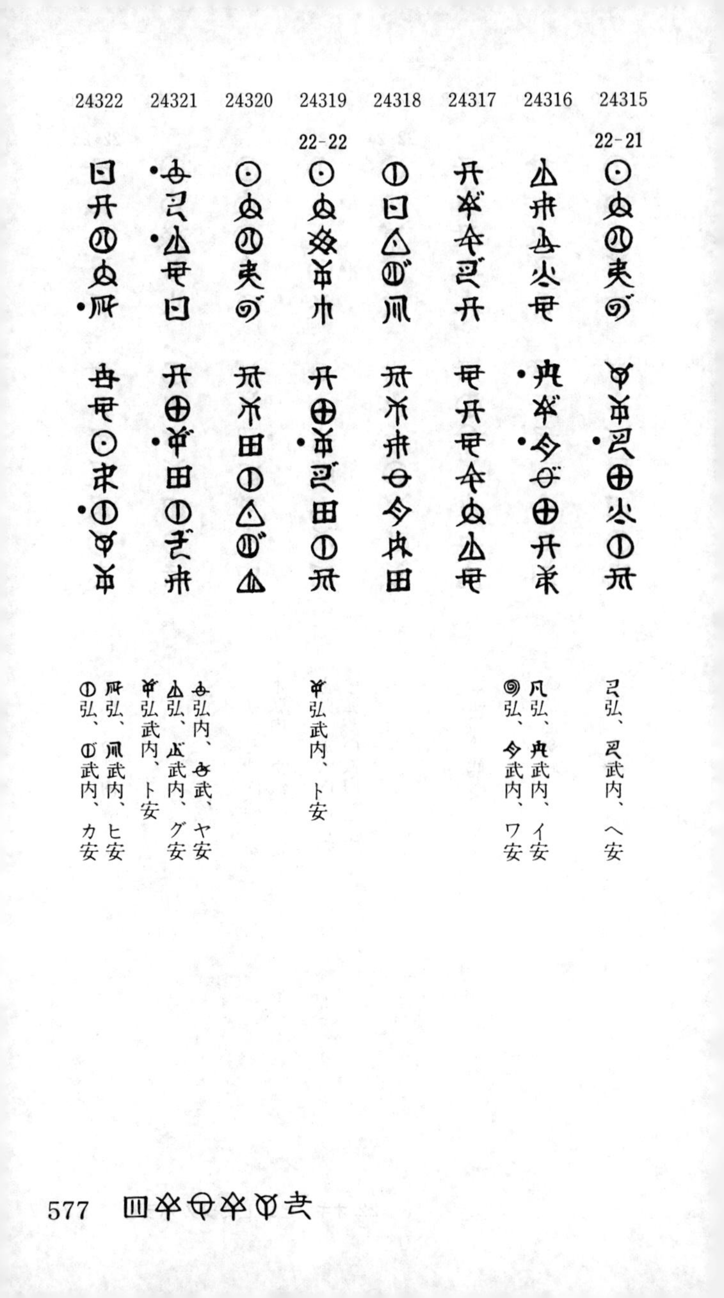

24315 22-21

24316

24317

24318

24319 22-22

24320

24321

24322

〓弘、〓武内、ヘ安

〓弘、〓武内、イ安
〓弘、〓武内、ワ安

〓弘武内、ト安

〓弘内、〓武、ヤ安
〓弘、〓武内、グ安
〓弘武内、ト安
〓弘、〓武内、ヒ安
〓弘、〓武内、カ安

24323 22-23
[illegible]
[illegible]
[illegible]弘、[illegible]武内、カ安

24324
[illegible]
[illegible]

24325
[illegible]
[illegible]
[illegible]弘、[illegible]武内、ヘ安
[illegible]弘内、[illegible]武、キ安

24326
[illegible]
[illegible]
[illegible]弘、[illegible]武内、ク安
[illegible]弘、[illegible]武内、ア安

24327 22-24
[illegible]
[illegible]

24328
[illegible]
[illegible]
[illegible]弘、[illegible]武内、ト安

24329
[illegible]
[illegible]
[illegible]弘、[illegible]武内、ワ安

24330
[illegible]
[illegible]

22-25

24331 [illegible]

[illegible]弘、[illegible]武内、ハ安

24332 [illegible]

24333 [illegible]

[illegible]弘、[illegible]武内、ヅ安

24334 [illegible]

[illegible]弘、[illegible]武内、ワ安

22-26

24335 [illegible]

24336 [illegible]

[illegible]弘、[illegible]武内、イ安

[illegible]弘、[illegible]武内、テ安

24337 [illegible]

[illegible]弘武内、ツ安

[illegible]考、[illegible]弘武内、ギ安

24338 [illegible]

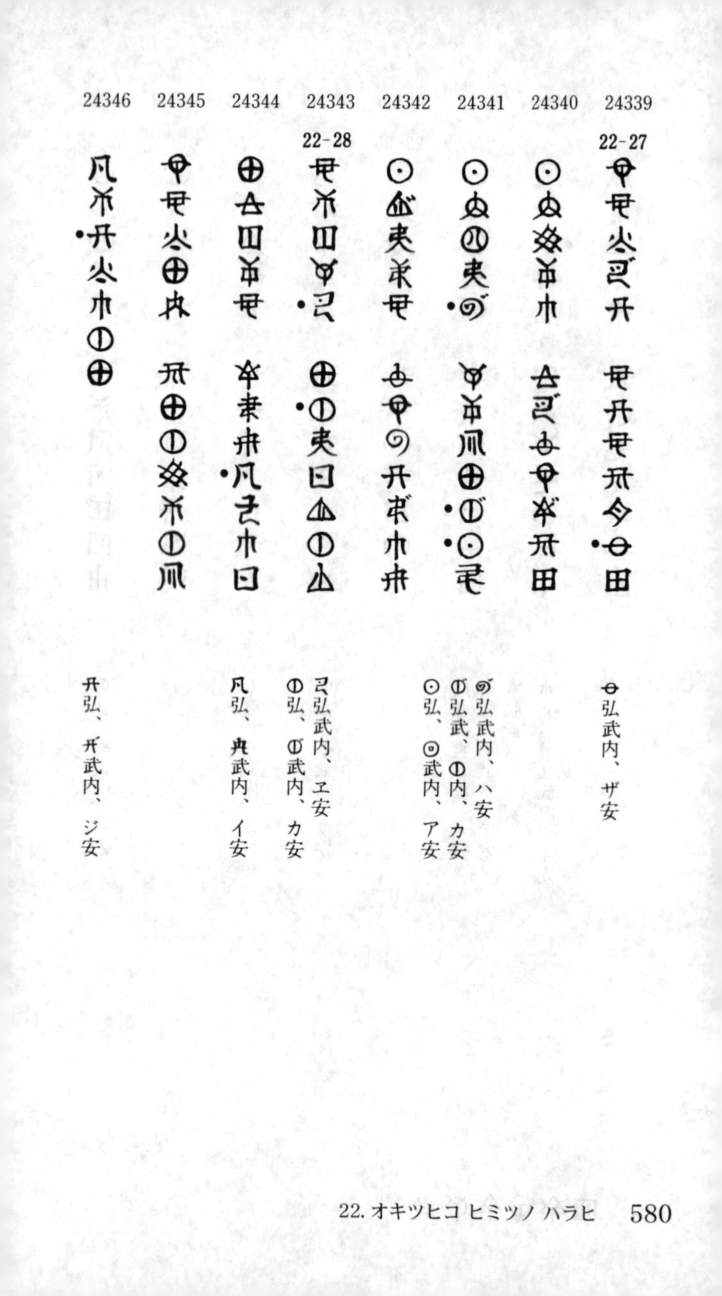

24339

22-27

弘武内、ザ安

24340

24341

弘武内、ハ安

弘武、内、カ安

弘、武内、ア安

24342

24343

22-28

弘武内、ヱ安

弘、武内、カ安

24344

弘、武内、イ安

24345

24346

弘、武内、ジ安

24347
22-29

24348

24349
弘武内、コ安

24350
弘、武内、キ安

24351
22-30
弘、武内、キ安
*弘、武内、ギ安

24352
弘武内、ビ安

24353
弘、武内、ト安

24354
弘、武内、ミ安
弘内、武、ツ安

24355 22-31

[illegible]

24356

[illegible]

24357

[illegible]

24358

[illegible]

24359 22-32

[illegible]

24360

[illegible]

24361

[illegible]

24362

[illegible]

[illegible]弘、[illegible]武内、オ安
[illegible]弘、[illegible]武内、ハ安
[illegible]弘、[illegible]武内、キ安
[illegible]弘、[illegible]武内、グ安
[illegible]弘、[illegible]武内、ヒ安
[illegible]弘、[illegible]武内、ヒ安
[illegible]弘、[illegible]武内、キ安
[illegible]弘内、[illegible]武、ヅ安
[illegible]弘武内、ザ安
[illegible]弘武内、コ安

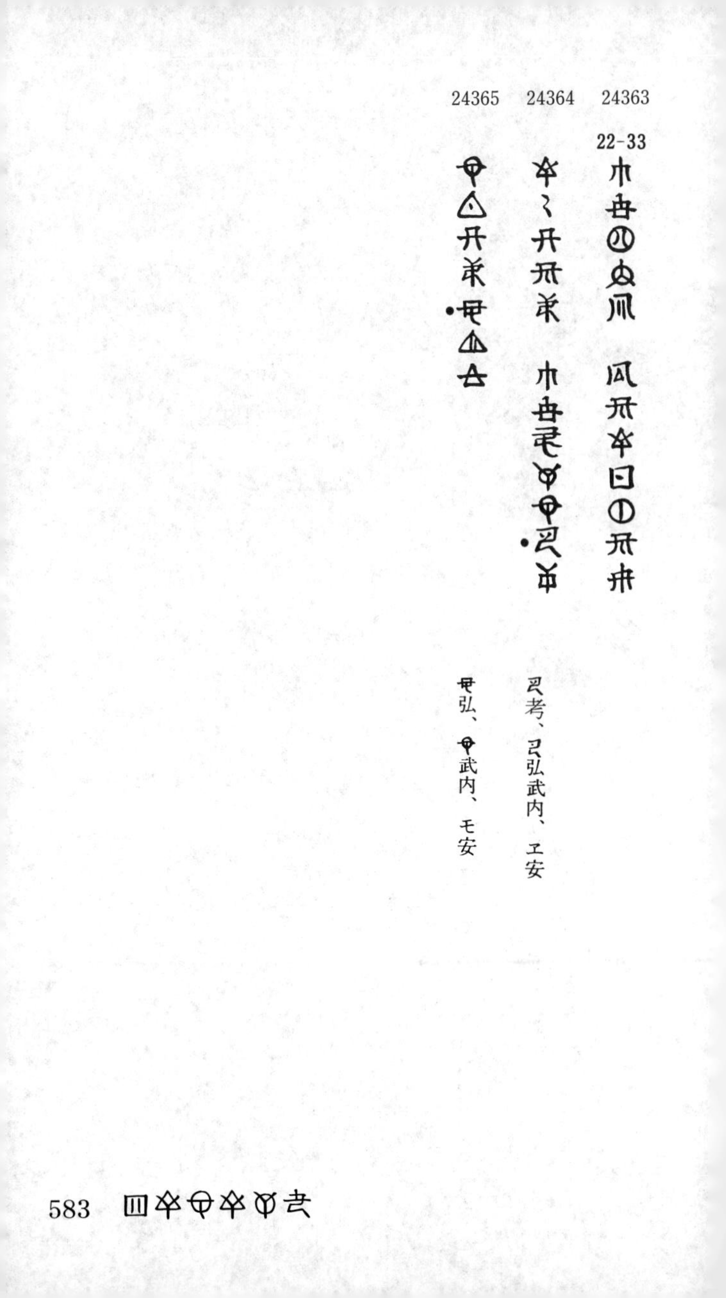

24363

22-33

[illegible]

24364

[illegible]

[illegible]考、[illegible]弘武内、エ安

24365

[illegible]

[illegible]弘、[illegible]武内、モ安

24366 23-1

[illegible]安、[illegible]弘、[illegible]武内

24367

[illegible]安、[illegible]弘武内

24368

[illegible]安武内、[illegible]弘

[illegible]安武、[illegible]弘内

24369

[illegible]安弘、[illegible]武内

24370 23-2

[illegible]考、[illegible]安弘武内

24371

24372

[illegible]安弘、[illegible]武内

24373

24374 23-3

24375

24376

24377

24378 23-4

24379

24380

24381

安弘、武内

安弘、武内

安弘、武内

安弘、武内

安、弘、武内

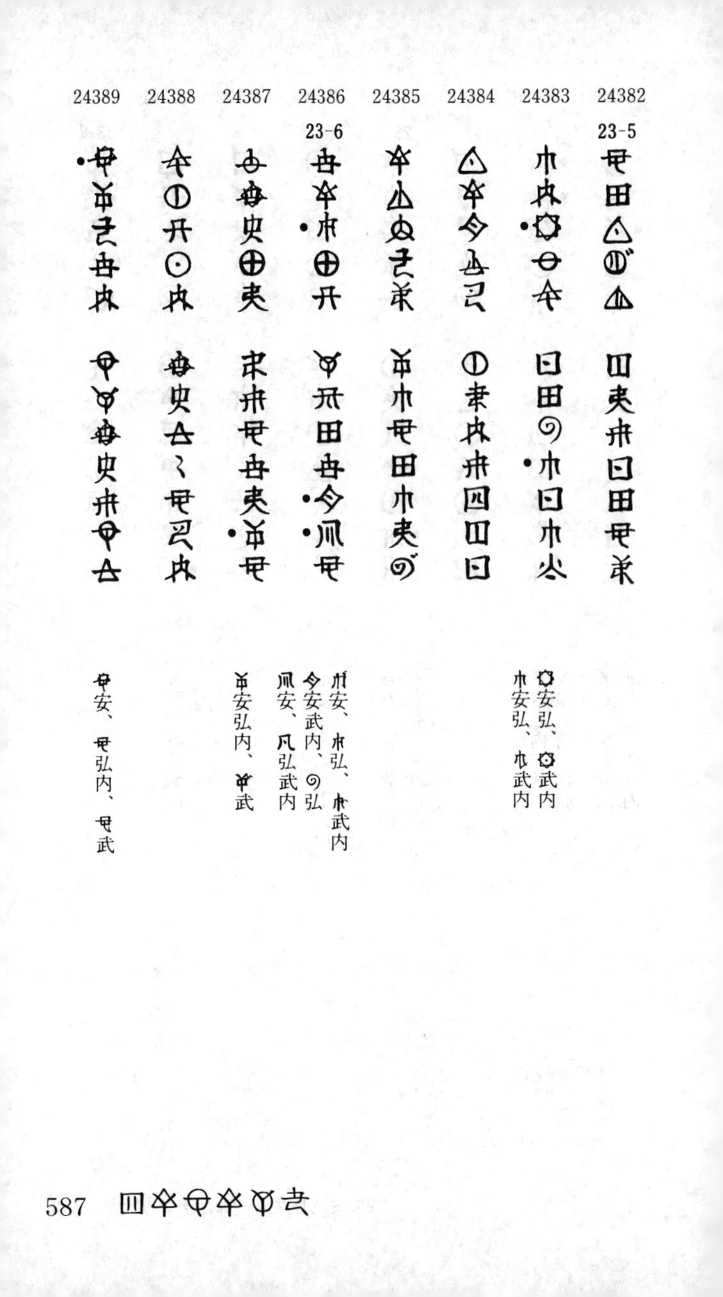

24382
23-5

24383

24384

24385

24386
23-6

24387

24388

24389

[illegible]安弘、[illegible]武内
[illegible]安弘、[illegible]武内

[illegible]安、[illegible]弘、[illegible]武内
[illegible]安武内、の弘
[illegible]安、[illegible]弘武内

[illegible]安弘内、[illegible]武

[illegible]安、[illegible]弘内、[illegible]武

24390

23-7

[illegible]

[illegible]安弘、[illegible]武内

24391

[illegible]

[illegible]安、[illegible]弘武内

24392

[illegible]

[illegible]安武内、[illegible]弘

24393

[illegible]

[illegible]安、[illegible]弘、[illegible]武内

24394

23-8

[illegible]

[illegible]考、[illegible]安弘武内
[illegible]安弘、[illegible]武内

24395

[illegible]

24396

[illegible]

[illegible]安弘内、[illegible]武
[illegible]安武内、[illegible]弘

24397

[illegible]

[illegible]安、[illegible]弘武内
[illegible]安弘、[illegible]武内

24398 23-9

安武内、弘

24399

安弘、武内

24400

安武内、弘

24401

安弘、武内

安、弘武内

24402 23-10

安武、弘内

24403

安弘、武内

安、弘武内

24404

安弘、武内

安、弘武内

24405

安武、弘内

安武内、弘

安弘、武内

24406 23-11

24407

24408

24409

24410 23-12

24411

24412

24413

[illegible]安、[illegible]弘武内

[illegible]安、[illegible]弘、[illegible]武内

[illegible]安弘、[illegible]武内

[illegible]安、[illegible]弘武内

[illegible]安、[illegible]弘武内

[illegible]安弘、[illegible]武内

24414 23-13

[glyph]安弘、[glyph]武内

24415

24416

[glyph]安武内、[glyph]弘
[glyph]安武、[glyph]弘内
[glyph]安武内、[glyph]弘

24417

[glyph]考、[glyph]安弘武内

24418 23-14

[glyph]安武内、[glyph]弘

24419

[glyph]安、[glyph]弘武内

24420

[glyph]安弘、[glyph]武内

24421

[glyph]安弘、[glyph]武内

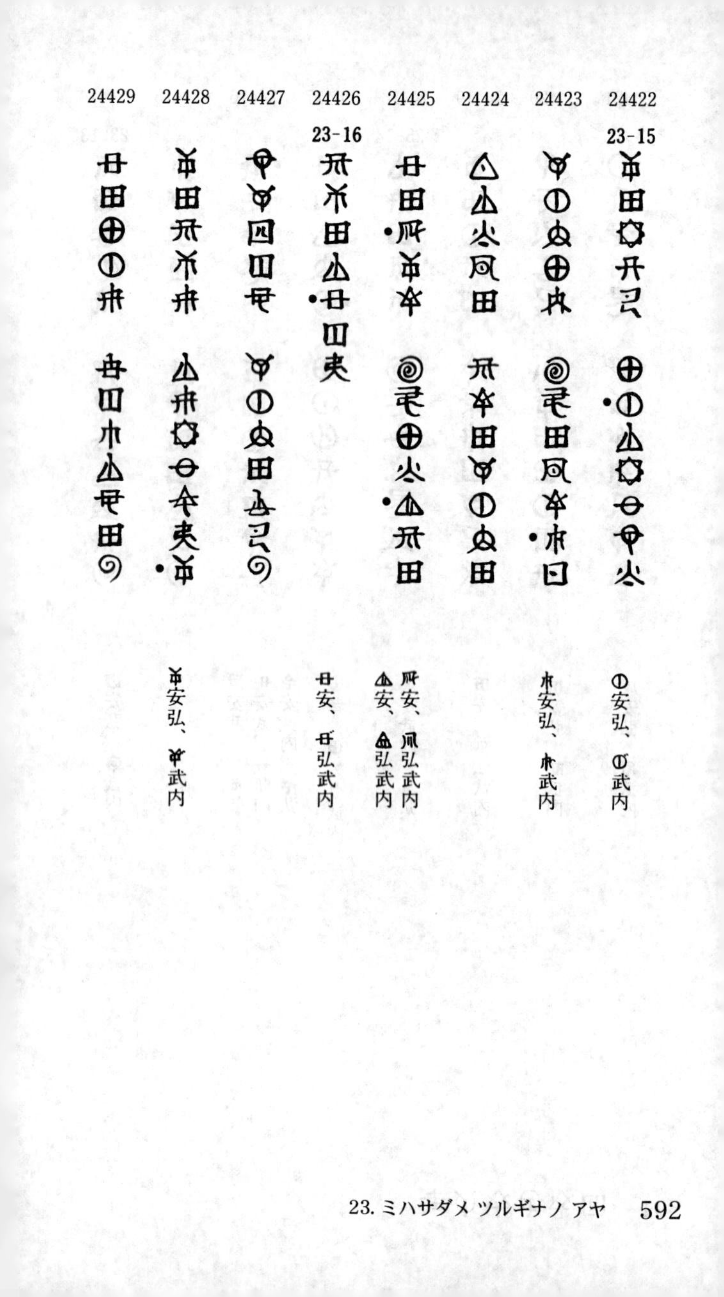

24422
23-15
安弘、武内

24423
安弘、武内

24424

24425
安、弘武内
安、弘武内

24426
23-16
安、弘武内

24427

24428
安弘、武内

24429

24430
23-17

24431
〔文字〕安、〔文字〕弘武内
〔文字〕安、〔文字〕弘武内

24432

24433
〔文字〕安弘、〔文字〕武内

24434
23-18

24435

24436
〔文字〕安弘、〔文字〕武内
〔文字〕安、〔文字〕弘武内

24437

24438	24439	24440	24441	24442	24443	24444	24445
23-19				23-20			
〓〓〓〓〓 〓〓〓〓〓〓〓	〓〓〓〓〓 〓〓〓〓〓〓〓	〓〓〓〓〓 〓〓〓〓〓〓〓	〓〓〓〓〓 〓〓〓〓〓〓〓	〓〓〓〓〓 〓〓〓〓〓〓〓	〓〓〓〓〓 〓〓〓〓〓〓〓	〓〓〓〓〓 〓〓〓〓〓〓〓	〓〓〓〓〓 〓〓〓〓〓〓〓
	〓安弘、〓武内 〓安、〓弘武内	〓安、〓弘武内	〓安、〓弘武内	〓安、〓弘武内 〓安武内、〓弘	〓安、〓弘武内	〓安武内、〓弘 〓安、〓弘武内	〓安弘内、〓武 〓安、〓弘、〓武内

24446 23-21

24447

24448

24449

24450 23-22

24451

24452

24453

安弘、武内

安弘、武内

安武内、弘

安弘武、内

安、弘武内

安弘内、武

安弘、武内

安弘武、内

安武内、弘

安弘、武内

安武内、弘

24454	24455	24456	24457	24458	24459	24460	24461
23-23				23-24			
安、弘武内 安、弘武内	安、弘武内		安武、弘内 安武内、弘	安、弘武内 安、弘武内 安武内、弘 安武、弘内		安、弘武内	

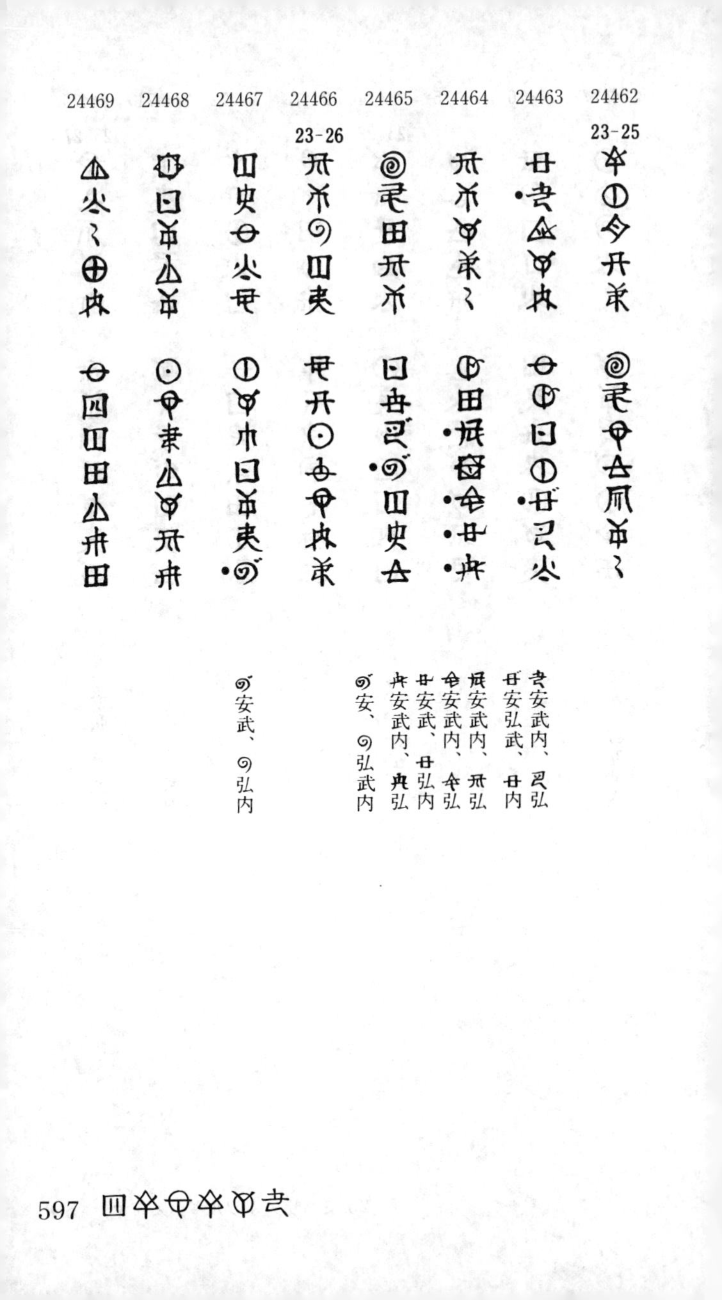

24462 23-25

24463

24464

24465

24466 23-26

24467

24468

24469

安武内、弘
安弘武、内
安武内、弘
安武内、弘
安武、弘内
安武内、弘
安、弘武内

安武、弘内

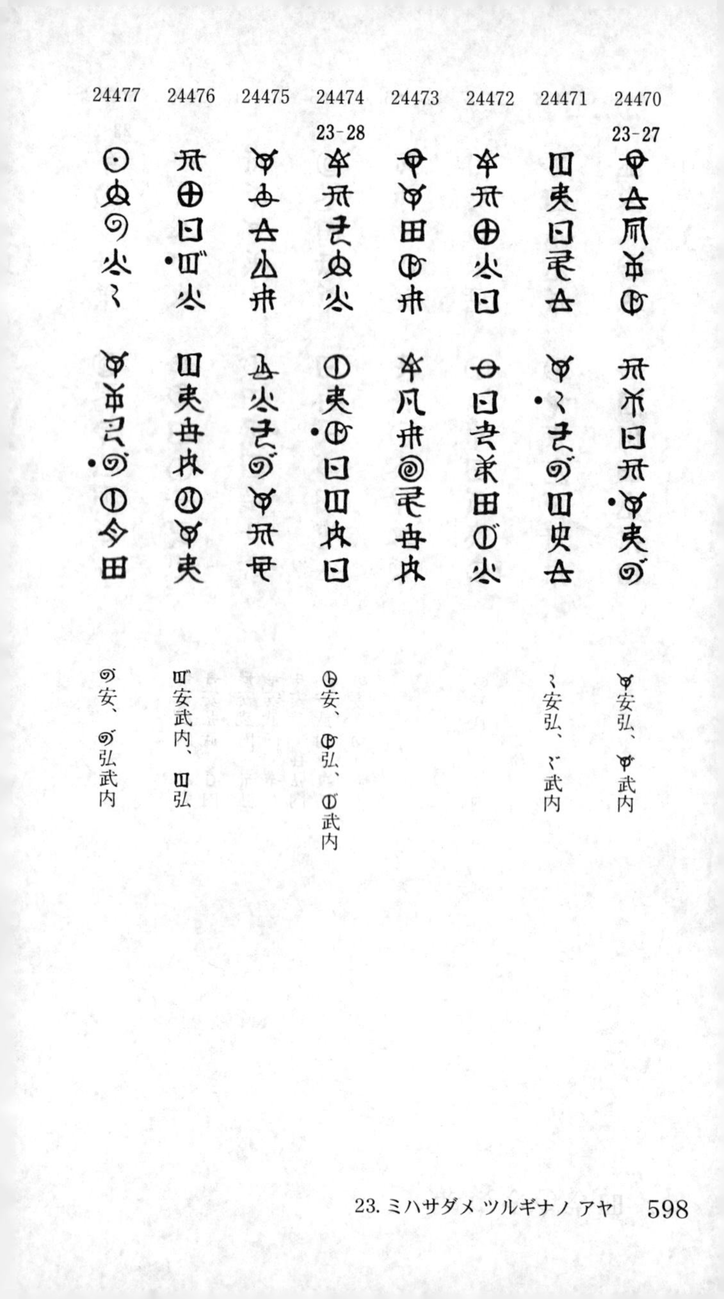

24470
23-27

安弘、武内

24471

安弘、武内

24472

24473

24474
23-28

安、弘、武内

24475

24476

安武内、弘

24477

安、弘武内

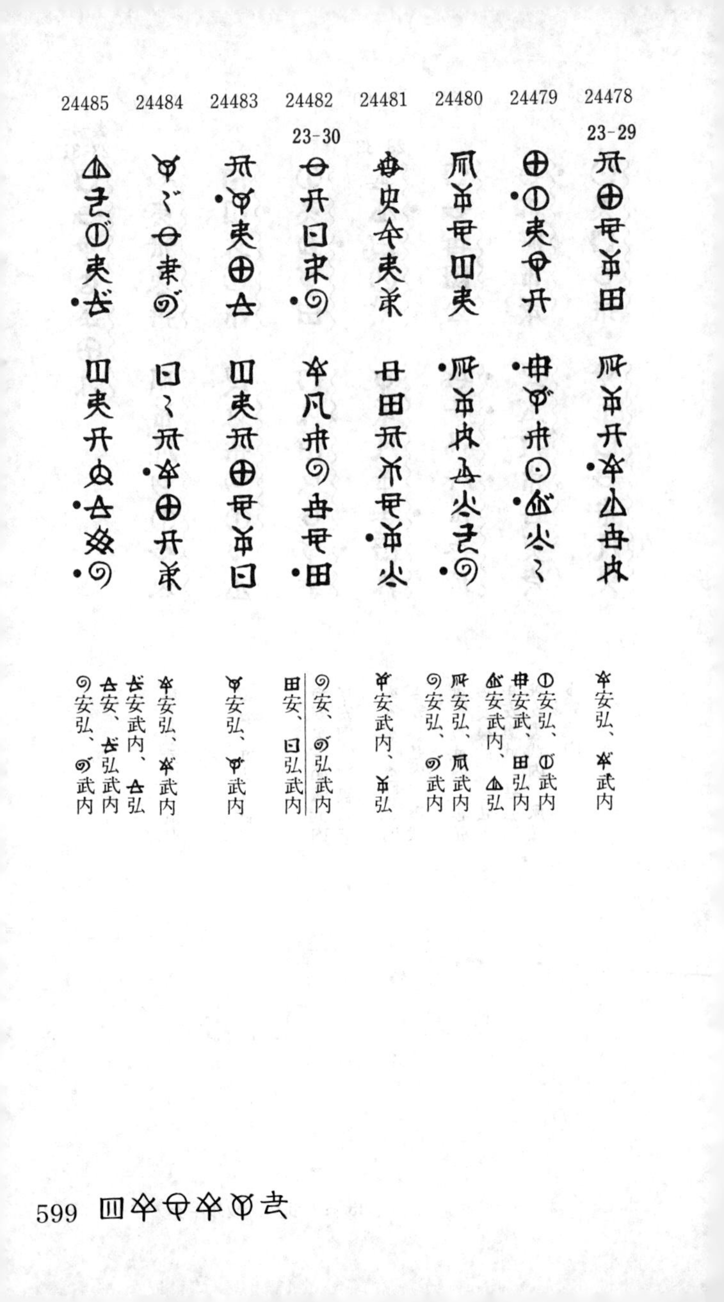

24478 23-29

安弘、武内

24479

安弘、武内

安武、弘内

安武内、弘

24480

安弘、武内

安弘、武内

24481

安武内、弘

24482 23-30

安、弘武内

安、弘武内

24483

安弘、武内

24484

安弘、武内

安武内、弘

24485

安、弘武内

安弘、武内

24486 裏-49 23-31

24487

24488

24489

24490 23-32

24491

24492

24493

安裏武内、弘

安、裏弘武内

安裏、弘武内

安内、裏弘武

安裏、弘武内

安裏弘内、武

安裏武内、弘

安裏武、弘内

安裏武、弘内

安裏武内、弘

安武内、裏弘

24494

23-33

[illegible]安武内、[illegible]弘

24495

[illegible]安弘、[illegible]武内
[illegible]安、[illegible]弘武内

24496

24497

[illegible]安弘、[illegible]武内

24498

23-34

24499

[illegible]安武内、[illegible]弘
[illegible]安、[illegible]弘武内

24500

[illegible]安武内、[illegible]弘

24501

[illegible]安武、[illegible]弘内

24502 23-35

安武、弘内

24503

安、弘武内

24504

安弘、武内

24505

安武、弘内

安、弘武内

24506 23-36

24507

24508

24509

24510 裏-50 23-37

[glyph]安内、[glyph]裏弘武
[glyph]安弘武内、[glyph]裏

24511

[glyph]安弘、[glyph]裏、[glyph]武内
[glyph]安裏、[glyph]弘武内
[glyph]安武内、[glyph]裏弘

24512

[glyph]安裏弘、[glyph]武内

24513

[glyph]安裏、[glyph]弘武内

24514 23-38

[glyph]安裏弘、[glyph]武内
[glyph]安裏弘武、[glyph]内

24515

[glyph]安裏弘、[glyph]武内
[glyph]安裏、[glyph]弘武内
[glyph]安弘、[glyph]裏武内

24516

24517

[glyph]安裏武内、[glyph]弘

24518 23-39

24519

[illegible]安、[illegible]弘武内

24520

24521

[illegible]安、[illegible]弘武内

[illegible]安武内、[illegible]弘

24522 23-40

[illegible]安、[illegible]弘武内

[illegible]安、[illegible]弘、[illegible]武内

24523

24524

[illegible]安武内、[illegible]弘

24525

24526
23-41
〓〓〓〓〓
〓〓〓〓〓〓〓

〓安弘、〓武内
〓安弘、〓武内

24527
〓〓〓〓〓
〓〓〓〓〓〓〓

24528
〓〓〓〓〓
〓〓〓〓〓〓〓

〓安弘、〓武内
〓安、〓弘武内

24529
〓〓〓〓〓
〓〓〓〓〓〓〓

〓安、〓弘、〓武内
〓安、〓弘武内

24530
23-42
〓〓〓〓〓
〓〓〓〓〓〓〓

〓安弘、〓武内

24531
〓〓〓〓〓
〓〓〓〓〓〓〓

24532
〓〓〓〓〓
〓〓〓〓〓〓〓

24533
〓〓〓〓〓
〓〓〓〓〓〓〓

〓安、〓弘武内

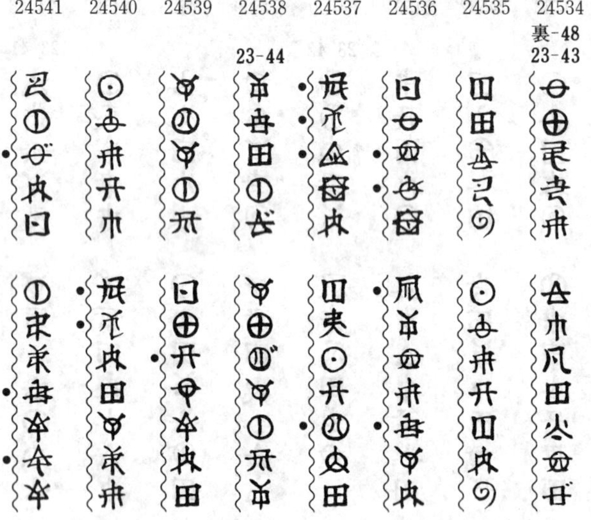

〓安裏武、〓弘内
〓安裏武内、〓弘
〓安武内、〓裏、〓弘
〓安、〓裏弘武内

〓安裏武内、〓弘

〓安裏武、〓弘内
〓安裏武内、〓弘
〓安弘武内、〓裏
〓安武内、〓裏弘
〓安裏弘内、〓武

（３行目）↑
〓安裏、〓弘武内
〓安裏武内、〓弘
〓安、〓裏武内、〓弘
〓安武、〓裏弘内

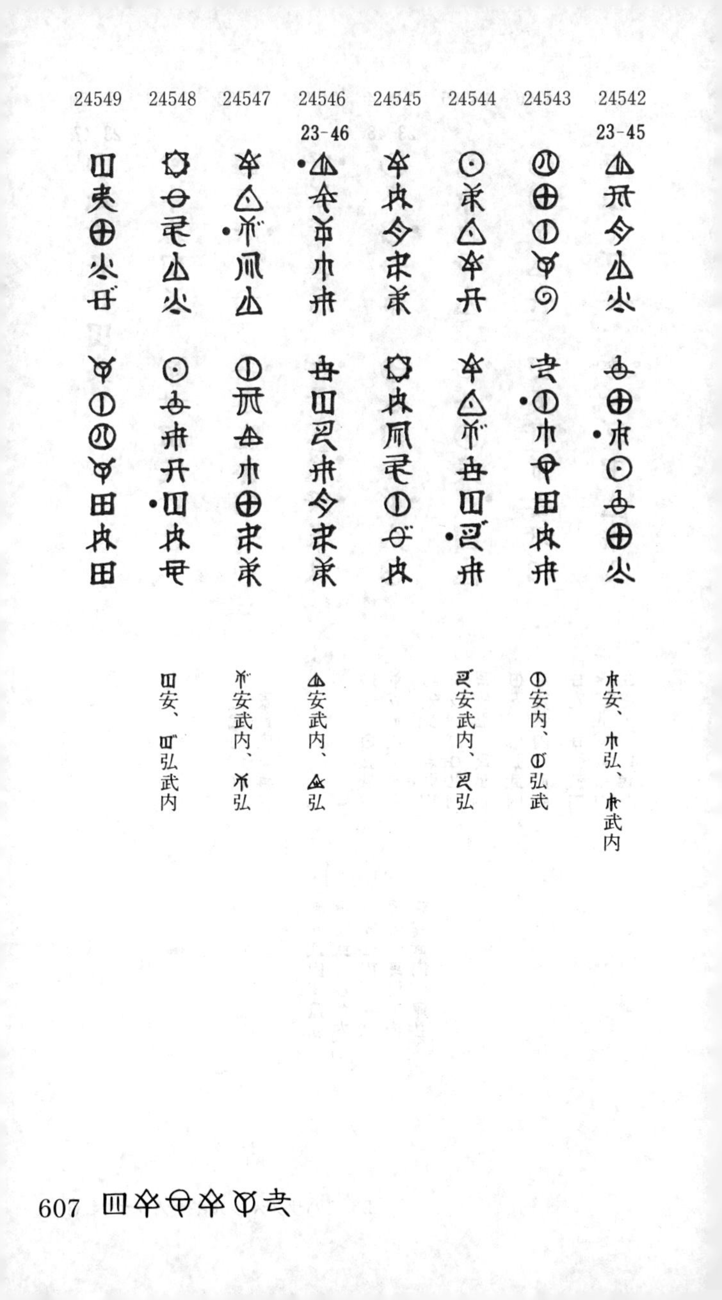

24542 23-45

[illegible]安、[illegible]弘、[illegible]武内

24543

[illegible]安内、[illegible]弘武

24544

[illegible]安武内、[illegible]弘

24545

24546 23-46

[illegible]安武内、[illegible]弘

24547

[illegible]安武内、[illegible]弘

24548

[illegible]安、[illegible]弘武内

24549

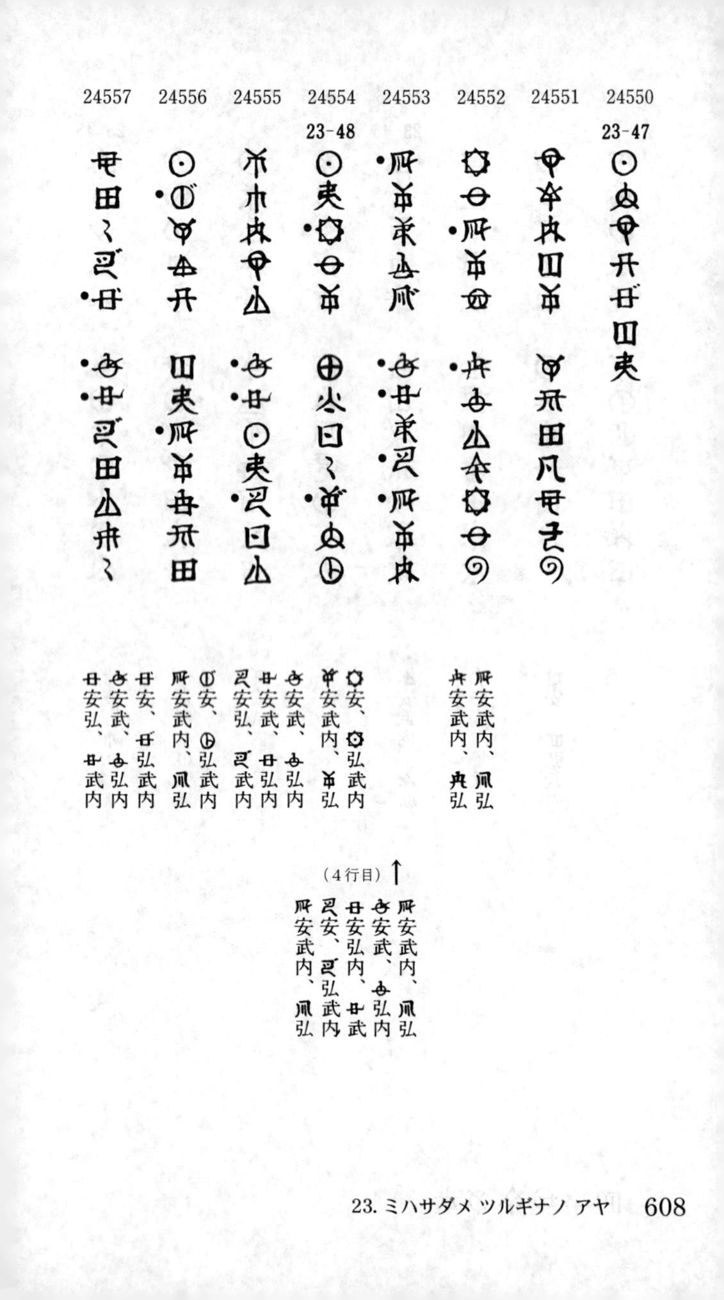

24557 24556 24555 24554 24553 24552 24551 24550

23-48 23-47

安武内、弘

安武内、弘

安、弘武内

安武内、弘

安武、弘内

安武、弘内

安弘、武内

安、弘武内

安武内、弘

安、弘武内

安武、弘内

安弘、武内

（4行目）↑

安武内、弘

安武、弘内

安弘内、武

安、弘武内

安武内、弘

24558

23-49

[illegible]安武内、[illegible]弘
[illegible]安弘、[illegible]武内

24559

24560

[illegible]安武内、[illegible]弘

24561

24562

23-50

[illegible]安弘、[illegible]武内

24563

[illegible]安、[illegible]弘武内
[illegible]安弘武、[illegible]内

24564

[illegible]安武、[illegible]弘内

24565

24566 裏-45 23-51

24567

24568

24569

24570 裏-45 23-52

24571

24572

24573

24566: [illegible]安武内、[illegible]裏弘

24567: [illegible]安裏弘、[illegible]武内

24568: [illegible]安、[illegible]裏弘武内

24570: [illegible]安裏武内、[illegible]弘
[illegible]安弘、[illegible]裏武内
[illegible]安内、[illegible]裏弘武

24571: [illegible]安裏武内、[illegible]弘

24572: [illegible]安裏武内、[illegible]弘
[illegible]安弘武内、[illegible]裏

24573: [illegible]安、[illegible]裏、[illegible]弘武内
[illegible]安裏武、[illegible]弘内
[illegible]安裏武、[illegible]弘内

24574
23-53

24575

24576

24577

24578
23-54

24579

24580

24581

〓安弘、〓武内
〓安武内、〓弘
〓安弘、〓武内
〓安、〓弘武内
〓安弘、〓武内
〓安、〓弘武内
〓安、〓弘武内
〓安、〓弘武内
〓安武内、〓弘
〓安武、〓弘内

24582 23-55

24583

24584

24585

24586 23-56

24587

24588

24589

安弘、武内

安、弘武内

安弘、武内

安武内、弘

安、弘、武、内

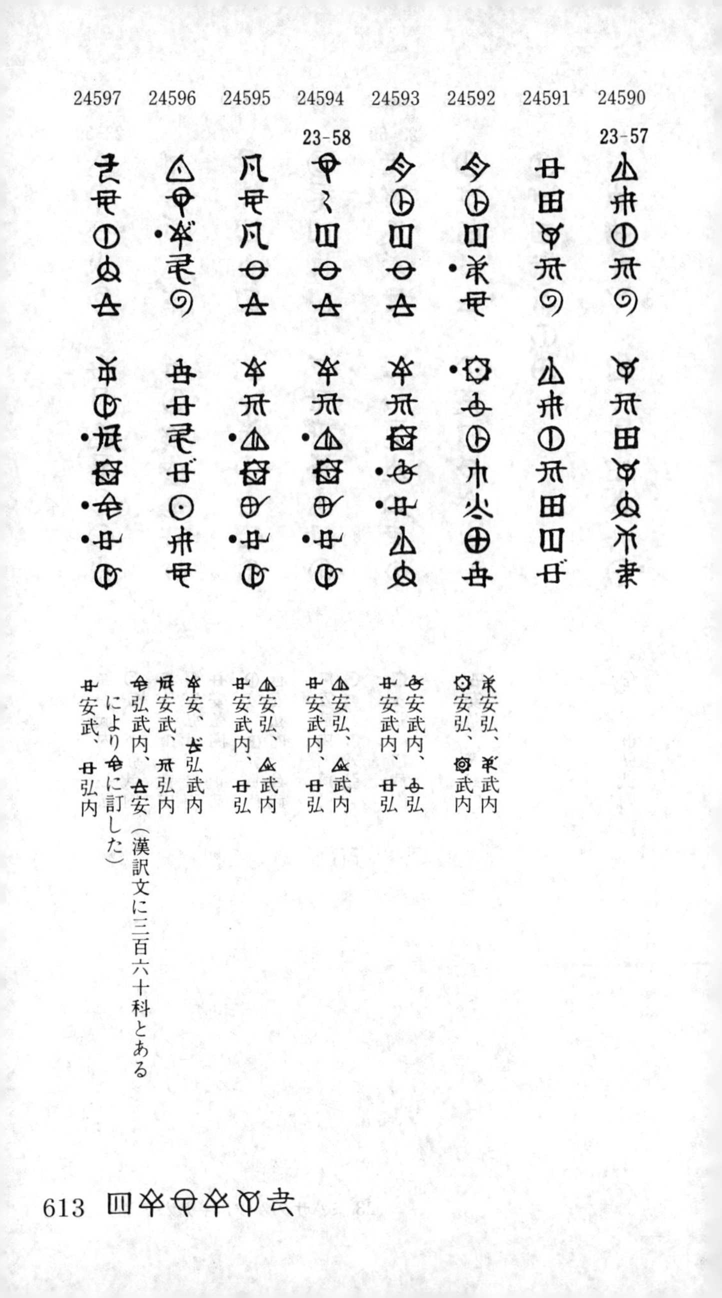

24590	24591	24592	24593	24594	24595	24596	24597
23-57				23-58			

[illegible]安弘、[illegible]武内
[illegible]安弘、[illegible]武内

[illegible]安武内、[illegible]弘
[illegible]安武内、[illegible]弘

[illegible]安弘、[illegible]武内
[illegible]安武内、[illegible]弘

[illegible]安弘、[illegible]武内
[illegible]安武内、[illegible]弘

[illegible]安、[illegible]弘武内
[illegible]安武、[illegible]弘内

[illegible]弘武内、[illegible]安（漢訳文に三百六十科とある
により[illegible]に訂した）
[illegible]安武、[illegible]弘内

24598 23-59

安武内、弘

安、弘武内

24599

安、弘武内

安弘武、内

24600

安弘内、武

安、弘武内

24601

安武内、弘

考、安弘、武内

24602 23-60

安弘、武内

24603

安弘、武内

24604

24605

安、弘武内

24606	24607	24608	24609	24610	24611	24612	24613
23-61				23-62			
〓安弘、〓武内 〓安武内、〓弘	〓安弘、〓武内	〓安弘、〓武内 〓安、〓弘武内	〓安、〓弘武内 〓安武内、〓弘		〓安武内、〓弘	〓安、〓弘武内	〓安、〓弘武内

24614
23-63

24615

24616

安弘、 武内

24617

安武、 弘内

24618
23-64

安弘、 武内

安弘、 武内

24619

安、 弘武内

24620

24621

安弘、 武内

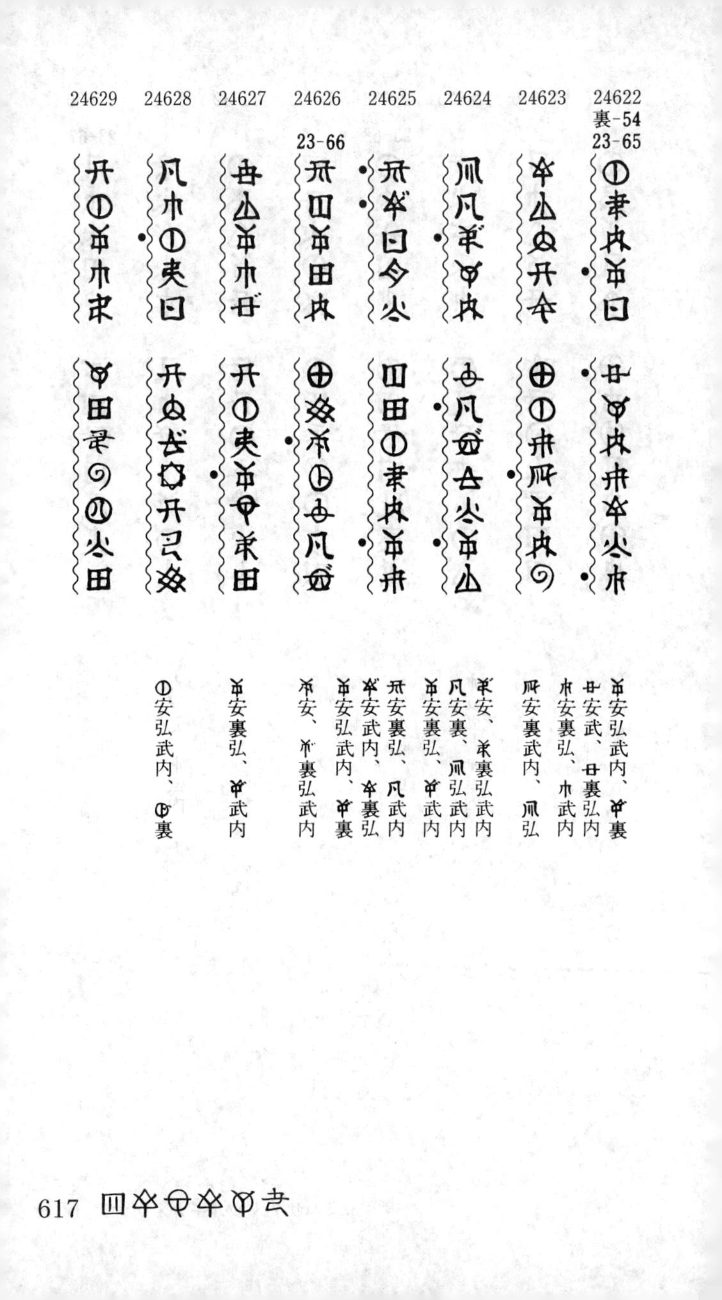

24622 裏-54 23-65

24623

24624

24625

24626 23-66

24627

24628

24629

[illegible]安弘武内、[illegible]裏

[illegible]安武、[illegible]裏弘内

[illegible]安裏弘、[illegible]武内

[illegible]安裏武内、[illegible]弘

[illegible]安、[illegible]裏弘武内

[illegible]安裏、[illegible]弘武内

[illegible]安裏弘、[illegible]武内

[illegible]安裏弘、[illegible]武内

[illegible]安武内、[illegible]裏弘

[illegible]安弘武内、[illegible]裏

[illegible]安、[illegible]裏弘武内

[illegible]安裏弘、[illegible]武内

[illegible]安弘武内、[illegible]裏

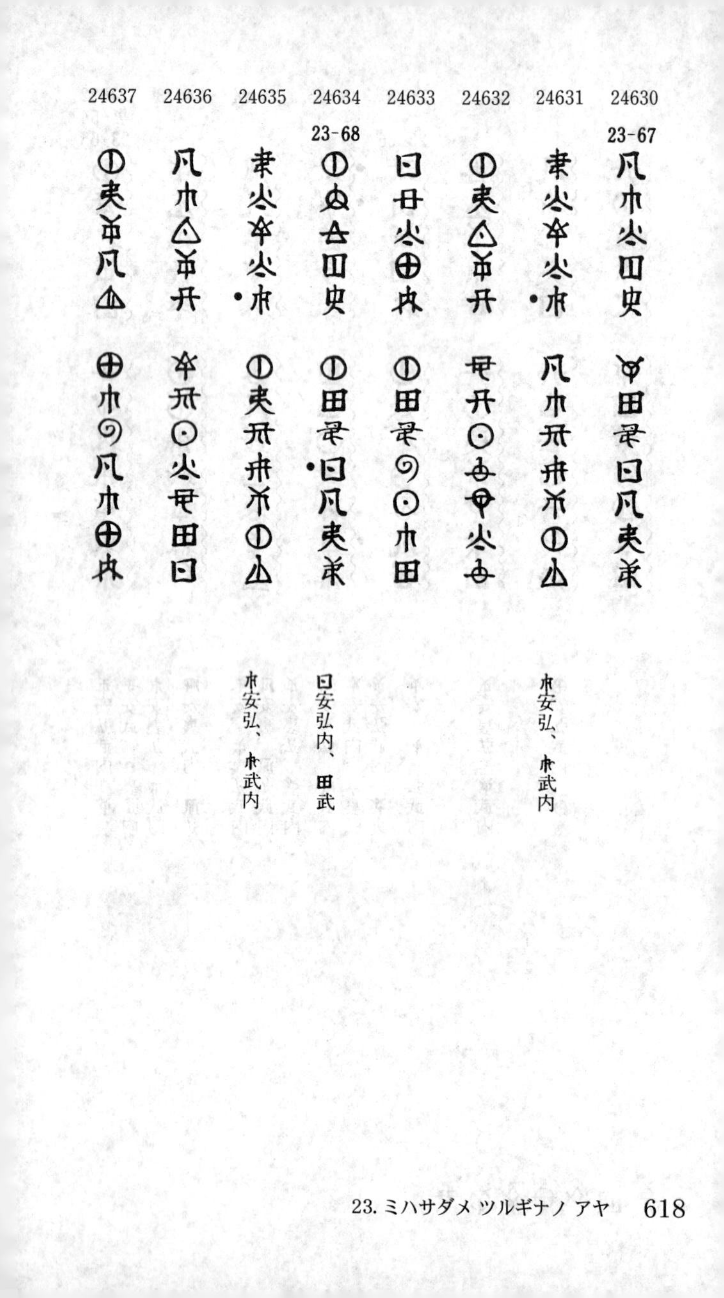

24630
23-67

24631

安弘、武内

24632

24633

24634
23-68

安弘内、武

24635

安弘、武内

24636

24637

24638 23-69

24639

24640

24641

24642 23-70

24643

24644

24645

安弘、武内

安内、弘武

安弘、武内

安、弘武内

安、田弘武内

安、弘武内

安弘、武内

安弘内、武

安、弘武内

安、弘武内

安弘、武内

安、弘武内

23-71

24646

24647

安弘内、安、弘武内、安、弘武内、武

24648

安弘、武内

24649

23-72

24650

安、弘武内

24651

24652

安弘、武内

24653

24654
裏 -1
23-73

24655

24656

24657

24658
23-74

24659

24660

24661

[illegible]安裏弘、[illegible]武内
[illegible]安武内、[illegible]裏弘
[illegible]安裏、[illegible]弘武内
[illegible]安弘武内、[illegible]裏

[illegible]安弘、[illegible]武内

24662
23-75
[illegible]

[illegible]安、[illegible]弘、[illegible]武内

24663
[illegible]

[illegible]安弘、[illegible]武内

24664
[illegible]

24665
[illegible]

[illegible]安弘、[illegible]武内
[illegible]安、[illegible]弘武内

24666
23-76
[illegible]

[illegible]安弘、[illegible]武内
[illegible]安弘、[illegible]武内

24667
[illegible]

24668
[illegible]

[illegible]安、[illegible]弘武内
[illegible]安、[illegible]弘武内

24669
[illegible]

[illegible]安、[illegible]弘武内

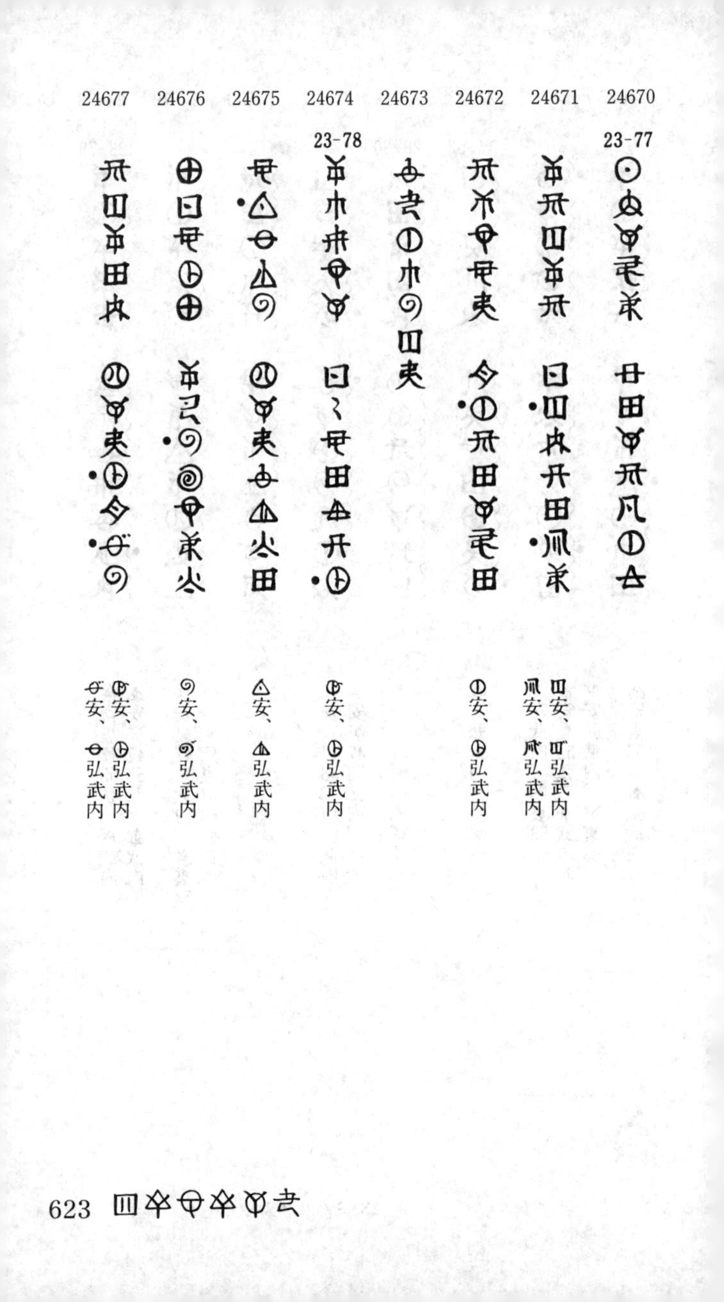

24670

23-77

安、弘武内

24671

安、弘武内

安、弘武内

24672

安、弘武内

24673

24674

23-78

安、弘武内

24675

安、弘武内

24676

安、弘武内

24677

安、弘武内

安、弘武内

24678 裏-47,53 23-79

24679

24680

24681

24682 23-80

24683 裏-53

24684

24685

〓安裏47 53弘、〓武内
〓安裏47 53弘、〓武内

〓安裏47弘武内、〓裏53
〓安、〓裏47 53弘武内

〓安裏47 53、〓弘武内
〓安裏47 53弘内、〓武

〓安弘武内、〓裏53

〓安武内、〓裏53弘
〓安裏53弘、〓武内
〓安弘武内、〓裏53

〓安裏53、〓弘武内

[glyph]安弘武内、[glyph]裏46
[glyph]安裏46弘内、[glyph]武
[glyph]安裏46、[glyph]弘、[glyph]武内

⊙安、⊙裏46弘武内
＊⊙安、⊙裏46弘武内

⊙安裏46、⊙弘武内
[glyph]安、[glyph]裏46、
[glyph]弘武内

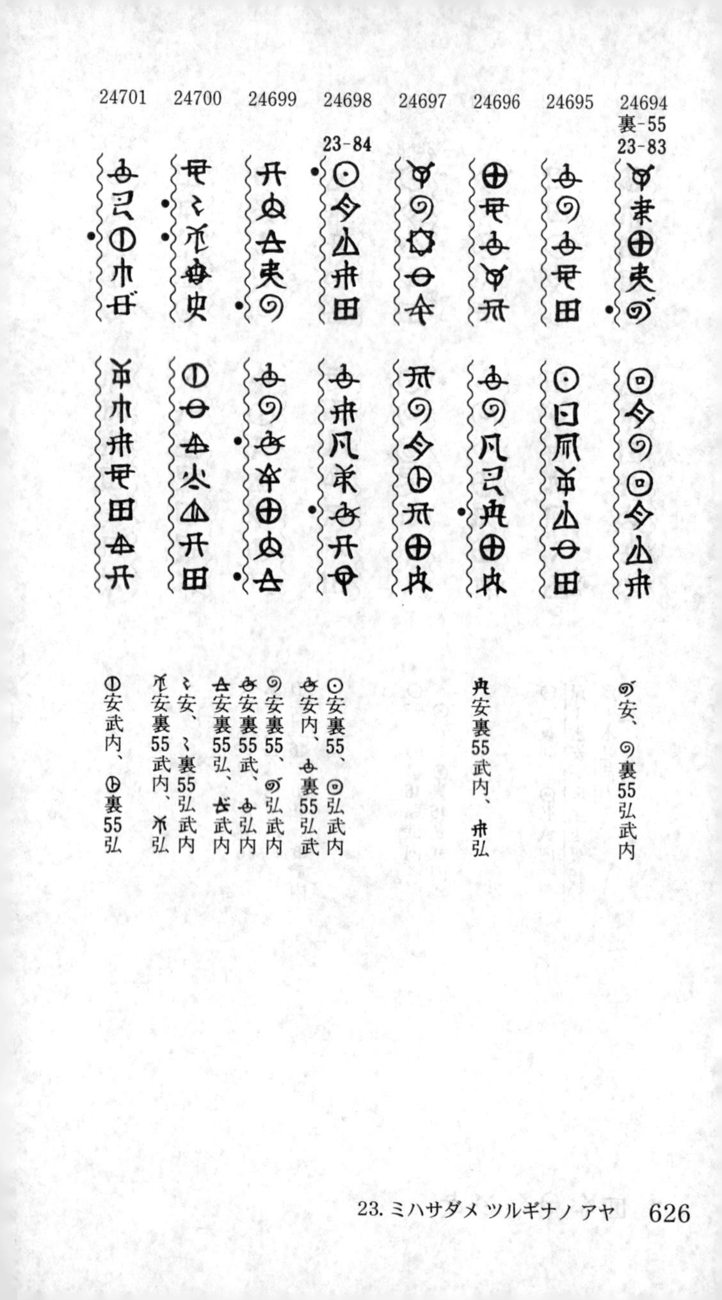

24694 裏-55 23-83

24695

24696

24697

24698 23-84

24699

24700

24701

安、裏55弘武内

安裏55武内、弘

安裏55、弘武内

安内、裏55弘武

安裏55、弘武内

安裏55武、弘内

安裏55弘、武内

安、裏55弘武内

安裏55武内、弘

安武内、裏55弘

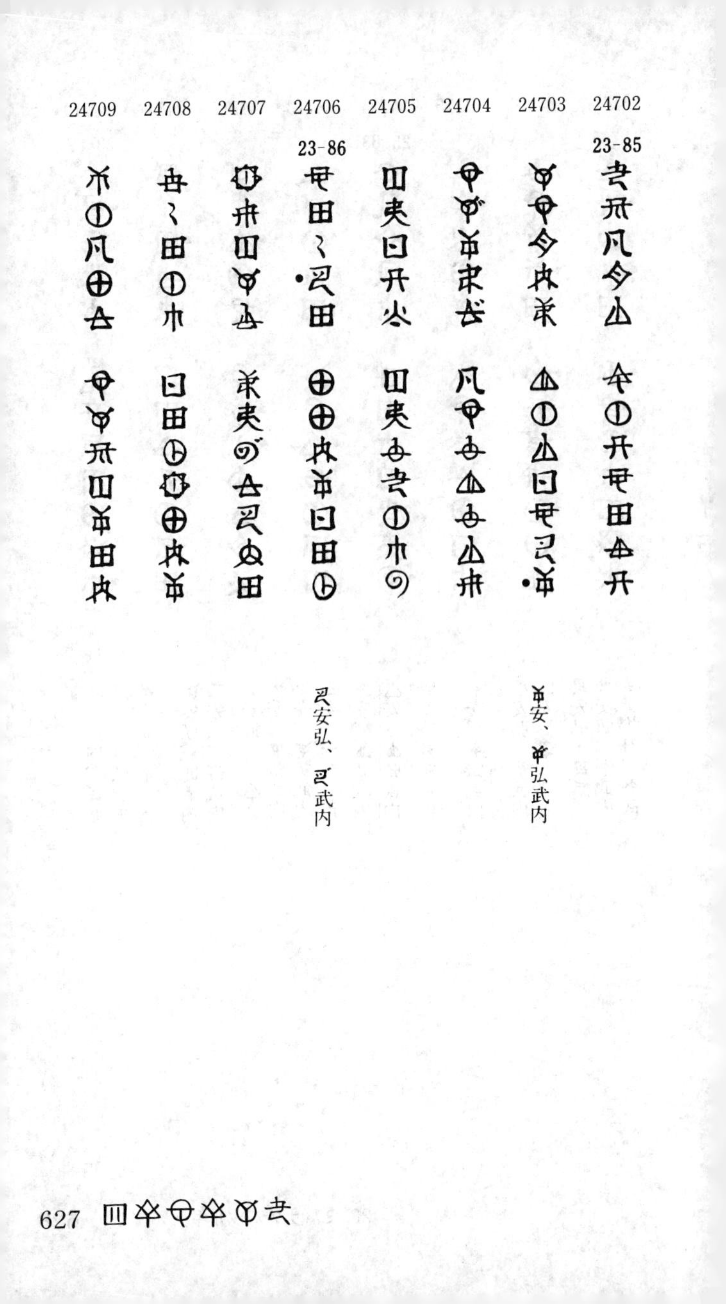

24702

23-85

24703

安、弘武内

24704

24705

24706

23-86

安弘、武内

24707

24708

24709

24710 23-87

24711

24712

24713

24714 23-88

24715

24716

24717

安武内、弘

安、弘武内

安弘、武内

安弘、武内

安弘、武内

安武内、弘

安、弘武内

安、弘武内

安、弘武内

安、弘武内

安、弘武内

安、弘武内

安、弘武内

安弘、武内

安、弘武内

安弘、武内

安弘内、武

24718 23-89

24719

24720

[illegible]安武内、[illegible]弘

[illegible]安武内、[illegible]弘

24721

[illegible]安弘、[illegible]武内

24722 23-90

[illegible]安、[illegible]弘武内

24723

[illegible]安弘、[illegible]武内

24724

24725

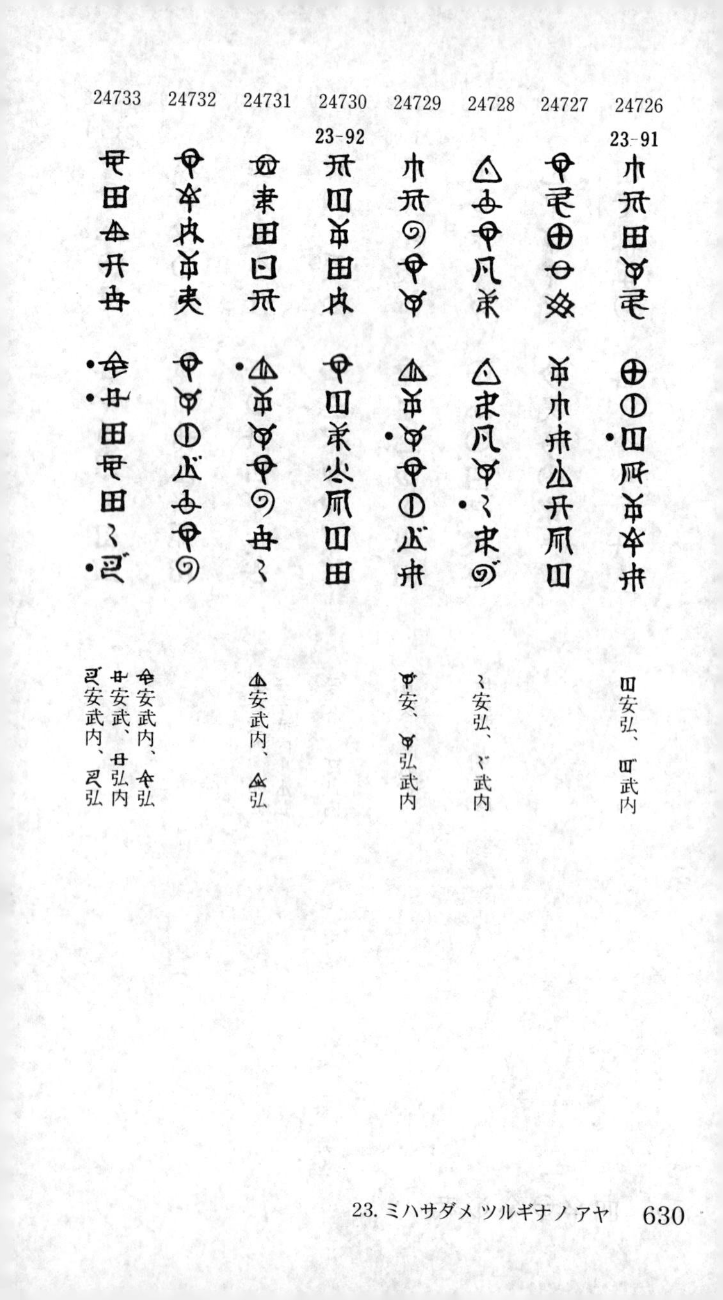

24726
23-91

安弘、武内

24727

24728

安弘、武内

24729

安、弘武内

24730
23-92

24731

安武内、弘

24732

24733

安武内、弘
安武、弘内
安武内、弘

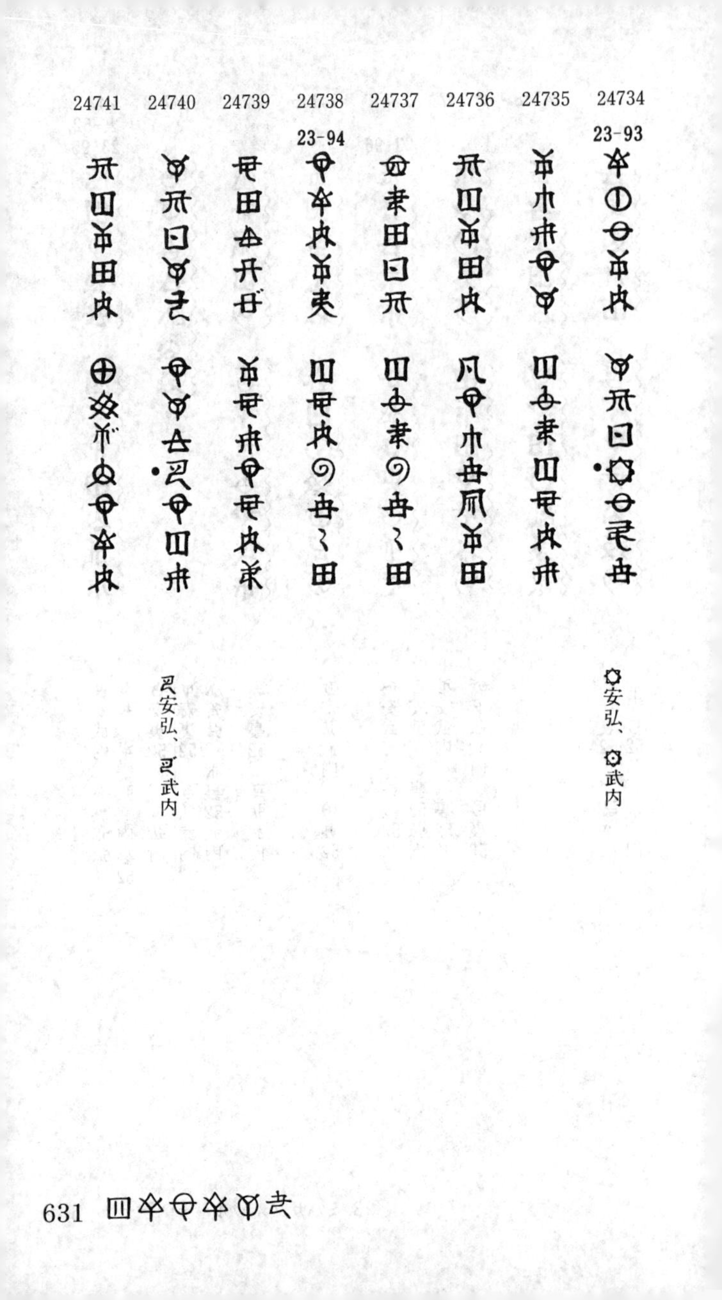

24734

23-93

安弘、武内

24735

24736

24737

24738

23-94

24739

24740

安弘、武内

24741

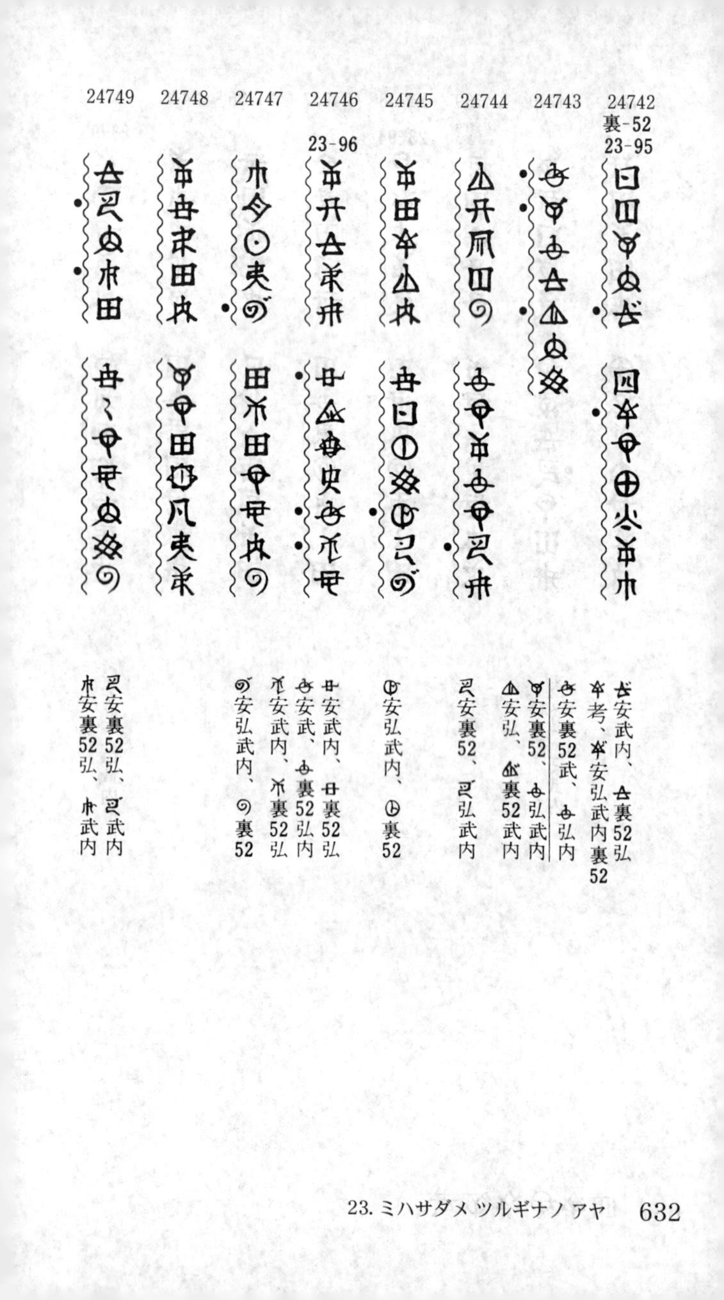

24742
裏-52
23-95

24743

24744

24745

24746
23-96

24747

24748

24749

安武内、裏52弘
考、安弘武内裏52

安裏52武、弘内

安裏52、弘武内

安弘、裏52武内

安裏52、弘武内

安弘武内、裏52

安武内、裏52弘

安武、裏52弘内

安武内、裏52弘

安弘武内、裏52

安裏52弘、武内
安裏52弘、武内

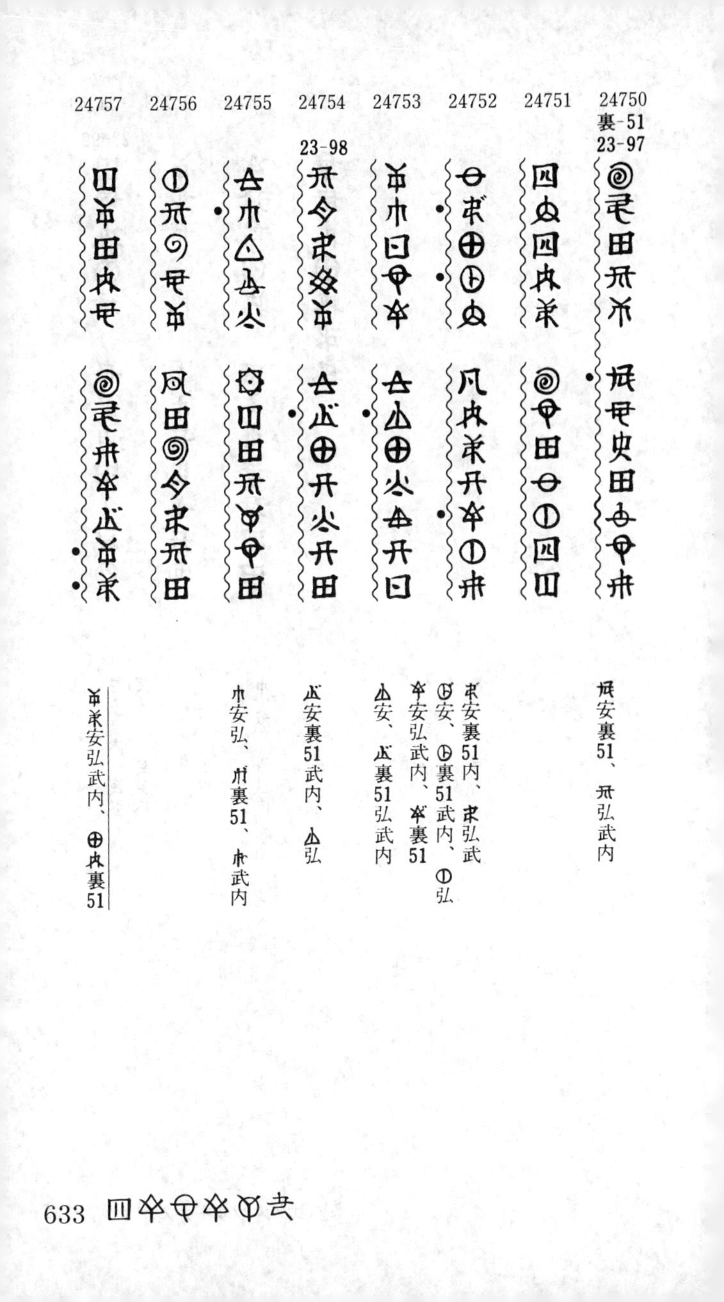

24750 裏-51 23-97

[illegible]安裏51、[illegible]弘武内

24751

24752

[illegible]安裏51内、[illegible]弘武
[illegible]安、[illegible]裏51武内、[illegible]弘
[illegible]安弘武内、[illegible]裏51

24753

[illegible]安、[illegible]裏51弘武内

24754 23-98

[illegible]安裏51武内、[illegible]弘

24755

[illegible]安弘、[illegible]裏51、[illegible]武内

24756

24757

[illegible]安弘武内、[illegible]裏51

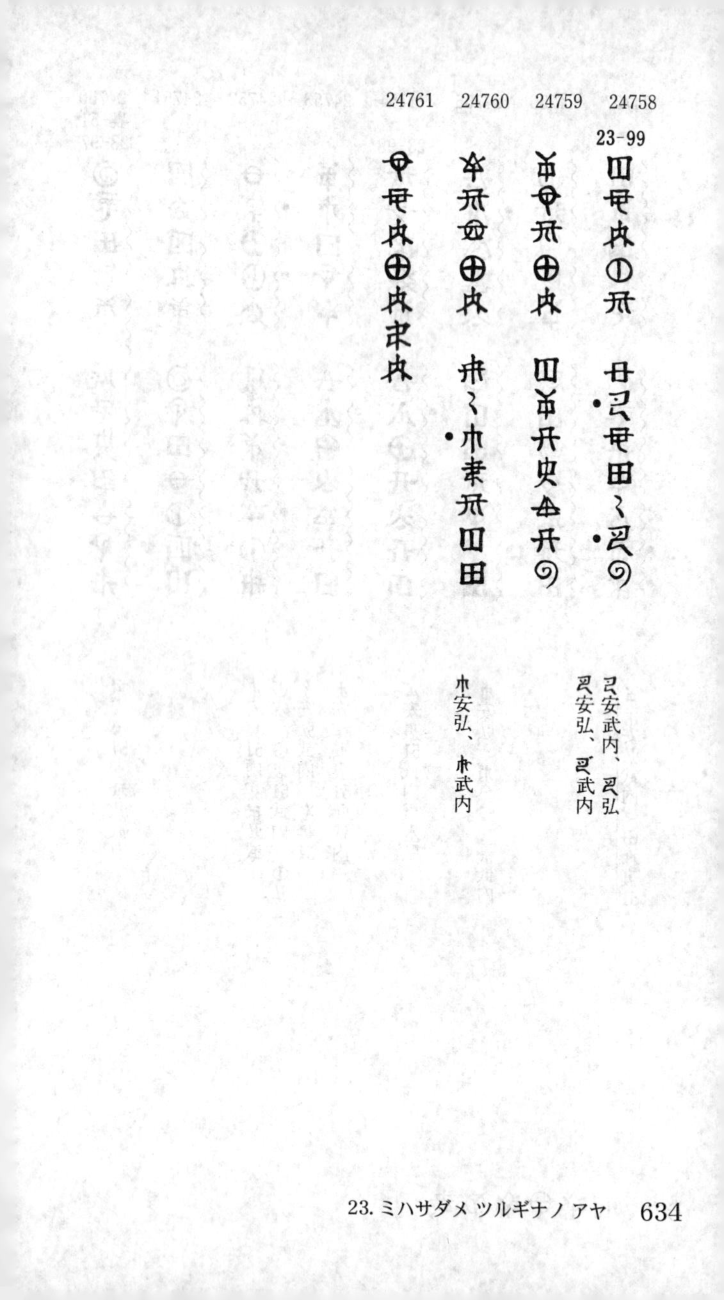

24758

23-99

安武内、弘
安弘、武内

24759

24760

安弘、武内

24761

24762 24-1

24763

24764

24765

24766 24-2

24767

24768

24769

安弘、 武内

安、 弘武内

安、 弘武内

安弘内、 武

安、 弘、 武内

安、 弘武内

安、 弘武内

安、 弘武内

安、 弘武内

安、 弘武内

安、 弘武内

↑（4行目）

安武内、 弘

安、 弘武内

安弘、 武内

安弘、 武内

安武、 弘内

安武、 弘内

24770

24-3

[illegible]

24771

[illegible]

[illegible]安、[illegible]弘武内

[illegible]安弘、[illegible]武内

24772

[illegible]

[illegible]安、[illegible]弘武内

[illegible]安内、[illegible]弘武

24773

[illegible]

24774

24-4

[illegible]

24775

[illegible]

[illegible]安、[illegible]弘武内

24776

[illegible]

24777

[illegible]

24778	24779	24780	24781	24782	24783	24784	24785
24-5				24-6			
[illegible]安武、[illegible]弘内	[illegible]安、[illegible]弘武内	[illegible]安弘武、[illegible]内	[illegible]安武内、[illegible]弘 [illegible]安武内、[illegible]弘	[illegible]安、[illegible]弘武内 [illegible]安武、[illegible]弘内 [illegible]安、[illegible]弘武内			[illegible]安武、[illegible]弘内 [illegible]安武内、[illegible]弘

24786 (24-7) 24787 24788 24789 24790 (24-8) 24791 24792 24793

安武、弘内

安武、弘内

安武内、弘

安、弘武内

安、弘武内

安、弘武内

安、弘武

安弘、武内

安、弘武内

24794

24-9

24795

24796

安、弘武内

24797

24798

24-10

安弘、武内

24799

安弘、武内

24800

安武内、弘

安弘武、内

24801

春2-15

安春、弘武内

春草二-17

24-11

24802

24803

24804

24805

24-12

24806

24807

24808

24809

安弘武内、春
安春、弘武内

安弘、春、武内

安武内、春弘
安春武内、弘
安、春弘武内
安春弘、武内
安弘武内、春
安弘武内、春

安、春、弘武内

〓安弘武内、〓春
〓安武内、〓春弘

〓安弘武内、〓春
〓安、〓春弘武内
〓安弘、〓春、〓武内

〓安弘武内、〓春
〓安弘武内、〓春
〓安弘、〓春、〓武内

〓安弘武内、〓春
〓安弘武内、〓春
〓安、〓春弘武内

↑（1行目）
〓安弘武内、〓春
〓安春、〓弘武内
〓安弘武内、〓春
〓安、〓春（振り仮名はヲに作る。春刊本は〓）、〓弘武内

〓安弘武内、〓春

↑（6行目）
〓〓安、〓〓春弘武内
〓安春、〓弘武内
〓安春武内、〓弘

↑（8行目）
〓安弘、〓春、〓武内
〓安弘武内、〓春
〓〓安、〓〓春弘武内
〓安春、〓弘武内
〓安春、〓弘武内

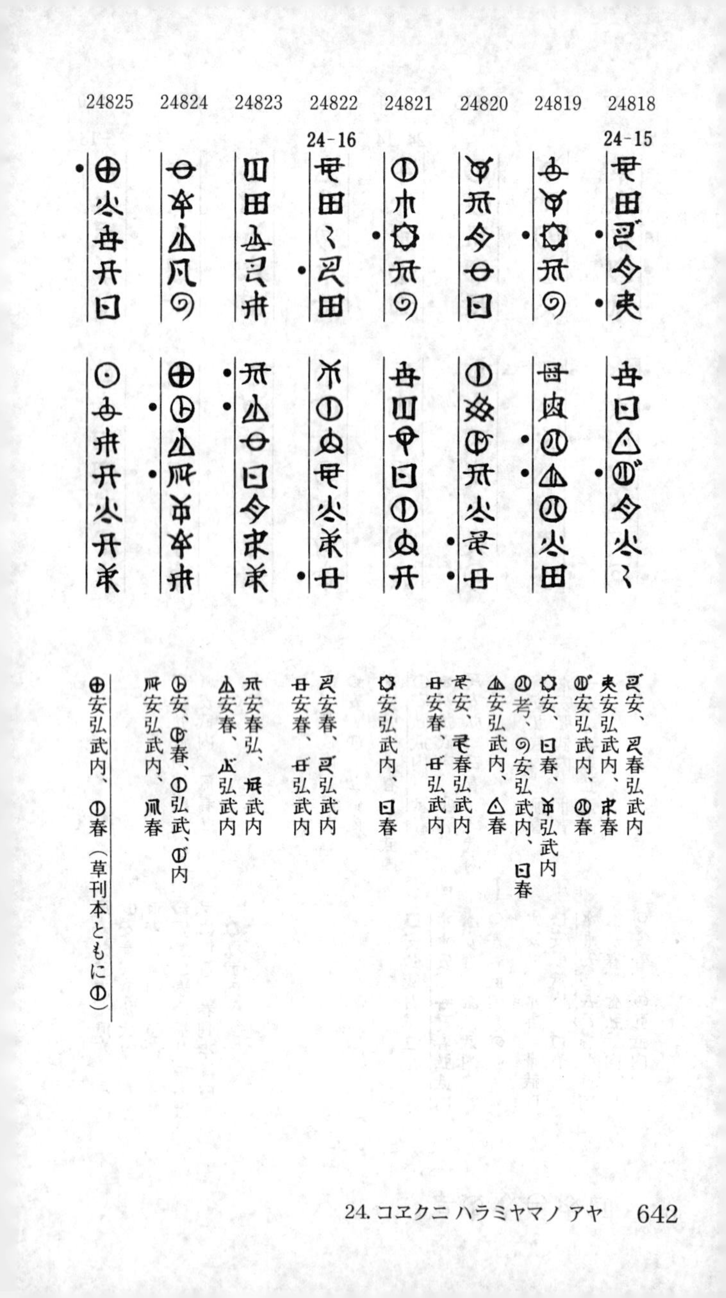

24-15

24818 〓〓〓〓〓 〓〓〓〓〓〓〓

24819 〓〓〓〓〓 〓〓〓〓〓〓〓

24820 〓〓〓〓〓 〓〓〓〓〓〓〓

24821 〓〓〓〓〓 〓〓〓〓〓〓〓

24-16

24822 〓〓〓〓〓 〓〓〓〓〓〓〓

24823 〓〓〓〓〓 〓〓〓〓〓〓〓

24824 〓〓〓〓〓 〓〓〓〓〓〓〓

24825 〓〓〓〓〓 〓〓〓〓〓〓〓

〓安、〓春弘武内
〓安弘武内、〓春
〓安弘武内、〓春
〓安、〓春、〓弘武内
〓考、〓安弘武内、〓春
〓安弘武内、〓春
〓安、〓春弘武内
〓安春、〓弘武内
〓安弘武内、〓春
〓安春、〓弘武内
〓安春、〓弘武内
〓安春弘、〓武内
〓安春、〓弘武内
〓安、〓春、〓弘武、〓内
〓安弘武内、〓春
〓安弘武内、〓春（草刊本ともに〓）

安弘武内、春
安春、弘武内
安春弘、武内
安春、弘武内
安弘、春武内

安春内、弘武

安弘、春、武内

安弘武内、春
安、春弘武内
安弘武内、春
安春、弘内、武

安弘内、武

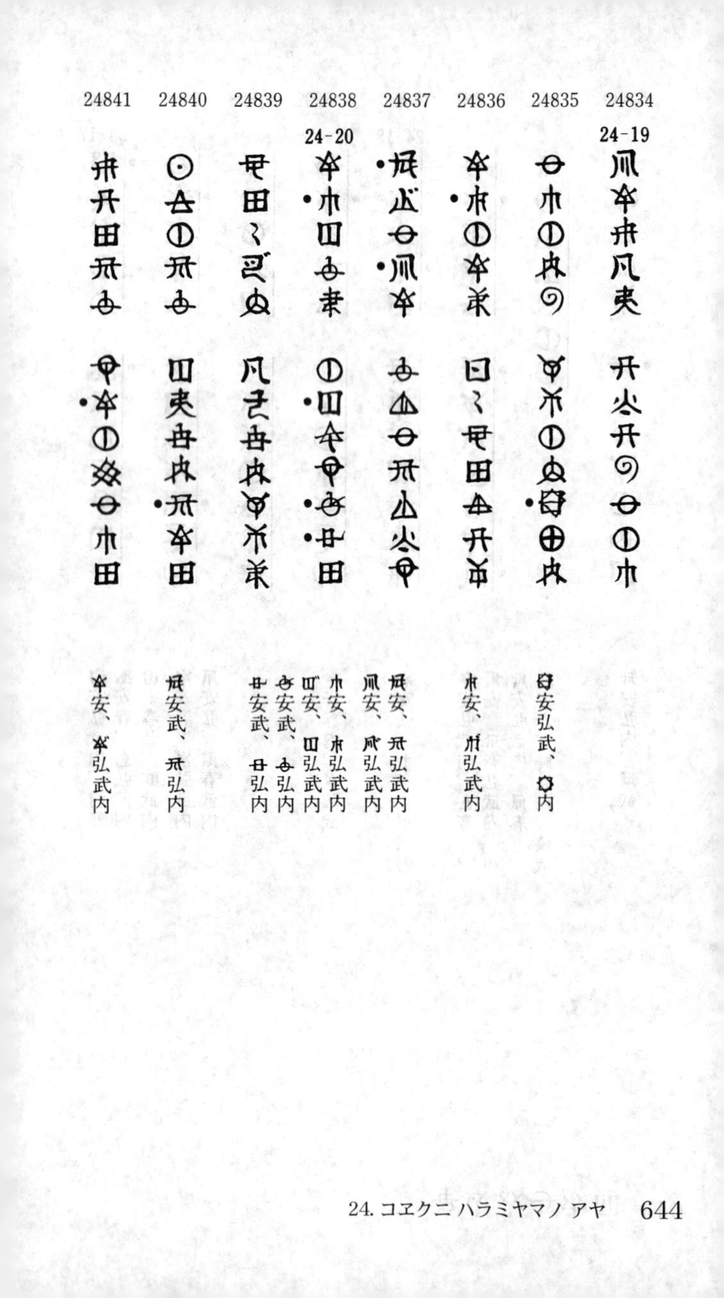

24834
24-19

24835

安弘武、内

24836

安、弘武内

24837

安、弘武内

安、弘武内

24838
24-20

安、弘武内

安、弘武内

24839

安武、弘内

安武、弘内

24840

安武、弘内

24841

安、弘武内

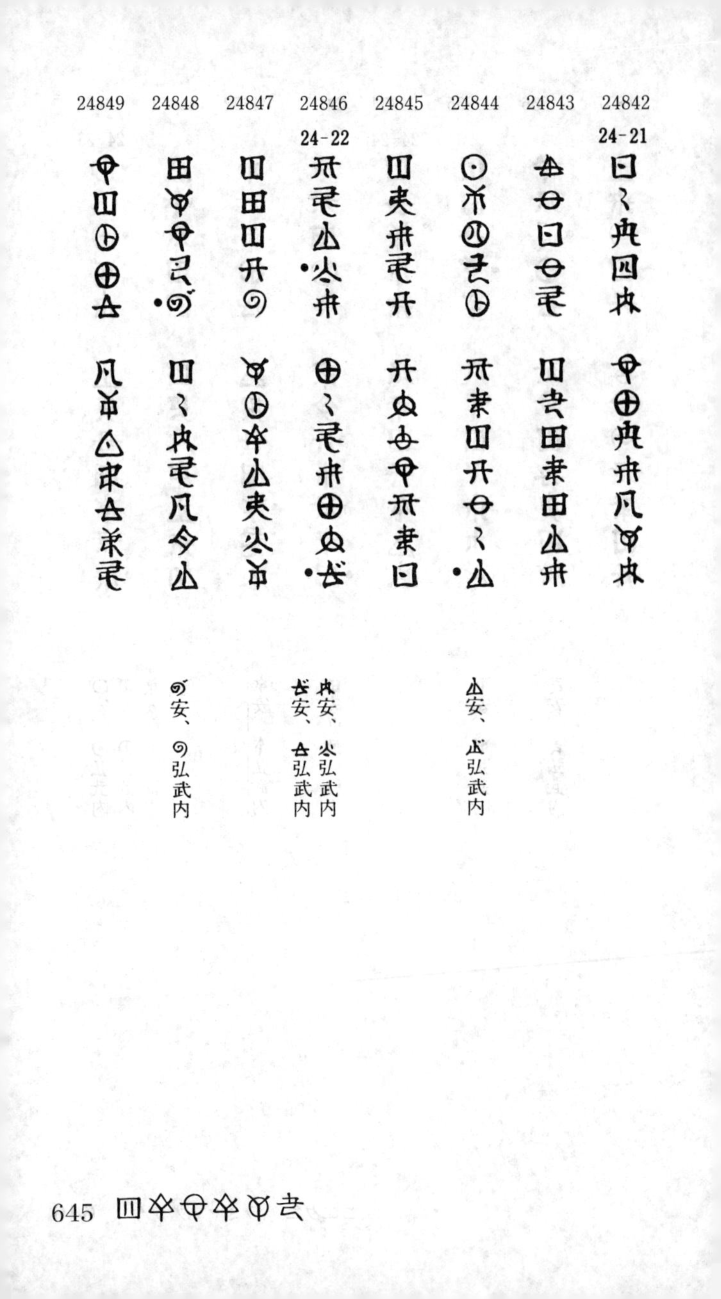

24842

24-21

24843

24844

安、弘武内

24845

24846

24-22

安、弘武内

安、弘武内

24847

24848

安、弘武内

24849

24-23

24850

24851

24852

24853

24-24

24854

24855

24856

24857

安、弘武内
安、弘武内
安弘武、内

安、弘武内

安弘武、内

安、弘武内

安、弘武内

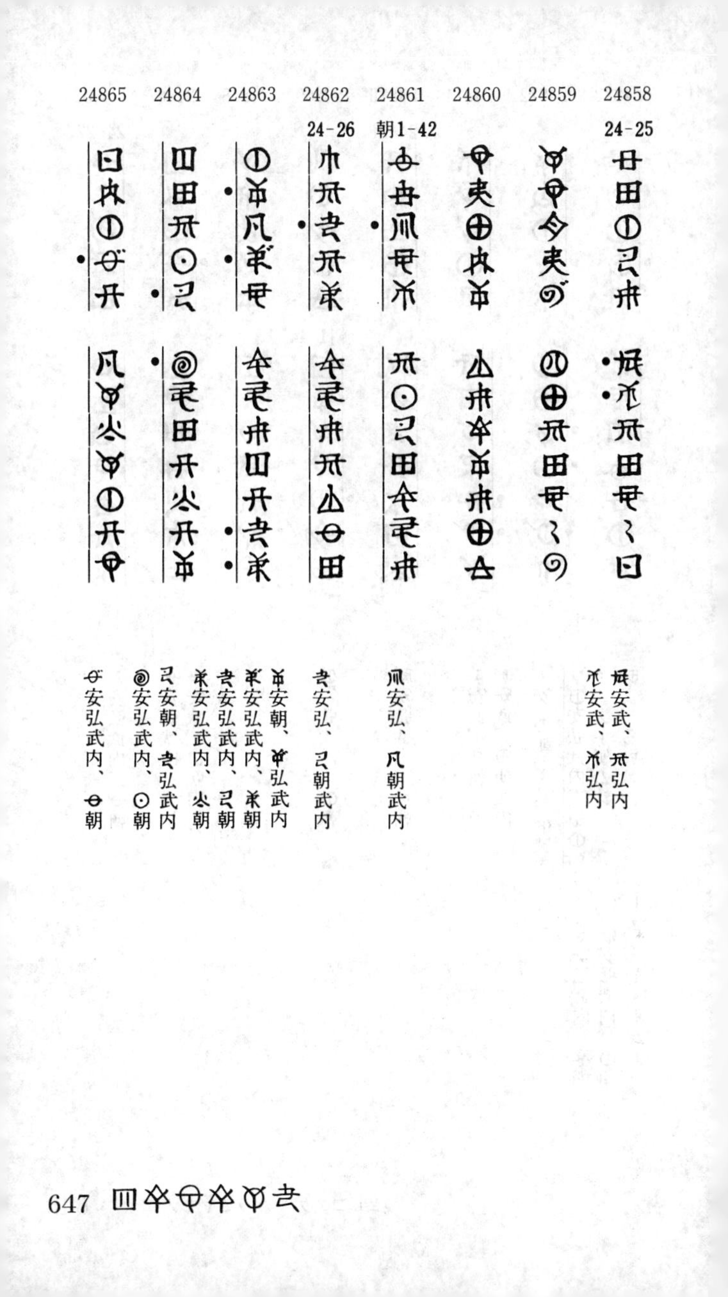

24858 24-25
安武、弘内
安武、弘内

24859

24860

24861 朝1-42
安弘、朝武内

24862 24-26
安弘、朝武内

24863
安朝、弘武内
安弘武内、朝
安弘武内、朝
安弘武内、朝

24864
安朝、弘武内
安弘武内、朝

24865
安弘武内、朝

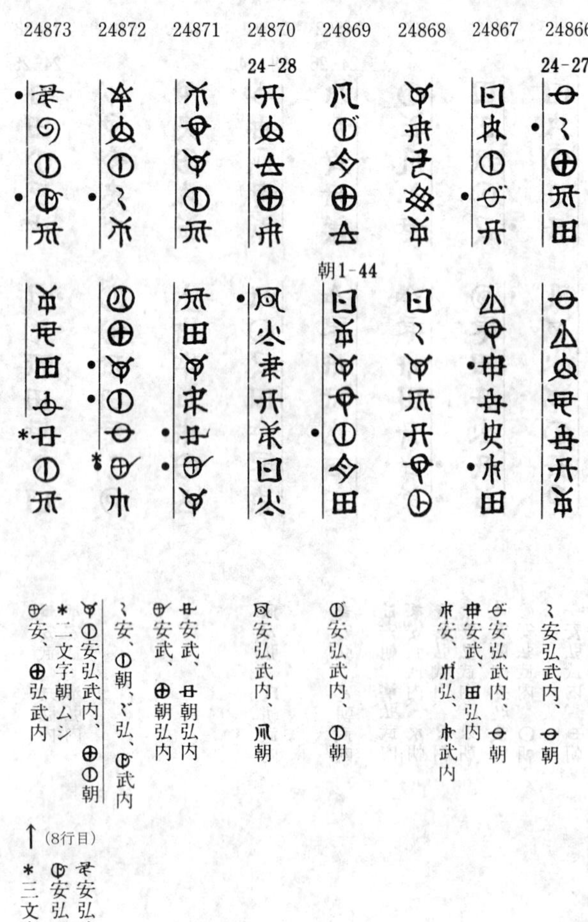

24874 24-29

[illegible]

[illegible]安朝、[illegible]弘武内

24875

[illegible]

＊朝2文字ムシ

[illegible]安朝、[illegible]弘武内

24876

[illegible]

[illegible]安弘武内、[illegible]朝

24877

[illegible]

[illegible]安弘武内、[illegible]朝

[illegible]安弘武内、[illegible]朝

24878 24-30

[illegible]

[illegible]安弘武内、[illegible]朝

[illegible]安弘武内、[illegible]朝

24879

[illegible]

[illegible]安朝、[illegible]弘武内

24880

[illegible]

24881

[illegible]

[illegible]安弘武内、[illegible]朝

24882 24-31

24883

24884

24885

24886 24-32

24887

24888

24889

安朝、弘武内

安、朝、弘武内

安弘武内、朝

*朝1文字ムシ

安弘武、朝、内

*朝3文字ムシ

*朝2文字ムシ

安弘武内、朝

** 朝2文字ムシ

安弘武、朝、内

安朝弘、武内

安弘武内、朝

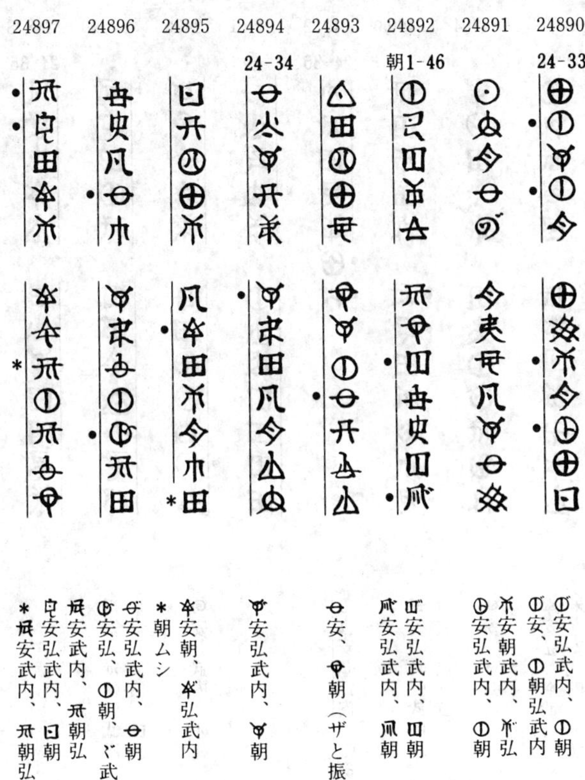

〓安弘武内、〓朝
〓安、〓朝弘武内
〓安朝武内、〓弘
〓安弘武内、〓朝

〓安弘武内、〓朝
〓安弘武内、〓朝

〓安、〓朝（ザと振仮名）、〓弘武内

〓安弘武内、〓朝

〓安朝、〓弘武内
＊朝ムシ
〓安弘武内、〓朝
〓安弘、〓朝、〓武内
〓安武内、〓朝弘
〓安弘武内、〓朝
＊〓安武内、〓朝弘

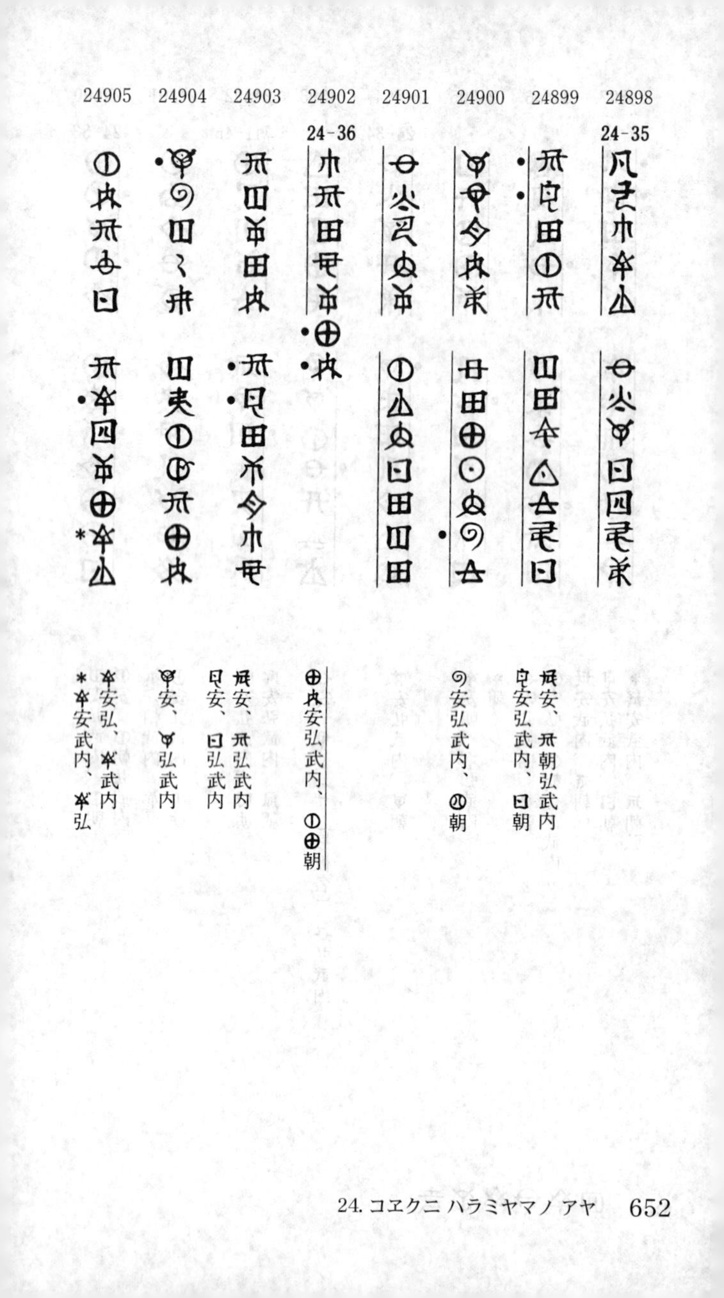

24898
24-35

24899

24900
安弘武内、朝

24901

24902
24-36
安弘武内、朝

24903
安、弘武内
安、弘武内

24904
安、弘武内

24905
安弘、武内
*安武内、弘

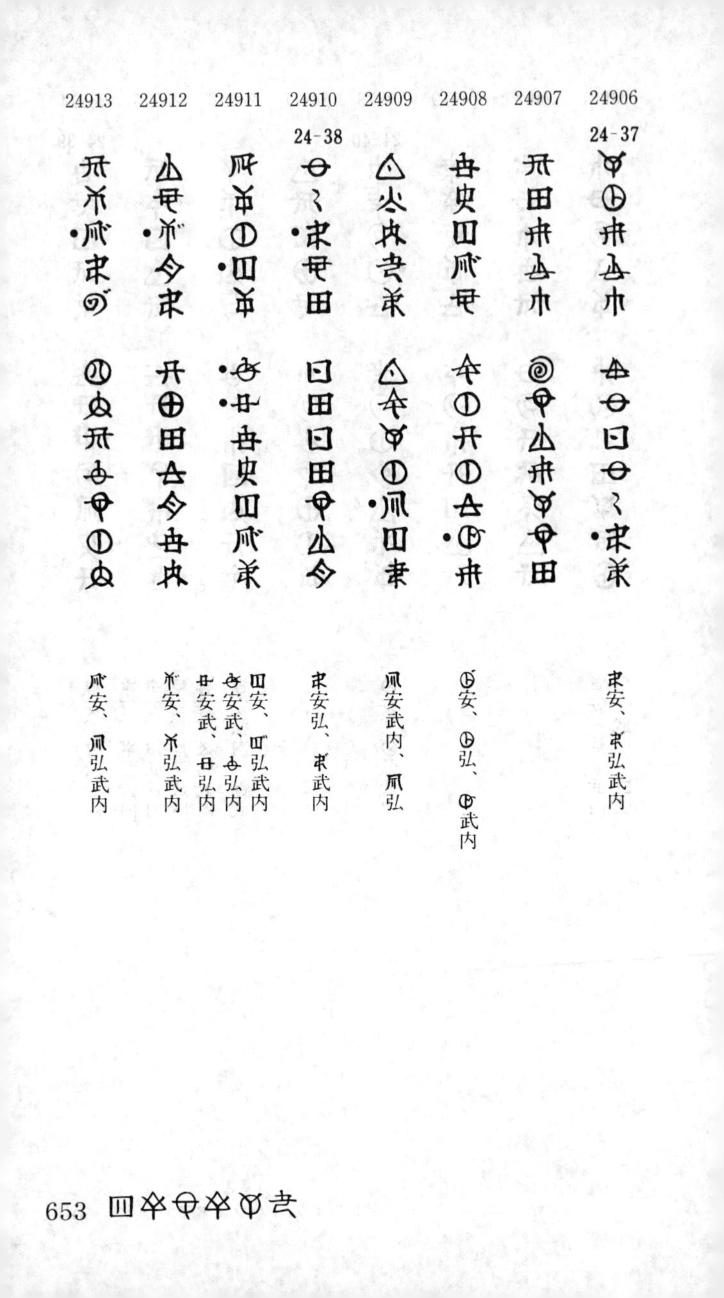

24906 (24-37)

安、弘武内

24907

24908

安、弘、武内

24909

安武内、弘

24910 (24-38)

安弘、武内

24911

安、弘武内

安武、弘内

安武、弘内

24912

安、弘武内

24913

安、弘武内

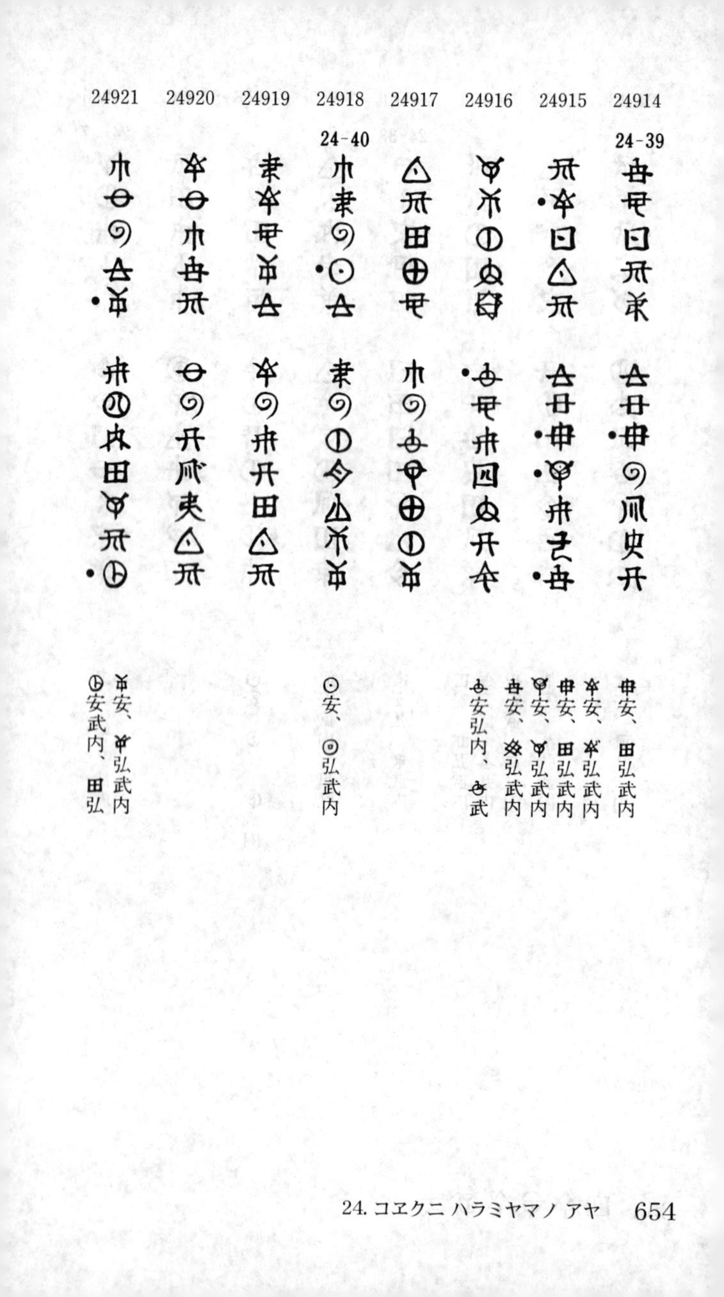

24914 24-39

安、弘武内

24915

安、弘武内
安、弘武内
安、弘武内
安、弘武内

24916

安弘内、武

24917

24918 24-40

安、弘武内

24919

24920

24921

安、弘武内
安武内、弘

24922

24-41

24923

安武、弘内

安、弘武内

安弘、武内

24924

24925

安、弘武内

24926

24-42

安、弘武内

24927

24928

24929

安、弘武内

24930 24-43

24931

［illegible］安、［illegible］弘武内
［illegible］安武内、［illegible］弘
［illegible］安武内、［illegible］弘

24932

［illegible］安武、［illegible］弘内

24933

［illegible］安弘内、［illegible］武
［illegible］安弘、［illegible］武内

24934 24-44

［illegible］安武内、［illegible］弘

24935

24936

24937

24938 24-45

〓〓〓〓〓 〓〓〓〓〓〓〓

〓安、〓弘武内

24939

〓〓〓〓〓 〓〓〓〓〓〓〓

24940

〓〓〓〓〓 〓〓〓〓〓〓〓

〓安、〓弘武内

〓安、〓弘武内

24941

〓〓〓〓〓 〓〓〓〓〓〓〓

24942 24-46

〓〓〓〓〓 〓〓〓〓〓〓〓

〓安、〓弘武内

24943

〓〓〓〓〓 〓〓〓〓〓〓〓

〓安、〓弘武内

24944

〓〓〓〓〓 〓〓〓〓〓〓〓

24945

〓〓〓〓〓 〓〓〓〓〓〓〓

〓安武内、〓弘

24946
24-47

24947

安弘武、内
安、弘武内

24948

24949

24950
24-48

24951

24952

安、弘武内

24953

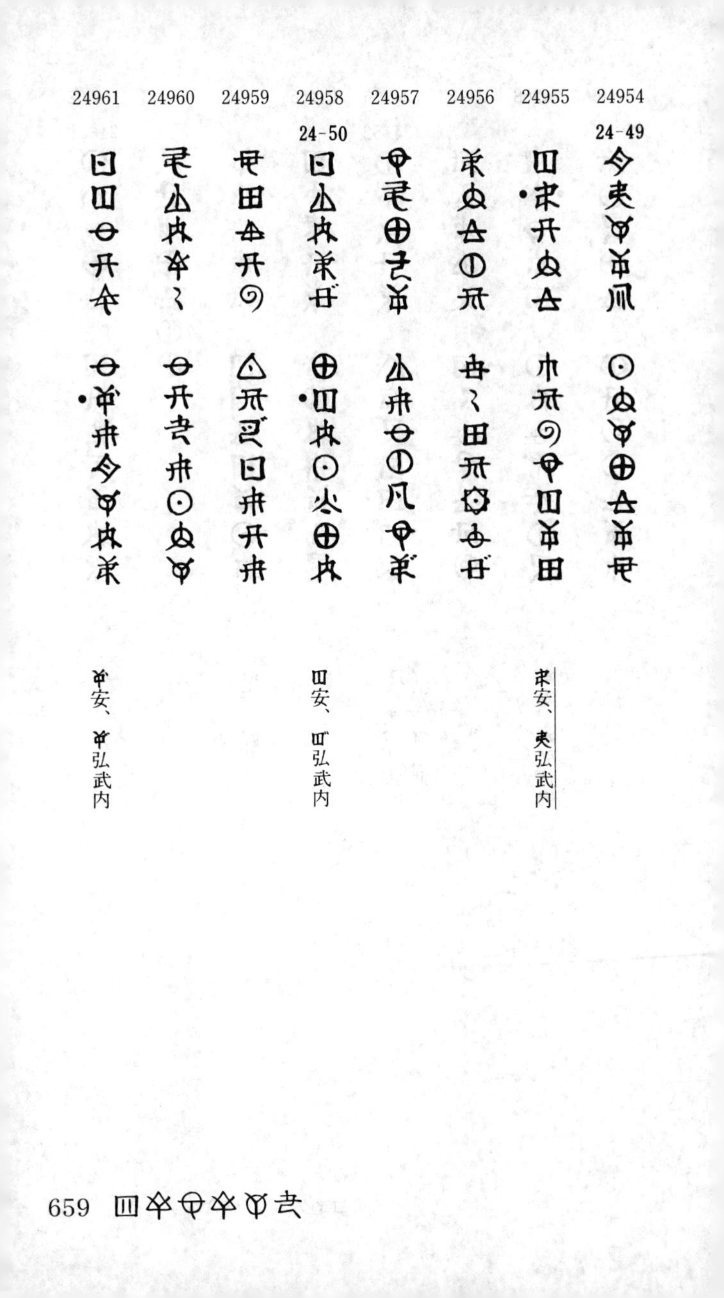

24954
24-49

24955
安、弘武内

24956

24957

24958
24-50
安、弘武内

24959

24960

24961
安、弘武内

24962
24-51

24963

24964

安、弘武内

24965

24966
24-52

安武、弘内
安、弘武内

24967

24968

安、弘武内

24969

24970

24-53

安、弘武内

24971

安、弘武内

24972

24973

24974

24-54

安、弘武、内

24975

24976

安、弘武内

24977

安武内、弘

安、弘武内

24-55

24978

安、弘武内

24979

24980

安、弘武内

24981

安武内、弘

安、弘武内

24982

24-56

24983

安、弘武内

安、弘、武内

24984

24985

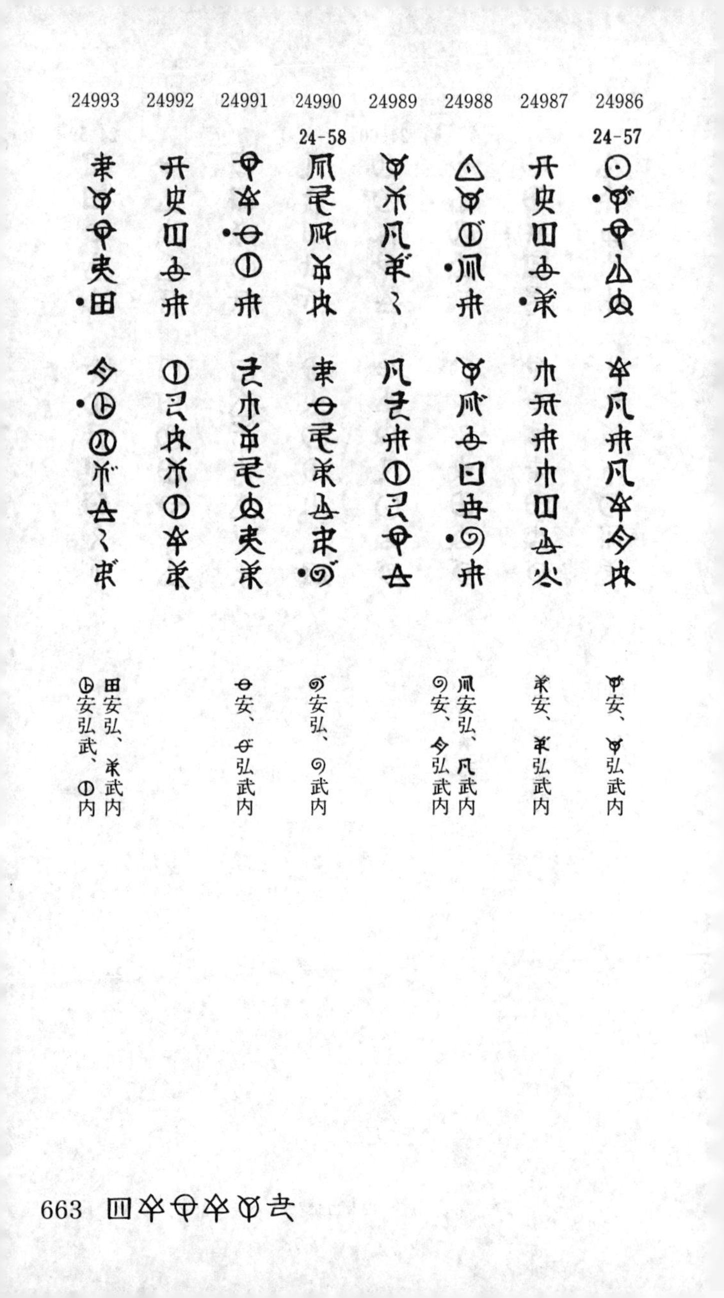

24986	24987	24988	24989	24990	24991	24992	24993
24-57				24-58			
〓安、〓弘武内	〓安、〓弘武内	〓安弘、〓武内 〓安、〓弘武内		〓安弘、〓武内	〓安、〓弘武内		〓安弘、〓武内 〓安弘武、〓内

24994 24-59

24995

24996

24997

24998 24-60

24999

安、弘武内

25000

安、弘武内

25001

安、弘武内

25002 24-61
〓〓〓〓〓 〓〓〓〓〓〓〓

25003
〓〓〓〓〓 〓〓〓〓〓〓〓
〓安弘内、〓武
〓安弘、〓武内

25004
〓〓〓〓〓 〓〓〓〓〓〓〓
〓安武内、〓弘
⊙安、〓弘武内

25005
〓〓〓〓〓 〓〓〓〓〓〓〓

25006 24-62
〓〓〓〓〓 〓〓〓〓〓〓〓
〓安武内、〓弘

25007
〓〓〓〓〓 〓〓〓〓〓〓〓
〓安弘、〓武、〓内
〓安、田弘武内

25008
〓〓〓〓〓 〓〓〓〓〓〓〓
〓安、〓弘武内

25009
〓〓〓〓〓 〓〓〓〓〓〓〓

25010

24-63

25011

25012

安武内、弘
安、弘武内

25013

安、弘武内

25014

24-64

安、弘武内

25015

安、弘武内

25016

25017

25018 24-65

安、弘武内

25019

25020

25021

安、弘武内

25022 24-66

安、弘、武内

安、弘武内

25023

25024

安、弘武内

25025

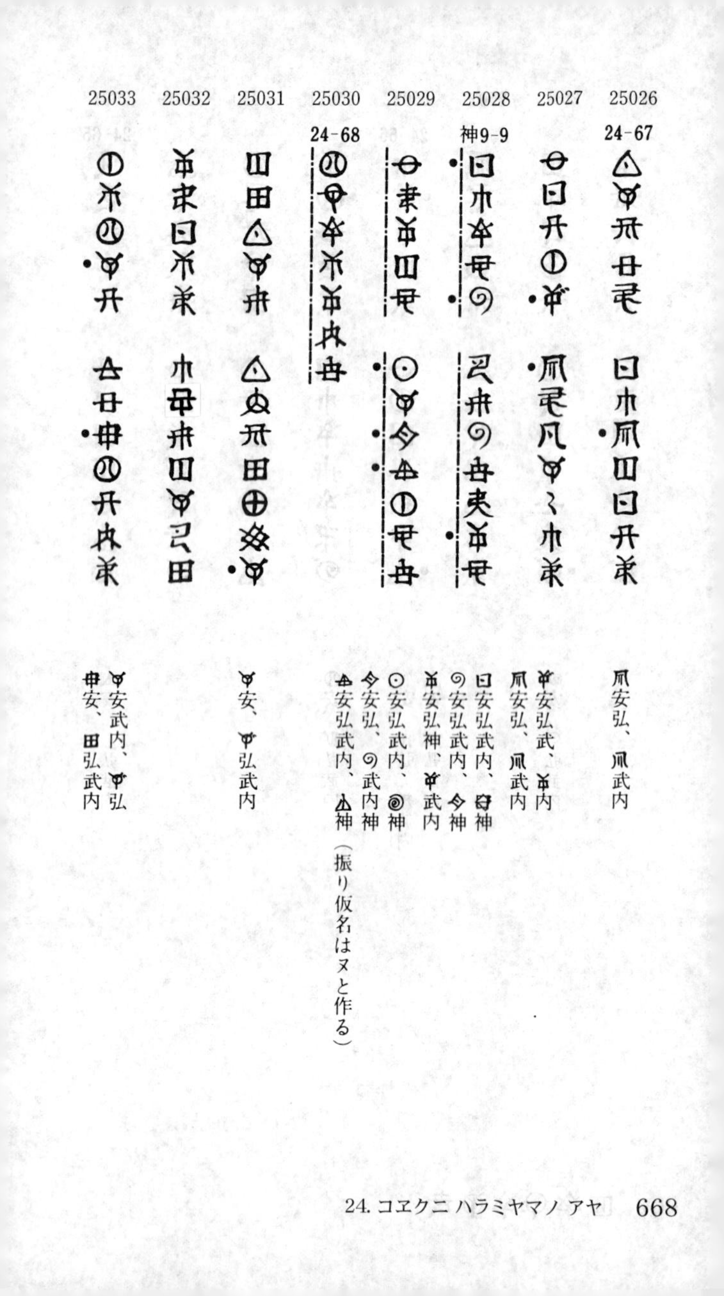

25026
24-67

25027

25028
神9-9

25029

25030
24-68

25031

25032

25033

安弘、武内
安弘武、内
安弘、武内
安弘武内、神
安弘武内、神
安弘神、武内
安弘武内、神
安弘、武内神
安弘武内、神（振り仮名はヌと作る）
安、弘武内
安武内、弘
安、弘武内

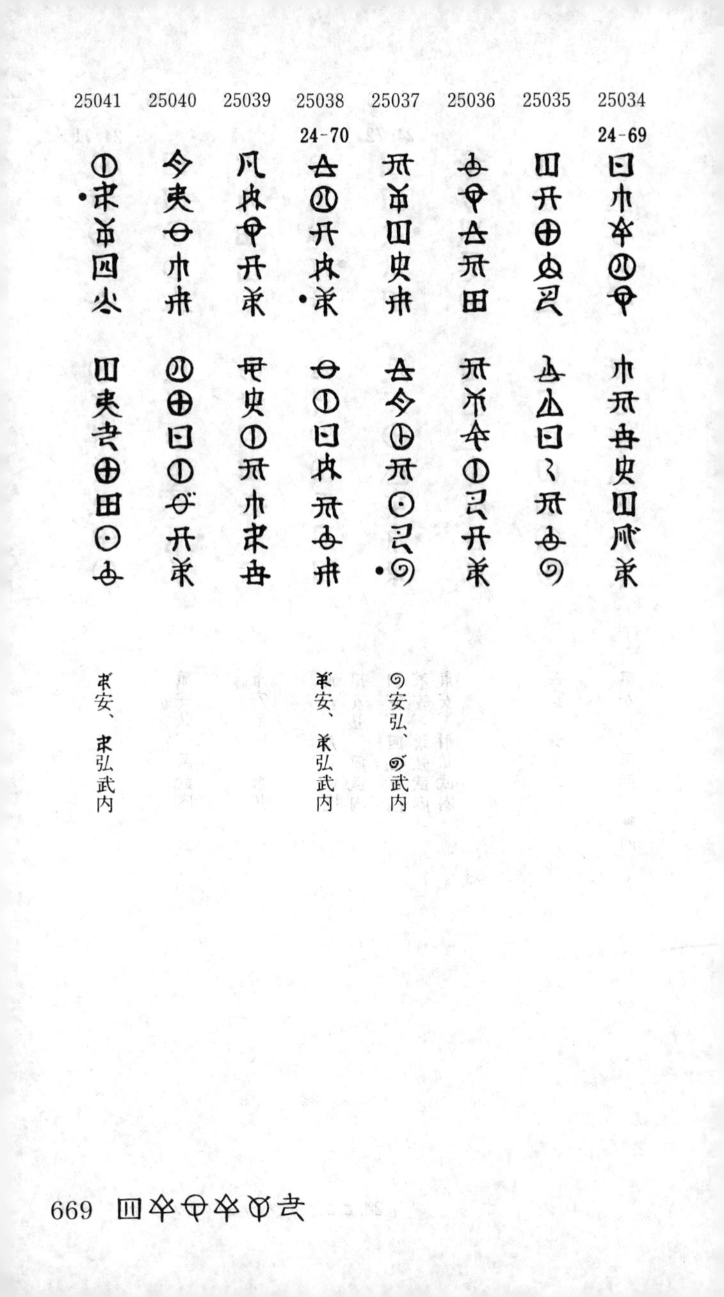

25034 24-69

25035

25036

25037

安弘、武内

25038 24-70

安、弘武内

25039

25040

25041

安、弘武内

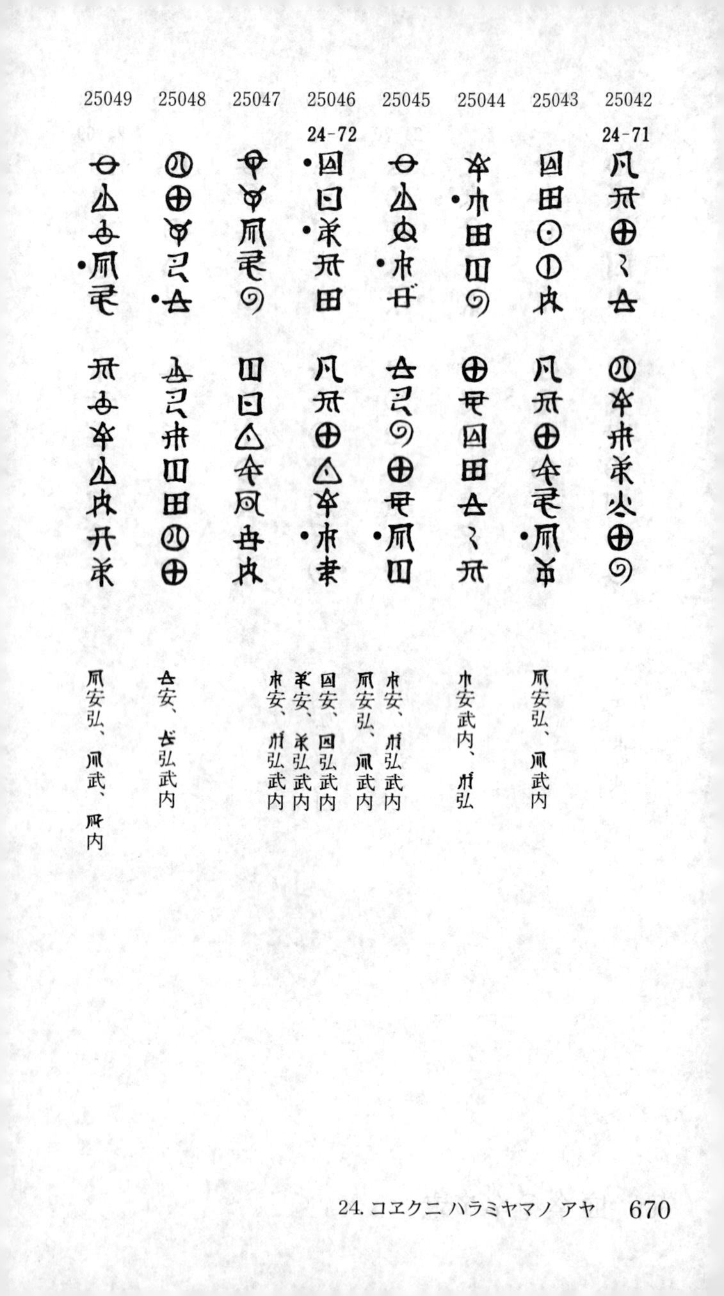

25042 24-71

25043

安弘、武内

25044

安武内、弘

25045

安、弘武内

安弘、武内

25046 24-72

安、弘武内

安、弘武内

安、弘武内

25047

25048

安、弘武内

25049

安弘、武、内

25050 24-73

25051

25052

25053

安弘、武内

安弘、武内

25054 24-74

安、弘武内

25055

25056

安、弘武内

25057

25058
24-75

25059

25060
〓安弘内、〓武

25061
〓安、〓弘内、武本〓か〓かムシにて不明。
〓安、〓弘武内

25062
24-76
〓安、〓弘武内

25063

25064

25065

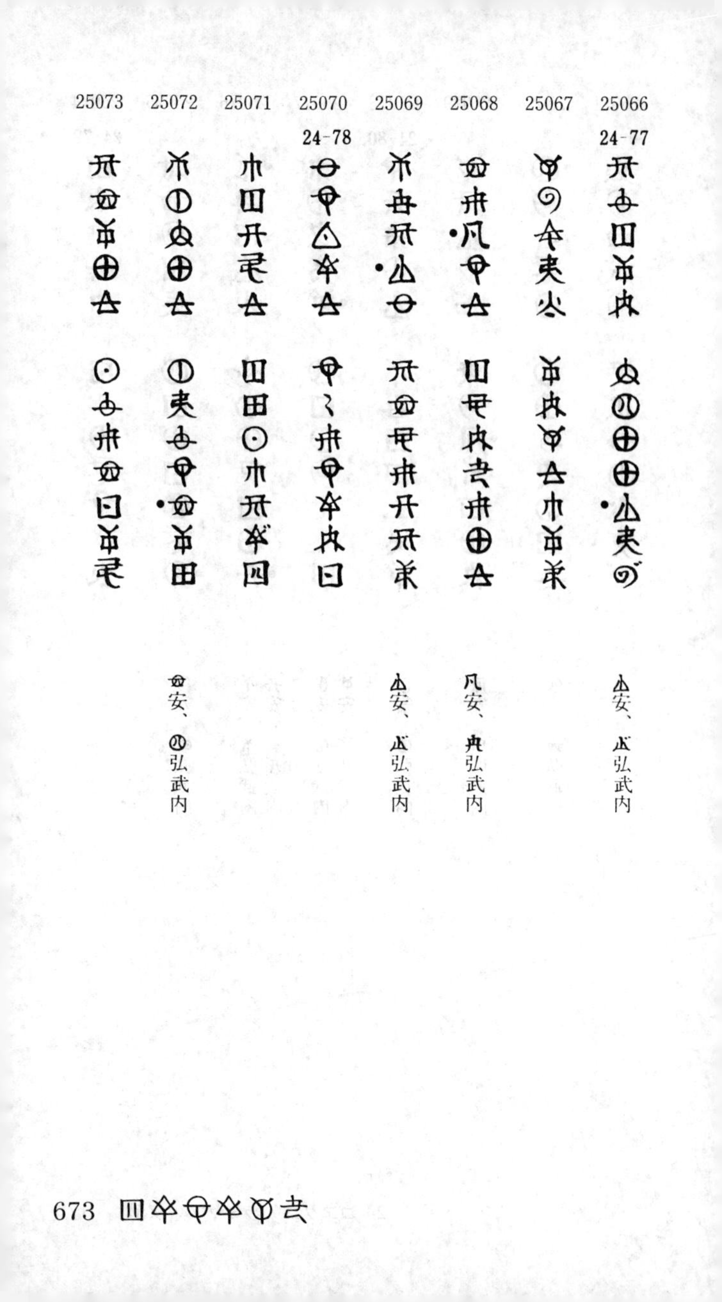

25066 24-77

安、弘武内

25067

25068

安、弘武内

25069

安、弘武内

25070 24-78

25071

25072

安、弘武内

25073

25074 24-79
[illegible]

25075
[illegible]
[illegible]安、[illegible]弘武内

25076
[illegible]
[illegible]安、[illegible]弘武内
[illegible]安弘、[illegible]武内

25077
[illegible]
[illegible]安、[illegible]弘武内
[illegible]安、[illegible]弘武内

25078 24-80
[illegible]
[illegible]安、[illegible]弘武内

25079
[illegible]
[illegible]安、[illegible]弘武内

25080
[illegible]
[illegible]安、[illegible]弘武内

25081
[illegible]

25082 24-81
〓〓〓〓〓 〓〓〓〓〓〓〓

25083
〓〓〓〓〓 〓〓〓〓〓〓〓

25084
〓〓〓〓〓 〓〓〓〓〓〓〓

〓安、〓弘武内

25085
〓〓〓〓〓 〓〓〓〓〓〓〓

25086 24-82
〓〓〓〓〓 〓〓〓〓〓〓〓

25087
〓〓〓〓〓 〓〓〓〓〓〓〓

〓弘武内、安本〓を〓に暗朱にて訂正あるが、漢訳に「進都鳥純画」とあることから、元は〓と判定できる。

25088
〓〓〓〓〓 〓〓〓〓〓〓〓

〓考、〓安、〓弘武内
〓安武内、〓弘

25089
〓〓〓〓〓 〓〓〓〓〓〓〓

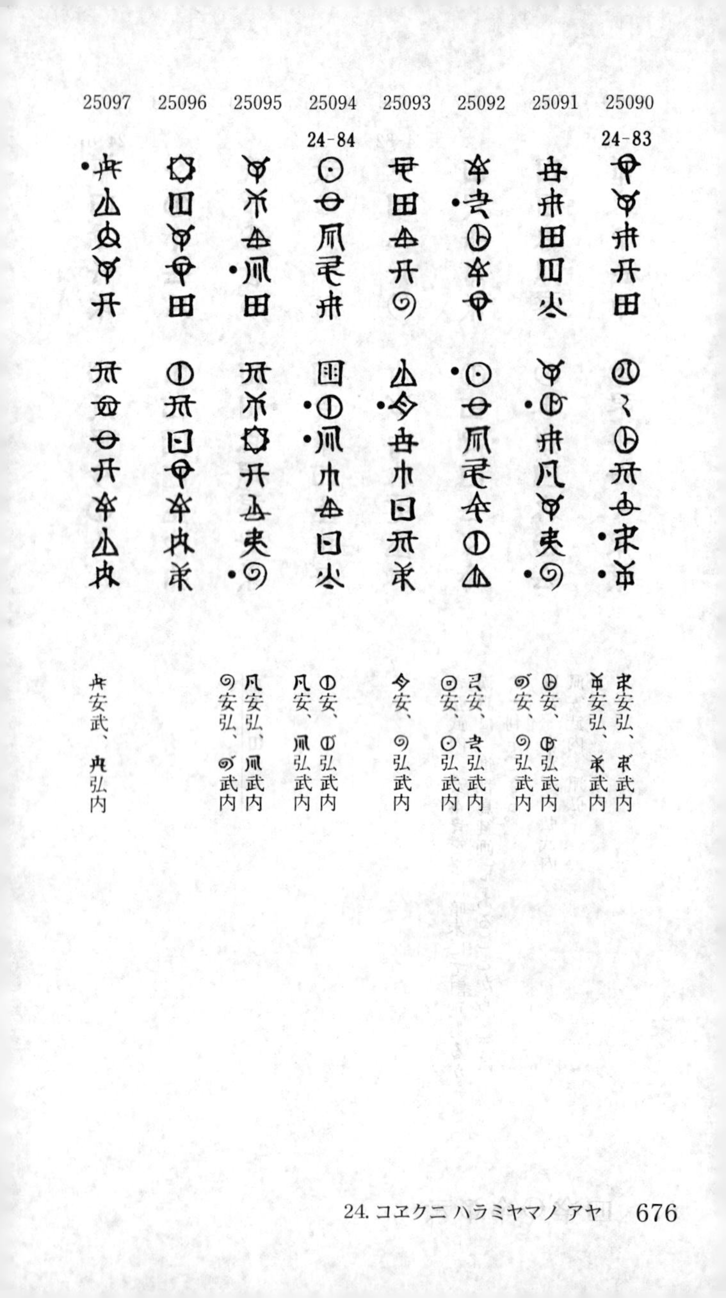

25090 (24-83)

25091

25092

25093

25094 (24-84)

25095

25096

25097

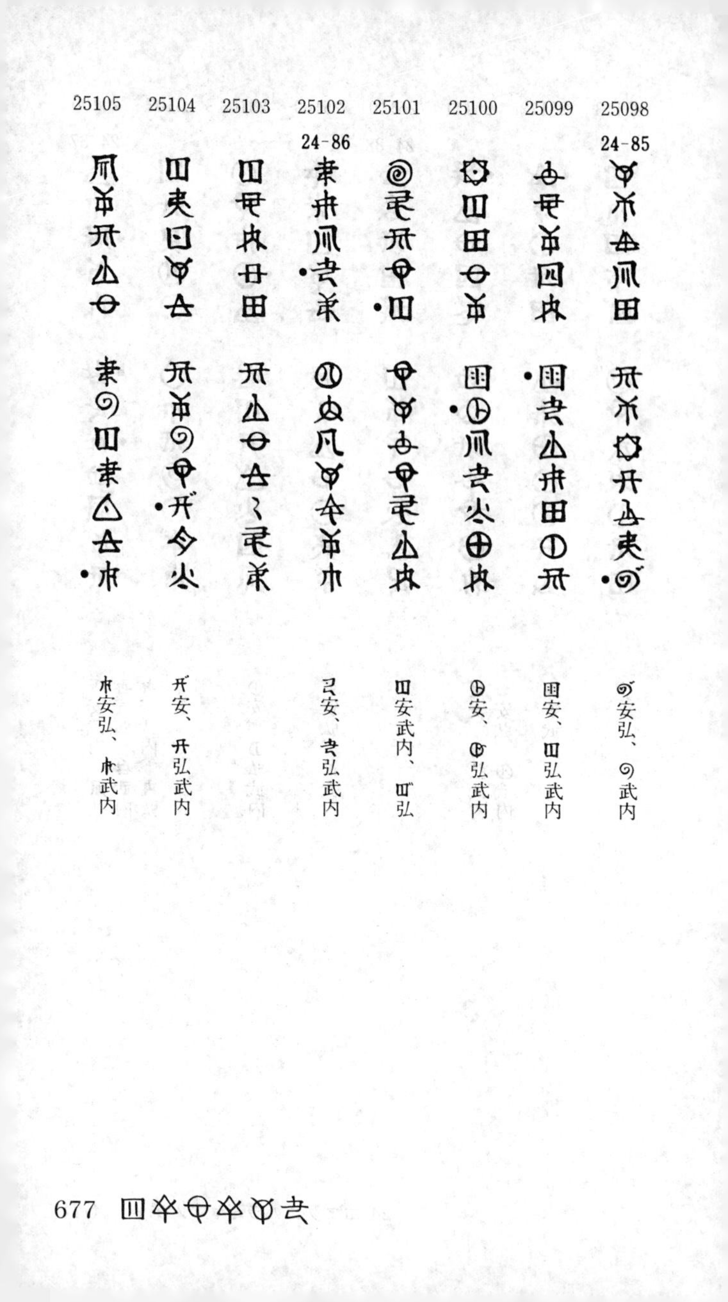

25098 (24-85)

安弘、武内

25099

安、弘武内

25100

安、弘武内

25101

安武内、弘

25102 (24-86)

安、弘武内

25103

25104

安、弘武内

25105

安弘、武内

25106 24-87

25107

25108

25109

25110 24-88

25111

25112

25113

[illegible]安武内、[illegible]弘
[illegible]安弘、[illegible]武内
[illegible]安武内、[illegible]弘

[illegible]安、[illegible]弘武内

[illegible]安弘、[illegible]武内

[illegible]安、[illegible]弘武内
[illegible]安弘、[illegible]武内

[illegible]安武内、[illegible]弘

25114 24-89

25115

25116
安内、弘武
安、弘武内

25117
安、弘武内

25118 24-90
安、弘武内

25119

25120

25121
安、弘武内

25122 (24-91) / 25123 / 25124 / 25125 / 25126 (24-92) / 25127 / 25128 / 25129

安、弘武内

安弘、武内

安武、弘内

安武、弘内

安弘内、武

安弘内、武

安武内、弘

安弘、武内

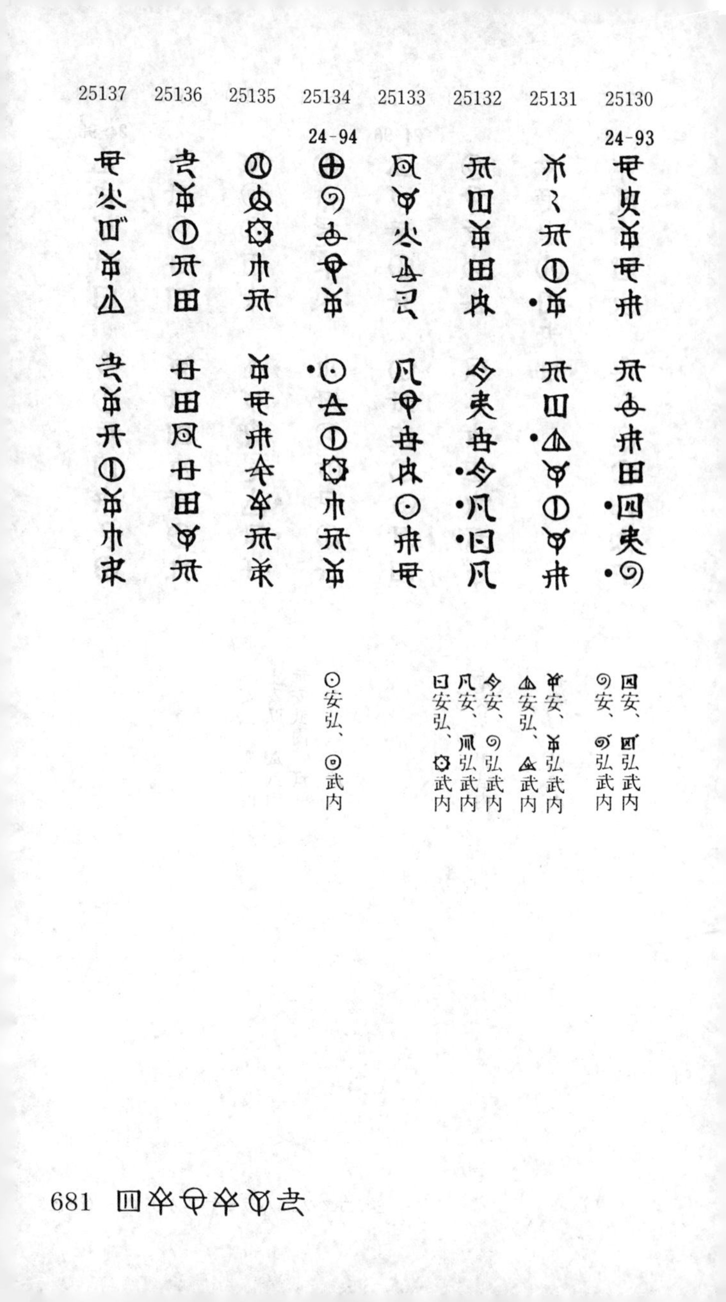

25130	25131	25132	25133	25134	25135	25136	25137
24-93				24-94			

安、弘武内

安、弘武内

安、弘武内

安弘、武内

安、弘武内

安、弘武内

安弘、武内

安弘、武内

25145	25144	25143	25142	25141	25140	25139	25138
			24-96				24-95

25140: [illegible]安弘、[illegible]武内
[illegible]安弘、[illegible]武内
[illegible]安武内、[illegible]弘

25141: [illegible]安弘、[illegible]武内

25143: [illegible]安弘、[illegible]武内

25144: [illegible]安、[illegible]弘武内

25146

24-97

25147

25148

安、弘武内

25149

安弘、武内

安、弘武内

25150

24-98

安、弘武内

25151

25152

25153

25154 24-99

25155

安、弘武内

25156

安、弘武内

安、弘武内

25157

25158 24-100

25159

安、弘武内

25160

安弘武、内

25161

安弘、武内

25162 24-101

[illegible]

[illegible]安、[illegible]弘武内
[illegible]安武、[illegible]弘、[illegible]内

25163

[illegible]

[illegible]安、[illegible]弘武内
[illegible]安、[illegible]弘武内

25164

[illegible]

[illegible]安、[illegible]弘武内

25165

[illegible]

[illegible]安、[illegible]弘武内

25166 24-102

[illegible]

25167

[illegible]

[illegible]安、[illegible]弘武内
*[illegible]安武内、[illegible]弘
[illegible]安弘、[illegible]武内

25168

[illegible]

[illegible]考、[illegible]安弘武内

25169

[illegible]

25170
24-103
[ヲシテ文字]

25171
[ヲシテ文字]

（注）[ヲシテ文字]安、[ヲシテ文字]弘武内
[ヲシテ文字]安、[ヲシテ文字]弘、[ヲシテ文字]武内

25172
[ヲシテ文字]

25173
[ヲシテ文字]

25174
24-104
[ヲシテ文字]

25175
[ヲシテ文字]

25176
[ヲシテ文字]

（注）[ヲシテ文字]安弘、[ヲシテ文字]武内

25177
[ヲシテ文字]

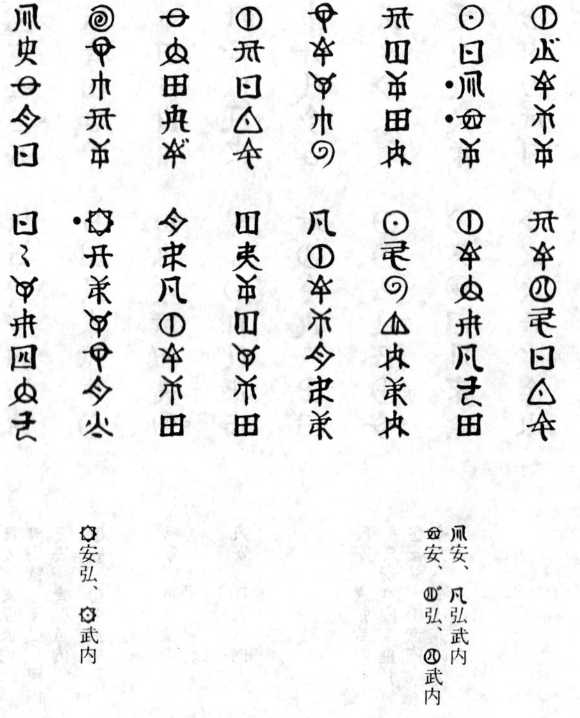

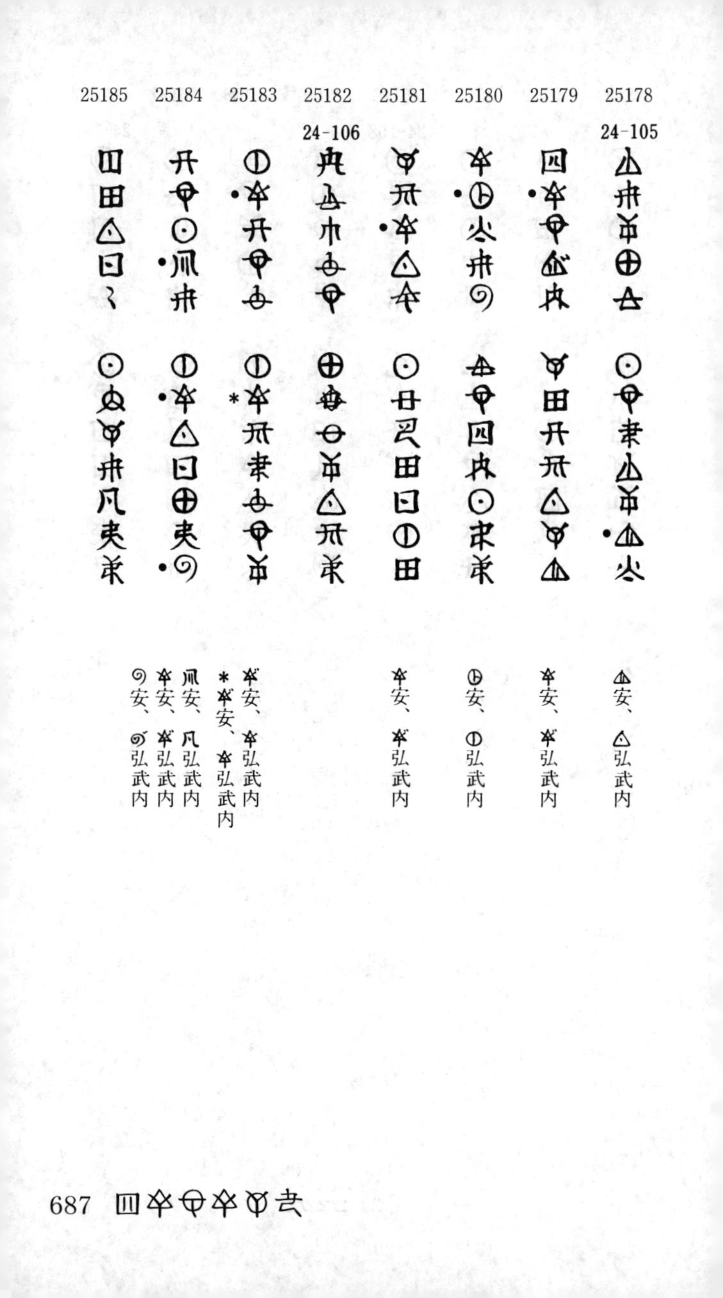

25178 24-105

安、弘武内

25179

安、弘武内

25180

安、弘武内

25181

安、弘武内

25182 24-106

25183

安、弘武内

*安、弘武内

25184

安、弘武内

安、弘武内

25185

安、弘武内

24-107

25186

25187

25188

安、弘武内

25189

24-108

25190

25191

安、弘武内

25192

安、弘武内

25193

考、安弘武内

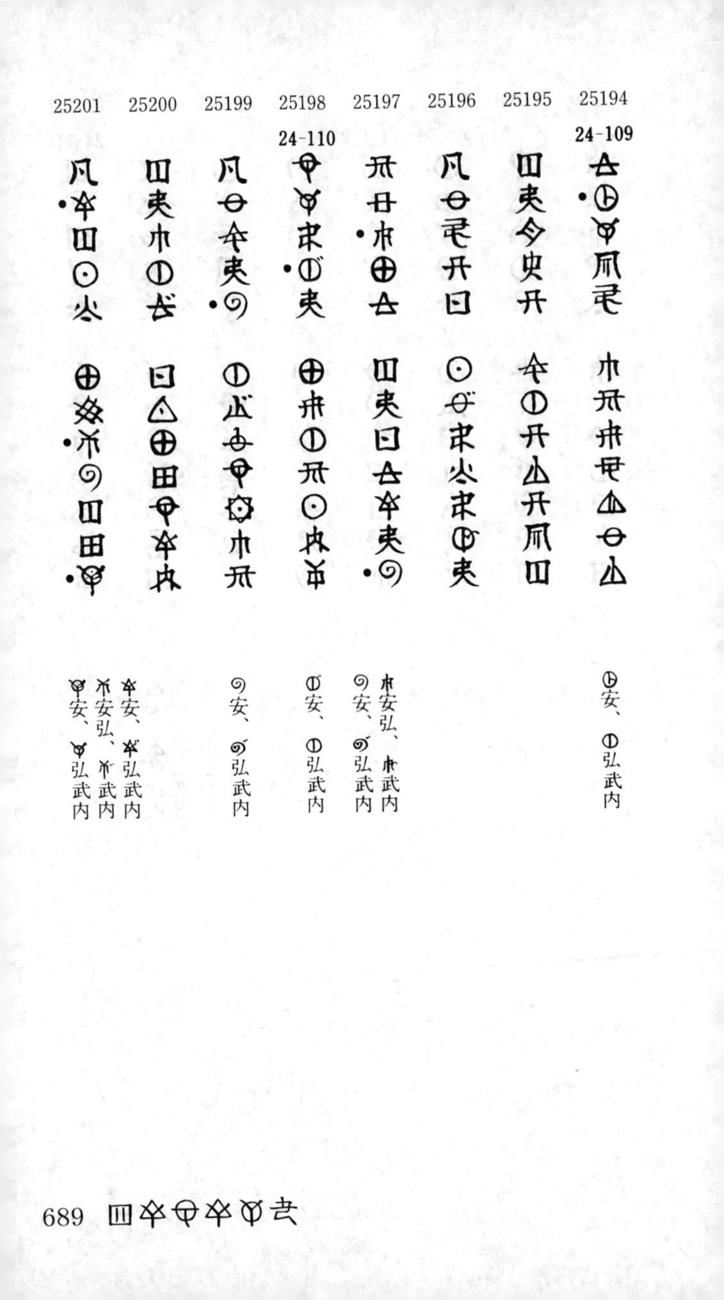

25194
24-109
安、弘武内

25195

25196

25197
安弘、武内
安、弘武内

25198
24-110
安、弘武内

25199
安、弘武内

25200

25201
安、弘武内
安弘、武内
安、弘武内

25202 24-111

25203

25204

25205

25206 24-112

25207

25208

25209

安、弘武内

安、弘武内

安、弘武内

安、弘武内

25217	25216	25215	25214	25213	25212	25211	25210
			24-114				24-113
[illegible]	[illegible]	[illegible]	[illegible]	[illegible]	[illegible]	[illegible]	[illegible]

25211: [illegible]安武内、[illegible]弘
[illegible]安武内、[illegible]弘

25213: [illegible]安弘、[illegible]武内

25215: [illegible]安、[illegible]弘武内

25216: [illegible]安武、[illegible]弘内
[illegible]安、[illegible]弘武内
[illegible]安、[illegible]弘武内
[illegible]安、[illegible]弘武内

25218

24-115

安、弘、武内

25219

安、弘武内

25220

25221

安、弘武内

25222

24-116

25223

安、弘武内

25224

25-1

25225

25226

25227

25228

25-2

25229

25230

25231

安武内、弘

安弘内、武

安武内、弘

（漢訳文には九百條貳拾三穗歳熟宇柍夏櫨月朔とある）

弘

武

内

安、弘武内

安、弘武内

安、弘武内

25232
25-3

25233

25234

25235

25236
25-4

安弘内、武

25237

25238

25239

安、弘武内

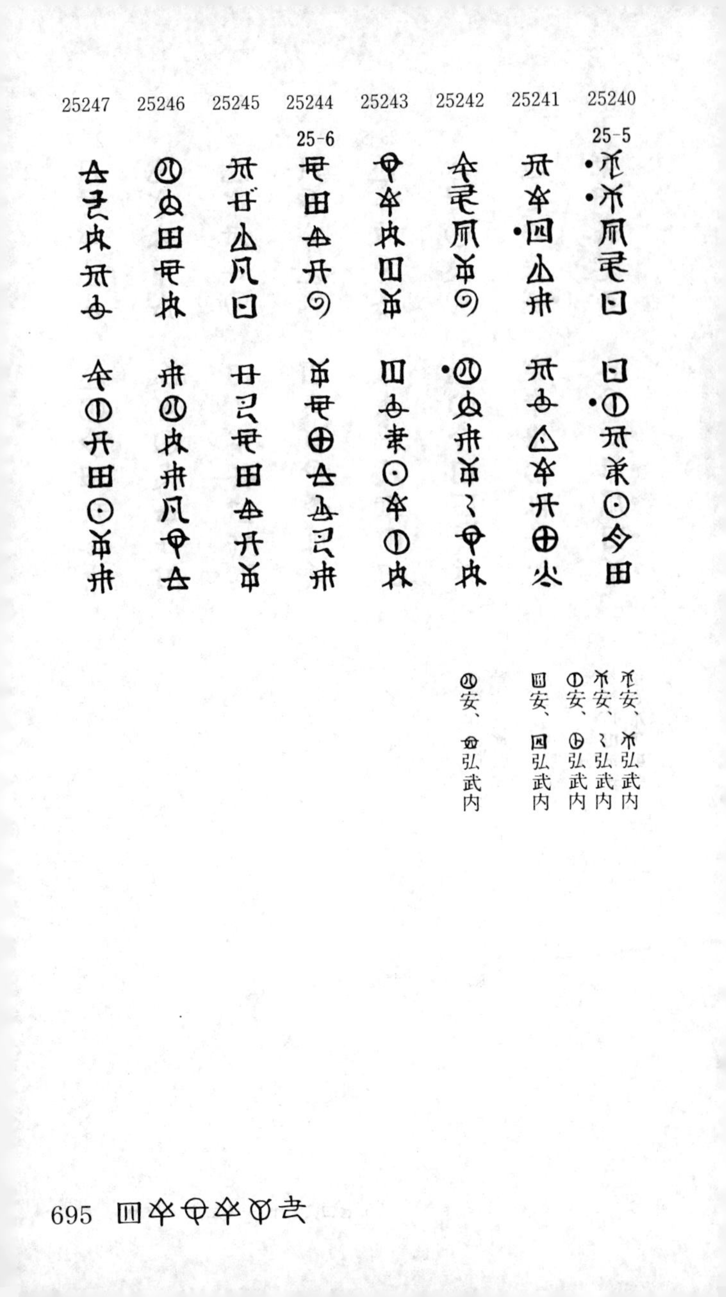

25247 25246 25245 25244 25243 25242 25241 25240

25-6 25-5

安、 弘武内
安、 弘武内
安、 弘武内
安、 弘武内
安、 弘武内

25248
25-7

25249

25250

25251

25252
25-8

25253

25254

25255

◯安、◯弘武内
◯安、◯弘、◯武内

◯安、◯弘武内

◯安、◯弘武内

25256 25-9

25257

25258

25259

25260 25-10

25261

25262

25263

の安、の弘武内

⊙弘武内。安本⊖と作るが、是有樹名と漢訳文にあるため⊙を掲げた。

25264
25-11

25265

25266

25267

25268
25-12

25269

25270

25271

（25264）安弘、武内
（25265）安、弘武内
（25266）安、弘武内
（25267）安武内、弘
（25268）安弘内、武
（25268）安、弘武内
（25270）安弘、武内
（25270）安、弘武内
（25271）安弘、武内
（25271）安武、弘内

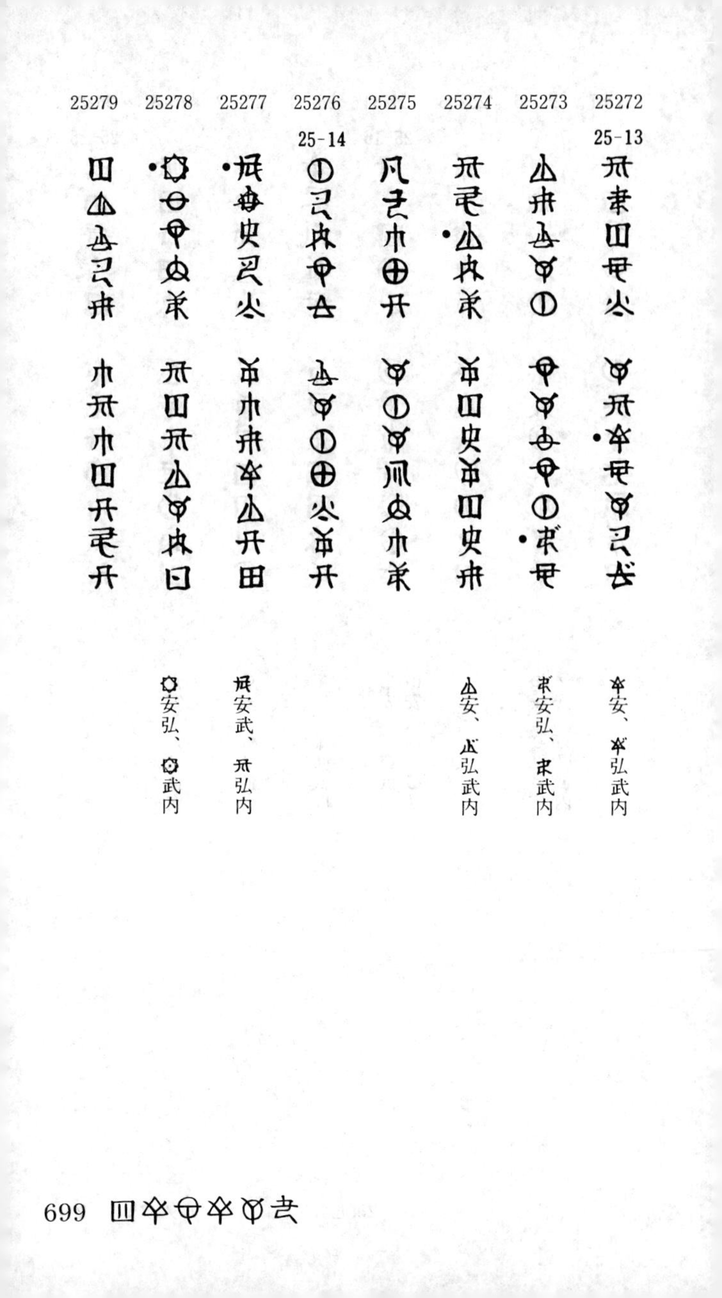

25272

25-13

[glyph]安、[glyph]弘武内

25273

[glyph]安弘、[glyph]武内

25274

[glyph]安、[glyph]弘武内

25275

25276

25-14

25277

[glyph]安武、[glyph]弘内

25278

[glyph]安弘、[glyph]武内

25279

25280

25-15

25281

安、弘武内

25282

安、弘武内

25283

安、弘武内

25284

25-16

安弘、武内

安武内、弘

25285

25286

安、弘武内

安、弘武内

25287

25288 25-17

25289

25290

25291

25292 25-18

⊙安、の弘武内

25293

25294

25295

⊙安、◎弘武内

25296 25-19

安、弘武内

25297

安、弘武内

25298

安、弘武内

25299

安、弘武内
安弘、武内

25300 25-20

安、弘武内

25301

25302

安武内、弘

25303

安、弘武内

25304

25-21

25305

25306

安内、弘武

25307

25308

25-22

25309

安、弘武内

25310

25311

安、弘武内

25312 25-23

25313

25314

25315

25316 25-24

25317

25318

25319

安内、弘武

安、弘武内

安弘武、内

安、弘武内

安、弘、武内

安、弘武内

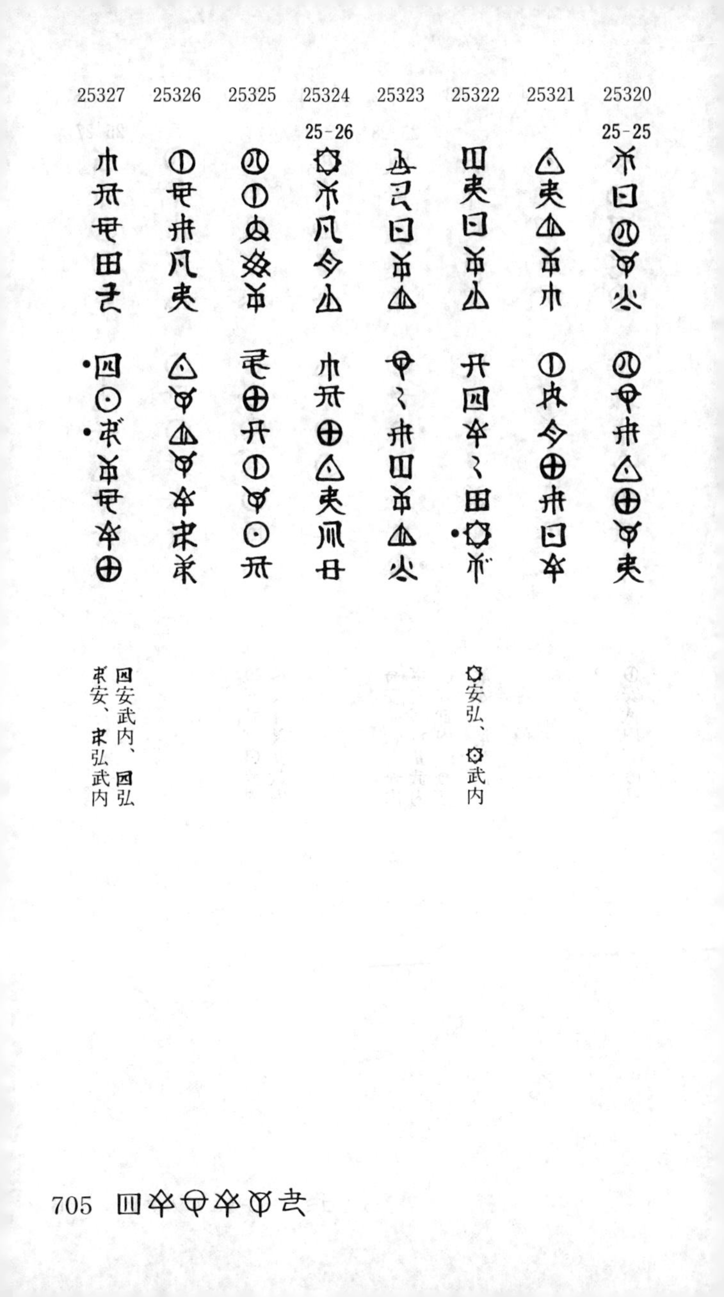

25320
25-25

25321

25322

安弘、武内

25323

25324
25-26

25325

25326

25327

安武内、弘
安、弘武内

25328
25-27

25329

25330

安弘、武内
安、弘武内

25331

25332
25-28

安弘武、内
安、弘武内
安武内、弘

25333

安、弘武内

25334

25335

安武内、弘

25336

25-29

安、弘武内
安、弘武内

25337

安、弘武内

25338

25339

安弘、武内

25340

25-30

安、弘武内

25341

25342

25343

安、弘武内
安、弘武内
安、弘、武内

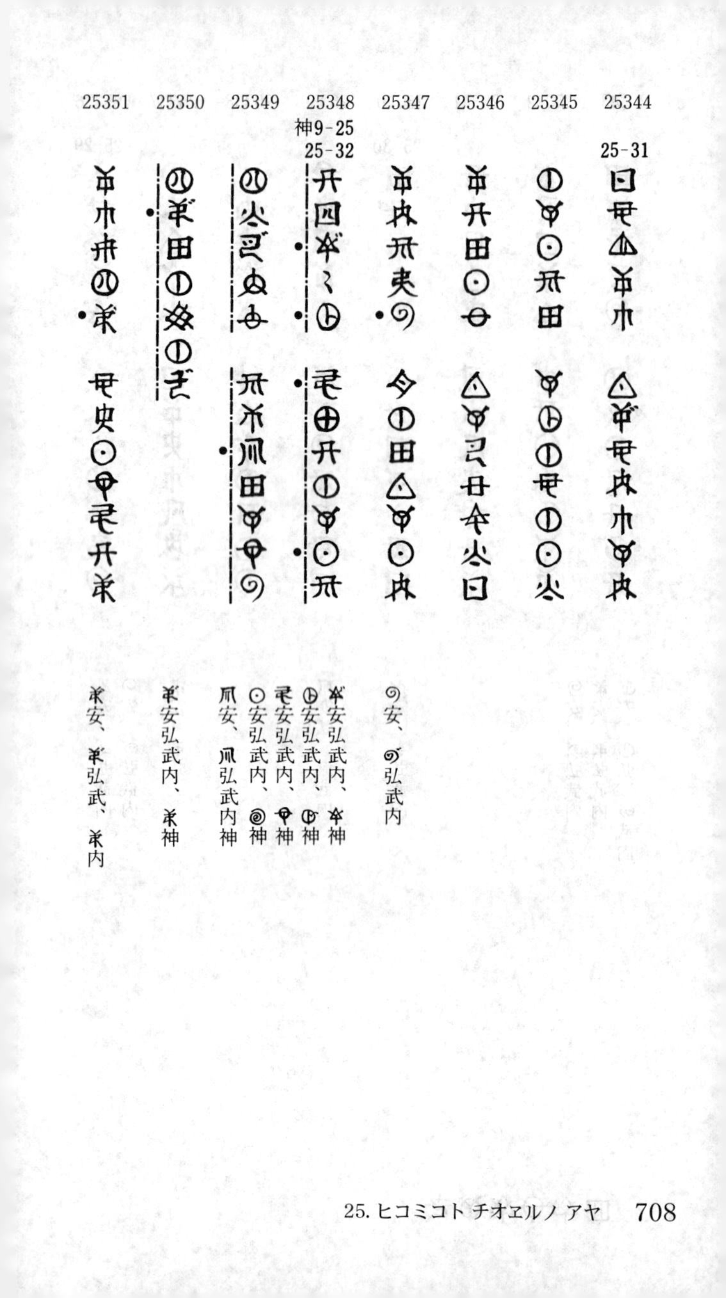

25344
25-31

25345

25346

25347

安、弘武内

25348
神9-25
25-32

安弘武内、神

安弘武内、神

安弘武内、神

25349

安弘武内、神

安、弘武内神

25350

安弘武内、神

25351

安、弘武、内

25352 25-33

25353

25354

安、弘武内

25355

安、弘武内

25356 25-34

25357

安武内、弘、

安、弘武内

25358

安弘、武内

25359

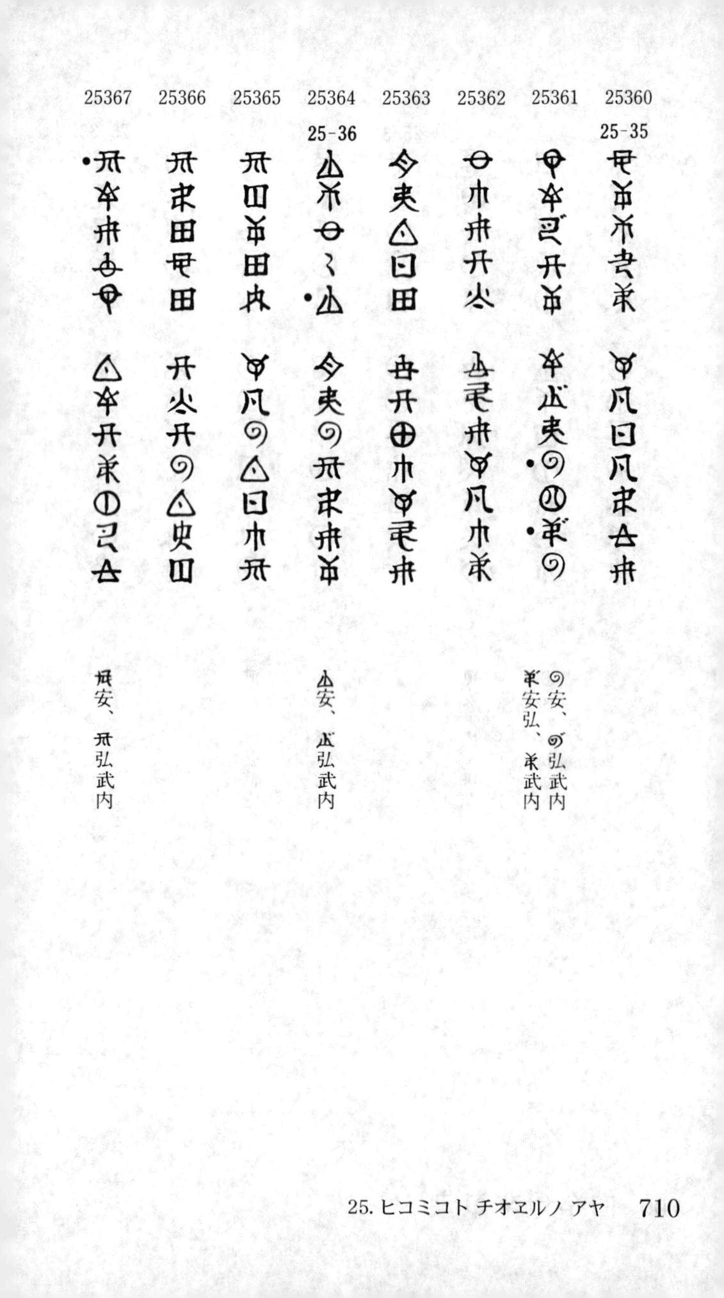

25360

25-35

25361

安、弘武内

安弘、武内

25362

25363

25364

25-36

安、弘武内

25365

25366

25367

安、弘武内

25368 25-37

安武、弘内

25369

25370

安、弘武内

25371

25372 25-38

25373

25374

安、弘武内

25375

安武内、弘

25376
25-39

25377

25378

25379

25380
25-40

安、弘 武内

25381

25382

安、弘 武内

安、弘 武内

25383

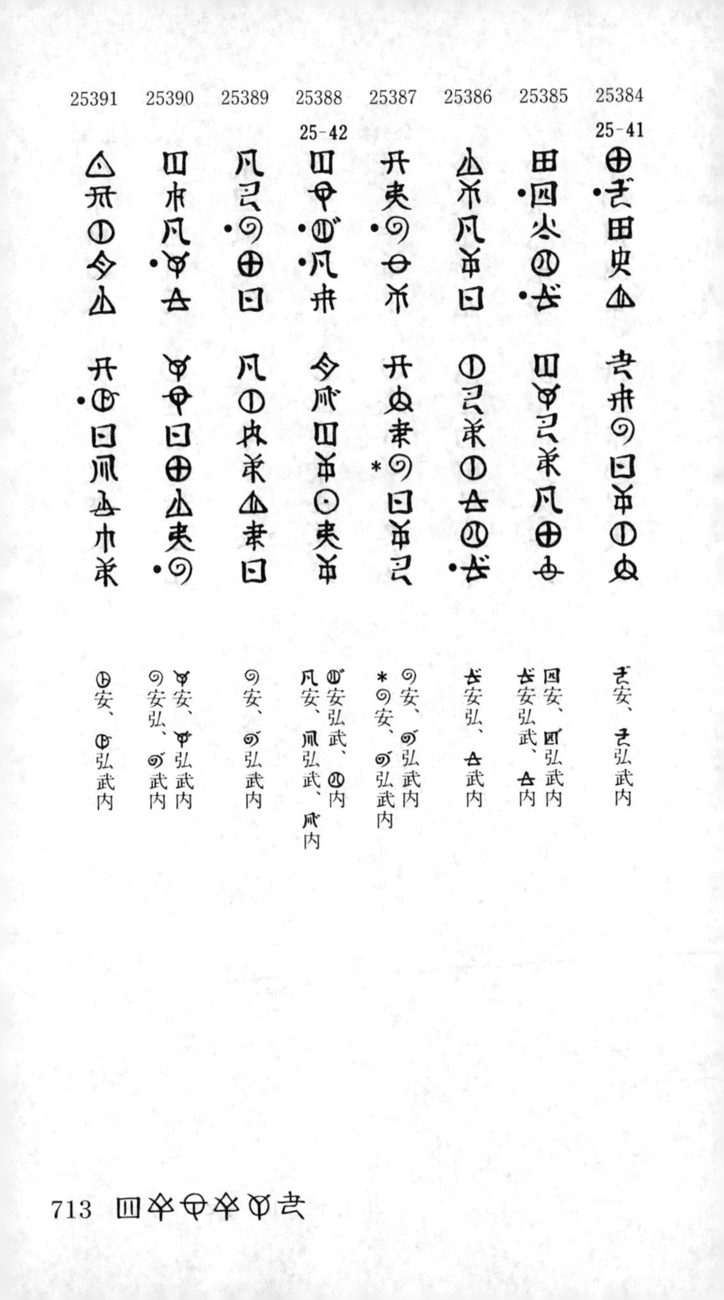

25384

25-41

安、弘武内

25385

安、弘武、内

安弘武、内

25386

安弘、武内

25387

安、弘武内

*安、弘武内

25388

25-42

安弘武、内

安、弘武、内

25389

安、弘武内

25390

安、弘武内

安弘、武内

25391

安、弘武内

25392

25-43

25393

〓安武内、〓弘

25394

〓安武内、〓弘

〓安、〓弘武内

25395

25396

25-44

〓安、〓弘武内

25397

25398

25399

25400
25-45
[illegible]

25401
[illegible]
[illegible]安、[illegible]弘武内

25402
[illegible]
[illegible]安内、[illegible]弘武
[illegible]安、[illegible]弘武内

25403
[illegible]
[illegible]考、[illegible]安、[illegible]弘武内

25404
25-46
[illegible]
[illegible]安、[illegible]弘武内

25405
[illegible]
[illegible]安、[illegible]弘武内

25406
[illegible]

25407
[illegible]

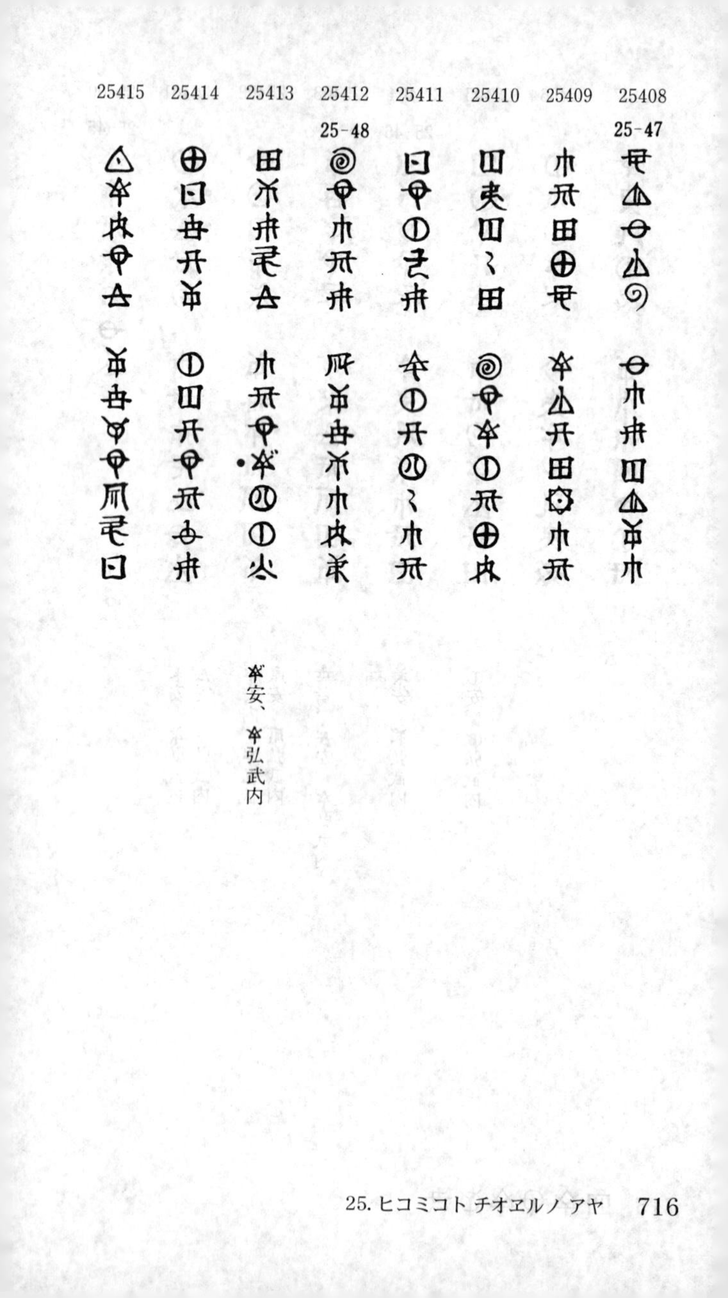

25408

25-47

25409

25410

25411

25412

25-48

25413

25414

25415

安、

弘武内

25416 25-49

25417

25418

25419

25420 25-50

25421

25422 神9-32

25423

安武内、弘
安、弘武内
安、弘武内
安、弘武内
安武内、弘
安、弘武内
安弘、武内

安、弘武内

安弘武内、神
安、弘武内神
安弘神、武内
安武内神、弘

↑(8行目)
安、弘、武内神
安、弘武内神
安、弘武内神
安弘武内、神

25424
25-51
[ヲシテ]

25425
[ヲシテ]

25426
[ヲシテ]

25427
[ヲシテ]

25428
25-52
[ヲシテ]

25429
[ヲシテ]

25430
[ヲシテ]

25431
[ヲシテ]

[ヲシテ]安、[ヲシテ]弘武内神

[ヲシテ]安内、[ヲシテ]弘武
[ヲシテ]安武、[ヲシテ]弘内
[ヲシテ]安内、[ヲシテ]弘武
[ヲシテ]安、[ヲシテ]弘武内
[ヲシテ]安、[ヲシテ]弘武内

[ヲシテ]安武内、[ヲシテ]弘
[ヲシテ]安武、[ヲシテ]弘内
[ヲシテ]安武内、[ヲシテ]弘

25432

25-53

安、弘 武内

25433

25434

安、弘、武内

25435

安、弘 武内

25436

25-54

25437

安、弘、武内

25438

安、弘 武内

25439

安、弘 武内

25440 (25-55)
[illegible]

25441
[illegible]

25442
[illegible]

25443
[illegible]

25444 (25-56)
[illegible]

25445
[illegible]

25446
[illegible]

25447
[illegible]

25440: [illegible]安武内、[illegible]弘 [illegible]安、[illegible]弘武内

25441: [illegible]安弘武、[illegible]内 [illegible]安武、[illegible]弘内

25442: [illegible]考、[illegible]安弘武内 [illegible]安、[illegible]弘武内 [illegible]安、[illegible]弘武内

25443: [illegible]安武内、[illegible]弘 [illegible]安弘武、[illegible]内

25444: [illegible]安、[illegible]弘武内

25446: [illegible]安、[illegible]弘武内

25447: [illegible]安、[illegible]弘武内 [illegible]安、[illegible]弘武内

25448
25-57

25449
安、弘武内

25450

25451

25452
25-58
安、弘武内

25453

25454
安、弘武内
安、弘武内

25455

25456 (25-59)

25457

25458

25459

25460 (25-60)

25461

25462

25463

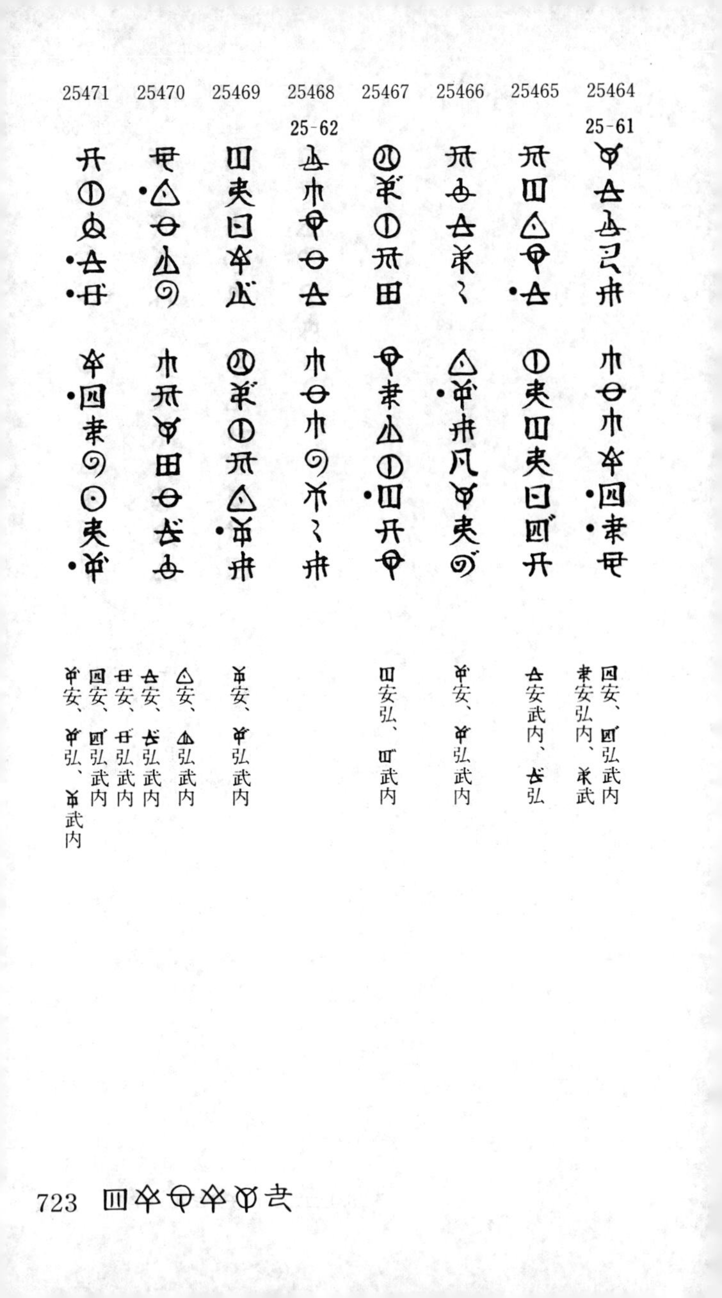

25464

25-61

安、弘武内

安弘内、武

25465

安武内、弘

25466

安、弘武内

25467

安弘、武内

25468

25-62

25469

安、弘武内

25470

安、弘武内

安、弘武内

25471

安、弘武内

安、弘、武内

25472
25-63

25473

25474

25475

[illegible]安、[illegible]弘武内

[illegible]安、[illegible]弘武内

[illegible]安、[illegible]弘武内

25476 26-1

25477

25478

25479

25480 26-2

25481

25482

25483

安武内、弘

安武、弘内

安武、弘内

*安武、弘内

*安武、弘内

安武、弘内

**安武内、弘

***安武、弘内

安武、弘内

安、弘武内

安武内、弘

安武、弘内

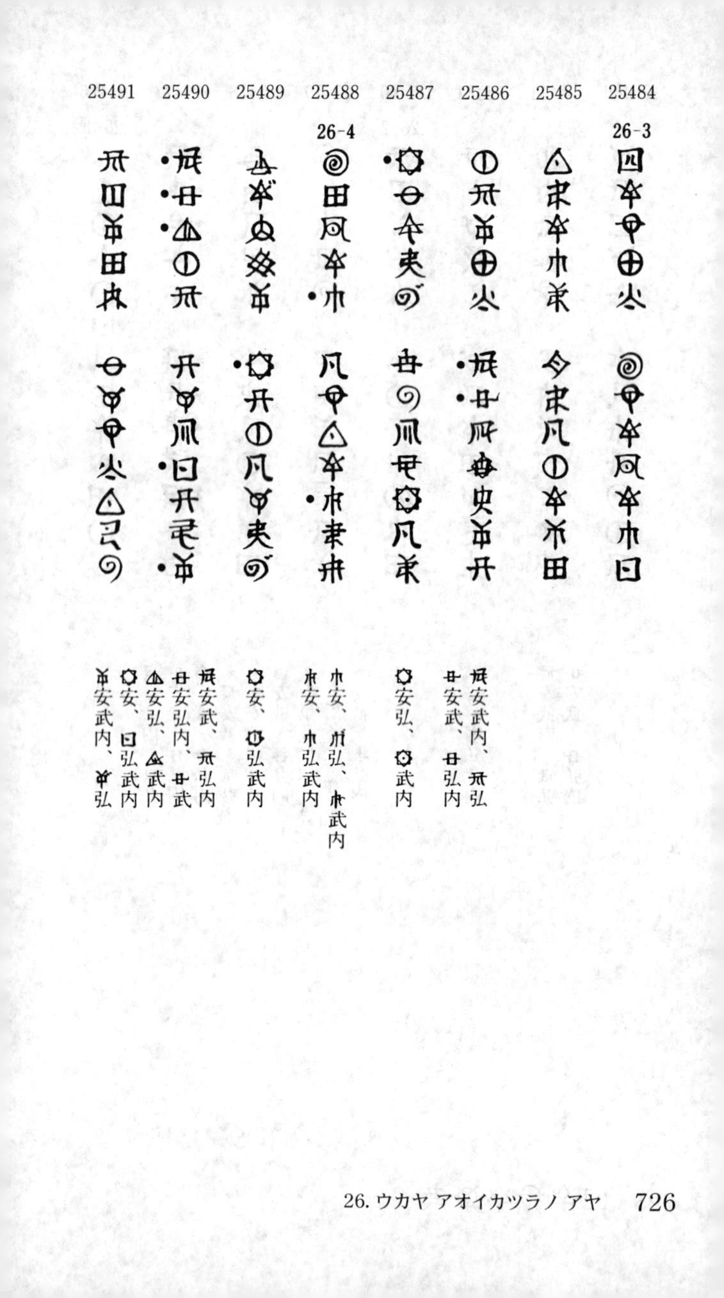

25491 25490 25489 25488 25487 25486 25485 25484

26-4 (25488) 26-3 (25484)

安武内、弘
安武、弘内
安弘、武内
安、弘、武内
安、弘武内
安、弘武内
安武、弘内
安弘内、武
安弘、武内
安、弘武内
安武内、弘

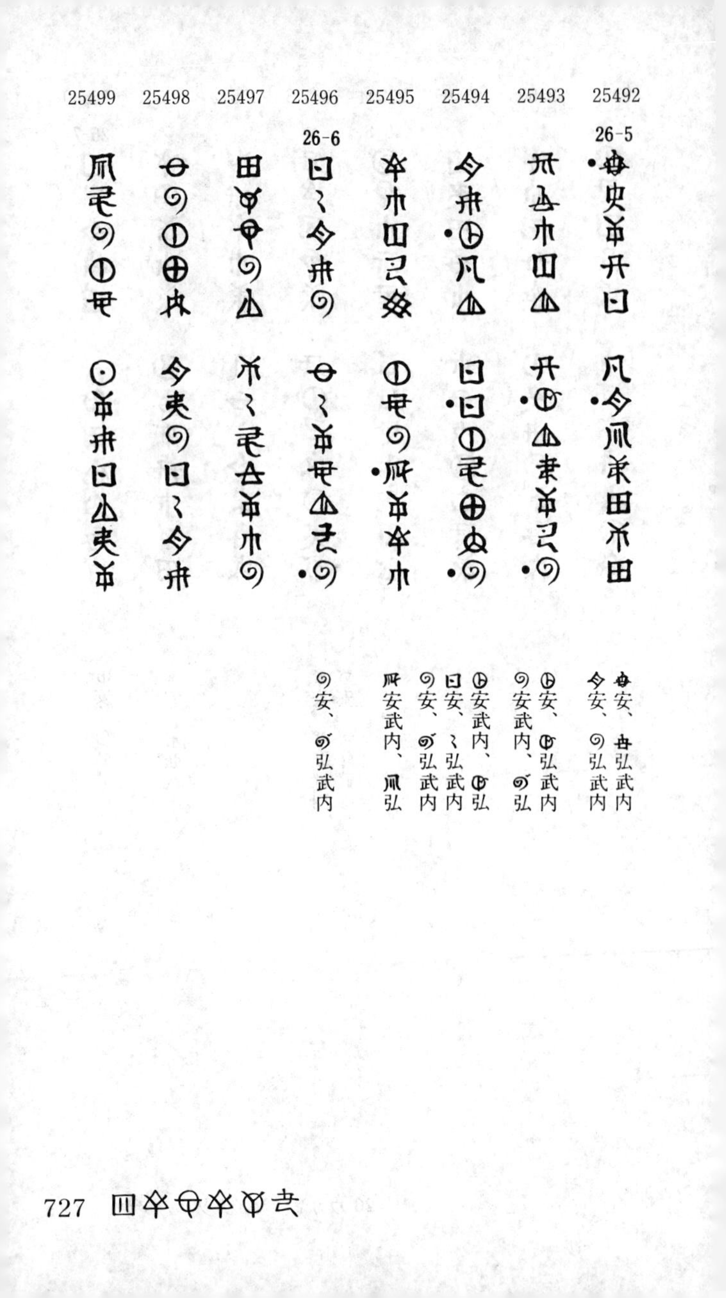

25492
26-5

25493

25494

25495

25496
26-6

25497

25498

25499

安、弘武内
安、弘武内
安、弘武内
安武内、弘
安武内、弘
安、弘武内
安、弘武内
安武内、弘
安、弘武内

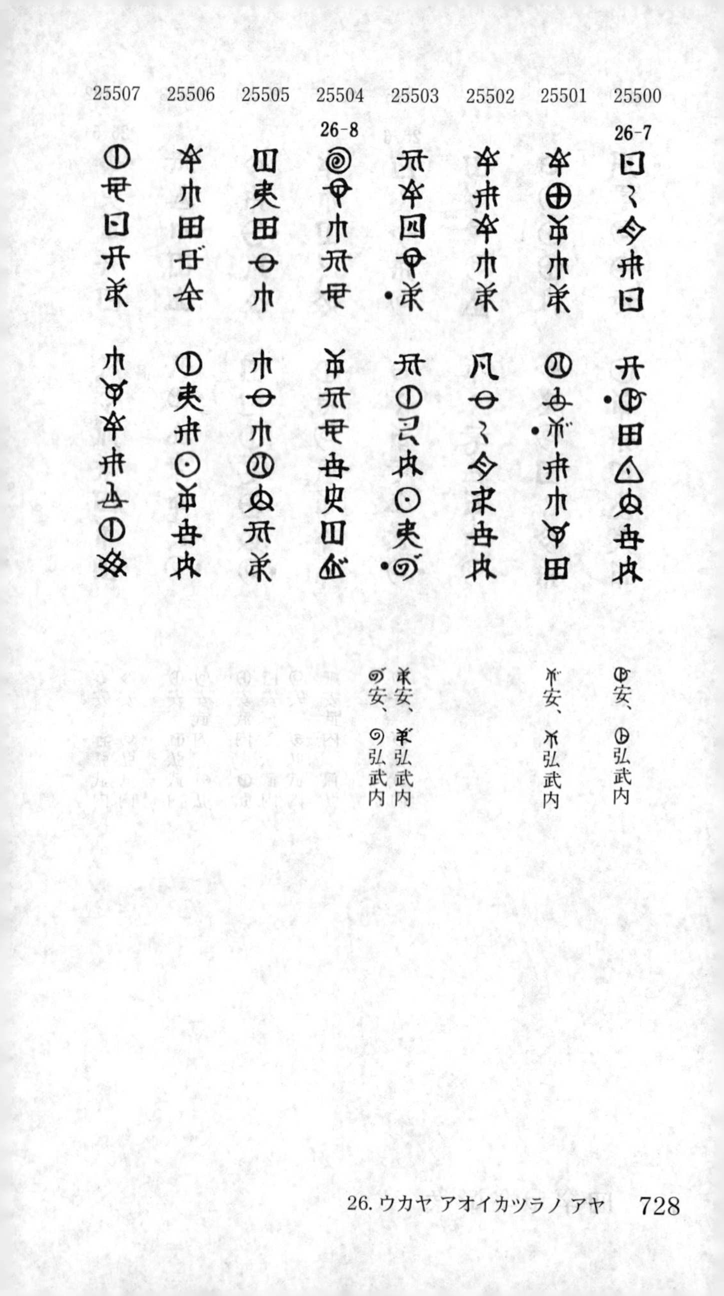

25500
26-7

安、弘武内

25501

安、弘武内

25502

25503

安、弘武内
安、弘武内

25504
26-8

25505

25506

25507

25508 (26-9)

25509

25510

[illegible]安、[illegible]弘武内

25511

25512 (26-10)

25513

⊙安、[illegible]弘武内

[illegible]安、[illegible]弘、[illegible]武内

25514

25515

25516 26-11

25517

25518

25519

25520 26-12

25521

25522

25523

安、弘武内

安、弘武内

安、弘武内

安、弘武内

安弘内、武

安、弘武内

安、弘武内

安、弘武内

安、弘武内

安、弘武内

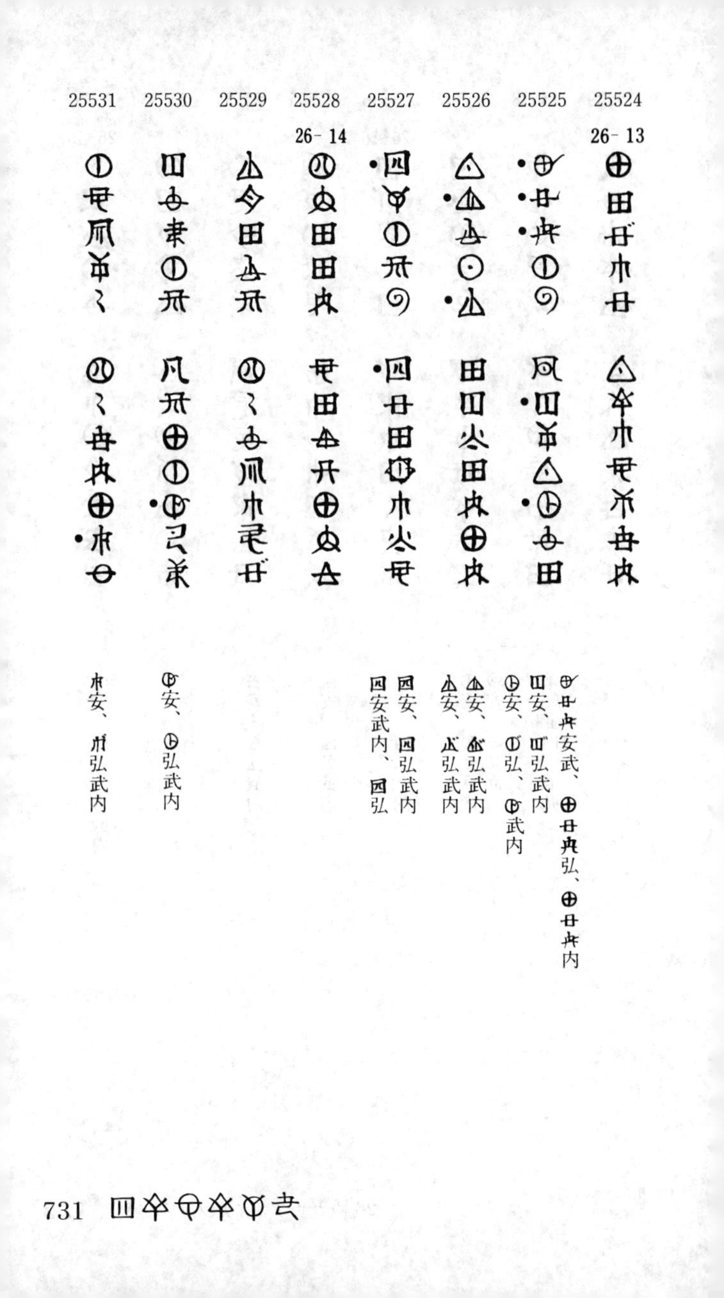

25524 26-13

25525

25526

25527

25528 26-14

25529

25530

25531

安武、弘、内

安、弘武内

安、弘、武内

安、弘武内

安、弘武内

安、弘武内

安武内、弘

安、弘武内

安、弘武内

25532
26-15

安、弘、武内

25533

25534

安、弘武内

25535

安、弘武内

25536
26-16

安、弘武内

25537

安、弘武内

25538

安、弘武内

安武内、弘

25539

25540 26-17

安武内、弘

25541

安弘、武内

25542

安、弘、武内

25543

25544 26-18

安武内、弘

安、弘武内

25545

安、弘武内

安、弘武内

25546

25547

安、弘武内

安、弘武内

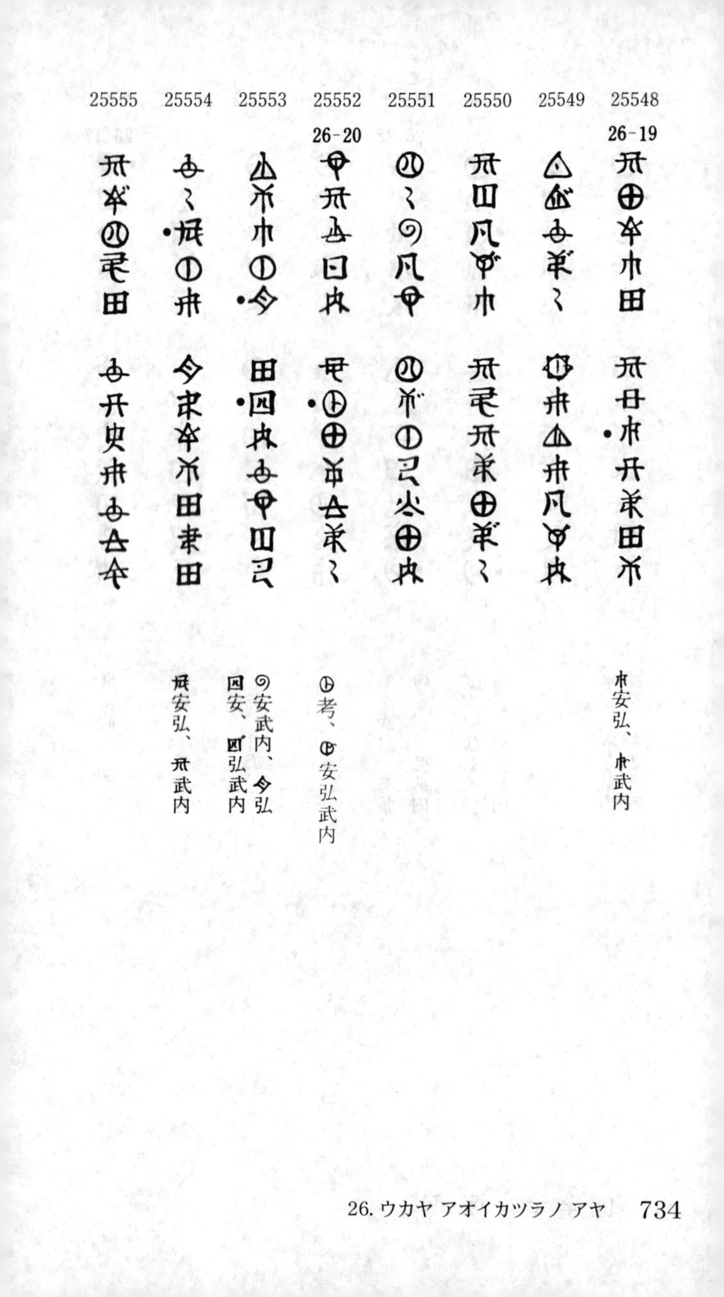

25548
26-19
[illegible]
[illegible]安弘、[illegible]武内

25549
[illegible]

25550
[illegible]

25551
[illegible]

25552
26-20
[illegible]
[illegible]考、[illegible]安弘武内

25553
[illegible]
[illegible]安武内、[illegible]弘
[illegible]安、[illegible]弘武内

25554
[illegible]
[illegible]安弘、[illegible]武内

25555
[illegible]

25556
26-21

25557

25558

25559

25560
26-22

25561

25562

25563

[illegible]安武内、[illegible]弘

[illegible]安、[illegible]弘武内

[illegible]安、[illegible]弘武内

[illegible]安、[illegible]弘武内

[illegible]安、[illegible]弘武内

[illegible]安弘武、[illegible]内

[illegible]安、[illegible]弘武内

[illegible]安、[illegible]弘武内

[illegible]安、[illegible]弘武内

[illegible]安、[illegible]弘武内

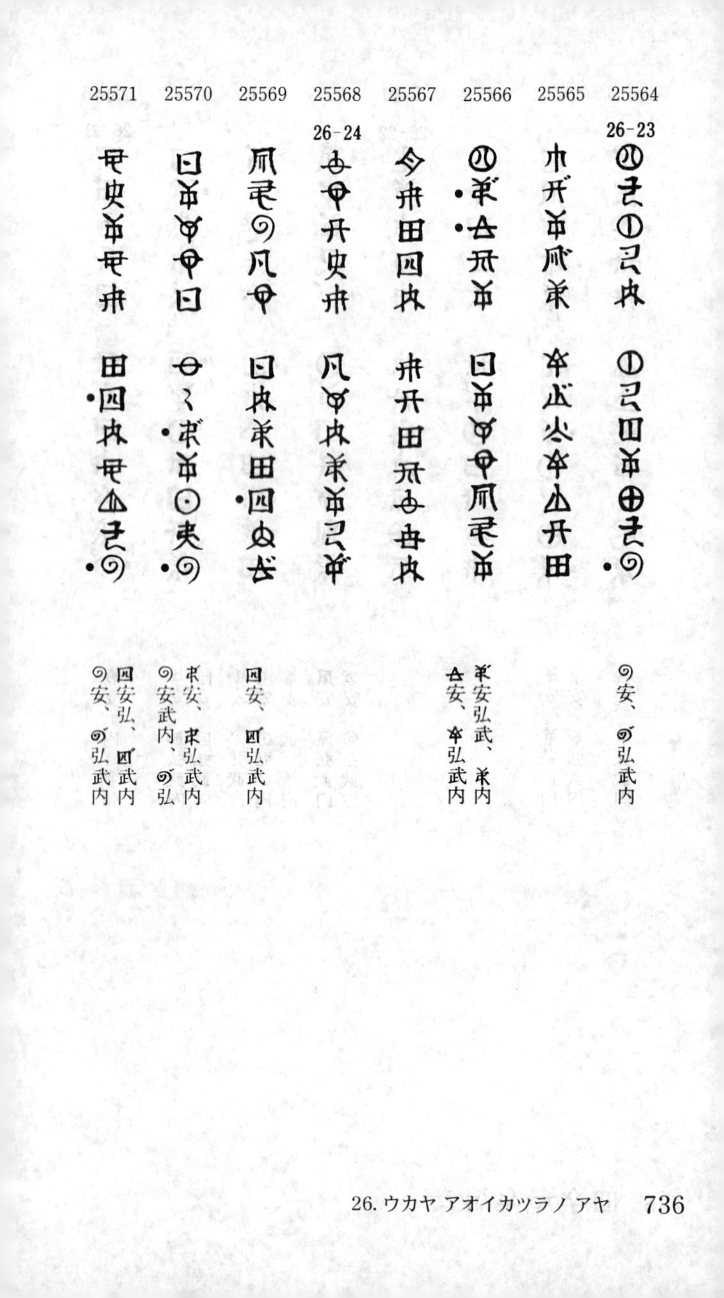

25564
26-23

25565

25566

25567

25568
26-24

25569

25570

25571

25572 26-25
[illegible]
[illegible]安、[illegible]弘、[illegible]武内

25573
[illegible]

25574
[illegible]

25575
[illegible]
[illegible]安、[illegible]弘武内

25576 26-26
[illegible]

25577
[illegible]
[illegible]安弘内、[illegible]武
[illegible]安、[illegible]弘武内

25578
[illegible]
[illegible]安、[illegible]弘武内

25579
[illegible]
[illegible]安弘内、[illegible]武

25580 26-27

25581

安弘内、武

25582

安、弘武内

25583

安、弘武内

安弘、武内

25584 26-28

安弘、武内

25585

安、弘武内

25586

25587

25588
26-29
安、弘武内

25589
安、弘武内

25590
安弘武、内

25591

25592
26-30
安弘武、内
安弘、武内
安内、弘武

25593
安、弘武内
安、弘武内

25594

25595
安武内、弘
安弘、武内

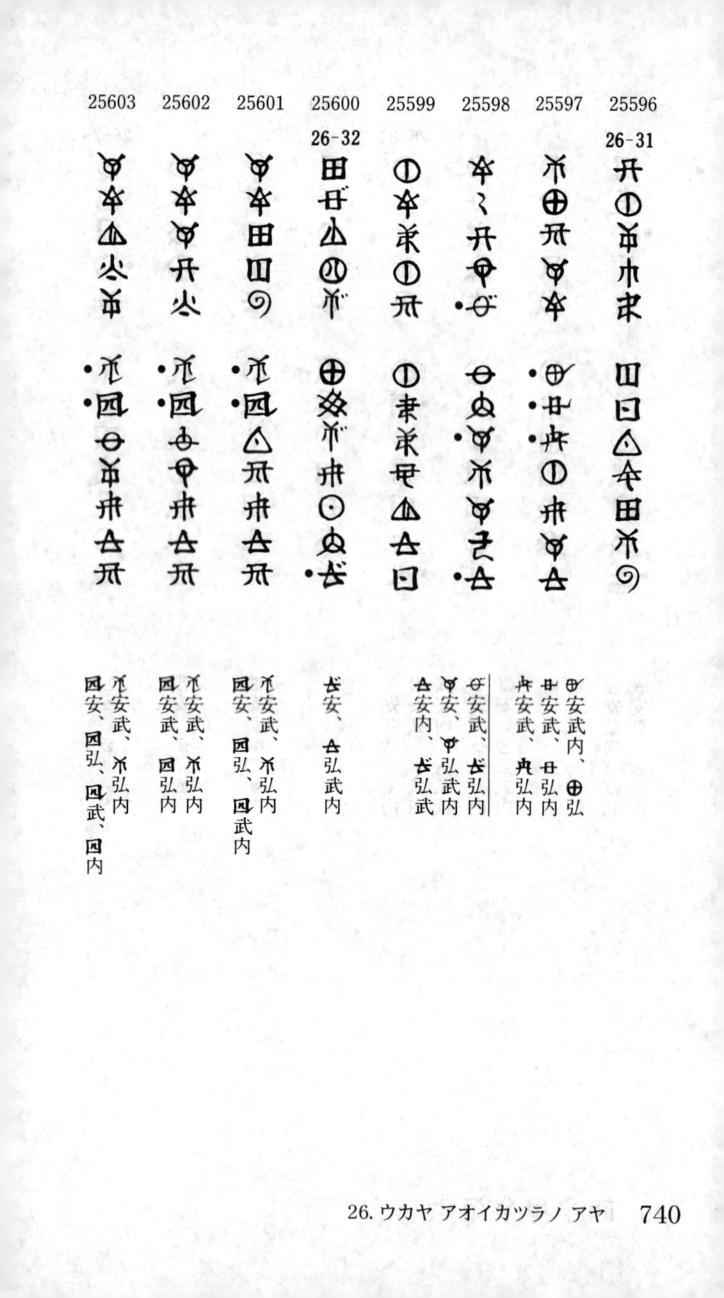

26-31

25596

25597

25598

25599

26-32

25600

25601

25602

25603

安武内、弘
安武、弘内
安武、弘内

安武、弘内
安、弘武内
安内、弘武

安、弘武内

安武、弘内
安、弘、武内

安武、弘内
安武、弘内

安武、弘内
安、弘、武、内

25604 26-33

[illegible]安武、[illegible]弘内

25605

[illegible]安、[illegible]弘武内
[illegible]安弘、[illegible]武内

25606

[illegible]安、[illegible]弘武内

25607

[illegible]安、[illegible]弘武内

25608 26-34

[illegible]安、[illegible]弘武内
[illegible]安、[illegible]弘武内

25609

25610

25611

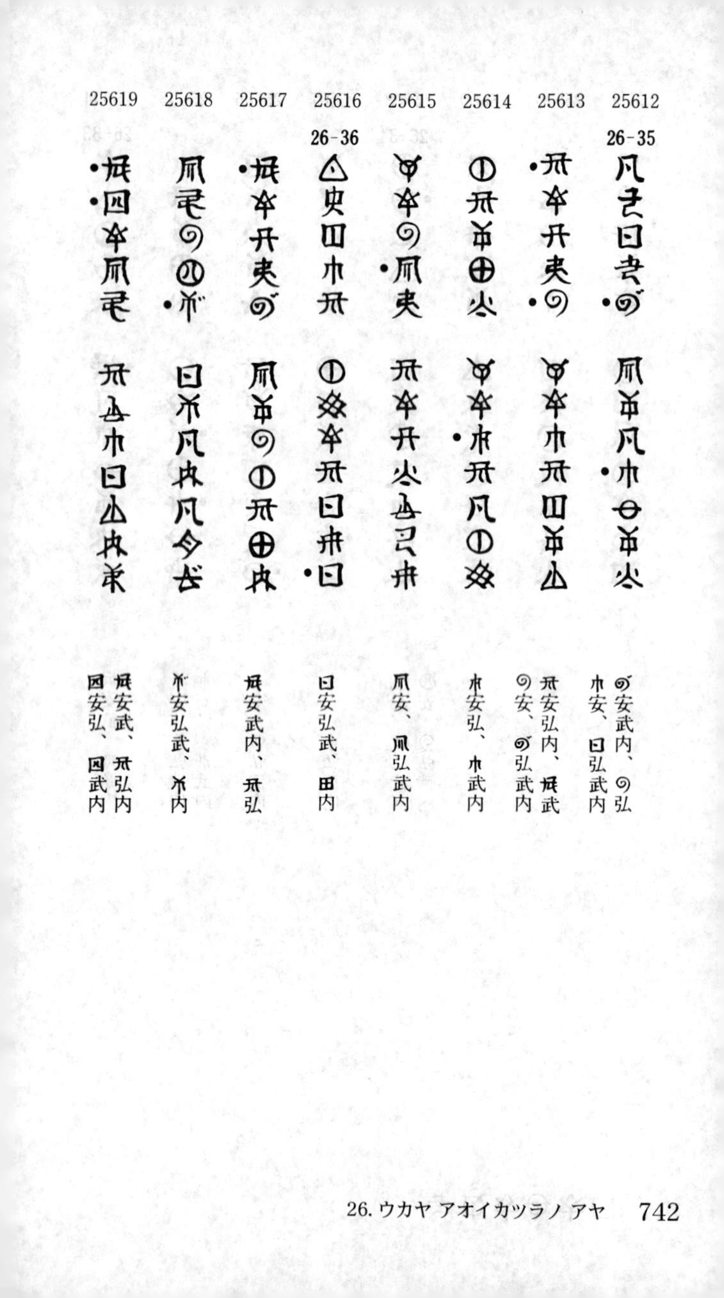

25612
26-35
安武内、弘
安、弘武内

25613
安弘内、武
安、弘武内

25614
安弘、武内

25615
安、弘武内

25616
26-36
安弘武、田内

25617
安武内、弘

25618
安弘武、内

25619
安武、弘内
安弘、武内

25620
26-37

安、弘武内

25621

安武内、弘
安、弘武内

25622

25623

安、弘武内

25624
26-38

25625

安弘、武内

25626

安、弘武内

25627

26-39

25628

25629

25630

25631

25632

26-40

25633

25634

25635

安、弘武内

安、弘武内

25636

26-41

•[Khitan glyph] •[Khitan glyph] [Khitan glyph] [Khitan glyph] [Khitan glyph]

[Khitan glyph] [Khitan glyph] [Khitan glyph] [Khitan glyph] [Khitan glyph] [Khitan glyph] [Khitan glyph]

[Khitan glyph]安武、[Khitan glyph]弘内

[Khitan glyph]安、[Khitan glyph]弘武内

25637

[Khitan glyph] •[Khitan glyph] [Khitan glyph] [Khitan glyph] [Khitan glyph]

[Khitan glyph] [Khitan glyph] [Khitan glyph] [Khitan glyph] •[Khitan glyph] •[Khitan glyph] [Khitan glyph]

[Khitan glyph]安、[Khitan glyph]弘、[Khitan glyph]武内

25638

[Khitan glyph] [Khitan glyph] [Khitan glyph] [Khitan glyph] [Khitan glyph]

[Khitan glyph] [Khitan glyph] [Khitan glyph] [Khitan glyph] [Khitan glyph] [Khitan glyph] [Khitan glyph]

[Khitan glyph]安、[Khitan glyph]弘武内

[Khitan glyph]安、[Khitan glyph]弘武内

25639

[Khitan glyph] [Khitan glyph] [Khitan glyph] [Khitan glyph] [Khitan glyph]

[Khitan glyph] [Khitan glyph] [Khitan glyph] [Khitan glyph] [Khitan glyph] [Khitan glyph] [Khitan glyph]

25640

26-42

•[Khitan glyph] [Khitan glyph] [Khitan glyph] [Khitan glyph] [Khitan glyph]

[Khitan glyph] [Khitan glyph] [Khitan glyph] [Khitan glyph] [Khitan glyph] [Khitan glyph] [Khitan glyph]

[Khitan glyph]安、[Khitan glyph]弘武内

25641

[Khitan glyph] [Khitan glyph] [Khitan glyph] [Khitan glyph] [Khitan glyph]

[Khitan glyph] [Khitan glyph] [Khitan glyph] [Khitan glyph] [Khitan glyph] [Khitan glyph] [Khitan glyph]

25642

[Khitan glyph] [Khitan glyph] [Khitan glyph] [Khitan glyph] [Khitan glyph]

[Khitan glyph] [Khitan glyph] [Khitan glyph] [Khitan glyph] [Khitan glyph] [Khitan glyph] [Khitan glyph]

25643

[Khitan glyph] [Khitan glyph] [Khitan glyph] [Khitan glyph] [Khitan glyph]

[Khitan glyph] [Khitan glyph] [Khitan glyph] [Khitan glyph] [Khitan glyph] [Khitan glyph] [Khitan glyph]

25644
26-43

安、弘武内

25645

25646

25647

安、弘武内
安武内、弘

25648
26-44

25649

25650

安、弘武内
安、弘武内

25651

安、弘武内
安、弘武内

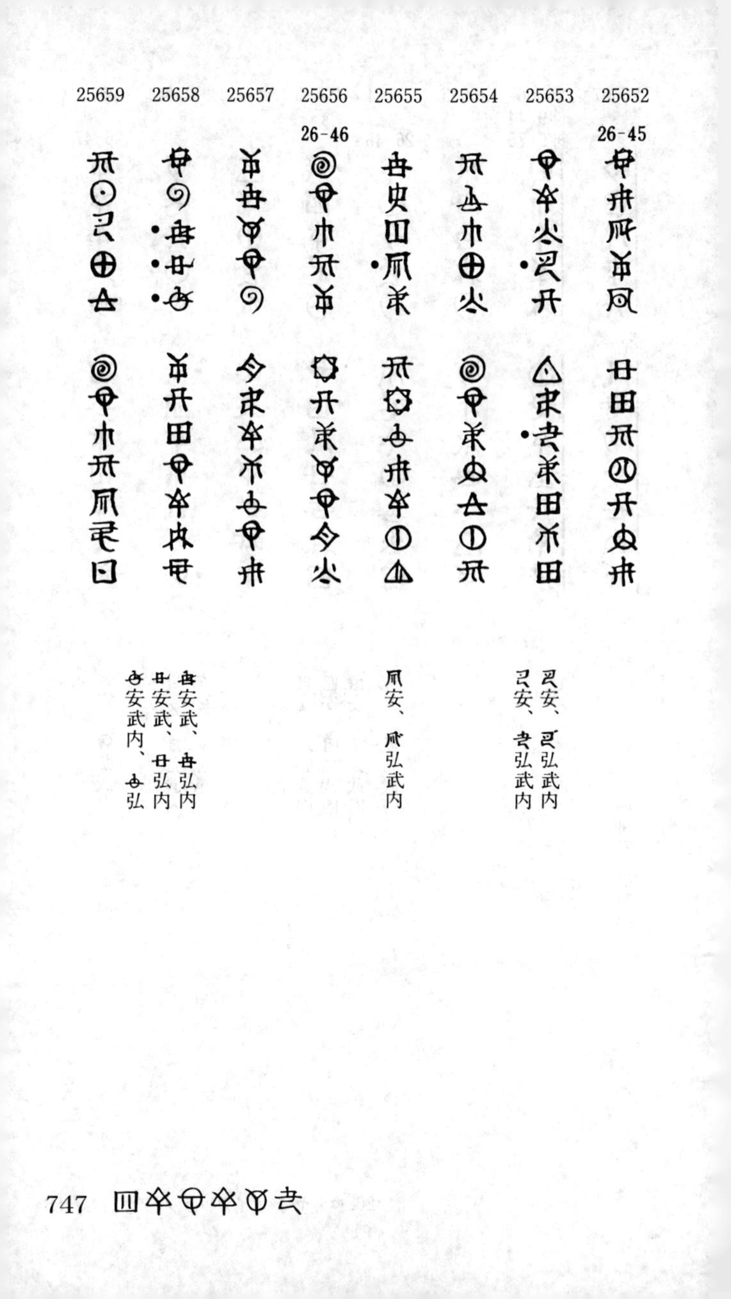

25652
26-45

25653
安、弘武内
安、弘武内

25654

25655
安、弘武内

25656
26-46

25657

25658
安武、弘内
安武、弘内
安武内、弘

25659

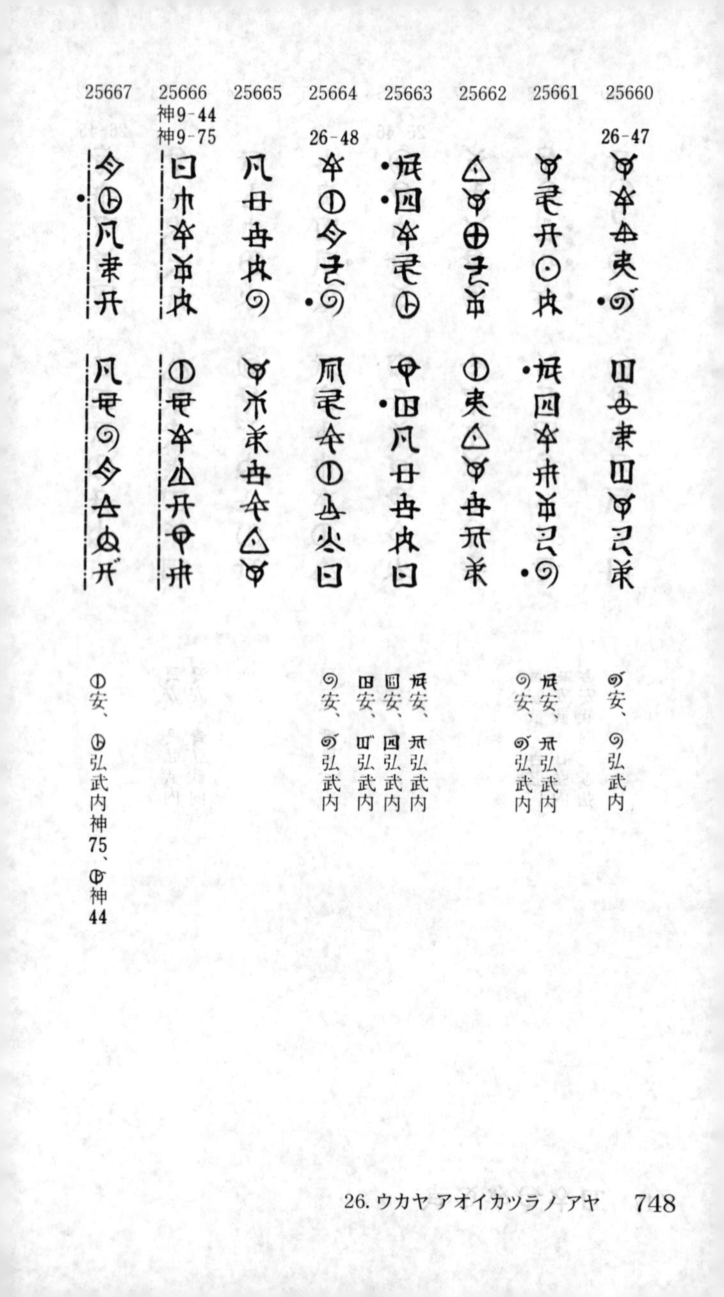

25660 26-47

25661

25662

25663

25664 26-48

25665

25666 神9-44 神9-75

25667

25660: 安、弘武内

25661: 安、弘武内
安、弘武内

25663: 安、弘武内
安、弘武内
安、弘武内

25664: 安、弘武内

25667: 安、弘武内神75、神44

25668 26-49 〓〓〓〓〓・〓〓〓〓〓

〓安弘武内、〓神 44 75

25669 〓〓〓〓〓〓・〓・〓〓〓〓〓〓

〓安武、〓弘内
〓安、〓弘武内

25670 〓〓〓〓〓・〓〓〓〓〓〓〓〓

〓安、〓弘武内

25671 神9-45 〓〓〓〓〓・〓〓〓・〓〓〓〓〓

〓安、〓弘武内神
〓弘武内神、安本〓に作るも、漢訳文に
計俄例遠多都留とあることから、〓をとった。

25672 26-50 〓〓〓〓〓〓〓〓・〓〓〓〓

〓安弘、〓武内神

25673 〓〓・〓〓〓〓〓〓

〓安、〓弘武内神

25674 〓〓〓〓〓〓〓〓〓〓〓・〓

〓安、〓弘武内

25675 〓〓〓〓〓〓〓〓〓〓〓〓

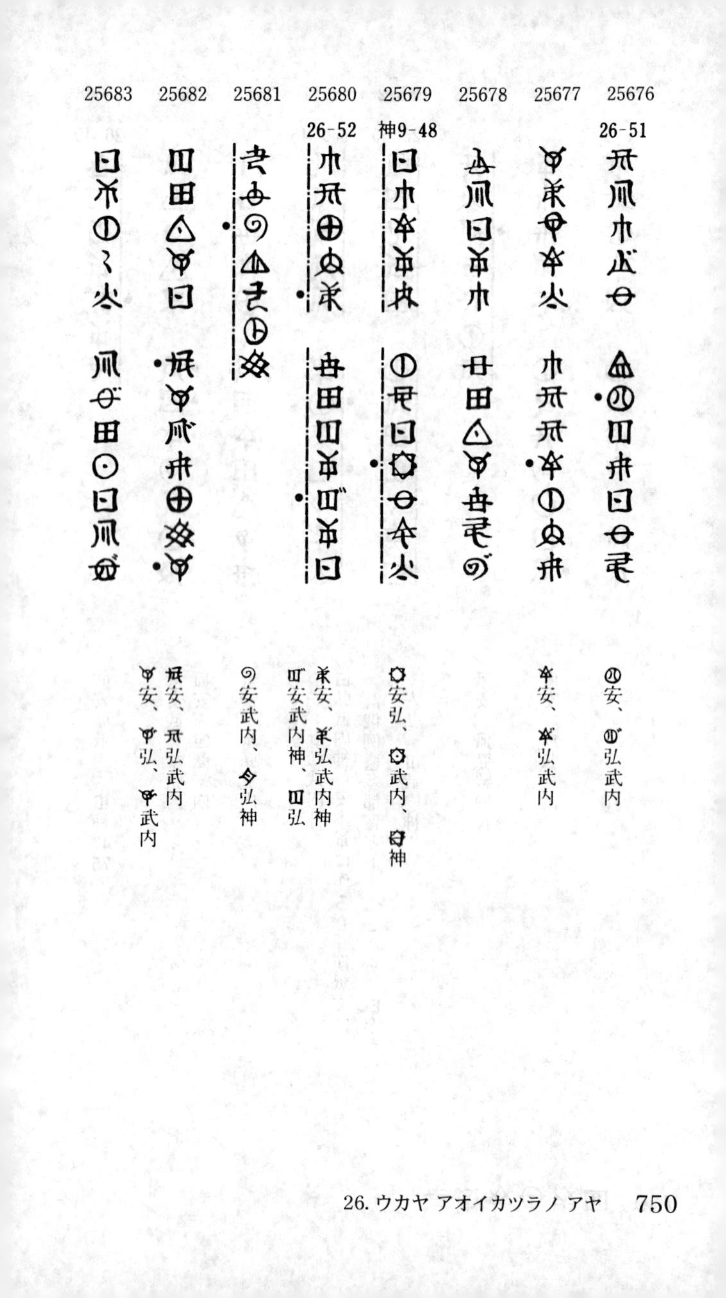

25676 26-51

安、弘武内

25677

安、弘武内

25678

25679 神9-48

安弘、武内、神

25680 26-52

安、弘武内神

安武内神、弘

25681

安武内、弘神

25682

安、弘武内

安、弘、武内

25683

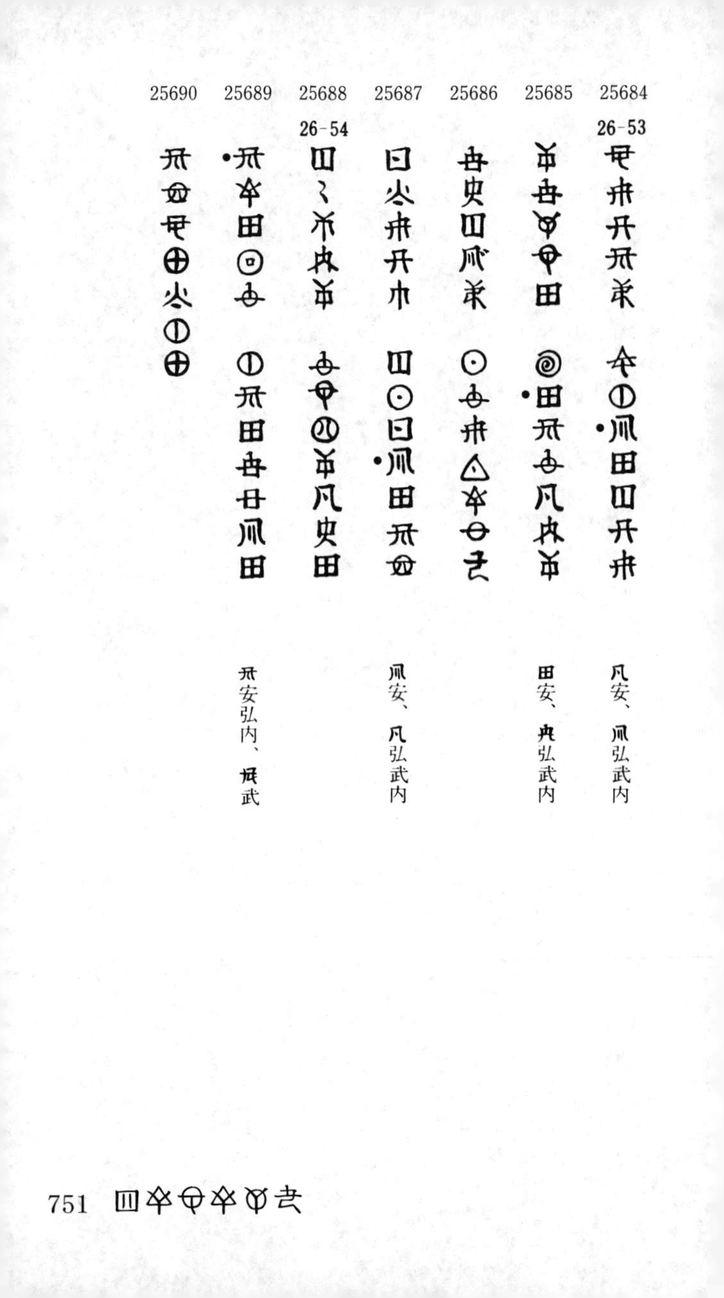

25684

26-53

安、弘武内

25685

安、弘武内

25686

25687

安、弘武内

25688

26-54

25689

安弘内、武

25690

25691
27-1
〓〓〓〓〓
〓〓〓〓〓〓〓

25692
〓〓〓〓〓
〓〓•〓〓〓〓〓

〓安弘、〓武内

25693
〓〓〓〓〓
•〓〓〓〓〓•〓〓

〓安弘、〓武内
〓安弘、〓武内

25694
〓〓〓〓•〓
〓〓〓〓〓〓〓

〓安弘武、〓内

25695
27-2
〓〓〓〓〓
〓〓〓〓〓〓〓

25696
•〓•〓〓〓•〓
•〓〓〓〓〓•〓〓

〓安、〓弘武内
〓安、〓弘武内
〓安弘武、〓内
〓安、〓弘武内
〓安弘武、〓内

25697
〓〓〓〓〓
〓〓〓〓〓〓〓

25698
〓〓〓〓〓
〓〓〓〓〓〓〓

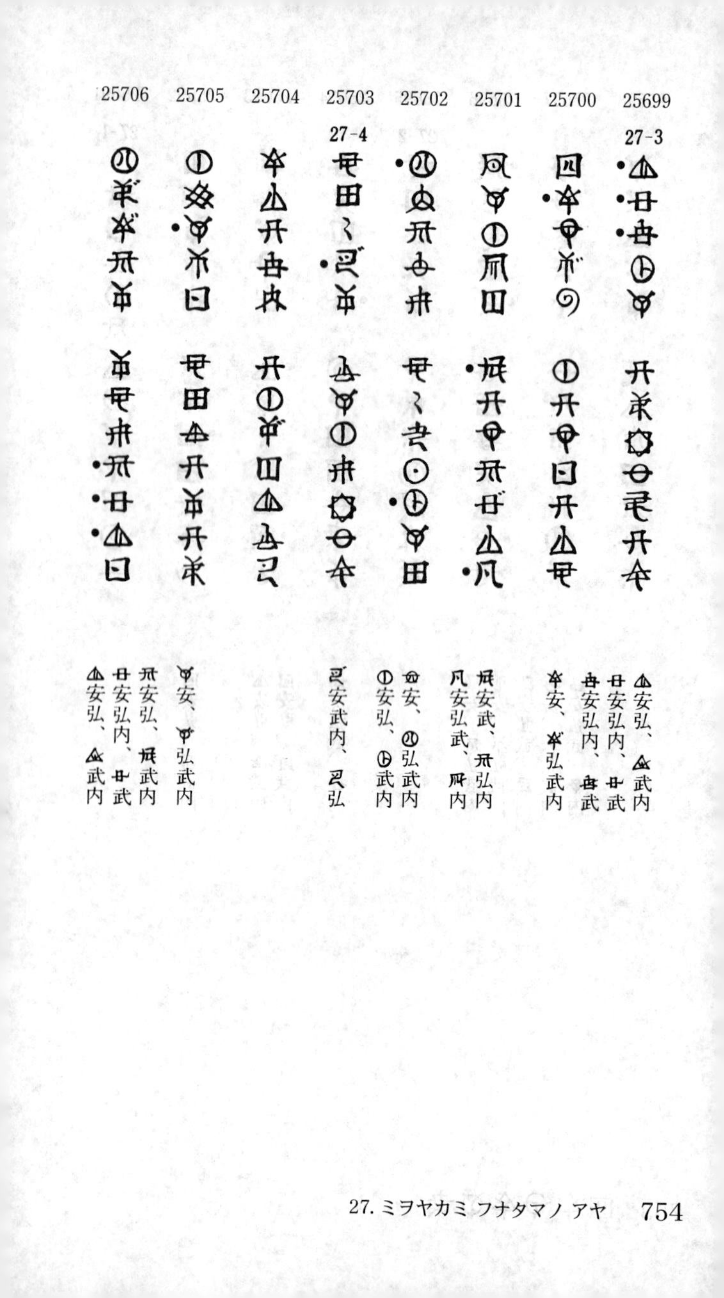

25699 27-3

25700

25701

25702

25703 27-4

25704

25705

25706

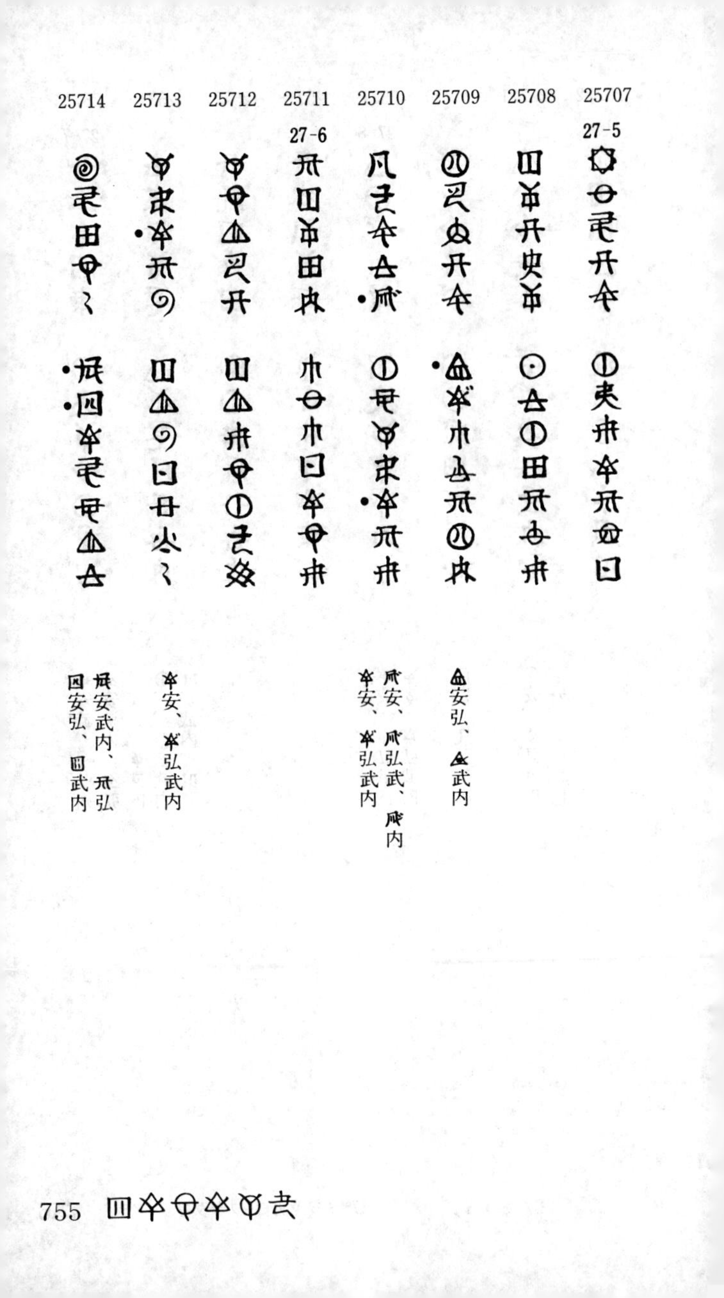

25707 27-5

25708

25709

…安弘、…武内

25710

…安、…弘武、…内
…安、…弘武内

25711 27-6

25712

25713

…安、…弘武内

25714

…安武内、…弘
…安弘、…武内

25715 27-7

25716

25717

25718

25719 27-8

25720

25721

25722

安武、弘内
安武内、弘
安弘、武内
安、弘武内
安武内、弘

安、弘武内
安、弘武内

安、弘武内

安、弘武内
安、弘武内

25723 (27-9)
安弘、武内

25724
安、弘武内

25725
安、弘武内

25726

25727 (27-10)
安弘、武内

25728
安、弘武内

25729
安、弘武内
安弘武、内

25730

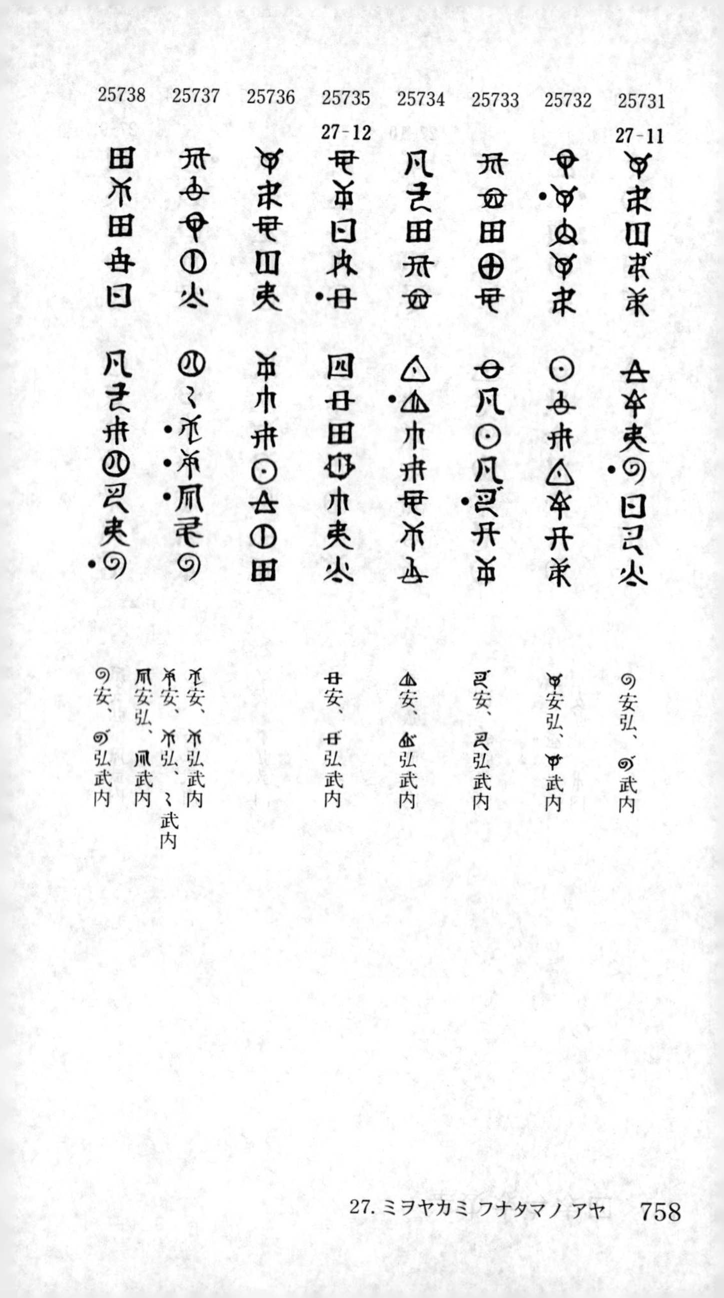

25731

27-11

安弘、 武内

25732

安弘、 武内

25733

安、 弘武内

25734

安、 弘武内

25735

27-12

安、 弘武内

25736

25737

安、 弘武内

安、 弘、 武内

25738

安弘、 武内

安、 弘武内

25739
27-13
[illegible]
[illegible]安弘、[illegible]武内

25740
[illegible]
[illegible]安、[illegible]弘武内

25741
[illegible]
[illegible]安弘、[illegible]武内

25742
[illegible]
[illegible]安、[illegible]弘武内
[illegible]安弘、[illegible]武内

25743
27-14
[illegible]

25744
[illegible]
[illegible]安、[illegible]弘武内

25745
[illegible]
[illegible]安武内、[illegible]弘

25746
[illegible]
[illegible]安弘、[illegible]武内

25747 27-15

25748

25749

安弘、武内

考、安弘武内

安弘、武内

25750

安武内、弘

25751 27-16

安、弘武内

25752

安弘、武、内

25753

25754

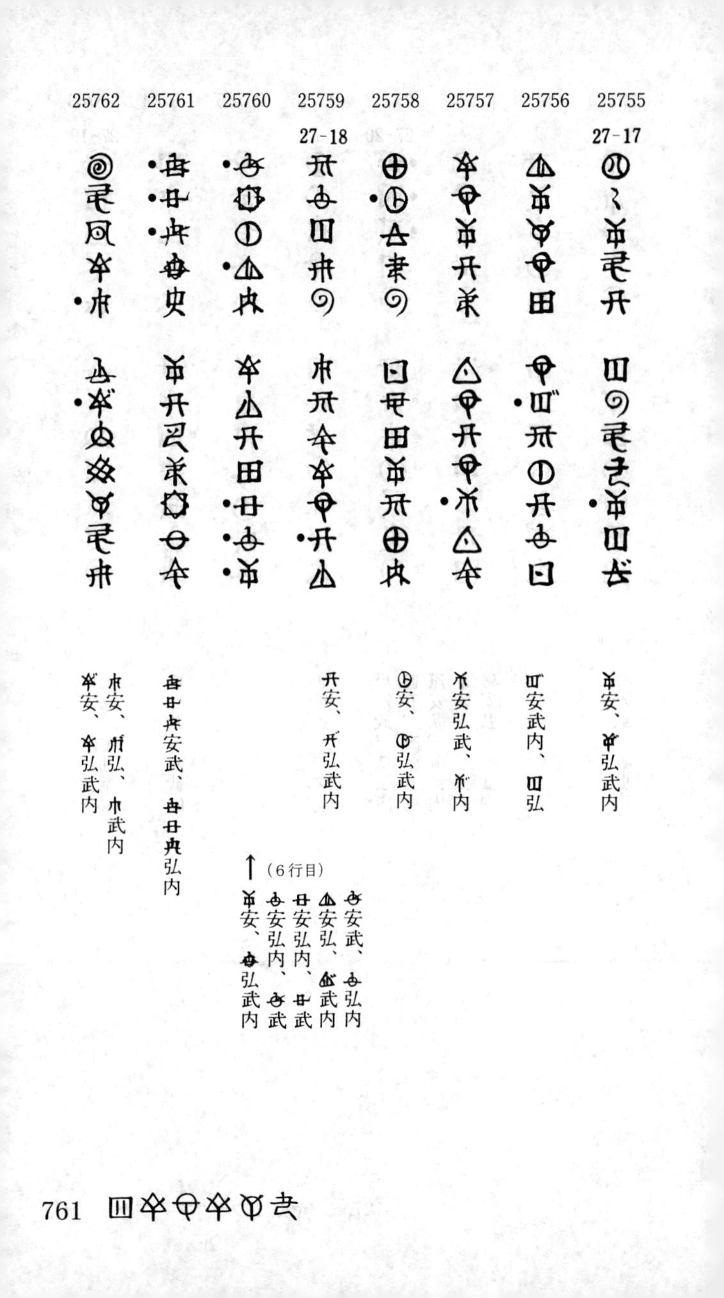

25755 (27-17)

安、 弘武内

25756

安武内、 弘

25757

安弘武、 内

25758

安、 弘武内

25759 (27-18)

安、 弘武内

25760

（6行目）

安武、 弘内

安弘、 武内

安弘内、 武

安弘内、 武

安、 弘武内

25761

安武、 弘内

25762

安、 弘、 武内

安、 弘武内

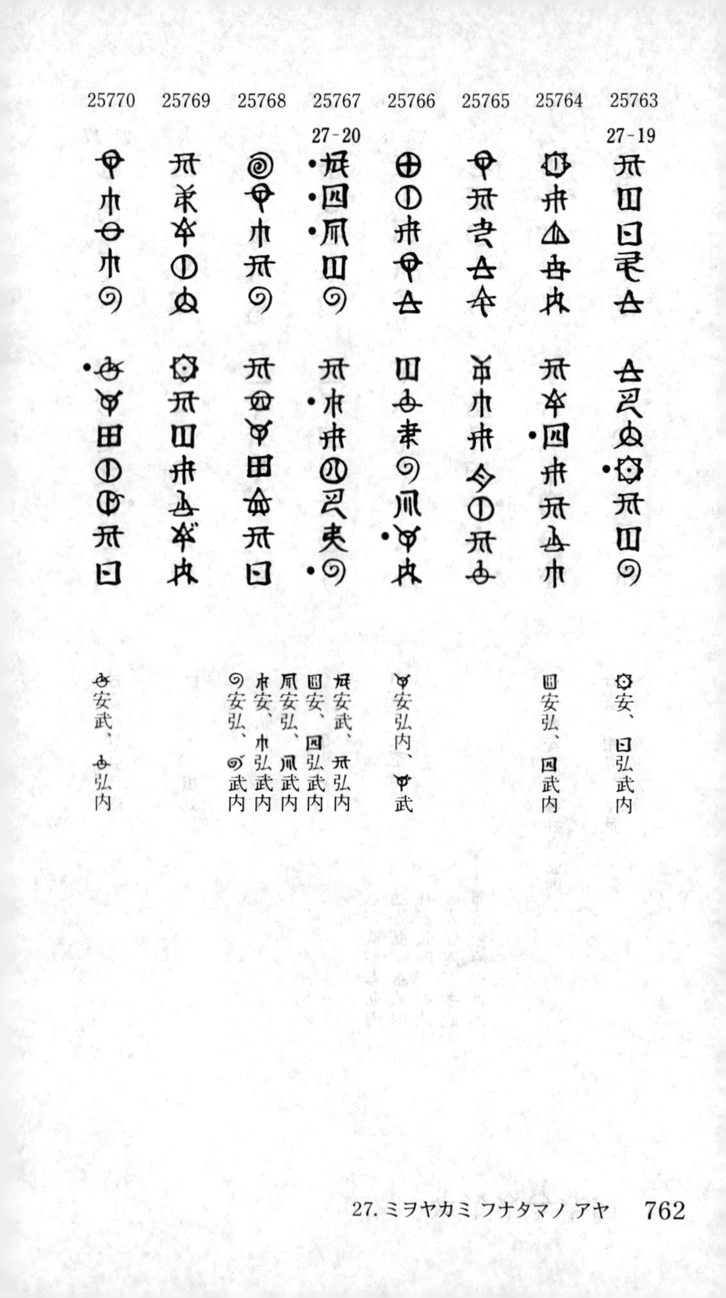

25763 (27-19)
安、弘武内

25764
安弘、武内

25765

25766
安弘内、武

25767 (27-20)
安武、弘内
安、弘武内
安弘、武内

25768
安、弘武内
安弘、武内

25769

25770
安武、弘内

25778 25777 25776 25775 25774 25773 25772 25771

27-22 27-21

安弘、武内
安、弘武内

安弘内、武

安武、弘内
安武内、弘
安武内、弘、
安、弘武内

↑（8行目）

安武、弘内
安武、弘内
安武、弘内
安弘内、武

25779
27-23

25780

安武、弘内

25781

25782

25783
27-24

25784

安弘内、武

25785

25786

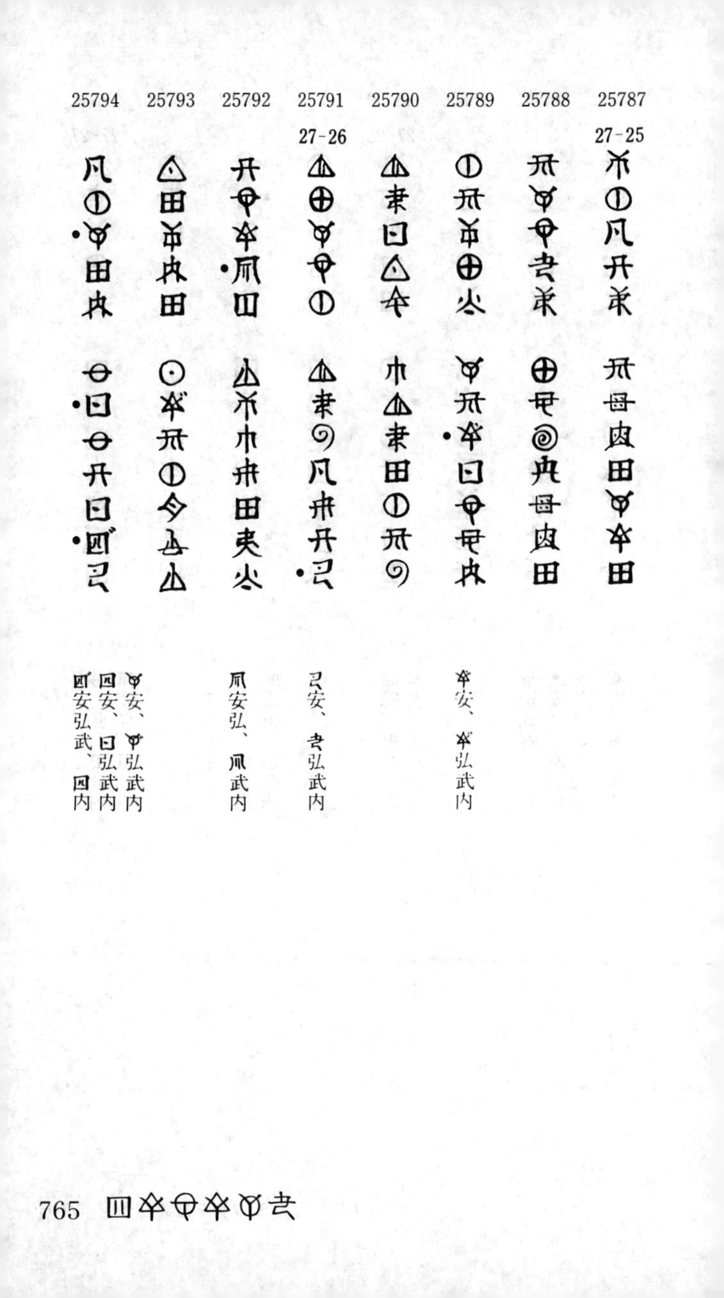

25787	25788	25789	25790	25791	25792	25793	25794
27-25				27-26			
〓〓〓〓〓	〓〓〓〓〓	〓〓〓〓〓	〓〓〓〓〓	〓〓〓〓〓	〓〓〓•〓〓	〓〓〓〓〓	〓〓•〓〓〓
〓〓〓〓〓〓〓	〓〓〓〓〓〓〓	〓〓•〓〓〓〓〓	〓〓〓〓〓〓〓	〓〓〓〓〓〓•〓	〓〓〓〓〓〓〓	〓〓〓〓〓〓〓	〓•〓〓〓〓•〓〓
		〓安、〓弘武内		〓安、〓弘武内	〓安弘、〓武内		〓安、〓弘武内 〓安、〓弘武内 〓安弘武、〓内

25795 27-27

25796

25797

25798

25799 27-28

25800

25801

25802

安弘、武内
安弘、武内

安弘、武内
安武、弘内

安、弘武内

安、弘武内
安、弘武内

安武内、弘
安弘、武内
安、弘武内
安武内、弘

25803 27-29

安、弘武内

25804

25805

安、弘武内

安、弘、武内

25806

安、弘武、内

25807 27-30

25808

25809

安、弘武内

25810

安武内、弘

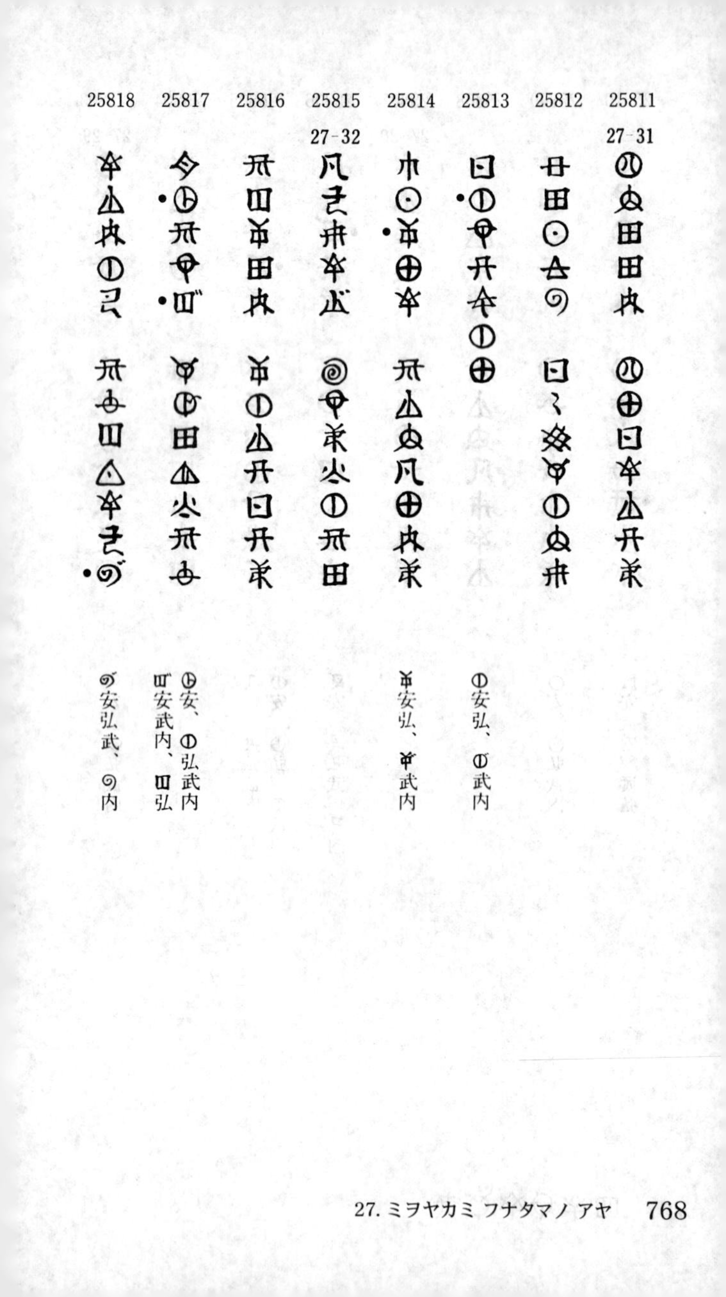

25811
27-31

25812

25813

安弘、武内

25814

安弘、武内

25815
27-32

25816

25817

安、弘武内
安武内、弘

25818

安弘武、内

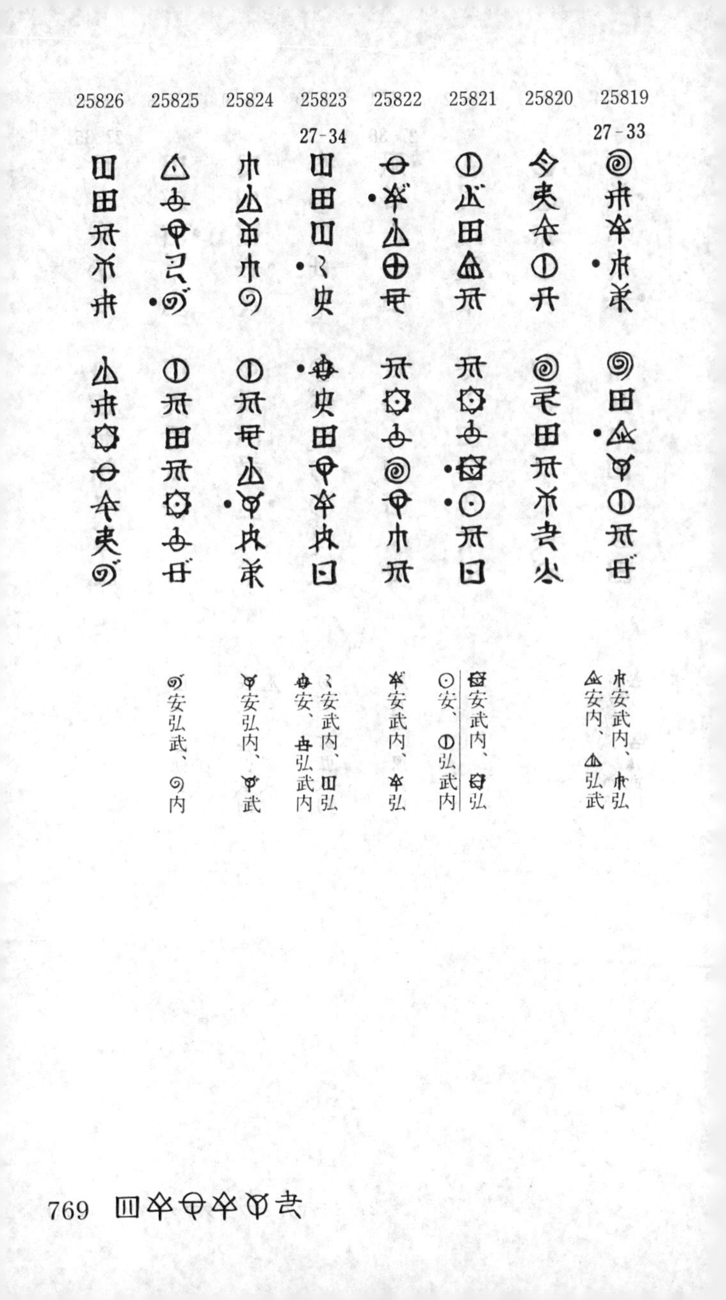

25826 25825 25824 25823 25822 25821 25820 25819

25823: 27-34

25819: 27-33

25819: 安武内、弘 / 安内、弘武

25821: 安武内、弘 / 安、弘武内

25822: 安武内、弘

25823: 安武内、弘 / 安、弘武内

25824: 安弘内、武

25825: 安弘武、内

25827
27-35

25828
〓安、〓弘武内

25829
〓安、〓弘武内
〓安弘、〓武内

25830
〓安、〓弘武内

25831
27-36
〓安弘、〓武内

25832

25833

25834
〓安弘武、〓内
〓安、〓弘武内

25835 27-37

[illegible]安弘、[illegible]武内
[illegible]安武内、[illegible]弘
[illegible]安弘武、[illegible]内

25836

25837

[illegible]安、[illegible]弘武内

25838

[illegible]安武内、[illegible]弘
[illegible]安、[illegible]弘武内

25839 27-38

[illegible]安弘、[illegible]武内

25840

25841

25842

25843 27-39

25844

25845

25846

安、弘武内

25847 27-40

安弘、武内

25848

安内、弘武

25849

25850

25851 27-41

〓〓〓〓〓 〓〓〓〓〓〓〓

25852

〓〓〓〓〓 〓〓〓〓〓〓〓

25853

〓〓〓〓〓 〓〓〓〓〓〓〓

25854

〓〓〓〓〓 〓〓〓〓〓〓〓

25855 27-42

〓〓〓〓〓 〓〓〓〓〓〓〓

25856

〓〓〓〓〓 〓〓〓〓〓〓〓

25857

〓〓〓〓〓 〓〓〓〓〓〓〓

25858

〓〓〓〓〓 〓〓〓〓〓〓〓

〓安、〓弘武内

〓安武内、〓弘

〓安弘武、〓内

〓安内、〓弘武

〓安、〓弘武内

〓〓〓安武、〓〓〓弘内

〓安武、〓弘内

〓安武、〓弘内

〓安武内、〓弘

〓安、〓弘武内

〓安、〓弘武内

〓安弘、〓武内

〓安、〓弘武内

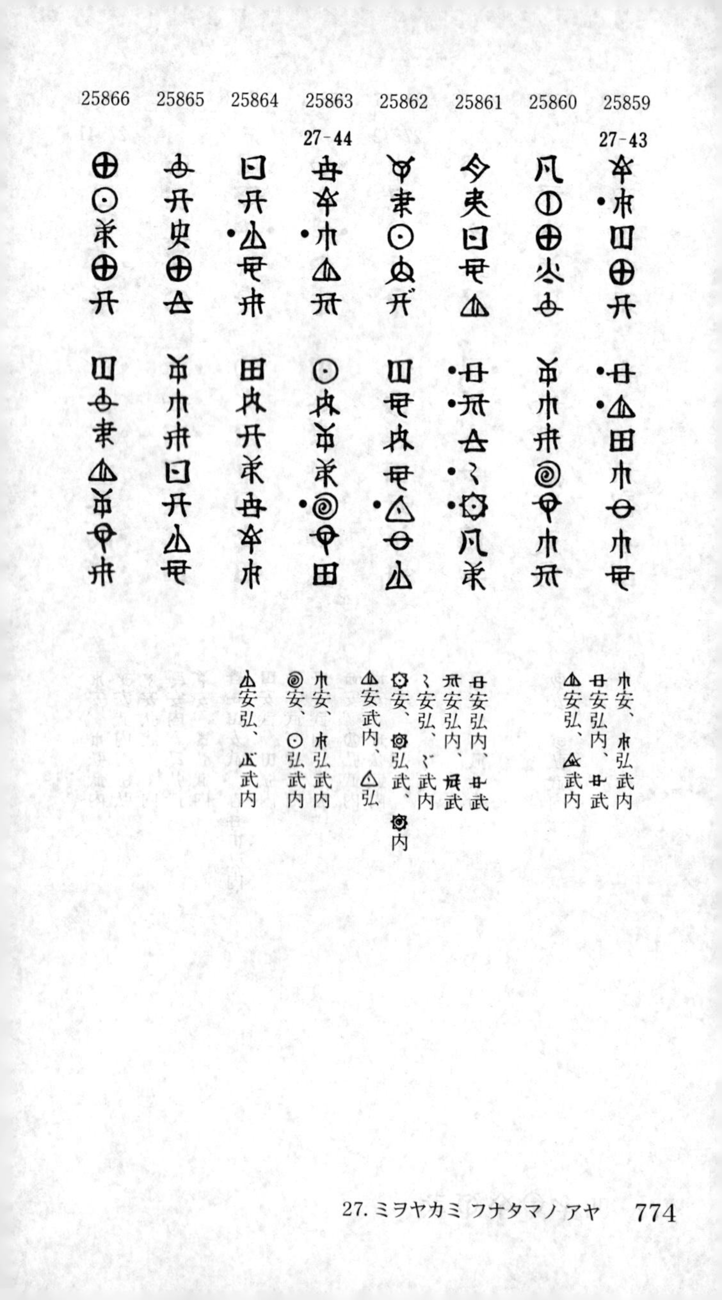

25859 27-43

25860

25861

25862

25863 27-44

25864

25865

25866

安、弘武内

安弘内、武

安弘、武内

安弘内、武

安弘内、武

安弘、武内

安、弘武、内

安武内、弘

安、弘武内

安、弘武内

安弘、武内

25867 27-45 [illegible]

25868 [illegible]

25869 [illegible]

25870 [illegible]

25871 27-46 [illegible]

25872 [illegible]

25873 [illegible]

25874 [illegible]

[illegible]弘武内、安ムシ、[illegible]か[illegible]か不明
[illegible]安武、[illegible]弘内
[illegible]安武内、[illegible]弘
[illegible]安武、[illegible]弘内
[illegible]安武、[illegible]弘内
＊[illegible]安武、[illegible]弘内

[illegible]安、[illegible]弘武内

[illegible]安、[illegible]弘武内

[illegible]安武、[illegible]弘内
[illegible]安弘、[illegible]武、[illegible]内
[illegible]安武、[illegible]弘内

[illegible]安弘武、[illegible]内

[illegible]安内、[illegible]弘武

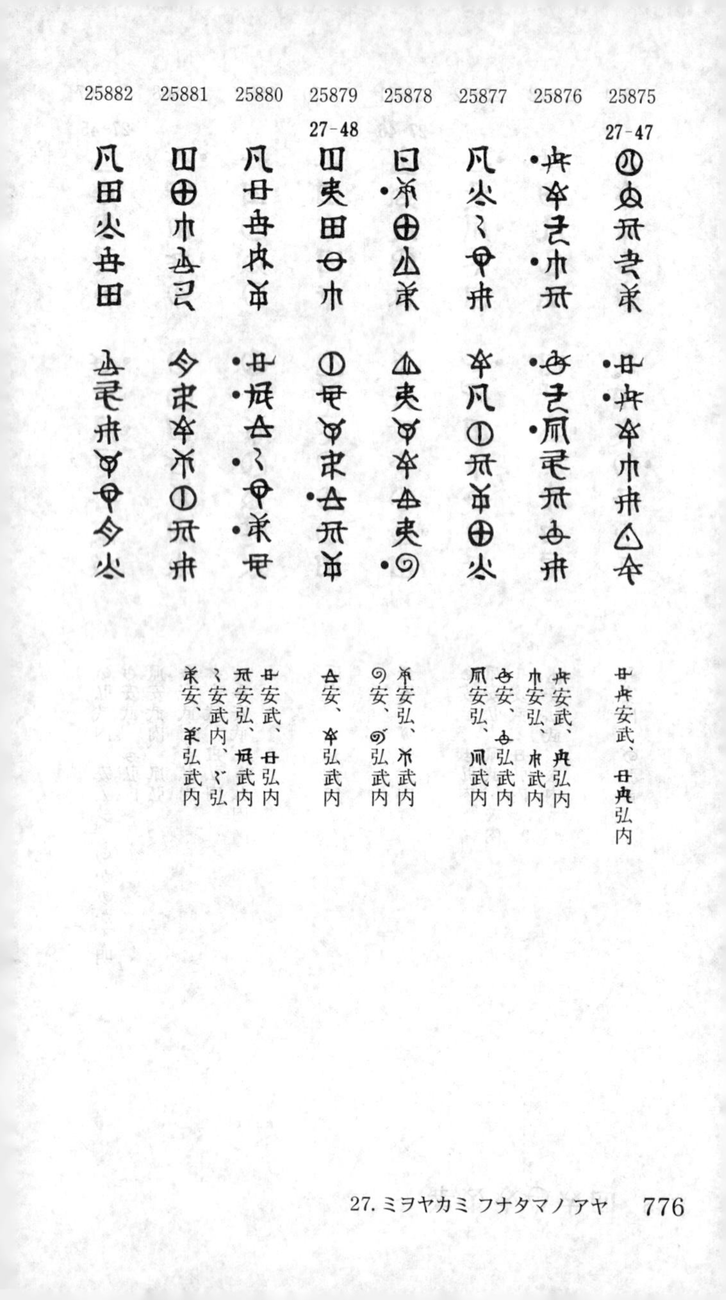

25875 27-47

25876

25877

25878

25879 27-48

25880

25881

25882

安武、弘内

安武、弘内

安弘、弘武内

安弘、武内

安、弘武内

安、弘武内

安、弘武内

安武、弘内

安弘、武内

安武内、弘

安、弘武内

25883

27-49

[illegible]

25884

[illegible]

[illegible]安武、[illegible]弘内

25885

[illegible]

[illegible]安武、[illegible]弘内

25886

[illegible]

[illegible]安、[illegible]弘武内
[illegible]安、[illegible]弘武内

25887

27-50

[illegible]

25888

[illegible]

[illegible]安、[illegible]弘武内

25889

[illegible]

[illegible]安、[illegible]弘武内
[illegible]安、[illegible]弘武内

25890

[illegible]

[illegible]安、[illegible]弘武内
[illegible]安、[illegible]弘、[illegible]武内

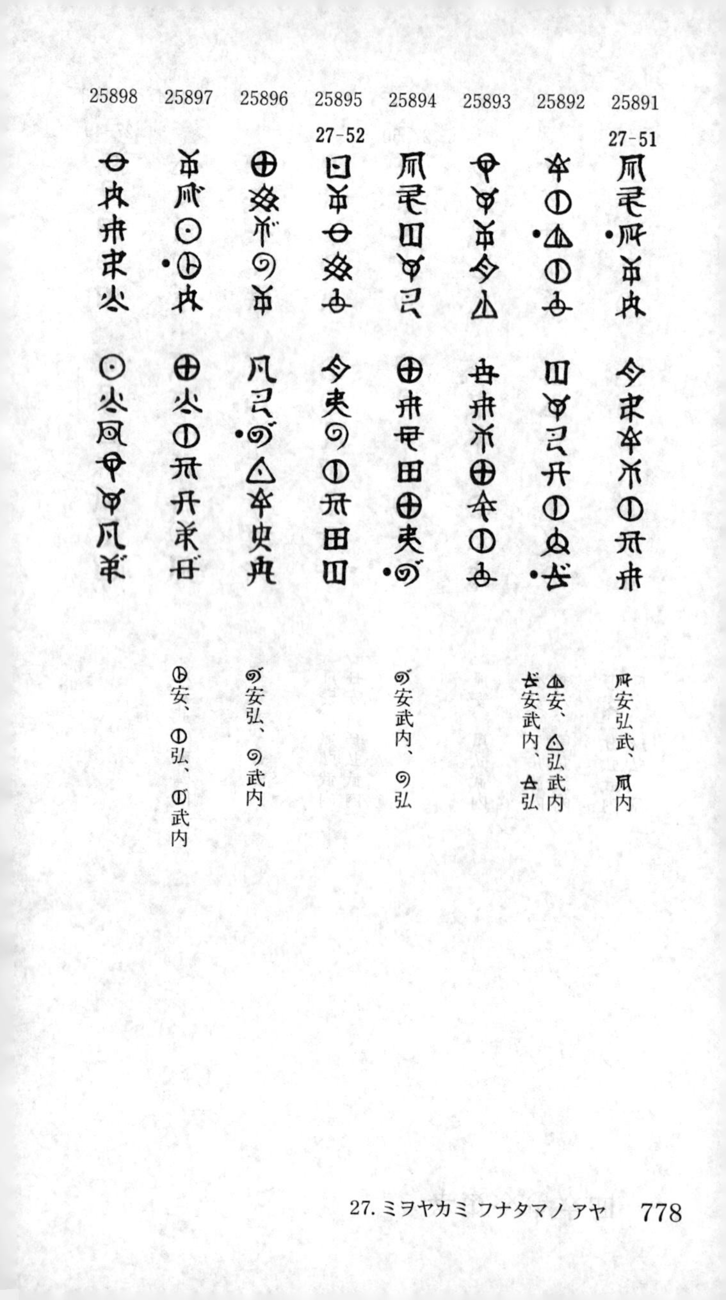

25891
27-51

安弘武、内

25892

安、弘武内

安武内、弘

25893

25894

安武内、弘

25895
27-52

25896

安弘、武内

25897

安、弘、武内

25898

25899
27-53

25900

25901

安、弘武内

25902

安、弘武内
安武、弘内

25903
27-54

25904

安、弘武内

25905

25906

25907 (27-55)　25908　25909　25910　25911 (27-56)　25912　25913　25914

安、弘武内

安、弘武内

25915 27-57

〓〓〓〓〓 〓〓〓〓〓〓・〓

〓安内、〓弘、〓武

25916

〓〓〓〓〓 〓〓〓・〓〓〓〓

〓安武内、〓弘

25917

〓〓〓〓〓 〓・〓〓〓〓〓〓

〓安弘、〓武内

25918

〓〓〓〓〓 〓〓〓〓〓〓・〓

〓安、〓弘武内

25919 27-58

〓〓〓〓〓 〓〓〓〓〓〓〓

25920

〓〓〓〓〓 〓〓〓〓〓〓〓

25921

〓〓〓・〓〓 〓〓〓〓〓〓・〓

〓安、〓弘武内
〓安、〓弘武内

25922

〓〓〓〓〓 〓・〓〓〓〓〓〓

〓安、〓弘武内

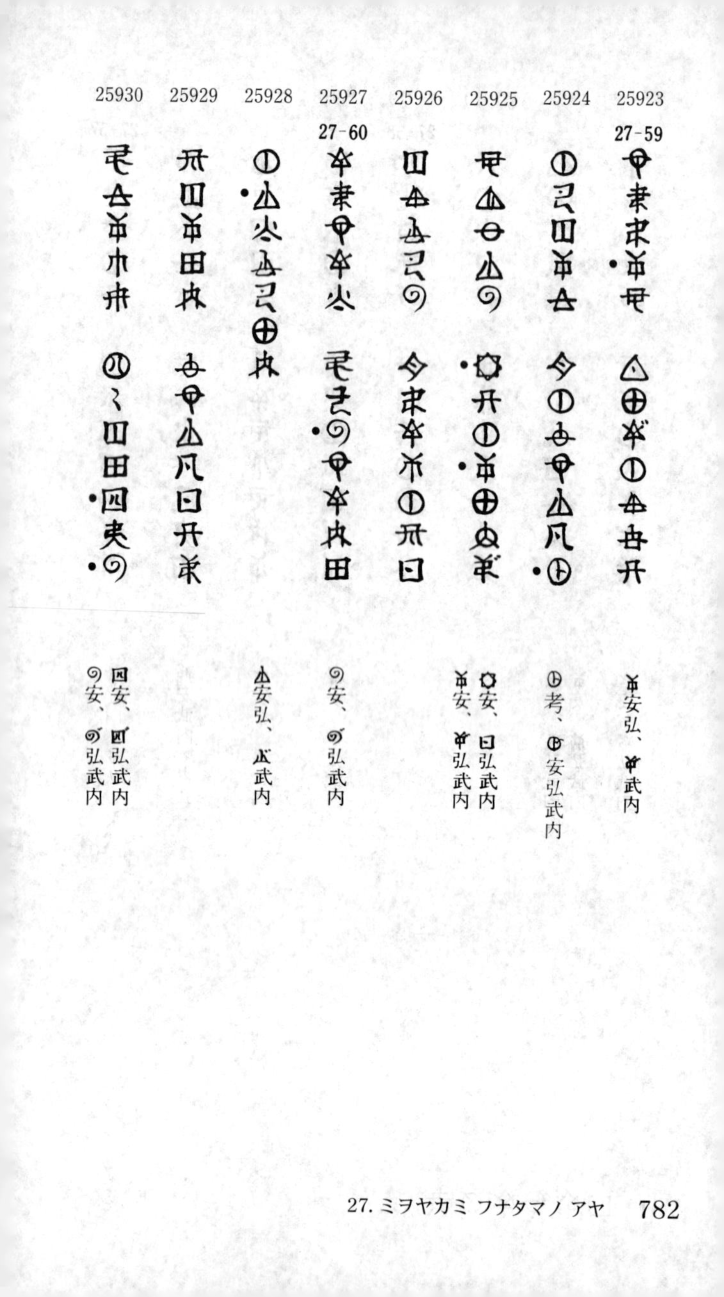

25923
27-59
安弘、武内

25924
考、安弘武内

25925
安、弘武内
安、弘武内

25926

25927
27-60
安、弘武内

25928
安弘、武内

25929

25930
安、弘武内
安、弘武内

25931 27-61

安武内、弘

25932

安、弘武内

25933

安、弘武内

25934

安弘内、武

25935 27-62

安弘、武内

25936

安弘内、武

25937

安弘、武内

25938

安弘、武内

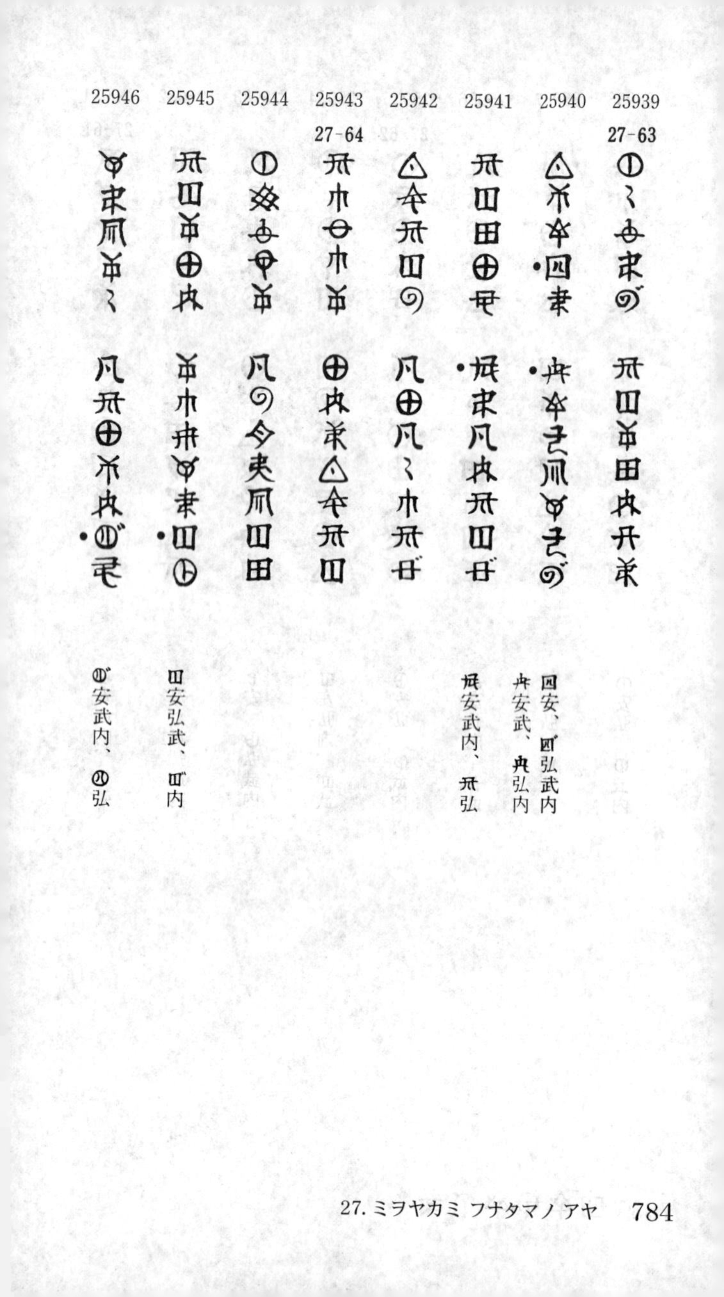

25939 27-63

25940

安、弘武内
安武、弘内

25941

安武内、弘

25942

25943 27-64

25944

25945

安弘武、内

25946

安武内、弘

25947
27-65

安弘、武内

25948

安、弘武内

25949

安武内、弘

25950

安弘、武内

25951
27-66

25952

25953

25954

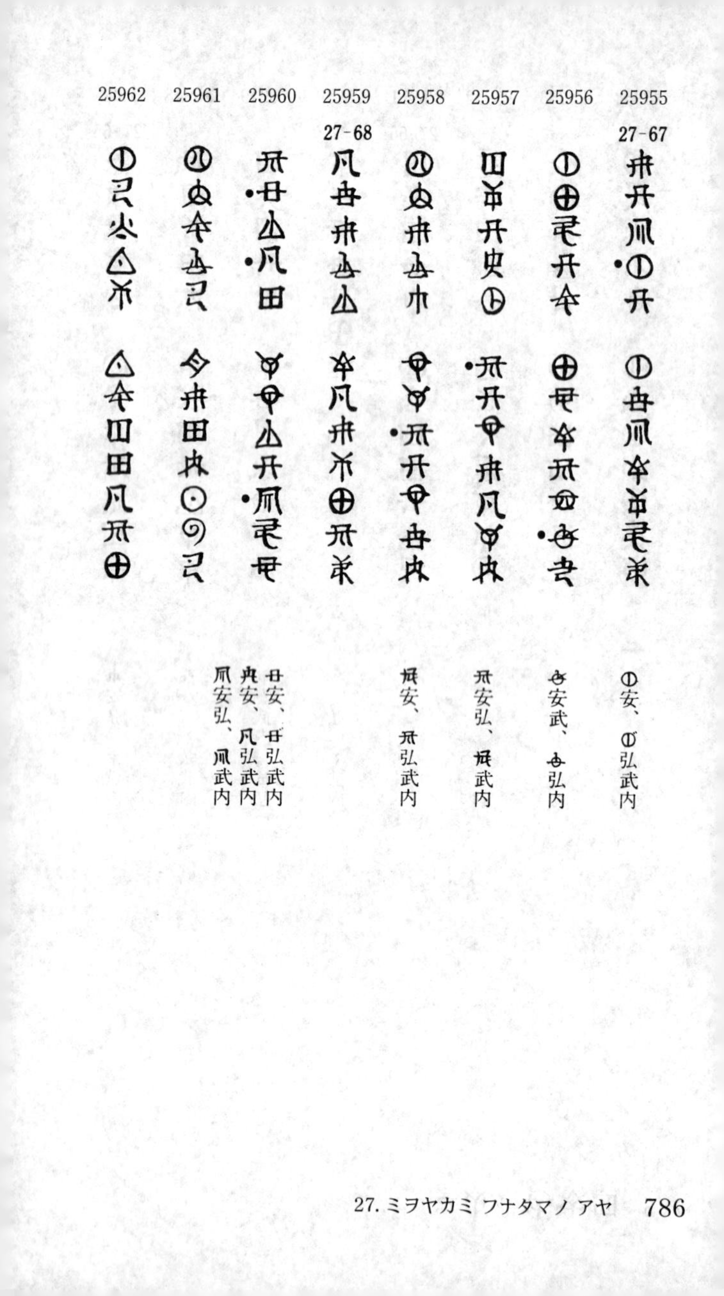

25955

27-67

安、弘武内

25956

安武、弘内

25957

安弘、武内

25958

安、弘武内

25959

27-68

25960

安、弘武内

安、弘武内

安弘、武内

25961

25962

25963

27-69

25964

25965

安弘、武内

25966

25967

27-70

安、弘武内

25968

安武、弘内

25969

25970

25971 27-71

〓〓〓〓〓〓〓〓〓〓〓〓

〓安弘、〓武内

25972

〓〓〓〓〓〓〓〓〓〓〓〓

〓安、〓弘武内

25973

〓〓〓〓〓〓〓〓〓〓〓〓

〓安弘、〓武内

25974

〓〓〓〓〓〓〓〓〓〓〓〓

〓安弘、〓武内

25975 27-72

〓〓〓〓〓〓〓〓〓〓〓〓

〓安武内、〓弘

25976

〓〓〓〓〓〓〓〓〓〓〓〓

25977

〓〓〓〓〓〓〓〓〓〓〓〓

〓安武、〓弘内
〓安、〓弘武内

25978

〓〓〓〓〓〓〓〓〓〓〓〓

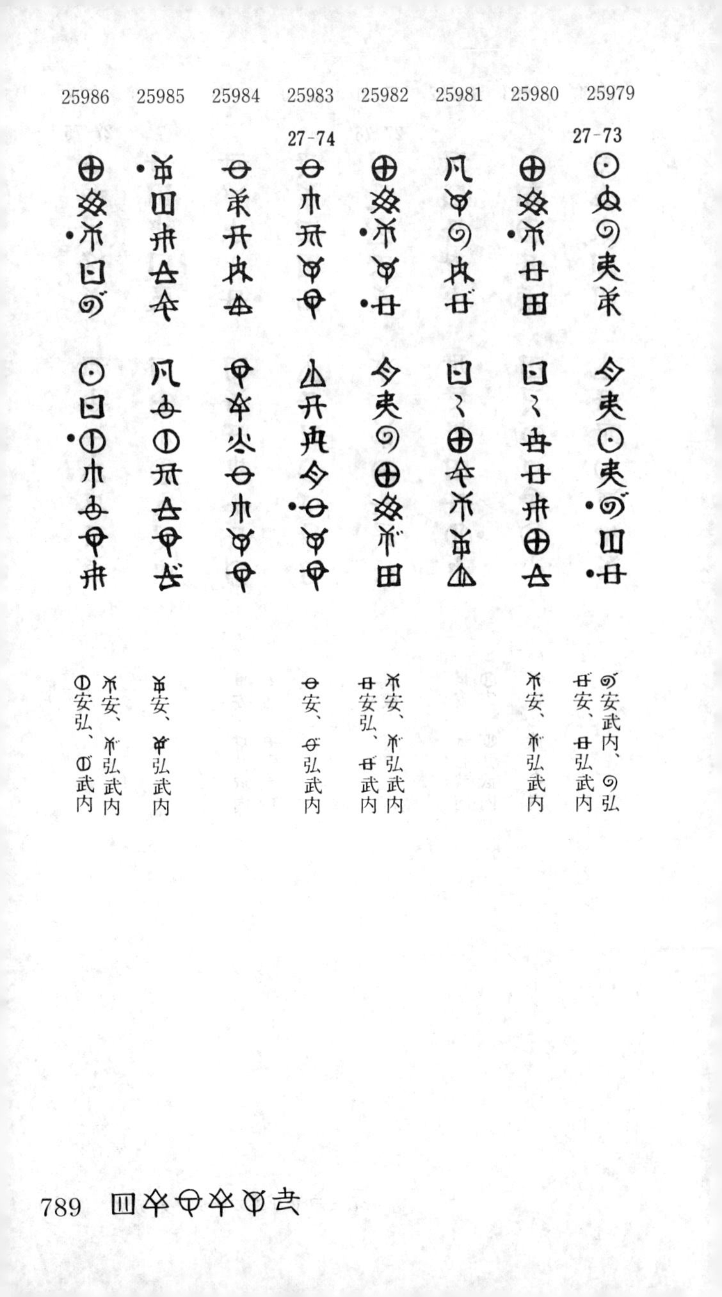

25979 27-73

[illegible]安武内、[illegible]弘
[illegible]安、[illegible]弘武内

25980

[illegible]安、[illegible]弘武内

25981

25982

[illegible]安、[illegible]弘武内
[illegible]安弘、[illegible]武内

25983 27-74

[illegible]安、[illegible]弘武内

25984

25985

[illegible]安、[illegible]弘武内

25986

[illegible]安、[illegible]弘武内
[illegible]安弘、[illegible]武内

25987 27-75

25988

25989

[illegible]安、[illegible]弘武内
[illegible]安、[illegible]弘武内

25990

25991 27-76

[illegible]安弘、[illegible]武内

25992

[illegible]安、[illegible]弘武内
[illegible]安、[illegible]弘武内

25993

[illegible]安弘武、[illegible]内

25994

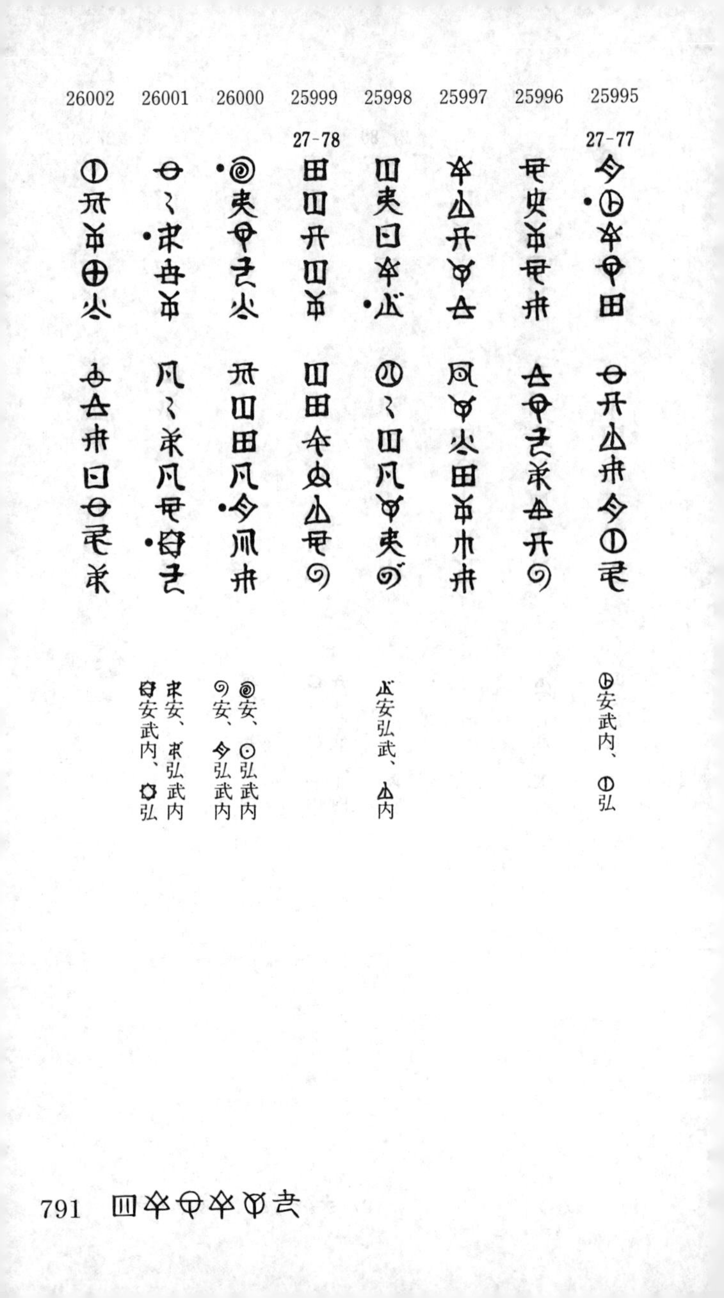

25995

27-77

安武内、弘

25996

25997

25998

安弘武、内

25999

27-78

26000

安、弘武内

安、弘武内

26001

安、弘武内

安武内、弘

26002

26003 27-79

26004

26005

安、弘武内

26006

安、弘武内

安弘武、内

26007 27-80

安武内、弘

26008

26009

安弘武、内

26010

安弘武、内

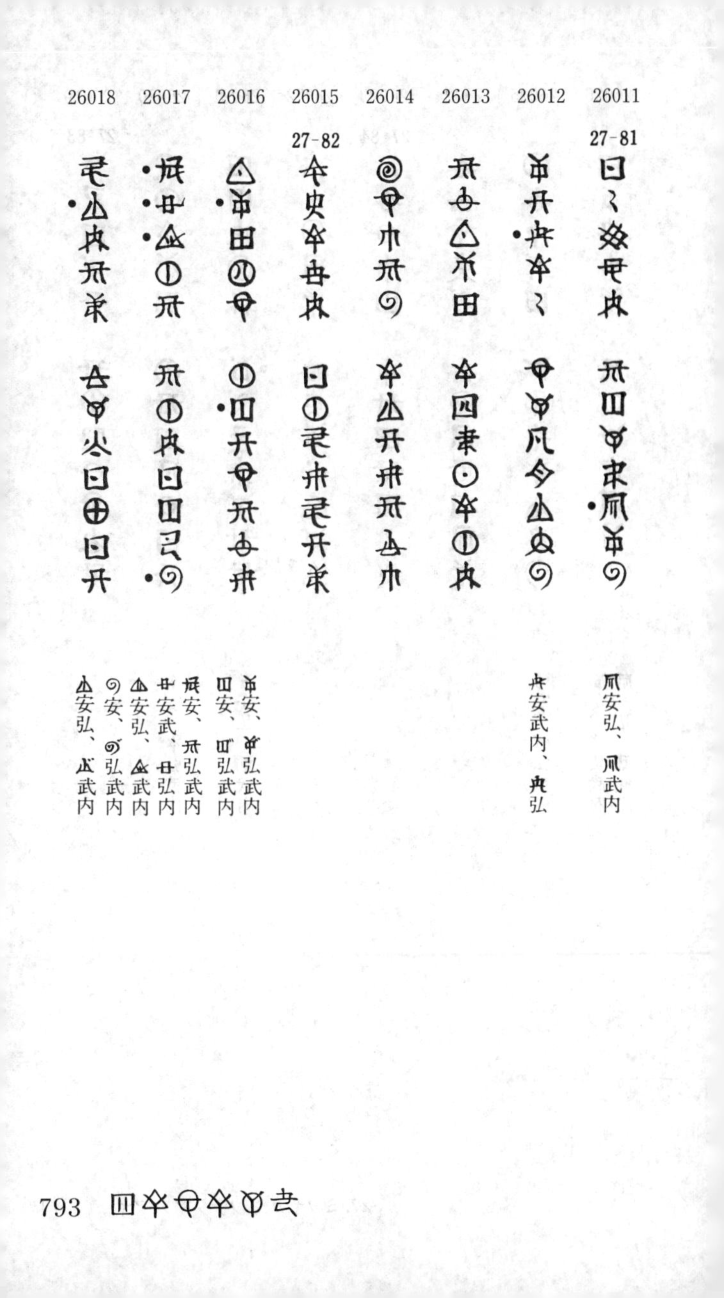

26011 27-81

[illegible]

26012

[illegible]

26013

[illegible]

26014

[illegible]

26015 27-82

[illegible]

26016

[illegible]

26017

[illegible]

26018

[illegible]

[illegible]安弘、[illegible]武内

[illegible]安武内、[illegible]弘

[illegible]安、[illegible]弘武内

[illegible]安、[illegible]弘武内

[illegible]安、[illegible]弘武内

[illegible]安武、[illegible]弘内

[illegible]安弘、[illegible]武内

[illegible]安、[illegible]弘武内

[illegible]安弘、[illegible]武内

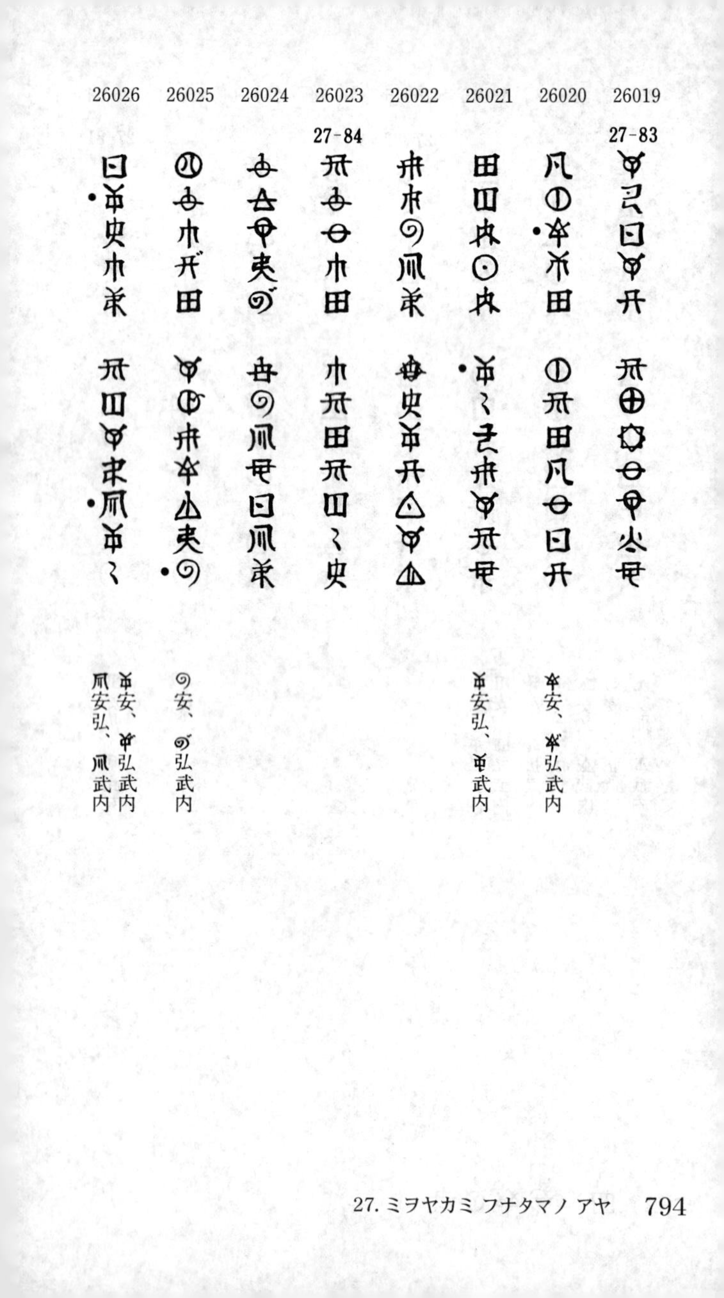

26019
27-83
[illegible]

26020
[illegible]
[illegible]安、[illegible]弘武内

26021
[illegible]
[illegible]安弘、[illegible]武内

26022
[illegible]

26023
27-84
[illegible]

26024
[illegible]

26025
[illegible]
[illegible]安、[illegible]弘武内

26026
[illegible]
[illegible]安、[illegible]弘武内
[illegible]安弘、[illegible]武内

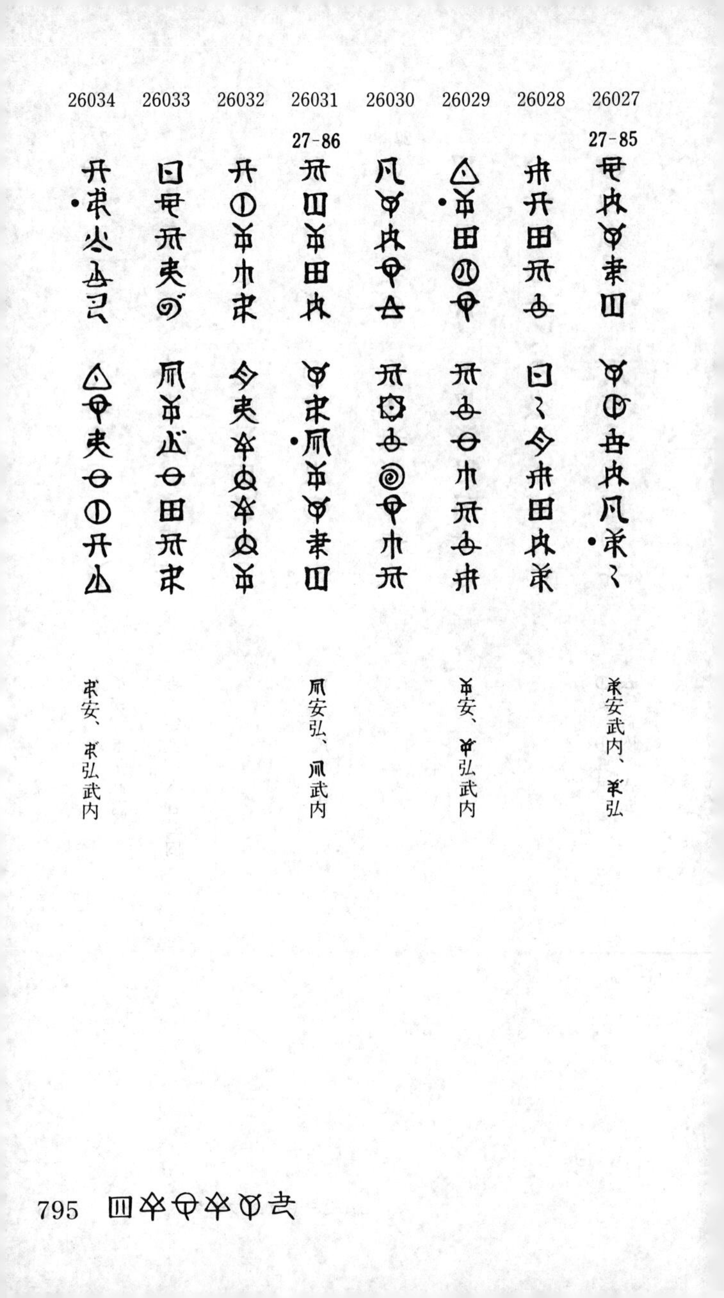

26027
27-85
安武内、弘

26028

26029
安、弘武内

26030

26031
27-86
安弘、武内

26032

26033

26034
安、弘武内

26035 27-87

安、弘武内
安、弘武内

26036

安武、弘内

26037

26038

安、弘武内

26039 27-88

26040

26041

26042

安、弘武内
安武内、弘

26043 27-89

安弘、武内

26044

安弘、武内

安武、弘内

26045

26046

安武、弘内

26047 27-90

26048

安、弘武内

安弘内、武

26049

26050

26051
27-91
〓〓〓〓〓 〓〓〓〓〓〓〓

26052
〓〓〓〓〓 〓〓〓〓〓〓〓
〓安武、〓弘内
〓安、〓弘、〓武内

26053
〓〓〓〓〓 〓〓〓〓〓〓〓
〓安、〓弘武内

26054
〓〓〓〓〓 〓〓〓〓〓〓〓
〓安、〓弘武内

26055
27-92
〓〓〓〓〓 〓〓〓〓〓〓〓
〓安、〓弘武内

26056
〓〓〓〓〓 〓〓〓〓〓〓〓
〓安、〓弘武内
〓安武、〓弘内
〓安武、〓弘内

26057
〓〓〓〓〓 〓〓〓〓〓〓〓

26058
〓〓〓〓〓 〓〓〓〓〓〓〓
〓安、〓弘武内
〓安、〓弘武内

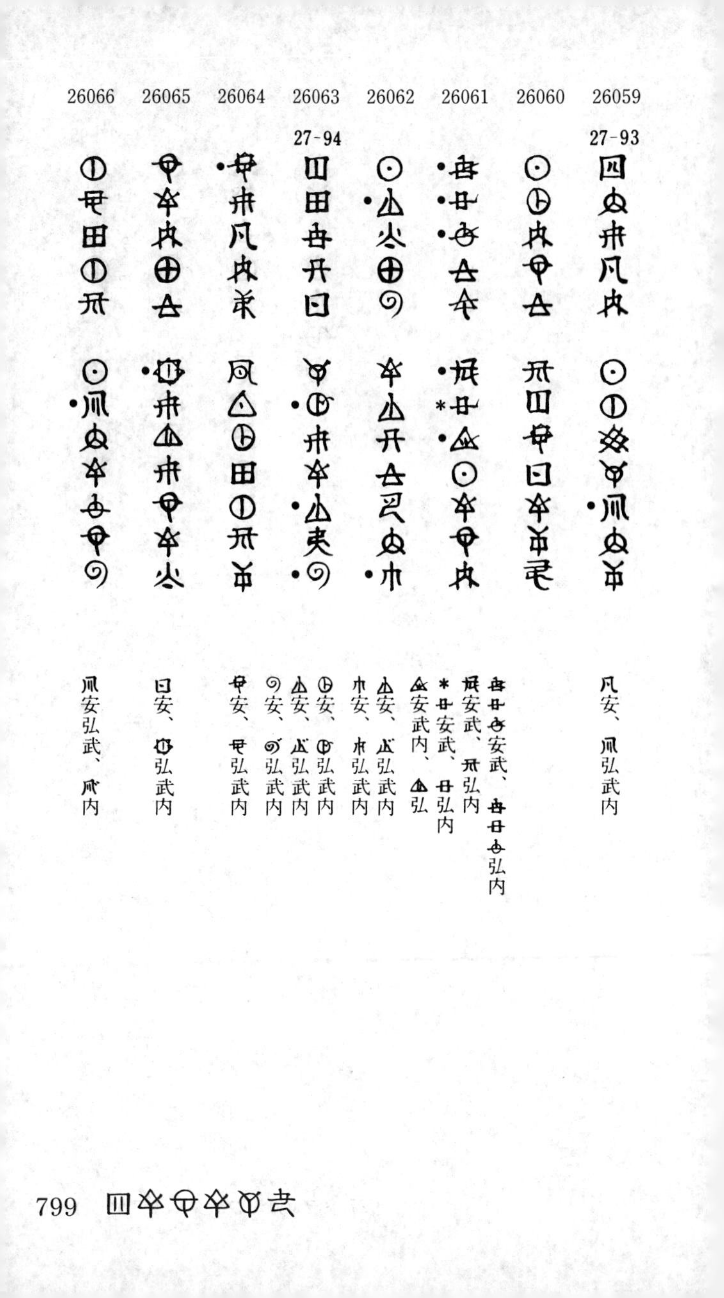

26059 27-93

安、弘武内

26060

26061

安武、弘内

安武、弘内

*安武、弘内

安武内、弘

26062

安、弘武内

安、弘武内

26063 27-94

安、弘武内

安、弘武内

安、弘武内

26064

安、弘武内

26065

安、弘武内

26066

安弘武、内

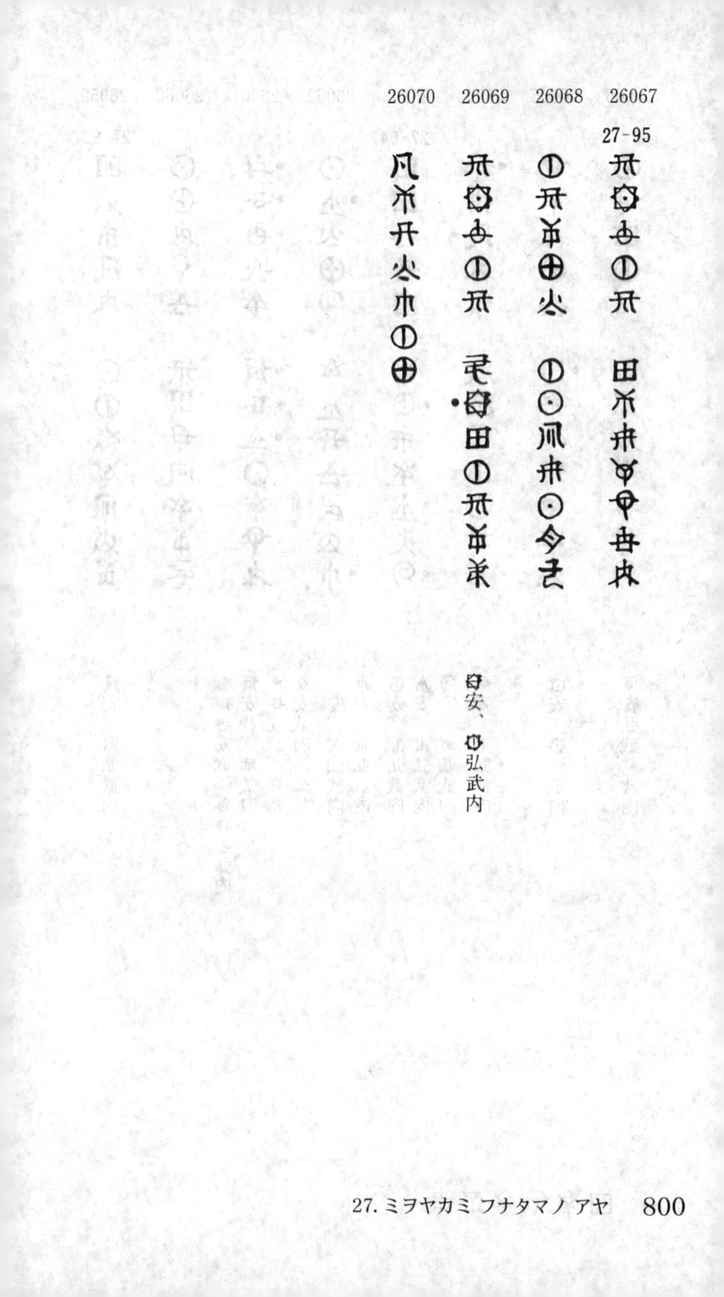

26067

27-95

26068

26069

安、弘武内

26070

26071 28-1

26072

安武内、弘

安武、弘内

26073

安武内、弘

安武、弘内

26074

安、弘武内

26075 28-2

安武内、弘

26076

安弘、武内

安、弘武内

26077

26078

安、弘武内

26079 28-3

26080

26081

26082

安武内、弘

26083 28-4

安武、弘内

安、弘武内

26084

安武内、弘

26085

安武、弘内

26086

安武内、弘

安武、弘内

26087 28-5

•〓〓〓〓〓

•〓〓〓•〓〓〓〓

26088

•〓〓〓•〓〓

〓〓〓〓〓〓〓

26089

•〓〓〓•〓〓

〓〓〓•〓〓〓〓

26090

〓•〓〓〓〓

〓•〓•〓•〓〓〓

26091 28-6

•〓〓〓•〓•〓

〓•〓〓*〓〓〓〓

26092

•〓〓〓•〓•〓

*〓〓〓•〓〓〓〓

26093

〓〓〓〓〓

〓〓〓•〓〓〓〓

26094

〓〓〓〓〓

〓〓•〓〓〓〓〓

〓安弘、〓武内
〓安武、〓弘内
〓安武内、〓弘
〓安武内、〓弘
〓安、〓弘武内
〓安武、〓弘内
〓安、〓弘武内
〓安、〓弘武内
〓安弘、〓武内

〓安武内、〓弘
〓〓安武、〓〓弘内
〓安武、〓弘内
*〓安武、〓弘内

〓安、〓弘武内

〓安武、〓弘内

↑（4行目）

〓安、〓弘武内
〓安、〓弘武内
〓安、〓弘武内
〓安、〓弘武内

↑（6行目）

〓安、〓弘、〓武内
〓〓安武内、〓〓弘
*〓安武、〓弘内
〓安弘内、〓武

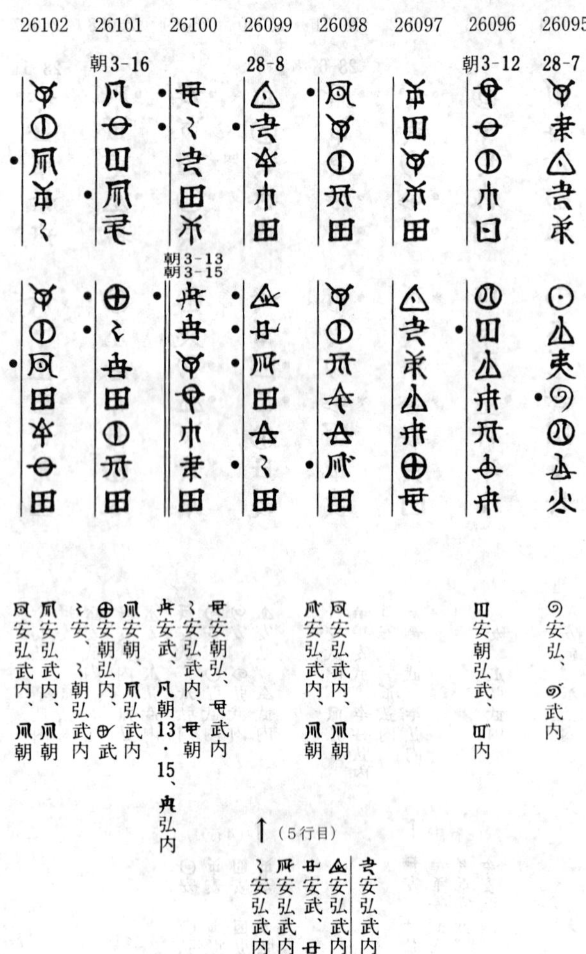

26095　〓安弘、〓武内

26096　〓安朝弘武、〓内

26098　〓安弘武内、〓朝
〓安弘武内、〓朝

26099　〓安朝弘、〓武内

26100　〓安弘武内、〓朝
〓安武、〓朝13・15、〓弘内

26101　〓安朝、〓弘武内
〓安朝弘内、〓武
〓安、〓朝弘武内

26102　〓安弘武内、〓朝
〓安弘武内、〓朝

（26099）↑（5行目）
〓安弘武内、〓朝
〓安弘武内、〓朝
〓安武、〓朝弘内
〓安弘武内、〓朝
〓安弘武内、〓朝

26103 28-9
〓〓・〓〓〓
〓〓〓〓〓〓〓

26104
〓〓〓〓〓
*〓〓〓〓〓〓〓

26105
・〓〓〓〓〓
〓〓〓・〓〓・〓〓

26106
〓〓〓〓〓
〓〓〓〓〓〓〓

26107 28-10
〓〓〓〓〓
〓〓〓〓〓〓〓

26108
〓〓〓〓〓
〓〓〓〓〓〓〓

26109
〓〓〓〓〓
〓〓〓〓〓〓〓

26110
〓〓〓〓〓
〓〓〓〓〓〓〓

〓安弘武内、〓朝

*朝〓〓〓〓〓〓〓の異文。

〓安弘武内、〓朝
〓安朝弘、〓武内
〓安弘武内、〓朝

26111 28-11

26112

26113

26114

26115 28-12

26116

26117

26118

安武内、弘

安、弘武内

安武内、弘

安武、弘内

安武、弘内

安武内、弘

*安武、弘内

安武内、弘

安、弘武内

安内、弘武

安弘、武内

安、弘武内

安、弘武内

安武内、弘

安、弘武内

安、弘武内

安、弘武内

26119
28-13
[illegible]安、[illegible]弘武内

26120
[illegible]安、[illegible]弘武内

26121

26122
[illegible]安、[illegible]弘武内
[illegible]安弘、[illegible]武内

26123
28-14

26124

26125
[illegible]安武内、[illegible]弘
[illegible]安武、[illegible]弘内

26126

26127
28-15
[illegible]
[illegible]安内、[illegible]弘武

26128
[illegible]
[illegible]安、[illegible]弘武内

26129
[illegible]
[illegible]安武、[illegible]弘内
[illegible]安武内、[illegible]弘
[illegible]安弘、[illegible]武内

26130
[illegible]
[illegible]安弘内、[illegible]武

26131
28-16
[illegible]
[illegible]安弘内、[illegible]武
*[illegible]安弘内、[illegible]武

26132
[illegible]
[illegible]安弘、[illegible]武内

26133
[illegible]

26134
[illegible]

26135 28-17

[illegible]安弘、[illegible]武内
[illegible]安内、[illegible]弘武

26136

[illegible]安弘、[illegible]武内
[illegible]安武内、[illegible]弘
[illegible]安武、[illegible]弘内
[illegible]安武内、[illegible]弘

26137

26138

[illegible]安、[illegible]弘武内
[illegible]安弘武、[illegible]内

26139 28-18

[illegible]安、[illegible]弘武内

26140

[illegible]安、[illegible]弘武内

26141

26142

26143
28-19
〓〓〓〓〓
〓〓〓〓〓〓〓〓

26144
〓〓〓〓〓
〓〓〓〓〓〓〓〓
〓安弘、〓武内

26145
〓〓〓〓〓
〓〓〓〓〓〓〓〓
〓安弘内、〓武
〓安、〓弘武内

26146
〓〓〓〓〓
〓〓〓〓〓〓〓〓
〓安内、〓弘武

26147
28-20
〓〓〓〓〓
〓〓〓〓〓〓〓〓
〓安弘、〓武内

26148
〓〓〓〓〓
〓〓〓〓〓〓〓〓
-安のみあり
〓安、〓弘武内

26149
〓〓〓〓〓
〓〓〓〓〓〓〓〓
〓安、〓弘武内

26150
〓〓〓〓〓
〓〓〓〓〓〓〓〓
〓考、〓安弘武内

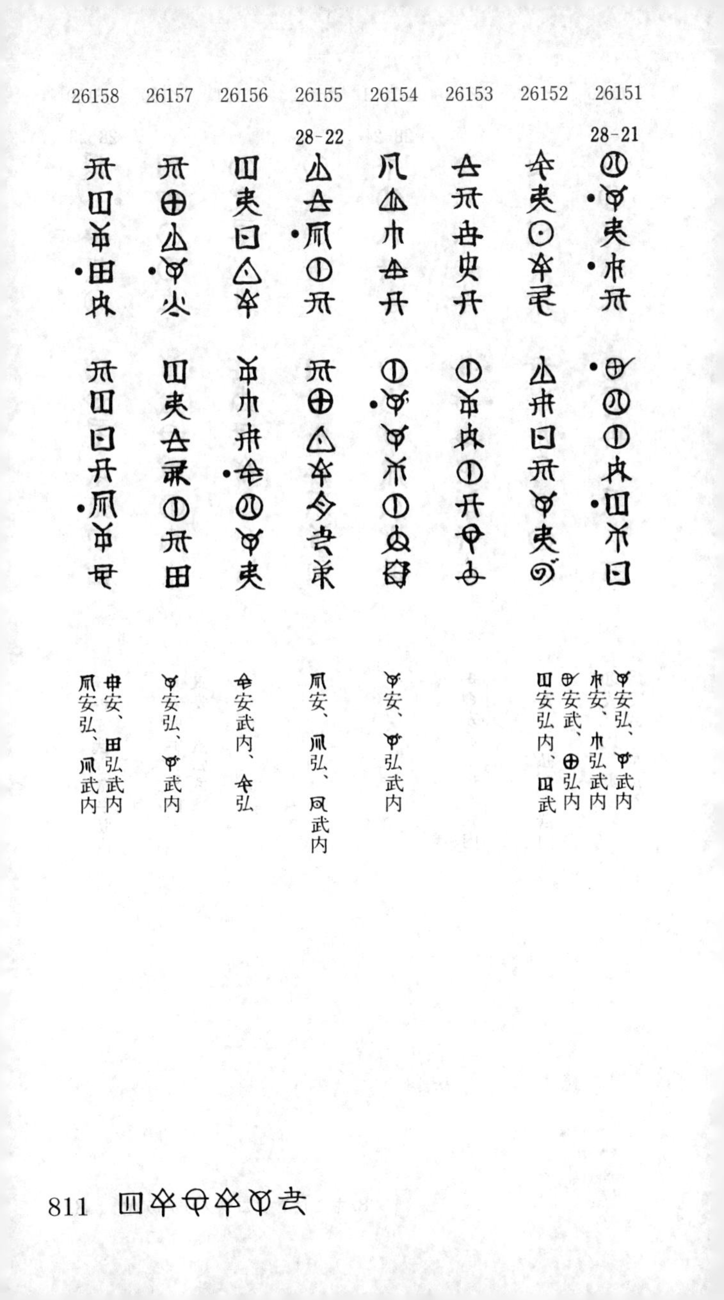

26151

28-21

[illegible]

[illegible]

[illegible]安弘、[illegible]武内
[illegible]安、[illegible]弘武内
[illegible]安武、[illegible]弘内
[illegible]安弘内、[illegible]武

26152

[illegible]

[illegible]

26153

[illegible]

[illegible]

26154

[illegible]

[illegible]

[illegible]安、[illegible]弘武内

26155

28-22

[illegible]

[illegible]

[illegible]安、[illegible]弘、[illegible]武内

26156

[illegible]

[illegible]

[illegible]安武内、[illegible]弘

26157

[illegible]

[illegible]

[illegible]安弘、[illegible]武内

26158

[illegible]

[illegible]

[illegible]安、[illegible]弘武内
[illegible]安弘、[illegible]武内

26159
28-23

安武、弘内

26160

安弘武、内
安、弘武内

26161

26162

26163
28-24

26164

安武、弘内

26165

安、弘、武内

26166

安武内、弘
安武、弘内

26167

28-25

[illegible]

26168

[illegible]

[illegible]安、[illegible]弘武内

26169

[illegible]

[illegible]安、[illegible]弘武内

[illegible]安弘、[illegible]武内

[illegible]安武内、[illegible]弘

26170

[illegible]

[illegible]安武内、[illegible]弘

[illegible]安武、[illegible]弘内

[illegible]安弘、[illegible]武内

26171

28-26

[illegible]

26172

[illegible]

[illegible]安弘、[illegible]武内

[illegible]安武、[illegible]弘内

[illegible]安武内、[illegible]弘

26173

[illegible]

[illegible]安、[illegible]弘武内

26174

[illegible]

[illegible]安武、[illegible]弘内

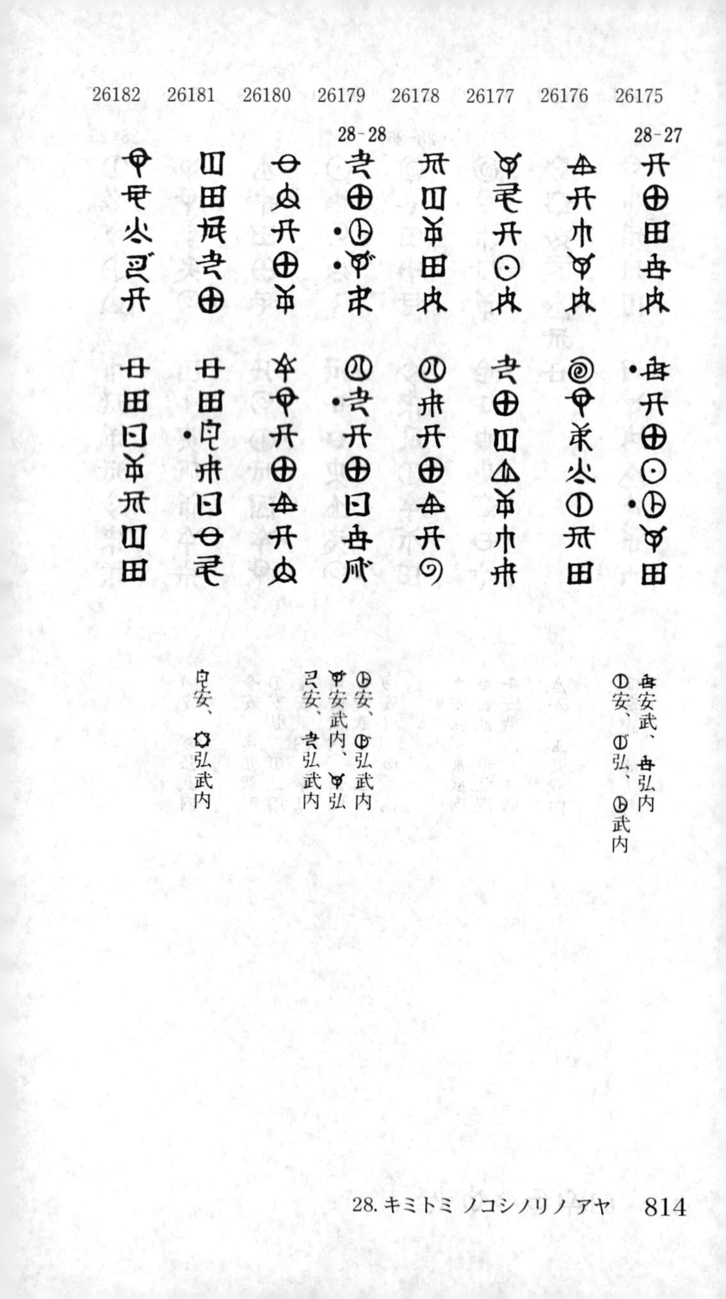

26175 28-27

26176

26177

26178

26179 28-28

26180

26181

26182

安武、弘内
安、弘、武内

安、弘武内
安武内、弘
安、弘武内

安、弘武内

26190	26189	26188	26187	26186	26185	26184	26183
			28-30				28-29

安、弘武内

安、弘内、武
安武、弘内

安、弘武内

安武内、弘
安武、弘内

26191 28-31

安、弘武内

26192

26193

安弘、武内

26194

安武、弘、内

安武、弘内

26195 28-32

安武、弘内

安武内、弘

安武、弘内

26196

安弘武、内

安、弘武内

26197

安武、弘内

26198

安、弘武内

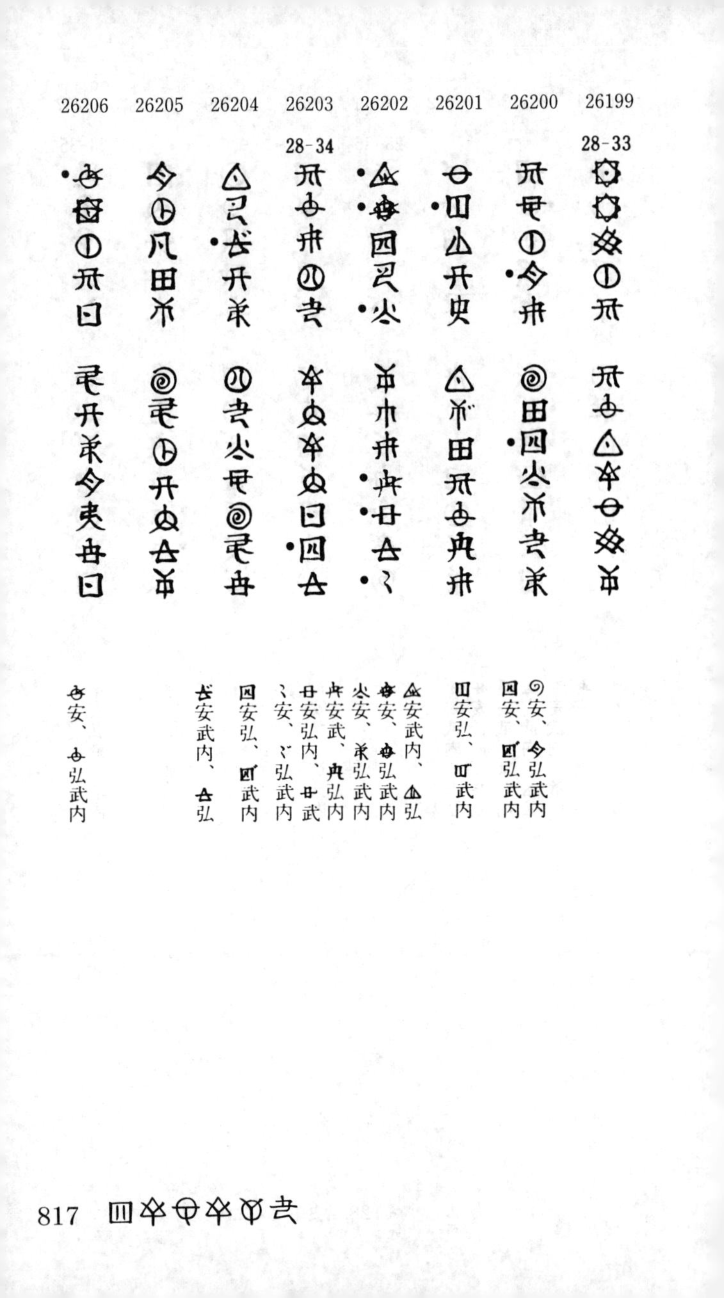

26199
28-33

26200

26201

26202

26203
28-34

26204

26205

26206

[illegible]安、[illegible]弘武内
[illegible]安、[illegible]弘武内
[illegible]安弘、[illegible]武内
[illegible]安武内、[illegible]弘
[illegible]安、[illegible]弘武内
[illegible]安、[illegible]弘武内
[illegible]安武、[illegible]弘内
[illegible]安弘内、[illegible]武
[illegible]安、[illegible]弘武内
[illegible]安弘、[illegible]武内
[illegible]安武内、[illegible]弘
[illegible]安、[illegible]弘武内

26207 (28-35)

[illegible]

[illegible]安弘武、[illegible]内

26208

[illegible]

[illegible]安弘、[illegible]武内

26209

[illegible]

26210

[illegible]

[illegible]安弘、[illegible]武内

26211 (28-36)

[illegible]

26212

[illegible]

[illegible]安武内、[illegible]弘

[illegible]安武内、[illegible]弘

[illegible]安武、[illegible]弘内

26213

[illegible]

[illegible]安武内、[illegible]弘

[illegible]安武内、[illegible]弘

[illegible]安武、[illegible]弘内

26214

[illegible]

[illegible]安、[illegible]弘武内

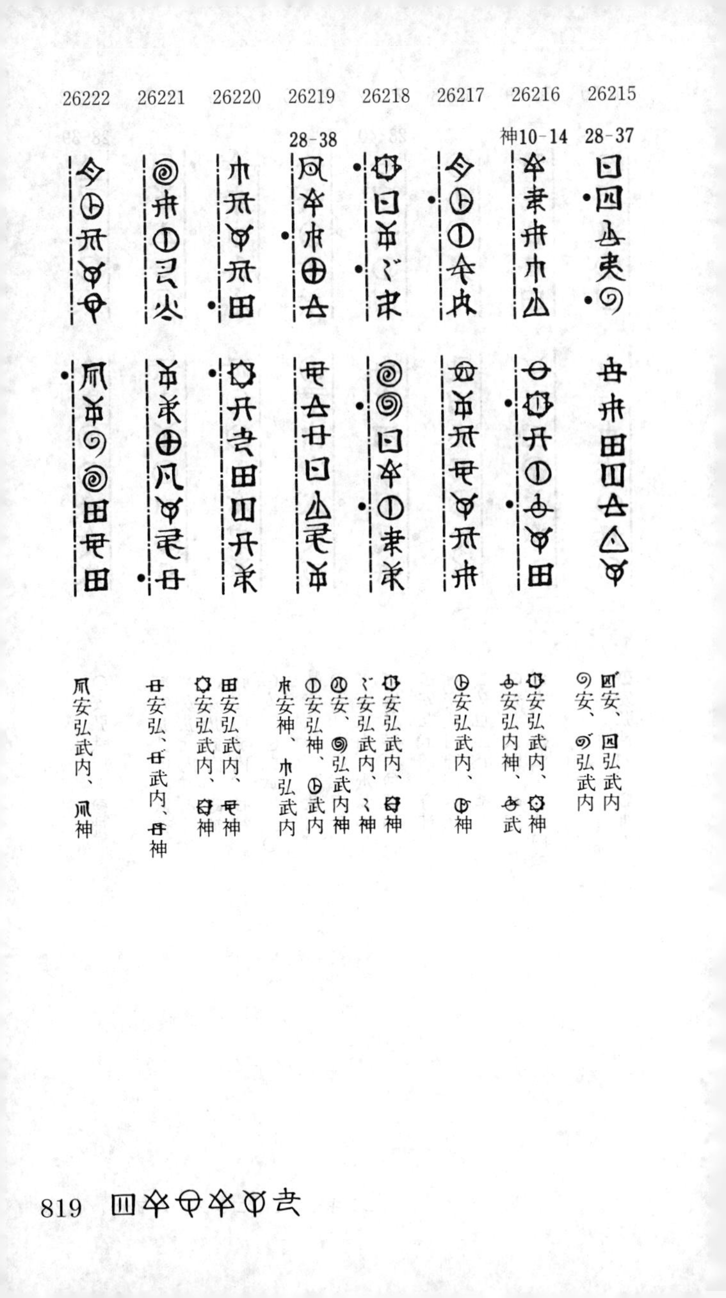

26215 28-37

安、弘武内
安、弘武内

26216 神10-14

安弘武内、神
安弘内神、武

26217

安弘武内、神

26218

安弘武内、神
安弘武内、神
安、弘武内神

26219 28-38

安弘神、武内
安神、弘武内

26220

安弘武内、神
安弘武内、神

26221

安弘、武内、神

26222

安弘武内、神

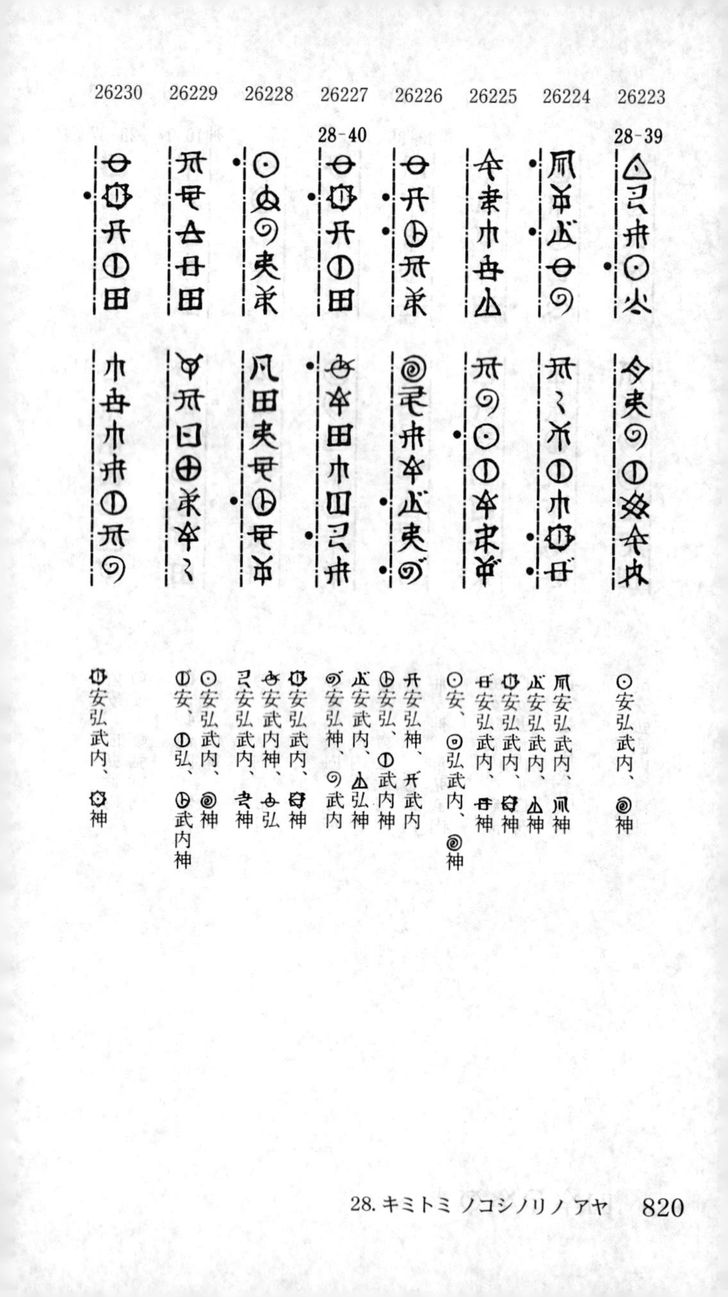

26223 28-39

26224

26225

26226

26227 28-40

26228

26229

26230

安弘武内、神

安弘武内、神

安弘武内、神

安弘武内、神

安、弘武内、神

安弘神、武内

安弘、武内神

安弘武内、弘神

安弘神、武内

安弘武内、神

安武内神、弘

安弘武内、神

安弘武内、神

安、弘、武内神

安弘武内、神

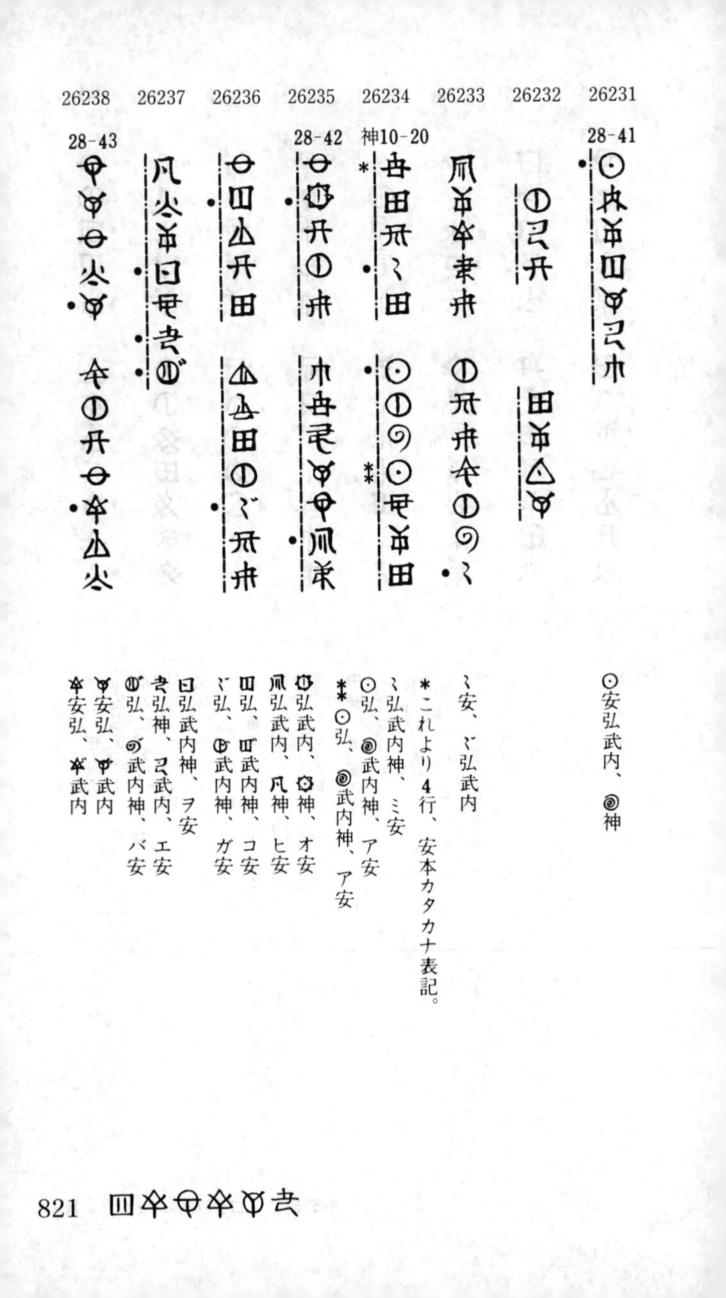

26231 28-41

26232

26233

26234 神10-20

26235 28-42

26236

26237

26238 28-43

⊙安弘武内、◎神

安、弘武内

*これより4行、安本カタカナ表記。

弘武内神、ミ安

⊙弘、◎武内神、ア安

**⊙弘、◎武内神、ア安

弘武内、神、オ安

弘武内、神、ヒ安

弘、武内神、コ安

弘、武内神、ガ安

弘武内神、ヲ安

弘神、武内、エ安

弘、武内神、バ安

安弘、武内

安弘、武内

26239 [illegible]

26240 [illegible]

26241 [illegible]

26242 28-44 [illegible]

26243 [illegible]

26244 [illegible]

26245 [illegible]

26246 28-45 [illegible]

[illegible]安、[illegible]弘武内

[illegible]安弘武、[illegible]武内

[illegible]安、[illegible]弘武内

[illegible]安、[illegible]弘武内

[illegible]安弘、[illegible]武内

[illegible]弘武内、[illegible]安（漢訳文振り仮名にデとあることから[illegible]を掲げた）

[illegible]安、[illegible]弘武内

[illegible]考、[illegible]安弘武内（『カクミハタ』の『アワウタのアヤ』に「ニノミチモ」と出典がある。「ヰココロ」では文意が、通じない。「ニココロ」であるはずだ。このため、[illegible]を掲げた。53130,ア130）

[illegible]安、[illegible]弘武内

[illegible]安、[illegible]弘武内

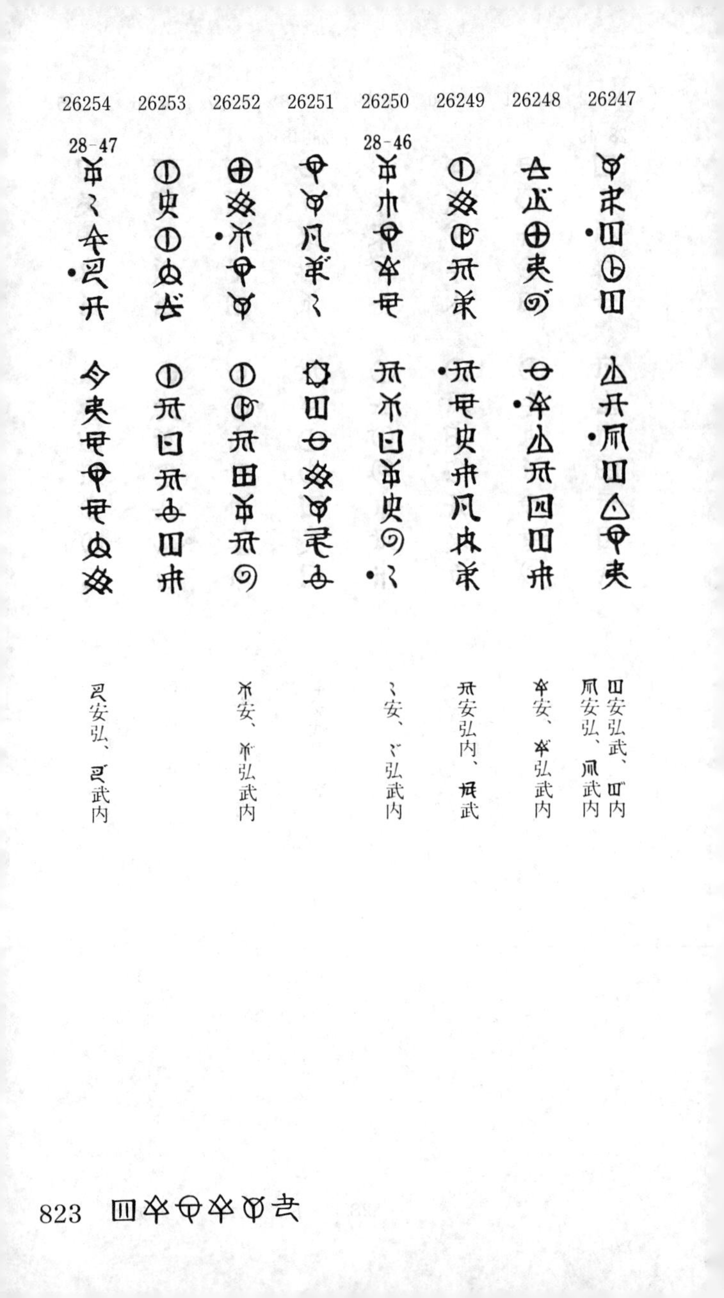

26247

安弘武、内

安弘、武内

26248

安、弘武内

26249

安弘内、武

26250

28-46

安、弘武内

26251

26252

安、弘武内

26253

26254

28-47

安弘、武内

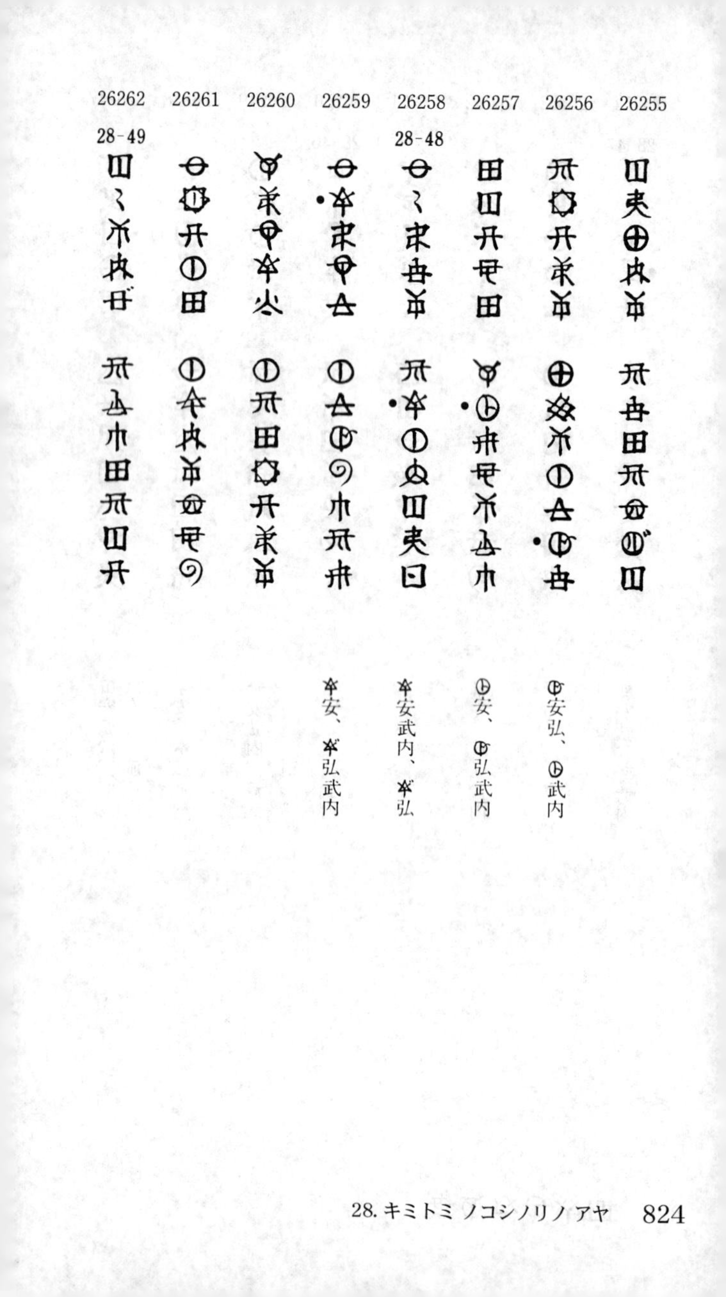

26255

26256

[illegible]安弘、[illegible]武内

26257

[illegible]安、[illegible]弘武内

26258
28-48

[illegible]安武内、[illegible]弘

26259

[illegible]安、[illegible]弘武内

26260

26261

26262
28-49

26263

26264

26265

安、弘武内

26266

28-50

26267

26268

26269

安、弘武内

安、弘武内

26270

28-51

安武内、弘

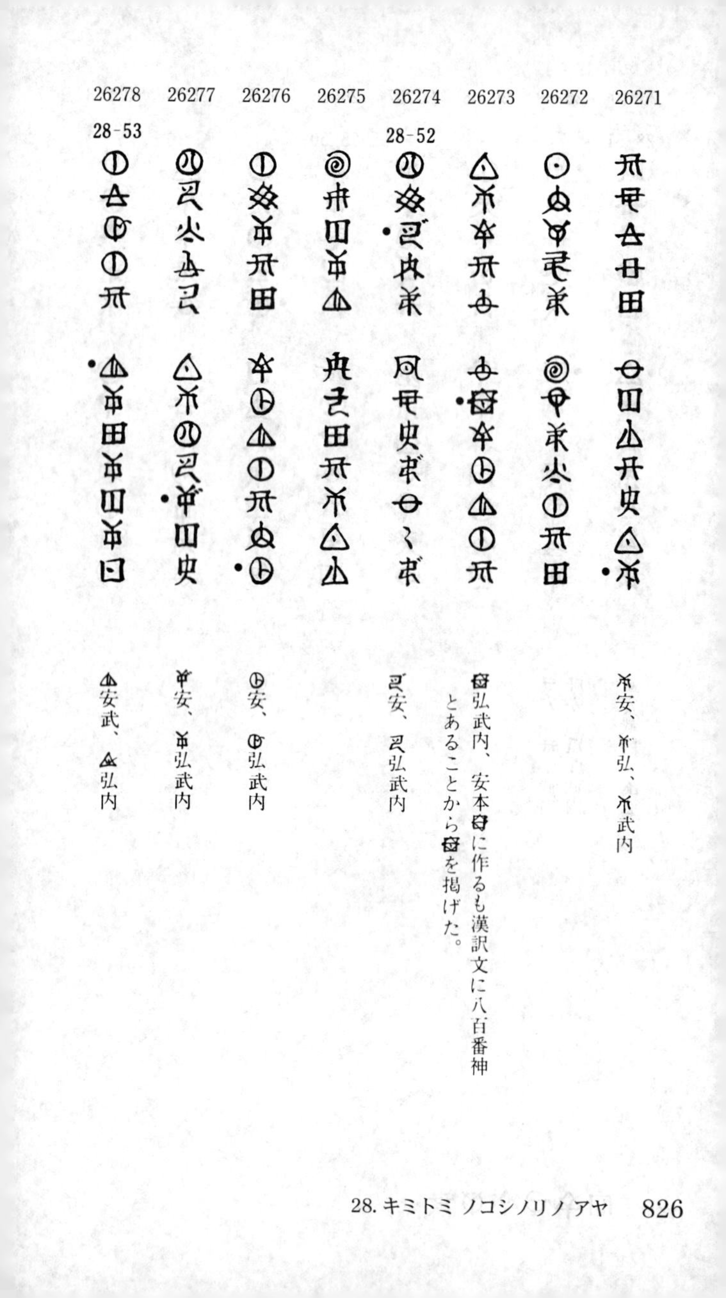

26271

安、弘、武内

26272

26273

弘武内、安本に作るも漢訳文に八百番神とあることからを掲げた。

26274

28-52

安、弘武内

26275

26276

安、弘武内

26277

安、弘武内

26278

28-53

安武、弘内

26279

〓〓〓〓〓〓〓

26280

〓〓〓〓〓 〓〓〓〓〓〓〓

〓安武内、〓弘

26281

〓〓〓〓〓 〓〓〓〓〓〓〓

〓安、〓弘武内
〓安、〓弘武内

26282

28-54

〓〓〓〓〓 〓〓〓〓〓〓〓

〓安武内、〓弘
〓安武、〓弘内
〓安武、〓弘内
〓安、〓弘武内

26283

〓〓〓〓〓 〓〓〓〓〓〓〓

〓安武内、〓弘
〓安弘内、〓武
〓安武、〓弘内

26284

〓〓〓〓〓 〓〓〓〓〓〓〓

26285

〓〓〓〓〓 〓〓〓〓〓〓〓

〓安、〓弘武内

26286

28-55

〓〓〓〓〓 〓〓〓〓〓〓〓

〓安武内、〓弘
〓安、〓弘武内

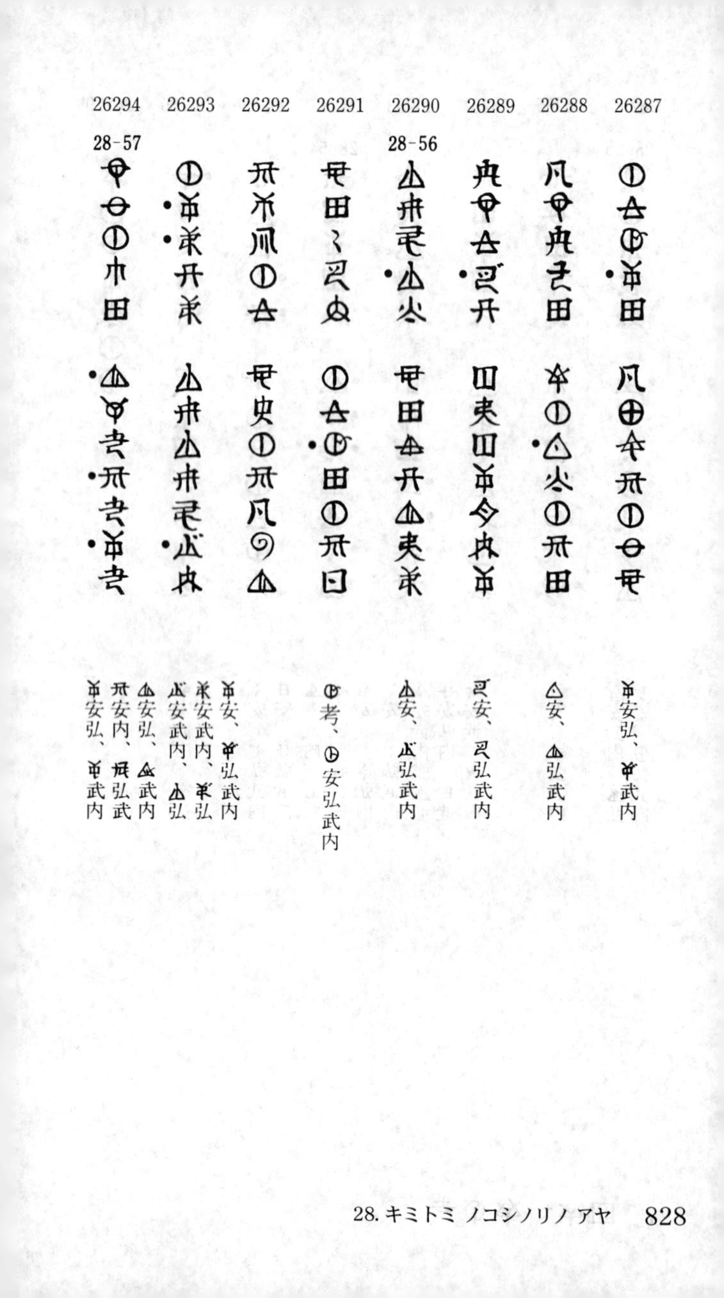

26287

安弘、武内

26288

安、弘武内

26289

安、弘武内

26290 28-56

安、弘武内

26291

考、安弘武内

26292

安、弘武内

26293

安武内、弘

安武内、弘

26294 28-57

安弘、武内

安内、弘武

安弘、武内

26295

〓〓〓〓・〓

〓〓〓〓〓〓〓〓・〓

〓安弘、〓武内
〓安、〓弘武内

26296

〓〓〓〓〓

〓〓〓〓〓〓〓

26297

〓〓・〓〓・〓

〓〓〓・〓〓〓〓

〓安武内、〓弘
〓安武、〓弘内
〓安弘武、〓内

26298

28-58

〓〓〓〓〓

〓〓〓〓〓〓〓

26299

〓〓〓〓・〓

〓〓〓〓〓〓〓

〓考、〓安弘武内

26300

〓〓〓〓〓

〓〓〓〓〓〓〓

26301

〓〓〓〓〓

〓〓〓〓〓〓〓

26302

28-59

〓〓〓〓〓

〓〓〓〓〓〓〓

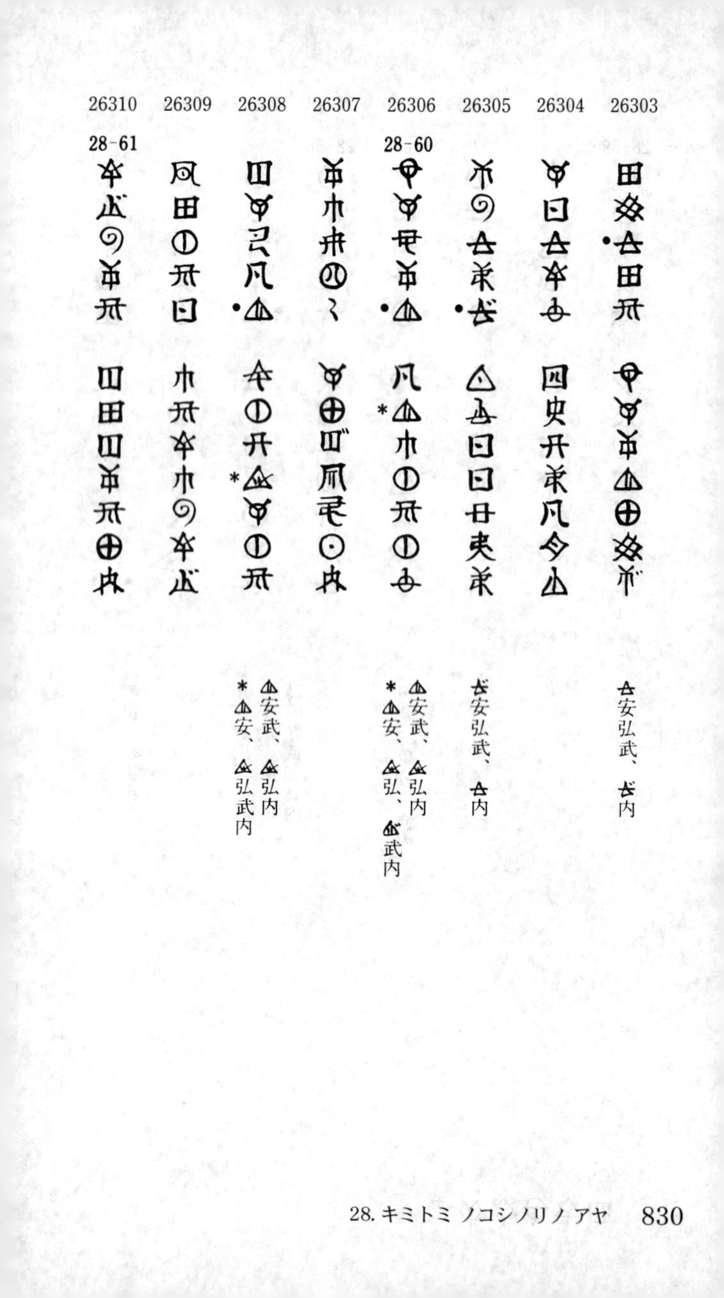

26303

26304

26305

26306

28-60

26307

26308

26309

26310

28-61

26303: 安弘武、内

26305: 安弘武、内

26306: 安武、弘内 ＊安、弘、武内

26308: 安武、弘内 ＊安、弘武内

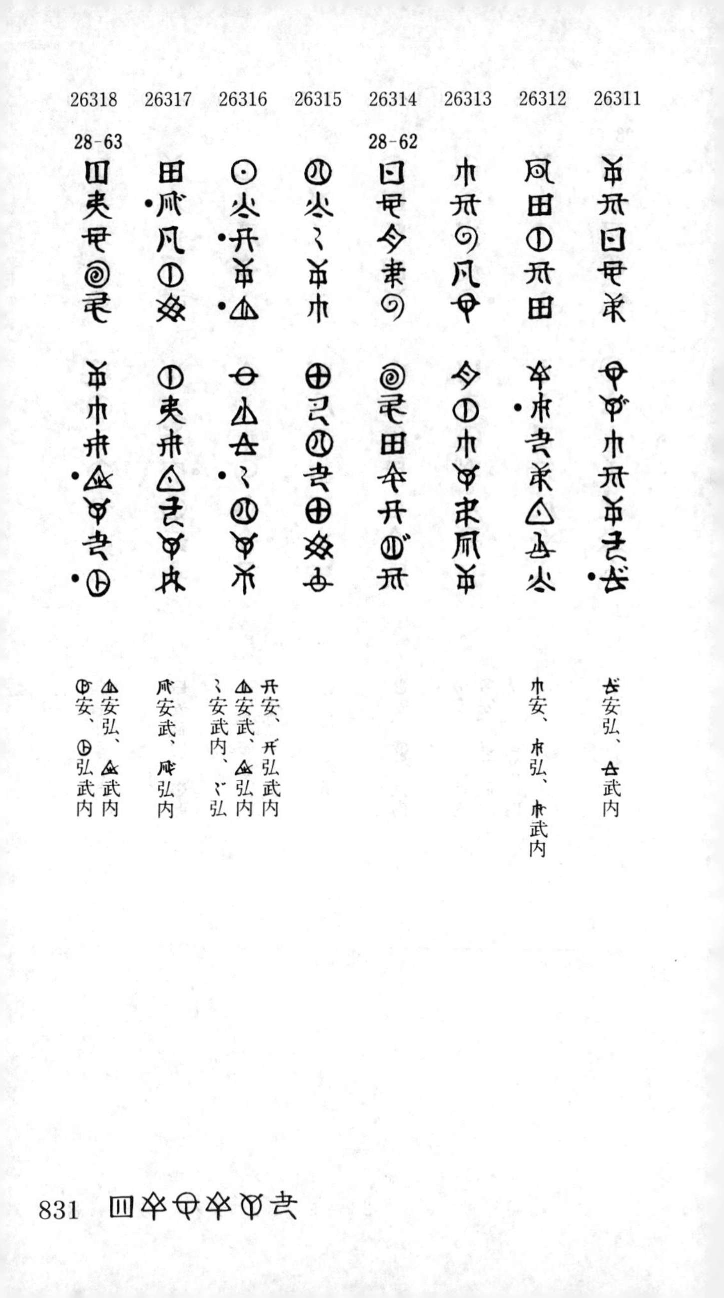

26311

安弘、武内

26312

安、弘、武内

26313

26314

28-62

26315

26316

安、弘武内

安武、弘内

安武内、弘

26317

安武、弘内

26318

28-63

安弘、武内

安、弘武内

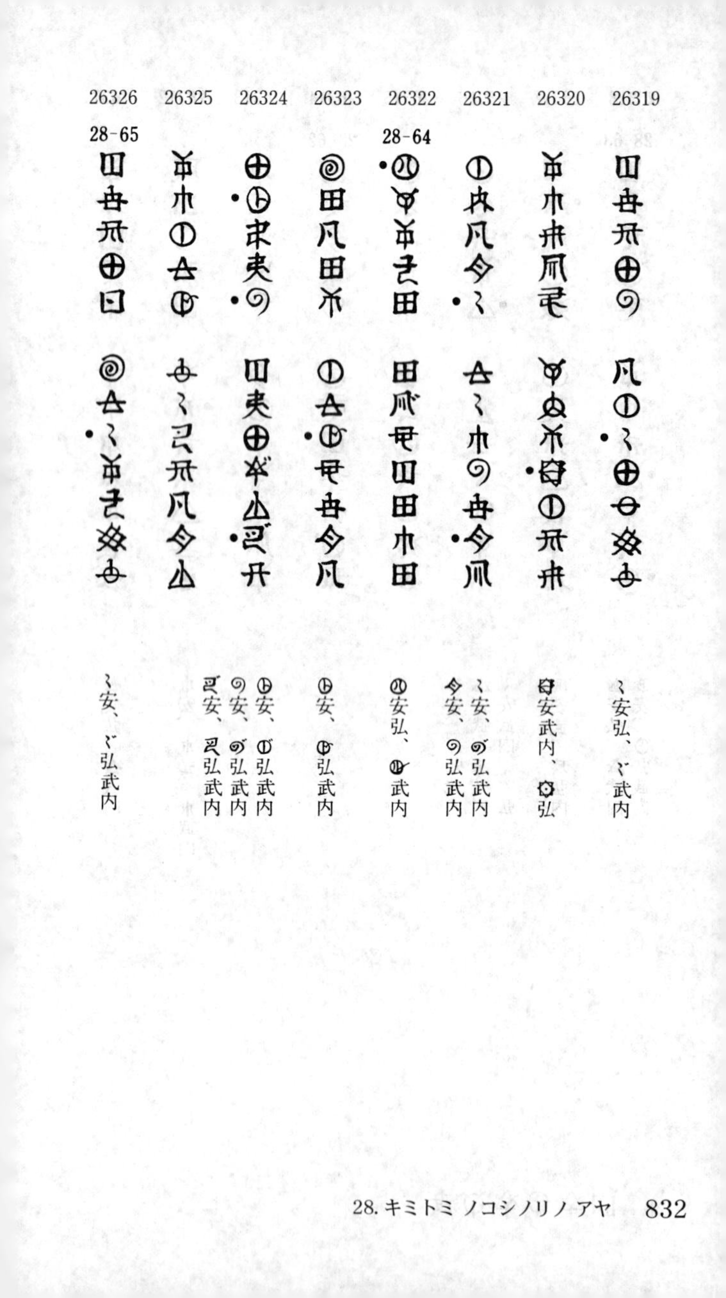

26319

安弘、武内

26320

安武内、弘

26321

安、弘武内

安、弘武内

28-64

26322

安弘、武内

26323

安、弘武内

26324

安、弘武内

安、弘武内

安、弘武内

26325

28-65

26326

安、弘武内

26327

[illegible]

26328

[illegible]

[illegible]安、[illegible]弘武内

26329

[illegible]

[illegible]安弘内、[illegible]武
[illegible]安武内、[illegible]弘

26330

28-66

[illegible]

[illegible]安内、[illegible]弘武
[illegible]安弘、[illegible]武内

26331

[illegible]

[illegible]安、[illegible]弘武内

26332

[illegible]

26333

[illegible]

26334

28-67

[illegible]

[illegible]安、[illegible]弘武内

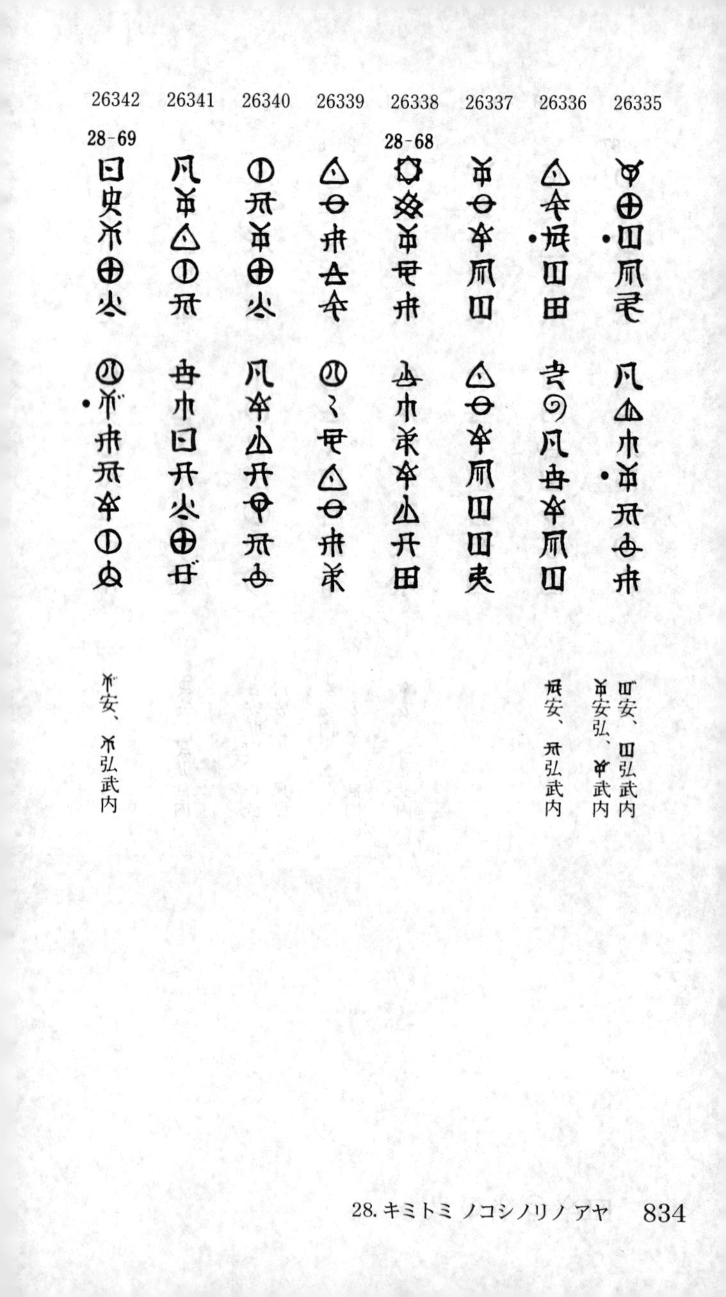

26335

26336

26337

26338

28-68

26339

26340

26341

26342

28-69

安、弘武内

安弘、武内

安、弘武内

安、弘武内

26343

26344

安武内、弘
安武内、弘

26345

安弘、武内
安武内、弘

26346

28-70

26347

⊙安、◎弘武内

26348

安弘武、内

26349

安弘武、内

26350

28-71

26351

安、弘武内

26352

安弘武、内
安、弘武内

26353

26354

28-72

26355

26356

安、弘武内

26357

26358

28-73

安、弘武内

26359

[illegible]安弘武、[illegible]内
[illegible]安、[illegible]弘武内

26360

[illegible]安内、[illegible]弘武

26361

26362

28-74

[illegible]安、[illegible]弘、[illegible]武内
[illegible]安武、[illegible]弘内

26363

26364

26365

26366

28-75

[illegible]安、[illegible]弘武内
[illegible]安弘、[illegible]武内
[illegible]安弘内、[illegible]武

26367

安武、弘内

26368

26369

安、弘武内

26370

28-76

26371

26372

26373

安弘内、武

安武内、弘

安弘、武内

26374

28-77

安武内、弘

26375

安弘、武内

26376

安武、弘内

安、弘武内

26377

安、弘武内

26378

28-78

26379

26380

安、弘武内

安、弘武内

26381

26382

28-79

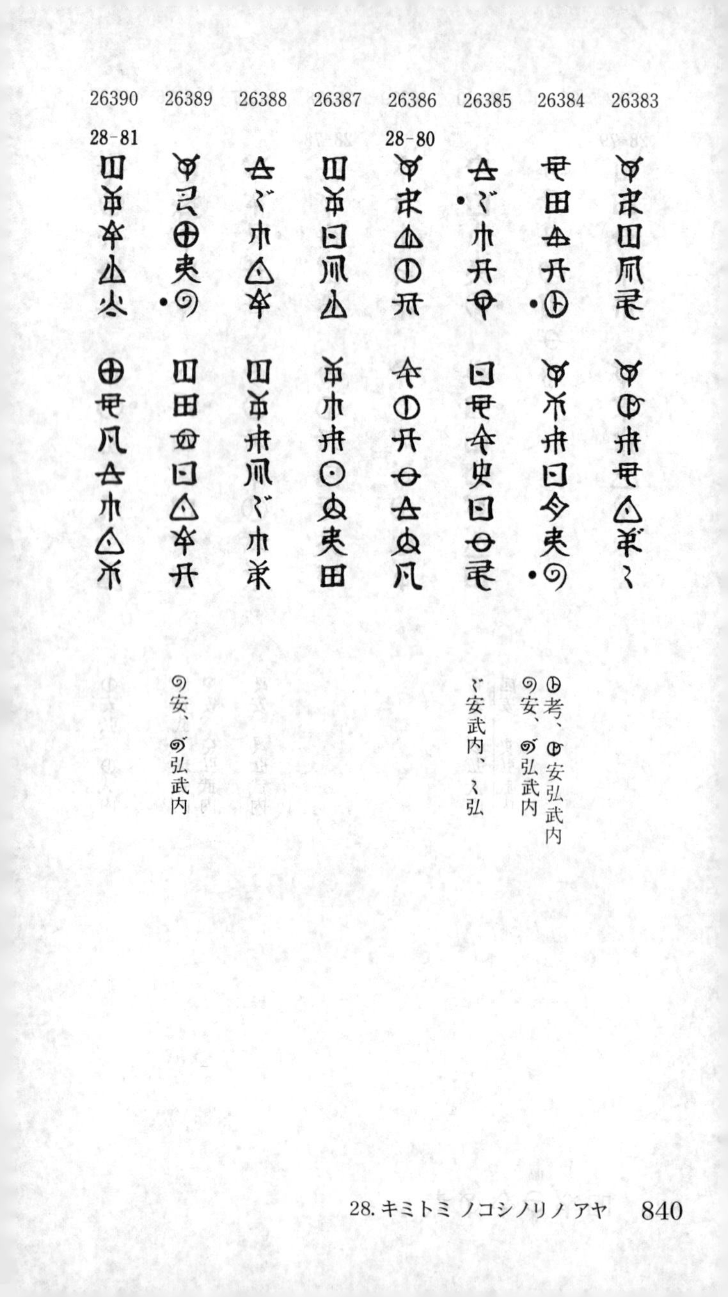

26383

26384

考、安弘武内

安、弘武内

26385

安武内、弘

26386

28-80

26387

26388

26389

安、弘武内

26390

28-81

26398 26397 26396 26395 26394 26393 26392 26391

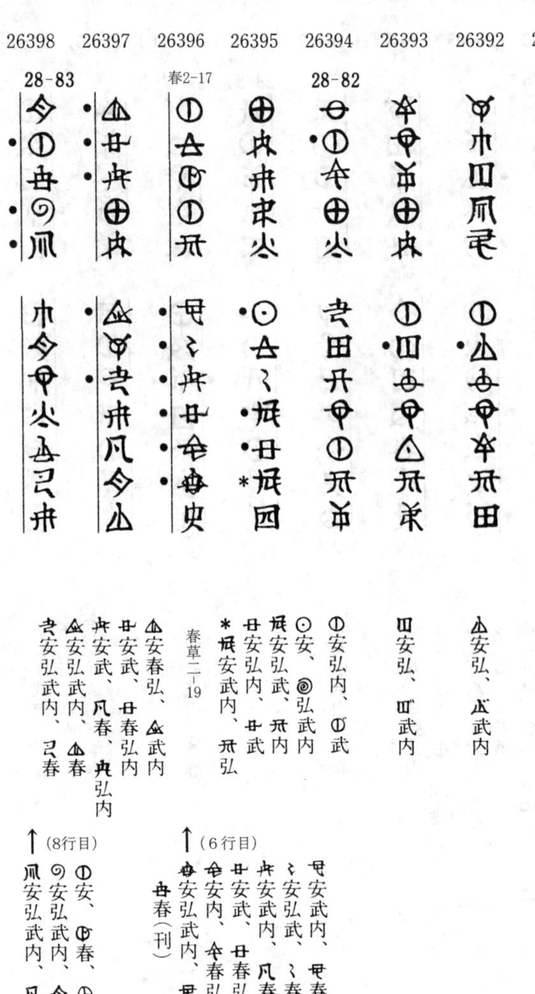

安弘、武内

安弘、武内

安弘内、武

安、弘武内
安弘武、内
安弘内、武
*安武内、弘

春草二–19

安春弘、武内
安武、春弘内
安武、春、弘内
安弘武内、春
安弘武内、春

↑(6行目)
安武内、春弘
安弘武、春内
安武内、春、弘
安武、春弘内
安内、春弘武
安弘武内、春(草)、
春(刊)

↑(8行目)
安、春、弘武内
安弘武内、春
安弘武内、春

26399

26400

26401

26402

28-84

26403

26404

26405

26406

28-85

安弘武内、春

*安弘武内、春

安弘武内、春

安弘武内、春

安弘武内、春

安春、弘武内

安、春、弘武内

安、春弘武内

安春、弘武内

安弘武、春、内

安春、弘武内

26407

[illegible]

[illegible]安武内、[illegible]春弘

26408

[illegible]

[illegible]安春弘、[illegible]武内

[illegible]安弘武、[illegible]春内

26409

[illegible]

[illegible]安武、[illegible]春弘内

28-86

26410

[illegible]

[illegible]安弘武内、[illegible]春

[illegible]安春弘、[illegible]武内

26411

[illegible]

[illegible]安春弘、[illegible]武内

26412

[illegible]

[illegible]安春、[illegible]弘武内

[illegible]安春、[illegible]弘、[illegible]武内

26413

[illegible]

28-87

26414

[illegible]

[illegible]安武内、[illegible]弘

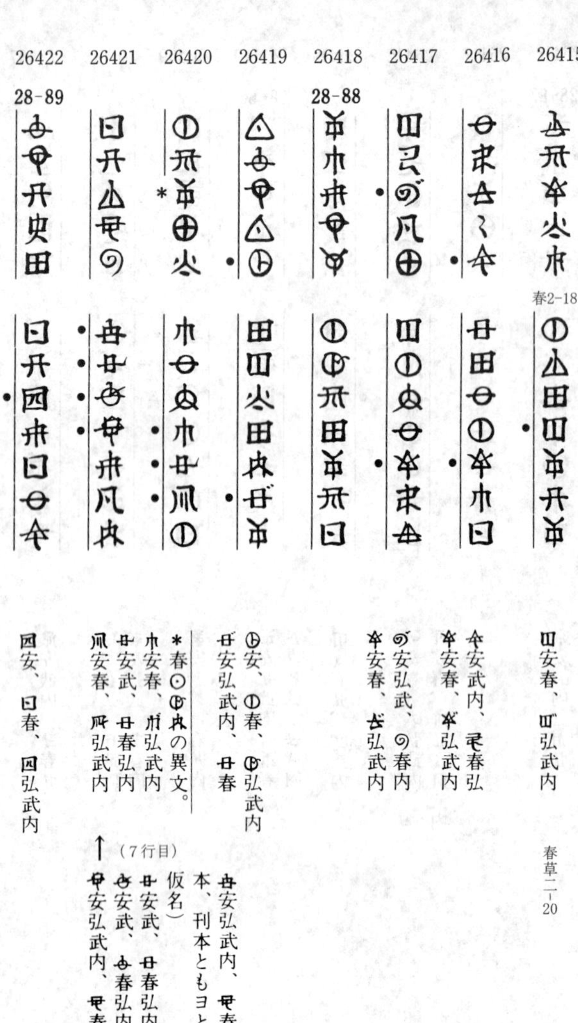

26415 26416 26417 26418 26419 26420 26421 26422

28-88 28-89 春2-18

〓安春、〓弘武内

春草二-20

〓安武内、〓春弘

〓安春、〓弘武内

〓安弘武、〓春内

〓安春、〓弘武内

〓安、〓春、〓弘武内

〓安弘武内、〓春

＊春〓〓〓の異文。

〓安春、〓弘武内

〓安武、〓春弘内

〓安春、〓弘武内

〓安、〓春、〓弘武内

〓安弘武内、〓春（草本、刊本ともヨと振り仮名）

〓安武、〓春弘内

〓安武、〓春弘内

↑（7行目）

〓安弘武内、〓春

26423 26424 26425 26426 26427 26428 26429 26430

28-90 (26426)　28-91 (26430)

〓安春弘、〓武内
〓安弘武内、〓春
〓安武内、〓春弘
〓安弘武内、〓春

〓安弘武内、〓春
＊春〓〓の異文。
〓安弘武内、〓春
〓安弘武内、〓春
〓安弘武内、〓春
＊〓安弘武内、〓春
〓安、〓春弘武内
〓安弘武内、〓春
〓安弘、〓春、〓武内
〓安春、〓弘武内
〓安弘武内、〓春

〓安春弘、〓武内
〓安弘武内、〓春
〓安弘、〓春、〓武内
〓安春、〓弘武内
↑（6行目）

〓安武、〓春、〓弘内
〓安武内、〓春弘
〓安武、〓春弘内
〓安、〓春弘武内
〓安弘武内、〓春
↑（8行目）

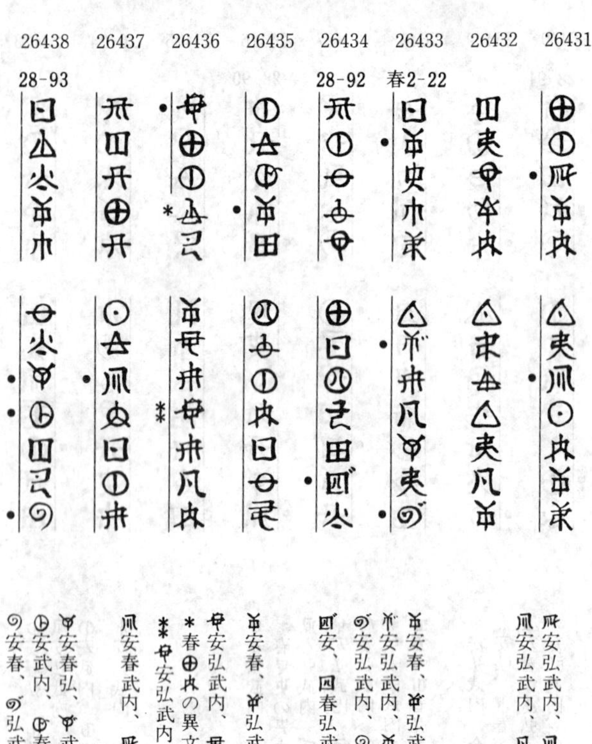

〓安弘武内、〓春
〓安弘武内、〓春

〓安春、〓弘武内
〓安弘武内、〓春
〓安弘武内、〓春

〓安、〓春弘武内

〓安春、〓弘武内

〓安弘武内、〓春
＊春〓〓の異文。
＊＊〓安弘武内、〓春

〓安春武内、〓弘

〓安春弘、〓武内
〓安武内、〓春弘
〓安春、〓弘武内

26439
〓〓〓〓〓
〓〓〓〓〓〓〓

26440
〓〓〓〓〓
〓〓〓〓〓〓〓

26441
〓〓〓〓〓
〓〓〓〓〓〓〓*

28-94
26442
〓〓〓〓〓
春2-22
〓〓〓〓〓〓〓

26443
〓〓〓〓〓
〓〓〓〓〓〓〓

26444
〓〓〓〓〓
〓〓〓〓〓〓〓

26445
〓〓〓〓〓
〓〓〓〓〓〓〓

28-95
26446
〓〓〓〓〓
〓〓〓〓〓〓〓

〓安春、〓弘武内
〓安弘武内、〓春
〓安春武内、〓弘
〓安弘武内、〓春
〓安弘武内、〓春
〓安武内、〓春弘
*〓安弘武内、〓春
〓安、〓弘武、〓内
〓安弘武内、〓春
〓安弘、〓春武内
〓安武内、〓春弘
〓安弘武内、〓春
〓安弘武内、〓春
〓安弘武内、〓春
〓安弘武内、〓春（振り仮名はキとあり、草本、刊本とも同じ）
〓安春内、〓弘武
〓安春、〓弘武内
〓安弘武内、〓春

26447 〓〓〓〓〓 〓〓〓〓〓〓〓

26448 〓〓〓〓〓 〓〓〓〓〓〓〓

26449 〓〓〓〓〓 〓〓〓〓〓〓〓

28-96

26450 〓〓〓〓〓 〓〓〓〓〓〓〓

26451 〓〓〓〓〓 〓〓〓〓〓〓〓

26452 〓〓〓〓〓 〓〓〓〓〓〓〓

26453 〓〓〓〓〓 〓〓〓〓〓〓〓

28-97

26454 〓〓〓〓〓 〓〓〓〓〓〓〓

26447: 〓安、〓春弘武内

26448: 〓安春弘、〓武内 / 〓安春、〓弘武内

26449: 〓安春、〓弘武内

26450: 〓安、〓弘武内 / 〓安、〓弘武内

26452: 〓安、〓弘武内 / 〓安、〓弘武内

26454: 〓安武内、〓弘 / 〓安、〓弘武内

26455

[illegible]安武内、[illegible]弘

26456

[illegible]安武内、[illegible]弘

26457

[illegible]安武内、[illegible]弘

26458

28-98

26459

[illegible]安、[illegible]弘武内

26460

26461

[illegible]安、[illegible]弘武内

26462

28-99

[illegible]安、[illegible]弘武内

26463

26464

安弘、武内

26465

安、弘武内

安武内、弘

26466

28-100

26467

安、弘武内

26468

安弘、武内

26469

安、弘武内

26470

28-101

春2-20

安、春弘武内

春草二-22

26471
〓〓〓〓〓
〓〓〓〓〓〓〓

26472
〓〓〓〓〓
〓〓〓〓〓〓〓

26473
〓〓〓〓〓
〓〓〓〓〓〓〓

28-102

26474
〓〓〓〓〓
〓〓〓〓〓〓〓

26475
〓〓〓〓〓
〓〓〓〓〓〓〓

26476
〓〓〓〓〓
〓〓〓〓〓〓〓

26477
〓〓〓〓〓
〓〓〓〓〓〓〓

28-103

26478
〓〓〓〓〓
〓〓〓〓〓〓〓

〓安、〓春、〓弘武内
〓安弘武内、〓春
〓安弘武内、〓春
〓安春弘、〓武内
〓安春、〓弘武内
〓安弘武内、〓春
〓安弘武内、〓春
〓安春弘、〓武内
〓安弘武内、〓春
〓安武内、〓春弘
〓安、〓春、〓弘武内
〓安弘武内、〓春

26479
〓〓〓〓〓 〓〓〓〓〓〓〓

26480
〓〓〓〓〓 〓〓〓〓〓〓〓

26481
〓〓〓〓〓 〓〓〓〓〓〓〓

28-104

26482
〓〓〓〓〓 〓〓〓〓〓〓〓

26483
〓〓〓〓〓 〓〓〓〓〓〓〓

26484
〓〓〓〓〓 〓〓〓〓〓〓〓

26485
〓〓〓〓〓 〓〓〓〓〓〓〓

28-105

26486
〓〓〓〓〓 〓〓〓〓〓〓〓

〓安弘武内、〓春
〓安春、〓弘武内
〓安弘武内、〓春
〓安春、〓弘武内
〓安弘武内、〓春
〓安春、〓弘武内
〓安春武、〓弘、〓内
〓安弘武内、〓春
〓安春、〓弘武内

〓安弘、〓武内
〓安、〓弘武内

26487

[illegible]

26488

[illegible]

[illegible]安、[illegible]弘武内
[illegible]安弘武、[illegible]内

26489

[illegible]

26490

28-106

[illegible]

26491

[illegible]

[illegible]安、[illegible]弘武内
[illegible]安武内、[illegible]弘

26492

[illegible]

26493

[illegible]

[illegible]安弘、[illegible]武内

26494

28-107

[illegible]

[illegible]安弘、[illegible]武内

26495

26496

26497

26498 28-108

26499

26500

26501

26502 28-109

26495: 安、弘武内

26496: 安、弘武内

26497: 安弘、武内

26498: 安、弘武内；安、弘武内

26501: 安、弘武内

26502: 安、弘武内

26503

〓安武内、〓弘
〓安武内、〓弘

26504

〓〓安武、〓〓弘内
〓安弘、〓武内

26505

〓安弘、〓武内
〓安武内、〓弘
〓〓〓安武、〓〓〓弘内

28-110
26506

〓安弘内、〓武
〓安武内、〓弘

26507

〓安弘、〓武内
〓安武、〓弘内

26508

〓〓〓安弘内、〓〓〓武

26509

〓安、〓弘武内
〓安、〓弘武内

28-111
26510

26511

・[illegible]

[illegible]安武、[illegible]弘内

池田　満（いけだ　みつる）
昭和30年、大阪生まれ。昭和47年松本善之助に師事する。
『古事記』『日本書紀』との比較。系図・年表などの基礎研究に没頭する。
主要著書：『定本ホツマツタヱ ─日本書紀・古事記との対比─』『校註ミカサフミ・フトマニ』『ホツマ辞典 改訂版』『ホツマツタヱを読み解く』『縄文人のこころを旅する』『ホツマ縄文日本のたから』『ホツマで読むヤマトタケ物語』展望社
『The world of Hotsuma Lagends』日本翻訳センター
『よみがえる日本語』の監修、明治書院

―「ヲシテ文献」「池田満」で御検索下さい―

記紀原書ヲシテ 増補版　上巻
平成十六年八月一日　初版第一刷発行
令和三年一月一日　増補版第一刷発行
著　者　池田　満・辻　公則
発行者　日本ヲシテ研究所（ホツマ刊行会）
発売所　株式会社展望社
郵便番号一一二-〇〇〇二
文京区小石川三-一-七　エコービル二〇二
電　話　東京（〇三）三八一四-一九九七
FAX　東京（〇三）三八一四-三〇六三
振替　〇〇一八〇-三-三九六二四八
印刷・製本　株式会社アイブレーン

ISBN4-88546-393-8 C0021 ¥1600E

池田満 編著

手に汗握る奇跡の発見！
ホツマツタヱ発見物語
四六判カバー 四八五頁 本体 三七〇〇円

ホツマツタヱの決定版！記紀との完全対比！
定本（ていほん） ホツマツタヱ
B5判上製函入 七二〇頁 本体 一三〇〇〇円

ミカサフミ・フトマニの決定版！
新訂（しんてい） ミカサフミ・フトマニ
四六判上製カバー 二六二頁 本体 三四〇〇円

系図（A版全紙）・年表を付録！
ホツマ辞典 改定版
B6判上製函入 三一六頁 本体 四八〇〇円

日本人としての生きゆく力の湧き立つ本！
縄文人のこころを旅する
四六判上製カバー 二三一頁 本体 三〇〇〇円

ヲシテ文献の本格総合解説書！
『ホツマツタヱ』を読み解く
四六判上製カバー 三三三頁 本体 三四〇〇円

ヲシテ時代の雰囲気が眼前に！
ホツマ縄文日本のたから
四六判・CD付き 二四五頁 本体 二六〇〇円

高貴さあふれる人間像！記紀の誤訳を正す！
ホツマで読むヤマトタケ物語
四六判・CD付き 二三〇頁 本体 二八〇〇円

新発見『アワウタのアヤ』アマテルカミが解き明かす！
よみがえる縄文時代 イサナギ・イサナミのこころ
四六判上製カバー 二九二頁 本体 三六〇〇円

展望社 刊

〒112-0002
東京都文京区小石川
3丁目1番7号
電話 03-3814-1997

展望社

FAX 03-3814-3063
(価格は税別です)
(書店にご注文下さい)

基本字形	特殊文字	数詞文字	濁音文字 古来からのもの	伝承時代の付加
ア	天地の天・改まった時に使う			
カ		100,000のハカリのカ	助詞・暗い罪ある・	・
ハ	着物や文章・助詞	100,000のハカリのハ	汚れた土地・・	・・
ナ	野菜や菜っ葉	7		
マ		100,000のマスのマ		
イ				
キ			・	・
ヒ	人など・太陽 梭・火	1 一人のヒ	・	・・
ニ				
ミ	フミのミ	3		
ウ	ヲ(陽)のナミ・太初のウ			
ク				
フ	フミ(文)などに使う・フユ(恩恵)のフ	2		
ヌ				
ム		6		
エ				
ケ	ミケ(食物)のケ			
ヘ	スヘラギのヘ			・
ネ				
メ	目のこと・メヲ(陰陽)のメ			
オ	峰や尾根・尾っぽ母音			
コ	豊かに肥えること・オノコロのコ	9	・	
ホ	炎・歳のホ・稲穂のホ	年		
ノ	野っ原のノ			

10,000の位

100,000の位